FILLE DU DESTIN

DU MÊME AUTEUR

LE PLAN INFINI, Fayard, 1994.
LA MAISON AUX ESPRITS, Fayard, 1994.
EVA LUNA, Fayard, 1995.
PAULA, Fayard, 1997.
LES CONTES D'EVA LUNA, LGF, 1998.
D'AMOUR ET D'OMBRE, LGF, 1998.

ISABEL ALLENDE

FILLE DU DESTIN

roman

traduit de l'espagnol
par

CLAUDE DE FRAYSSINET

BERNARD GRASSET
PARIS

L'édition originale de cet ouvrage a été publiée par Plaza & Janés Editores, en Espagne, en 1999, sous le titre :

HIJA DE LA FORTUNA

PREMIÈRE PARTIE

1843-1848

Valparaiso

Tout le monde vient au monde avec un talent particulier, et Eliza Sommers découvrit très tôt qu'elle en possédait deux : un bon odorat et une bonne mémoire. Le premier lui permit de gagner sa vie et le second de s'en souvenir, si ce n'est avec précision, du moins avec une poétique imprécision d'astrologue. L'événement que l'on oublie semble n'être jamais arrivé, mais ses souvenirs réels ou supposés étaient si nombreux qu'elle eut l'impression de vivre deux fois. Elle avait coutume de dire à son fidèle ami, le sage Tao Chi'en, que sa mémoire était comme le ventre du navire dans lequel ils s'étaient connus, vaste et sombre, remplie de caisses, de barils et de sacs où s'accumulaient les événements de toute son existence. En état de veille, il n'était pas aisé de trouver quelque chose dans ce très grand désordre, mais elle pouvait toujours y parvenir endormie, comme le lui avait enseigné Mama Fresia au cours des douces nuits de son enfance, quand les contours de la réalité n'étaient qu'un mince trait d'encre pâle. Elle entrait dans l'espace des rêves par un chemin maintes fois parcouru, et en revenait avec d'infinies précautions pour ne pas détruire ses fragiles visions à la rude lumière de la conscience. Elle y mettait toute sa confiance, comme d'autres la mettent dans les chiffres, et approfondit si bien l'art du souvenir qu'elle pouvait voir Miss Rose penchée sur la caisse de savons de Marseille, qui avait été son premier berceau.

— C'est impossible que tu te souviennes de cela, Eliza. Les nouveau-nés sont comme les chats, ils n'ont ni sentiments ni mémoire, soutenait Miss Rose lors des rares occasions où elles évoquèrent le sujet.

Cependant, cette femme qui la regardait d'en haut, avec sa robe couleur topaze et les mèches échappées de son chignon et agitées par le vent, était gravée dans la mémoire d'Eliza, et jamais elle ne put accepter l'autre explication concernant ses origines.

— Tu as du sang anglais, comme nous, lui assura Miss Rose quand elle fut en âge de comprendre. Seul un membre de la colonie britannique aurait eu l'idée de te déposer dans un panier, devant la porte de la *Compagnie Britannique d'Import-Export.* Il devait sans doute connaître le bon cœur de mon frère Jeremy, et il savait que ce dernier te recueillerait. A cette époque, j'étais obsédée par l'idée d'avoir un enfant, et tu es tombée dans mes bras envoyée par le Seigneur, afin d'être éduquée selon les stricts principes de la foi protestante et de la langue anglaise.

— Anglaise, toi ? Ne te fais pas d'illusions, ma petite, tu as des cheveux d'Indienne, comme moi, réfutait Mama Fresia dans le dos de sa maîtresse.

La naissance d'Eliza était un sujet tabou dans cette maison, et la fillette s'habitua au mystère. Elle n'évoquait pas ce délicat sujet, pas plus que d'autres, devant Rose et Jeremy Sommers ; elle en discutait à voix basse dans la cuisine avec Mama Fresia, laquelle maintint invariablement sa description de la caisse de savons, tandis que la version de Miss Rose s'embellit au fil des ans, jusqu'à devenir un conte de fées. Selon cette dernière, le panier trouvé devant les bureaux était fabriqué avec le roseau le plus fin et doublé de batiste, sa chemise était brodée au point d'abeille et les draps ajourés avec de la dentelle de Bruxelles ; de plus, elle était enveloppée dans une petite couverture en peau de vison, extravagance inconnue au Chili. Avec les années, vinrent s'ajouter six pièces d'or dans un mouchoir en soie, et une note rédigée en anglais expliquant que l'enfant, bien qu'illégitime, était d'excellente famille, mais Eliza ne vit jamais rien de tout cela. Le vison, les pièces de monnaie et la note disparurent fort à propos et, de sa naissance, il ne resta aucune trace. L'explication de Mama Fresia était, malgré tout, plus proche de ses souvenirs : en ouvrant la porte de la maison un matin, à la fin de l'été, on avait trouvé un nouveau-né de sexe féminin nu dans une caisse.

— Petite couverture de vison et pièces d'or? rien de tout ça. J'étais là, moi, et je m'en souviens très bien. Tu tremblais dans un chandail d'homme, tu n'avais même pas de lange, et tu étais toute sale. Tu étais un bébé rouge comme une langouste cuite, avec quelques poils de maïs sur le crâne. Voilà comment tu étais. Ne te fais pas d'illusions, tu n'es pas née pour devenir princesse, et si tu avais eu les cheveux aussi noirs que tu les as maintenant, les patrons auraient jeté la caisse dans la poubelle, soutenait la femme.

Tout le monde était au moins d'accord pour dire que la fillette avait fait son entrée dans leur existence le 15 mars 1832, un an et demi après l'arrivée des Sommers au Chili, et c'était pour cela que l'on avait fixé son anniversaire à cette date. Le reste ne fut qu'une suite de contradictions, et Eliza finit par en conclure qu'il était inutile de gaspiller de l'énergie à tourner tout ça dans sa tête, car quelle que fût la vérité, on n'y pouvait rien. Ce qui est important, c'est ce que l'on fait ici-bas, non comment on y parvient, avait-elle pris l'habitude de répéter à Tao Chi'en au cours des longues années de leur splendide amitié, mais lui n'était pas d'accord. Il lui était impossible d'imaginer sa propre existence séparée de la longue chaîne de ses ancêtres, qui avaient non seulement contribué à lui donner leurs caractéristiques physiques et mentales, mais qui lui avaient également légué leur karma. Sa destinée, croyait-il, était déterminée par les faits et gestes des divers membres de sa famille qui l'avaient précédé, raison pour laquelle il fallait les honorer avec des prières quotidiennes, et les craindre lorsqu'ils apparaissaient dans leurs habits spectraux pour réclamer leurs droits. Tao Chi'en pouvait réciter le nom de tous ses ancêtres, jusqu'aux plus lointains et vénérables, morts plus d'un siècle auparavant. Sa plus grande préoccupation, lors de la ruée vers l'or, était de pouvoir retourner dans son village, en Chine, pour y mourir et y être enterré auprès des siens ; sans cela son âme errerait pour l'éternité à la dérive en terre étrangère. Eliza penchait naturellement pour l'histoire du joli panier – toute personne saine d'esprit refuse l'idée d'apparaître dans une caisse de savons ordinaires –, mais pour faire honneur à la vérité, elle ne pouvait pas l'admettre. Son odorat de chien de chasse se souvenait parfaitement de la première odeur de son existence, qui ne fut pas celle des draps de batiste propres, mais une odeur de laine, de transpiration, d'homme et de tabac. La deuxième fut une puanteur de chèvre des montagnes.

Eliza grandit en regardant le Pacifique depuis le balcon de la résidence de ses parents adoptifs. Plantée sur les flancs d'une colline du port de Valparaiso, la maison avait la prétention d'imiter le style en vogue alors à Londres, mais vu les exigences du terrain, le climat et le style de vie mené au Chili, on avait été obligé d'y apporter des modifications importantes, et le résultat était on ne peut plus extravagant. Au fond de la cour avaient peu à peu surgi, telles des tumeurs organiques, plusieurs pièces sans fenêtre, fermées par des portes de cachot, dans lesquelles Jeremy Sommers remisait les cargaisons les plus précieuses de la Compagnie qui, dans les entrepôts du port, disparaissaient.

— Nous vivons dans un pays de voleurs, nulle part ailleurs la Société ne dépense autant d'argent pour assurer la marchandise. On vole tout, et ce que l'on arrive à sauver des souris est inondé en hiver, brûlé en été ou détruit par un tremblement de terre, répétait-il chaque fois que les mules apportaient de nouvelles caisses, qui étaient déposées dans la cour de sa maison.

A force de rester assise devant sa fenêtre face à la mer, pour compter les bateaux et les baleines à l'horizon, Eliza finit par se convaincre qu'elle était la fille d'un naufrage et non d'une mère dénaturée, capable de l'abandonner nue dans l'incertitude d'un jour de mars. Elle écrivit dans son Journal qu'un pêcheur l'avait trouvée sur la plage parmi les restes d'un bateau éventré et, après l'avoir enveloppée dans son chandail, l'avait déposée devant la plus grosse maison du quartier des Anglais. Les années passant, elle finit par se dire que cette histoire n'était pas mal du tout : il y a de la poésie et du mystère dans ce que la mer rejette. Si l'océan se retirait, le sable serait un vaste désert humide semé de sirènes et de poissons agonisants, disait John Sommers, frère de Jeremy et de Rose, lequel avait navigué sur toutes les mers du globe et décrivait de façon très vivante comment l'eau s'éloignait dans un silence de mort, pour revenir en une seule vague énorme, emportant tout sur son passage. Horrible, affirmait-il, mais du moins cela laissait-il le temps de fuir vers les collines ; en revanche, quand la terre se mettait à trembler, les cloches des églises retentissaient pour annoncer la catastrophe alors que tout le monde fuyait d'entre les décombres.

A l'époque où l'enfant fit son apparition, Jeremy Sommers avait trente ans et il commençait à se forger un brillant avenir dans la *Compagnie Britannique d'Import-Export*. Dans les cercles commerciaux et bancaires, il jouissait d'une réputation de personne honnête : sa parole et une poignée de main faisaient office de contrat signé, cela était indispensable pour toute transaction, car les lettres de crédit mettaient des mois à traverser les océans. Pour lui, qui ne possédait pas de fortune, son nom était plus important que sa vie. Il avait atteint, à force de sacrifices, une position stable dans le lointain port de Valparaiso, et la dernière chose qu'il souhaitait dans son existence organisée, c'était un nouveau-né qui viendrait perturber sa routine. Mais quand Eliza fit irruption dans la maison, il fut bien obligé de l'accueillir car, en voyant sa sœur Rose accrochée à la petite comme une mère, sa volonté chancela.

Rose avait alors juste vingt ans, mais c'était déjà une femme avec un passé, et ses chances de faire un bon mariage étaient à vrai dire minimes. D'autre part, elle avait fait ses comptes et décidé que le mariage était, même dans le meilleur des cas, une très mauvaise affaire pour elle ; auprès de son frère Jeremy, elle jouissait d'une indépendance qu'elle n'aurait jamais avec un mari. Elle avait organisé sa vie et le stigmate de la vieille fille ne lui faisait pas peur ; au contraire, elle était bien décidée à susciter la jalousie des épouses, malgré la théorie en vogue selon laquelle les femmes qui s'écartent de leur rôle de mère et d'épouse se voient pousser des moustaches, comme les suffragettes. Ce qui leur manquait, c'étaient des enfants, et là résidait le seul problème dont l'exercice discipliné de l'imagination ne pourrait triompher. Parfois elle rêvait aux murs de sa chambre couverts de sang, sang répandu sur le tapis, sang qui giclait jusqu'au plafond, et elle au milieu, nue et échevelée comme une folle de la lune, mettant au monde une salamandre. Elle se réveillait en criant et passait le reste de la journée les yeux exorbités, sans pouvoir se débarrasser de son cauchemar. Jeremy l'observait, préoccupé par l'état de ses nerfs, et se sentait coupable de l'avoir entraînée si loin de l'Angleterre ; il éprouvait cependant une certaine satisfaction égoïste en pensant à l'arrangement conclu entre eux. Comme l'idée du mariage ne lui avait jamais traversé le cœur, la présence de Rose servait à régler les problèmes domestiques et sociaux, deux aspects importants de sa carrière. Sa sœur était un complément à sa nature introvertie et solitaire, raison pour laquelle il supportait sans animosité ses sautes d'humeur et ses dépenses inutiles. Quand Eliza apparut et que Rose insista pour la garder, Jeremy n'osa pas s'y opposer ou exprimer des doutes mesquins, il perdit avec galanterie toutes les batailles pour maintenir le bébé à distance, à commencer par la première, lorsqu'il fut question de lui donner un nom.

— Elle s'appellera Eliza, comme notre mère, et portera notre nom de famille, décida Rose juste après l'avoir nourrie, baignée et enveloppée dans sa propre mantille.

— En aucune façon, Rose ! Que vont dire les gens ?

— Je m'en charge. Les gens diront que tu es un saint d'avoir recueilli cette pauvre orpheline, Jeremy. Il n'est de pire sort que d'être sans famille. Qu'en serait-il de moi sans un frère comme toi ? répliqua-t-elle, consciente de la frayeur que ressentait son frère devant le moindre assaut de sentimentalisme.

Il fut impossible d'éviter les ragots, et Jeremy Sommers dut s'y résoudre, de même qu'il accepta que la fillette reçoive le nom de sa mère, dorme les premières années dans la chambre de sa sœur et s'impose bruyamment dans la maison. Rose propagea l'histoire invraisemblable du luxueux panier déposé par des mains anonymes devant les bureaux de la *Compagnie Britannique d'Import-Export,* et personne n'y crut, mais comme on ne put l'accuser d'un faux pas, parce que tous les dimanches, sans exception, elle chantait durant le service anglican et que sa fine taille était un défi aux lois de l'anatomie, on en conclut que le bébé était le fruit d'une relation entre son frère et quelque prostituée, raison pour laquelle elle était élevée comme une fille de la famille. Jeremy ne se donna même pas la peine de démentir les rumeurs malveillantes. L'irrationalité des enfants le déconcertait, mais Eliza s'arrangea pour faire sa conquête. Sans vouloir l'admettre, il aimait la voir jouer à ses pieds, le soir, lorsqu'il s'installait dans son fauteuil pour lire le journal. Il n'existait aucune démonstration d'affection entre eux, il se raidissait avant même de serrer la main de quelqu'un ; l'idée d'un contact plus intime le paniquait.

Quand le nouveau-né surgit dans la maison des Sommers, le 15 mars, Mama Fresia, qui faisait office de cuisinière et de gouvernante, fut de l'avis qu'ils devaient s'en débarrasser.

— Si sa propre mère l'a abandonnée, c'est parce qu'elle est maudite et le mieux est de ne pas la toucher, dit-elle, mais rien ne put infléchir la détermination de sa maîtresse.

A peine Miss Rose l'eut-elle pris dans ses bras que l'enfant se mit à pleurer à pleins poumons, faisant trembler les murs de la maison et martyrisant les nerfs de ses occupants. Ne parvenant pas à la faire taire, Miss Rose improvisa un berceau dans un tiroir de sa commode et l'enveloppa dans des couvertures, puis elle partit en courant chercher une nourrice. Elle revint bientôt, accompagnée d'une femme trouvée sur le marché, mais elle n'avait pas eu l'idée de l'examiner de près, il lui avait suffi de voir ses gros seins éclatant sous sa blouse pour l'engager sur-le-champ. C'est une femme de la campagne un peu attardée qui entra dans la maison avec son bébé, un pauvre enfant aussi dégoûtant qu'elle. Il fallut le laver longuement dans l'eau tiède pour le débarrasser de la saleté qui avait adhéré à son derrière, et baigner la femme dans une bassine avec de l'eau de Javel pour faire fuir les poux. Les deux enfants, Eliza et celui de la nourrice, avaient une colique bilieuse face à laquelle le médecin de la famille et l'apothicaire allemand affichèrent leur incompétence. Touchée par les pleurs des enfants, dont la faim n'était pas seule responsable, mais aussi la douleur et la tristesse, Miss Rose se mit à pleurer à son tour. Finalement, au troisième jour, à contrecœur, Mama Fresia mit son grain de sel.

— Vous ne voyez pas que cette femme a les mamelles pourries ? Achetez une chèvre pour nourrir la petite et donnez-lui de la tisane de cannelle, parce que sinon elle va mourir avant vendredi, grogna-t-elle.

A cette époque, Miss Rose maîtrisait encore mal l'espagnol, mais elle comprit le mot chèvre et elle envoya aussitôt le cocher en acheter une, puis mit la nourrice à la porte. Quand l'animal se trouva dans la maison, l'Indienne installa Eliza directement sous ses pis gonflés, devant le regard horrifié de Miss Rose qui n'avait jamais vu de spectacle aussi affreux. Grâce au lait tiède et aux infusions de cannelle, la situation prit rapidement un autre tour ; l'enfant cessa de pleurer, dormit sept heures d'affilée et se réveilla en suçant l'air avec frénésie. Quelques jours plus tard, elle avait cette expression placide des bébés bien-portants, et grossissait à vue d'œil. Miss Rose acheta un biberon lorsqu'elle comprit que, si la chèvre bêlait dans la cour, Eliza commençait à renifler en cherchant le mamelon. Elle refusa de voir grandir la petite avec l'idée inconcevable que cet animal pût être sa mère. Ces coliques furent un des rares ennuis de santé qu'eut à supporter Eliza durant son enfance, les autres furent circonscrits dès les premiers symptômes grâce aux herbes et aux invocations de Mama Fresia, même la féroce épidémie de rougeole africaine apportée par un marin grec à Valparaiso. Mama Fresia plaça pendant la nuit un morceau de viande crue sur le nombril d'Eliza, et l'attacha fortement avec un linge de laine rouge, secret ancestral pour prévenir la contagion.

Les années passant, Miss Rose fit d'Eliza son jouet. Elle passait des heures à lui apprendre à chanter et à danser, lui récitait des vers que la fillette retenait sans effort, nattait ses cheveux et l'habillait avec soin, mais dès que surgissait une autre distraction, ou qu'elle avait mal à la tête, elle l'envoyait dans la cuisine auprès de Mama Fresia. La fillette grandit entre la petite salle de couture et les cours intérieures, parlant anglais dans une partie de la maison et un mélange d'espagnol et de *mapuche* – le parler indigène de sa gouvernante – dans l'autre, habillée et chaussée comme une princesse certains jours, et d'autres, jouant avec les poules et les chiens, pieds nus et couverte d'un simple tablier d'orpheline. Miss Rose la présentait aux invités lors de ses soirées musicales, l'emmenait en voiture pour aller boire un chocolat dans la meilleure pâtisserie, faire des courses ou visiter les bateaux sur le quai, mais elle pouvait aussi bien passer plusieurs jours à écrire dans ses mystérieux cahiers ou à lire un roman, sans aucunement penser à sa protégée. Quand elle y repensait, elle s'en voulait et courait à sa rencontre, la couvrait de baisers, la gavait de friandises et lui passait ses habits de poupée pour l'emmener en promenade. Elle s'employa à lui donner la meilleure éducation possible, sans oublier les belles manières propres à une demoiselle. A l'issue d'une crise d'humeur d'Eliza à propos de ses exercices de piano, elle la prit par le bras et, sans attendre le cocher, l'entraîna douze rues plus bas, jusqu'à un couvent. Sur un mur de pisé, au-dessus d'une lourde porte en chêne barrée de ferrures, on pouvait lire, avec des lettres à moitié effacées par le vent salin : HOSPICE DES ENFANTS TROUVÉS.

— Tu devrais nous remercier, mon frère et moi, de nous être occupés de toi. Ici viennent finir les bâtards et les enfants abandonnés. C'est cela que tu veux ?

Muette, l'enfant nia avec la tête.

— Alors il vaut mieux que tu apprennes à jouer du piano comme une fille de bonne famille. Tu m'as comprise ?

Eliza apprit à jouer sans talent ni noblesse, mais à force de discipline elle parvint, à l'âge de douze ans, à accompagner Miss Rose lors des soirées musicales. Elle conserva toujours son adresse, malgré les longues périodes sans pratique et, plusieurs années plus tard, cela lui permit de gagner sa vie dans un bordel ambulant, éventualité qui n'était jamais venue à l'esprit de Miss Rose quand celle-ci s'évertuait à lui apprendre l'art sublime de la musique.

Bien des années plus tard, au cours d'une de ces paisibles soirées où, buvant un thé de Chine, elle conversait avec son ami Tao Chi'en dans le jardin délicat qu'ils cultivaient ensemble, Eliza en conclut que cette Anglaise hiératique avait été une très bonne mère, et elle lui était reconnaissante pour les grands espaces de liberté intérieure que cette dernière lui avait donnés. Mama Fresia avait été le deuxième pilier de son enfance. Elle s'accrochait à ses amples jupes noires, l'accompagnait dans ses besognes et, en passant, la rendait folle avec ses questions. C'est ainsi qu'elle apprit des légendes et des mythes indigènes, à déchiffrer les signes laissés par les animaux et par la mer, à reconnaître les habitudes des revenants et les messages des rêves, et aussi à cuisiner. Avec son odorat infaillible, elle était capable d'identifier des ingrédients, des herbes et des épices les yeux fermés et, de même qu'elle mémorisait des poésies, elle se rappelait comment les utiliser. Très vite, les plats typiques et compliqués de Mama Fresia, et la délicate pâtisserie de Miss Rose, n'eurent plus aucun secret pour elle. Elle possédait une rare vocation culinaire. A sept ans, elle pouvait sans répugnance tirer la peau d'une langue de bœuf ou vider une poule, préparer la pâte pour vingt *empanadas* sans la moindre fatigue et passer ses heures perdues à égrener des haricots noirs, tout en écoutant bouche bée les cruelles légendes indigènes de Mama Fresia, et ses versions colorées sur la vie des saints.

Rose et son frère John avaient été inséparables dans leur enfance. Elle passait ses hivers à tricoter des chandails et des chaussettes pour le capitaine, et de son côté, il s'évertuait à lui rapporter, de chacun de ses voyages, des valises pleines de cadeaux et de lourdes caisses de livres, dont beaucoup allaient finir sous clé dans l'armoire de Rose. Jeremy, en tant que maître de maison et chef de famille, se sentait tenu d'ouvrir le courrier de sa sœur, de lire son journal privé et d'exiger une copie de ses clés de meuble, mais jamais il ne ressentit le désir de le faire. Jeremy et Rose avaient une relation domestique basée sur le sérieux. Ils avaient peu de chose en commun, excepté la mutuelle dépendance qui, par moments, leur apparaissait comme une forme secrète de haine. Jeremy subvenait aux besoins de Rose, mais il ne finançait pas ses caprices et ne demandait pas d'où elle tirait l'argent pour ses petits plaisirs ; il se doutait qu'il venait de John. En échange, elle s'occupait de la maison avec efficacité et style, en ayant toujours des comptes clairs, mais ne le dérangeant pas avec des détails inutiles. Elle possédait un goût très affirmé et une grâce naturelle, elle mettait de l'éclat dans leur vie, et par sa présence, elle allait à l'encontre de la croyance, très répandue dans ces contrées, selon laquelle un homme sans famille est un scélérat en puissance.

— La nature de l'homme est sauvage ; le destin de la femme est de préserver les valeurs morales et la bonne conduite, soutenait Jeremy Sommers.

— Ah, petit frère ! Nous savons toi et moi que ma nature est plus sauvage que la tienne, se moquait Rose.

Jacob Todd, un rouquin charismatique, possédant la plus belle voix de prédicateur que l'on entendît jamais dans ces régions, débarqua à Valparaiso en 1843, avec un chargement de trois cents exemplaires de la Bible en espagnol. Personne ne s'étonna en le voyant arriver : c'était l'un de ces nombreux missionnaires qui allaient d'un endroit à l'autre pour prêcher la foi protestante. Dans son cas, cependant, le voyage était le fruit de sa curiosité d'aventurier et non de sa ferveur religieuse. Lors d'une fanfaronnade de bon vivant, avec force bière dans le ventre, il avait parié sur une table de jeu, dans son club londonien, qu'il pouvait vendre des bibles dans n'importe quel endroit de la planète. Ses amis lui avaient bandé les yeux, avaient fait tourner un globe terrestre et son doigt était tombé sur une colonie du Royaume d'Espagne, perdue dans la partie inférieure du monde, où aucun de ses joyeux compagnons ne soupçonnait qu'il y eût de la vie. Il découvrit très vite que sa carte était vieille. La colonie était devenue indépendante trente ans auparavant, c'était l'orgueilleuse République du Chili, un pays catholique où les idées protestantes n'avaient pas leur entrée, mais le pari avait été lancé et il ne pouvait plus faire machine arrière. Il était célibataire, sans liens affectifs ou professionnels, et l'extravagance d'un tel voyage l'attira immédiatement. Considérant les trois mois pour l'aller et les trois autres mois pour le retour à naviguer sur deux océans, le projet était de longue haleine. Salué par ses amis qui lui prédisaient une fin tragique aux mains des papistes de ce pays inconnu et barbare, et grâce au soutien financier de la *Société Biblique Britannique et Etrangère*, qui avait mis les livres à sa disposition et offert le billet, il commença une longue traversée en bateau vers le port de Valparaiso. Le pari était de vendre les bibles et revenir un an plus tard avec un reçu pour chacune d'elles. Dans les Archives de la Bibliothèque il lut la correspondance d'hommes illustres, de marins et de commerçants qui avaient séjourné au Chili et qui décrivaient un pays métissé d'un peu plus d'un million d'âmes, et une curieuse géographie avec des montagnes impressionnantes, des côtes abruptes, des vallées fertiles, des forêts anciennes et des glaces éternelles. Ce pays avait la réputation d'être le plus intolérant en matière religieuse de tout le continent américain, au dire de ceux qui l'avaient visité. Malgré tout, de vertueux missionnaires avaient essayé de propager la religion protestante, et sans parler un mot d'espagnol ou d'une quelconque langue indigène, ils étaient parvenus jusqu'au sud, où la terre ferme s'égrenait en un rosaire d'îles. Beaucoup moururent de faim, de froid ou, soupçonnait-on, dévorés par leurs propres fidèles. Dans les villes, leur sort ne fut guère plus heureux. Le sens de l'hospitalité, sacré pour les Chiliens, l'emporta sur l'intolérance religieuse ; par courtoisie, on les autorisait à faire leurs prêches, mais on les écoutait d'une oreille distraite. Si les gens assistaient aux prédications des quelques rares pasteurs protestants, c'était avec l'attitude de qui va au spectacle, amusé par le fait étrange de se trouver en face d'un hérétique. Rien de tout cela ne réussit à décourager Jacob Todd, car il n'y allait pas comme missionnaire, mais comme vendeur de bibles.

Dans les Archives de la Bibliothèque, il apprit que, depuis son indépendance en 1810, le Chili avait ouvert ses portes aux émigrants, qui étaient arrivés par centaines, et qui s'étaient installés sur le long et étroit territoire baigné de haut en bas par l'océan Pacifique. Les Anglais avaient rapidement fait fortune comme armateurs et commerçants ; beaucoup étaient venus avec leur famille et s'y étaient fixés. Ils avaient formé une petite nation à l'intérieur du pays, avec leurs coutumes, leurs cultes, leurs journaux, leurs clubs, leurs écoles et leurs hôpitaux, mais ils l'avaient fait avec de si belles manières que, loin de provoquer des critiques, ils étaient pour tous l'exemple même de la civilité. Ils avaient fixé leurs escouades à Valparaiso pour contrôler le trafic maritime du Pacifique et c'est de cette façon que, d'un pauvre village sans avenir au début de la République, Valparaiso était devenu, en moins de vingt ans, un port important, où mouillaient les voiliers venus de l'Atlantique à travers le cap Horn et, plus tard, les bateaux à vapeur qui passaient par le détroit de Magellan.

Ce fut une surprise pour le voyageur fatigué de voir Valparaiso surgir devant ses yeux. Il y avait plus d'une centaine de navires arborant des drapeaux de la moitié du monde. Les montagnes aux cimes enneigées paraissaient si proches qu'elles donnaient l'impression de surgir directement d'une mer d'encre, d'où émanait un parfum impossible de sirènes. Jacob Todd ne soupçonna jamais que, sous cette apparence de paix profonde, il y avait une ville complète de voiliers espagnols coulés, et des squelettes de patriotes, avec une grosse pierre attachée aux chevilles, jetés par les soldats du Capitaine Général. Le bateau jeta l'ancre dans la baie, parmi des milliers de mouettes qui traversaient le ciel de leurs terribles ailes et de leurs cris gourmands. D'innombrables bateaux de pêche luttaient contre les vagues, certains avec un chargement de congres et de bars énormes encore vivants, qui se débattaient désespérément dans l'air. Valparaiso était, lui dit-on, le noyau commercial du Pacifique ; dans ses entrepôts étaient emmagasinés métaux, laine de mouton et d'alpaga, céréales et cuirs destinés au marché mondial. Plusieurs canots transportèrent passagers et chargements du voilier jusqu'à la terre ferme. En descendant sur le quai, au milieu des marins, des arrimeurs, des passagers, des ânes et des charrettes, il se retrouva dans une ville encaissée au centre d'un amphithéâtre de collines pentues, aussi peuplée et sale que bien des villes dans nombre de pays européens. Elle lui apparut comme un fouillis architectural de maisons de pisé et de bois élevées dans des rues étroites, que le moindre incendie pouvait réduire en cendres en l'espace de quelques heures. Une carriole tirée par deux chevaux fatigués le conduisit, avec son équipage de valises et de caisses, jusqu'à l'Hôtel Anglais. En passant, il vit des édifices bien bâtis autour d'une place, des églises plutôt délabrées et des résidences à un étage entourées de vastes jardins et de vergers. Il calcula une centaine de pâtés de maisons, mais il apprit très vite que la ville recelait un dédale de ruelles et de passages. Il aperçut au loin un quartier de pêcheurs, avec des cabanes exposées au vent marin et des filets qui pendaient comme d'immenses toiles d'araignée, et, au-delà, des champs fertiles plantés de légumes et d'arbres fruitiers. On voyait circuler des voitures aussi modernes qu'à Londres, victorias, fiacres et calèches, et aussi des troupeaux de mules escortés par des enfants en guenilles, et des charrettes tirées par des bœufs dans le centre même de la ville. Au coin des rues, moines et nonnes mendiaient pour les pauvres parmi des nuées de chiens errants et de poules courant dans tous les sens. Il remarqua des femmes chargées de sacs et de paniers, avec leurs enfants à la traîne, les pieds nus et des châles noirs sur la tête, et beaucoup d'hommes à chapeau conique assis sur le seuil des maisons ou discutant en groupes, toujours oisifs.

Une heure après être descendu de bateau, Jacob Todd se trouvait assis dans l'élégant salon de l'Hôtel Anglais, fumant des cigares noirs importés du Caire et feuilletant une revue britannique assez ancienne. Il poussa un soupir de soulagement : à première vue, il n'aurait aucun problème d'adaptation, et en administrant bien ses revenus, il pourrait vivre dans cette ville presque aussi commodément qu'à Londres. Il attendait que l'on s'occupe de lui – apparemment personne n'était pressé sous ces latitudes – lorsque John Sommers, le capitaine du voilier sur lequel il avait voyagé, s'approcha. C'était un homme à forte carrure, cheveux noirs et peau brûlée comme du cuir de chaussure, qui faisait étalage de son état de bon buveur, de coureur de jupons et d'infatigable joueur de cartes et de dominos. Ils s'étaient liés d'amitié et le jeu les avait occupés durant les interminables nuits de navigation en haute mer, et tout au long des journées tumultueuses et glacées aux abords du cap Horn, au sud du monde. John Sommers était accompagné d'un homme pâle, à la barbe bien taillée et habillé de noir de la tête aux pieds, qu'il présenta comme son frère Jeremy. Il était difficile de trouver deux types humains aussi différents. John était l'image même de la santé et de la force, franc, bruyant et aimable, tandis que l'autre avait l'air d'un spectre attrapé dans un hiver éternel. Il était de ces hommes qui ne sont jamais tout à fait présents et dont on a du mal à se souvenir, parce qu'il leur manque des contours précis, conclut Jacob Todd. Sans attendre une invitation, les deux hommes prirent place autour de sa table avec la familiarité qu'ont les compatriotes en terre étrangère. Une serveuse finit par apparaître et le capitaine John Sommers commanda une bouteille de whisky, tandis que son frère demandait du thé dans le jargon inventé par les Britanniques pour se faire comprendre du personnel.

— Comment vont les choses chez nous ? s'enquit Jeremy. Il parlait à voix basse, presque en un murmure, remuant à peine les lèvres et avec un accent légèrement affecté.

— Depuis trois cents ans il ne se passe rien en Angleterre, dit le capitaine.

— Excusez ma curiosité, Mr. Todd, mais je vous ai vu entrer dans l'hôtel et j'ai remarqué votre équipage. Il me semble avoir aperçu plusieurs caisses marquées du mot Bible... Je me trompe ? demanda Jeremy Sommers.

— Il s'agit effectivement de bibles.

— Personne ne nous a avertis de l'arrivée d'un nouveau pasteur...

— Nous avons navigué pendant trois mois côte à côte et à aucun moment je n'ai soupçonné que vous étiez pasteur, Mr. Todd ! s'exclama le capitaine.

— En réalité, je ne le suis pas, répliqua Jacob Todd, dissimulant une rougeur subite derrière une bouffée de son cigare.

— Missionnaire alors. Vous pensez aller en Terre de Feu, je suppose. Les Indiens de Patagonie sont prêts pour l'évangélisation. Il faut oublier les Araucans, les catholiques s'en sont déjà occupés, argumenta Jeremy Sommers.

— Il ne doit rester qu'une poignée d'Araucans. Ces gens ont la manie de se laisser massacrer, nota son frère.

— C'étaient les Indiens les plus sauvages d'Amérique, Mr. Todd. La plupart sont morts en se battant contre les Espagnols. C'étaient des cannibales.

— Ils coupaient des morceaux de chair sur des prisonniers vivants : ils préféraient un repas frais, ajouta le capitaine. Vous et moi ferions la même chose si on tuait votre famille, incendiait votre village et volait votre terre.

— Parfait, John, maintenant tu défends le cannibalisme ! répliqua son frère, d'un air dégoûté. En tout cas, Mr. Todd, je tiens à vous avertir : il ne faut pas vous mesurer aux catholiques. Nous ne devons pas provoquer les natifs. Ces gens sont très superstitieux.

— Les croyances des autres sont des superstitions, Mr. Todd. Les nôtres s'appellent religions. Les Indiens de la Terre de Feu, les Patagons, sont très différents des Araucans.

— Tout aussi sauvages. Ils vivent nus dans un climat horrible, dit Jeremy.

— Amenez-leur votre religion, Mr. Todd, pour voir s'ils apprennent à utiliser des caleçons, dit le capitaine.

Todd n'avait pas entendu parler de ces Indiens, et la dernière chose qu'il souhaitait c'était de prêcher quand il ne croyait pas lui-même, mais il n'osa pas leur confesser que son voyage était le fruit d'un pari entre ivrognes. Il répondit vaguement qu'il pensait monter une expédition missionnaire, mais il devait encore étudier le moyen de la financer.

— Si j'avais su que vous veniez prêcher en faveur d'un dieu tyrannique auprès de ces braves gens, je vous aurais jeté pardessus bord au milieu de l'Atlantique, Mr. Todd.

La serveuse les interrompit en apportant le whisky et le thé.

C'était une adolescente toute fraîche, engoncée dans une robe noire avec coiffe et tablier amidonnés. En se penchant avec son plateau, elle laissa dans l'air un parfum persistant de fleurs écrasées et de fer à repasser au charbon. Jacob Todd n'avait pas vu de femme ces dernières semaines et il resta à la regarder avec une moue de solitude. John Sommers attendit que la jeune fille s'éloignât.

— Faites attention, l'ami, les Chiliennes sont des femmes fatales, fit-il.

— Elles ne me font pas cette impression. Elles sont petites, larges de hanches et parlent d'une voix désagréable, dit Jeremy en redressant sa tasse de thé.

— Les marins désertent les navires pour elles ! s'exclama le capitaine.

— J'admets que je ne suis pas une autorité en matière de femmes. Je n'ai pas de temps pour ça. Je dois m'occuper de mes affaires et de notre sœur, tu l'as oublié ?

— Aucunement, tu ne manques jamais de me le rappeler. Vous voyez, Mr. Todd, je suis la brebis galeuse de la famille, une tête brûlée. S'il n'y avait le bon Jeremy...

— Cette jeune fille a un type espagnol, l'interrompit Jacob Todd en suivant la serveuse des yeux, laquelle s'était arrêtée à une autre table. J'ai vécu deux mois à Madrid et j'en ai vu beaucoup comme elle.

— Ici tout le monde est métis, même dans les classes élevées. Ils ne l'admettent pas, bien sûr. On cache le sang indigène comme une plaie. Je ne leur en veux pas, les Indiens ont la réputation d'être sales, portés sur la boisson et paresseux. Le gouvernement essaie d'améliorer la race en faisant venir des immigrants européens. Dans le Sud, on offre des terres aux colons.

— Leur sport favori est de tuer les Indiens afin de s'approprier leurs terres.

— Tu exagères, John.

— Il n'est pas toujours nécessaire de les éliminer avec des

balles, il suffit de les pousser à la boisson. Mais les tuer est beaucoup plus amusant, bien entendu. De toute façon, les Britanniques ne participent pas à ce passe-temps, Mr. Todd. La terre ne nous intéresse pas. Pourquoi planter des pommes de terre si nous pouvons faire fortune sans retirer nos gants ?

— Ici, les opportunités ne manquent pas pour un homme entreprenant. Dans ce pays, tout est à faire. Si vous voulez prospérer, allez dans le Nord. Il y a de l'argent, du cuivre, du salpêtre, le *guano*...

— *Guano ?*

— De la merde d'oiseau, précisa le marin.

— Je n'entends rien à tout cela, Mr. Sommers.

— Faire fortune n'intéresse pas Mr. Todd, Jeremy. Son affaire, c'est la foi chrétienne, n'est-ce pas ?

— La colonie protestante est nombreuse et prospère, elle vous aidera. Venez demain chez moi. Ma sœur Rose organise une soirée musicale le mercredi et ce sera une bonne occasion pour vous faire des amis. J'enverrai la voiture vous chercher à cinq heures. Vous vous amuserez, dit Jeremy Sommers en prenant congé.

Le lendemain, frais et dispos après une nuit sans rêves et un long bain pour se débarrasser du sel qui adhérait à son âme, mais encore avec le pas hésitant de qui a longtemps navigué, Jacob Todd sortit faire un tour dans le port. Il parcourut sans se presser la rue principale, parallèle à la mer et si proche de la côte qu'elle était aspergée par les vagues. Il but quelques verres dans un troquet et mangea dans une gargote du marché. Il avait quitté l'Angleterre en février par un hiver glacial et, après avoir traversé un interminable désert d'eau et d'étoiles, où il perdit jusqu'au compte de ses amours passées, il avait atteint l'hémisphère Sud au début d'un autre hiver terrible. Avant de partir, il ne lui était pas venu à l'esprit de se renseigner sur le climat. Il s'était imaginé le Chili chaud et humide comme l'Inde, car c'était ainsi qu'il voyait les pays pauvres. Mais il se trouva à la merci d'un vent glacé qui lui limait les os et qui soulevait des tourbillons de poussière et de saletés. Il se perdit à plusieurs reprises dans des rues tortueuses, tournait et retournait pour revenir à l'endroit d'où il était parti. Il remontait le long des escaliers interminables de ruelles torturées et bordées de maisons absurdes accrochées à rien, essayant discrètement de ne pas s'immiscer dans l'intimité des foyers en regardant par les fenêtres. Il tomba sur des places romantiques d'allure européenne, entourées de kiosques, où des fanfares militaires jouaient de la musique pour amoureux, et il parcourut de timides jardins foulés par des ânes. De superbes arbres poussaient de chaque côté des artères principales, nourris par les eaux fétides qui coulaient des collines à gros bouillons. Dans la zone commerciale, la présence des Britanniques était si évidente que l'on y respirait un air illusoire d'autres latitudes. Les annonces de nombreux magasins étaient rédigées en anglais, et ses compatriotes déambulaient comme à Londres, avec les mêmes parapluies noirs de croque-mort. A peine s'était-il éloigné des rues centrales que la pauvreté le frappa avec la violence d'une gifle. Les gens étaient à moitié nus, somnolents; il vit des soldats à l'uniforme râpé et des miséreux à la porte des églises. A midi, toutes les cloches carillonnèrent à l'unisson et le vacarme cessa, les passants s'arrêtèrent, les hommes retirèrent leur chapeau, les rares femmes s'agenouillèrent et tous se signèrent. La vision se prolongea durant les douze coups de cloche et, aussitôt après, l'activité reprit dans la rue comme si de rien n'était.

Les Anglais

La voiture envoyée par Sommers arriva à l'hôtel avec une demi-heure de retard. Le cocher était bien imbibé d'alcool, et Jacob Todd dut se résigner à son sort. L'homme prit la direction du sud. Il avait plu deux ou trois heures et les rues étaient devenues impraticables par endroits, les flaques d'eau et la boue dissimulaient les pièges fatals de trous capables d'engloutir un cheval distrait. Sur les bas-côtés se tenaient des enfants accompagnés de paires de bœufs, prêts à porter secours aux voitures embourbées en échange d'une pièce. Malgré sa vue trouble d'homme ivre, le cocher parvint à éviter les trous et, bientôt, la voiture se mit à gravir une colline. Sur le Cerro Alegre, où vivait la majeure partie de la colonie étrangère, l'aspect de la ville changeait totalement, on ne voyait ni masures ni cabanes. La voiture s'immobilisa devant une maison aux vastes proportions, mais d'aspect chaotique, ensemble de tourelles prétentieuses et d'escaliers inutiles ; plantée sur un terrain accidenté, elle était éclairée par une telle quantité de torches que la nuit semblait moins noire. Un domestique indigène, vêtu d'une livrée trop grande pour lui, vint ouvrir la porte ; il prit le manteau et le chapeau de Jacob, puis le conduisit dans un salon spacieux décoré de meubles de bonne facture et de rideaux un peu théâtraux en velours vert, encombré d'ornements, sans un centimètre de vide pour reposer le regard. Il se dit qu'au Chili, comme en Europe, on considérait les murs nus comme un signe de pauvreté, mais il comprit son erreur bien plus tard, lorsqu'il visita les sobres maisons des Chiliens. Les tableaux étaient inclinés pour pouvoir être admirés d'en bas et le regard se perdait dans la pénombre des hauts plafonds. La grande cheminée, où brûlaient de grosses bûches, et plusieurs braseros au charbon donnaient une chaleur inégale qui vous laissait les pieds glacés et la tête en feu. Il y avait une quinzaine de personnes habillées à la mode européenne et plusieurs servantes en uniforme faisant circuler des plateaux. Jeremy et John Sommers s'avancèrent pour le saluer.

— Je vais vous présenter ma sœur Rose, dit Jeremy en le conduisant au fond du salon.

C'est alors que Jacob Todd vit, assise à droite de la cheminée, la femme qui allait ruiner la paix de son âme. Rose Sommers l'éblouit sur-le-champ, non pas tant par sa beauté que par son assurance et sa gaieté. Elle n'avait rien de la grossière exubérance du capitaine ni de la fastidieuse solennité de son frère Jeremy, c'était une femme à l'expression pétillante qui paraissait toujours prête à éclater d'un rire coquet. Quand elle éclatait de rire, un réseau de fines rides se formait autour de ses yeux et, pour une raison inconnue, c'est ce qui attira le plus Jacob Todd. Il fut incapable de calculer son âge, entre vingt et trente ans, mais il se dit que dans dix ans elle serait la même, parce qu'elle avait une bonne ossature et un port de reine. Elle était habillée d'une robe de taffetas couleur pêche et ne portait aucun bijou, à l'exception de simples boucles d'oreilles en corail. La politesse la plus élémentaire aurait été de se limiter à suggérer un baiser sur sa main, sans la toucher des lèvres, mais son esprit se troubla et, sans le vouloir, il y déposa un baiser. Ce geste fut si peu approprié que, l'espace d'un instant qui sembla interminable, ils demeurèrent suspendus dans l'incertitude, lui maintenant sa main comme qui brandit une épée et elle regardant le reste de salive sans oser l'essuyer pour ne pas offenser le visiteur, jusqu'à ce qu'une petite fille habillée comme une princesse vienne les interrompre. Sorti de sa torpeur, Todd se redressa et put entrevoir un sourire moqueur échangé par les frères Sommers. Pour sortir de son embarras, il se tourna vers la fillette avec une attention exagérée, disposé à la conquérir.

— Voici Eliza, notre protégée, dit Jeremy Sommers.

Jacob Todd commit sa deuxième gaffe.

— Comment cela, votre protégée ? s'enquit-il.

— Il veut dire que je n'appartiens pas à cette famille, expliqua Eliza patiemment, sur le ton de qui parle à un imbécile.

— Non ?

— Si je me tiens mal, on m'enverra chez les sœurs papistes.

— Que dis-tu, Eliza ! Ne faites pas attention, Mr. Todd. Les enfants ont de ces idées ! Bien sûr qu'Eliza appartient à notre famille, dit Miss Rose en se levant.

Eliza avait passé sa journée avec Mama Fresia pour préparer le dîner. La cuisine se trouvait dans la cour, mais Miss Rose l'avait reliée à la maison par un portique pour ne plus avoir à servir des plats froids ou souillés par des crottes de pigeon. Cette pièce noircie par la graisse et la suie du fourneau était le royaume exclusif de Mama Fresia. Chats, chiens, oies et poules se promenaient à leur guise sur le sol en briques rustiques non cirées ; ruminait là tout l'hiver la chèvre qui avait allaité Eliza, très vieille maintenant, que personne n'avait osé sacrifier, car ç'aurait été comme assassiner une mère. La fillette aimait l'odeur du pain cru dans les moules, quand la levure réalisait, avec des soupirs, le mystérieux travail de faire gonfler la pâte ; celle du sucre de caramel battu pour décorer les gâteaux ; celle du chocolat en morceaux qui se décomposait dans le lait. Lors des mercredis musicaux, les femmes de chambre – deux adolescentes indigènes, qui vivaient dans la maison et travaillaient pour se nourrir – nettoyaient l'argenterie, repassaient les nappes et faisaient briller les vitres. A midi, on envoyait le cocher acheter, à la pâtisserie, des friandises préparées suivant des recettes jalousement gardées depuis l'époque coloniale. Mama Fresia en profitait pour accrocher à un harnais des chevaux un sac en cuir avec du lait frais, qui dans le trottinement de l'aller et du retour, se transformait en beurre.

A trois heures de l'après-midi, Miss Rose appelait Eliza dans sa chambre, où le cocher et le valet installaient une baignoire en bronze avec des pattes de lion, que les femmes de chambre tapissaient d'un drap et remplissaient d'eau chaude, parfumée avec des feuilles de menthe et des branches de romarin. Rose et Eliza barbotaient dans le bain comme deux enfants jusqu'à ce que l'eau refroidisse, alors les servantes revenaient les bras chargés de linge. Elles les aidaient à passer bas et bottines, caleçons jusqu'à mi-jambe, chemise de batiste, puis une jupe avec rembourrage aux hanches pour accentuer la sveltesse de la taille, trois jupons amidonnés et enfin la robe, qui les couvrait entièrement, ne laissant à l'air que la tête et les mains. Miss Rose mettait aussi un corset tendu par des baleines, et si serré qu'elle ne pouvait pas respirer à fond, ni lever les bras au-dessus de ses épaules ; elle ne pouvait pas davantage s'habiller toute seule ni se pencher parce que les baleines se cassaient et pénétraient dans sa chair comme des aiguilles. C'était l'unique bain de la semaine, une cérémonie comparable à celle qui consistait à se laver les cheveux le samedi, et qui pouvait être suspendue sous n'importe quel prétexte, car considérée comme dangereuse pour la santé. Durant la semaine, Miss Rose utilisait le savon avec parcimonie, elle préférait se frictionner avec une éponge trempée dans du lait et se rafraîchir avec de l'eau de toilette parfumée à la vanille, comme elle avait appris que c'était la mode en France du temps de Madame de Pompadour. Eliza pouvait la reconnaître les yeux fermés dans la foule à son odeur de dessert si particulière. A trente ans passés, elle conservait cette peau transparente et fragile de certaines jeunes filles anglaises avant que la lumière du monde, et leur propre arrogance, les transforment en parchemin. Elle prenait soin de son corps avec de l'eau de rose et utilisait du citron pour s'éclaircir la peau, du miel d'hamamélis pour l'adoucir, de la camomille pour donner du brillant à ses cheveux, et une collection de baumes exotiques et de lotions rapportés par son frère John d'Extrême-Orient, où se trouvaient selon lui les femmes les plus belles de l'univers. Elle inventait des robes, en s'inspirant de certaines revues londoniennes, qu'elle confectionnait elle-même dans sa petite salle de couture. Grâce à son intuition et à son adresse, elle modifiait sa garde-robe en utilisant les mêmes rubans, les mêmes fleurs et les mêmes plumes qui servaient ainsi des années sans être démodés. Elle ne portait pas, comme les Chiliennes, un châle noir sur la tête quand elle sortait, habitude qui lui paraissait une aberration ; elle préférait les capes courtes et sa collection de chapeaux, bien que dans la rue on la regardât comme si elle était une courtisane.

Ravie de voir un nouveau visage dans sa réunion hebdomadaire, Miss Rose pardonna le baiser impertinent de Jacob Todd et, le prenant par le bras, elle l'entraîna vers une table ronde située dans un coin du salon. Elle lui fit choisir entre plusieurs liqueurs, insistant pour qu'il goûte son *mistela*, un étrange breuvage fait à base de cannelle, d'eau-de-vie et de sucre, qu'il lui fut impossible d'avaler et qu'il vida négligemment dans un pot de fleur. Puis elle le présenta aux convives : Mr. Appelgren, fabricant de meubles, accompagné de sa fille, une demoiselle pâle et timide ; Madame Colbert, directrice d'un collège anglais pour jeunes filles ; Mr. Ebeling, propriétaire de la meilleure chapellerie pour messieurs et sa femme, laquelle se jeta sur Todd pour lui demander des nouvelles de la famille royale anglaise, comme s'il s'agissait de parents à elle. Il fit également la connaissance des chirurgiens Page et Poett.

— Les docteurs opèrent avec du chloroforme, précisa d'un air admiratif Miss Rose.

— Ici c'est encore une nouveauté, mais en Europe cela a révolutionné la pratique de la médecine, expliqua l'un des chirurgiens.

— Je crois savoir qu'en Angleterre l'utilisation est fréquente en obstétrique. La reine Victoria n'en a-t-elle pas fait usage ? ajouta Todd pour dire quelque chose, car il ne connaissait rien au problème.

— Ici, les catholiques s'y opposent avec fermeté. Selon la malédiction biblique pesant sur la femme celle-ci doit enfanter dans la douleur, Mr. Todd.

— Cela ne vous semble-t-il pas injuste, messieurs ? La malédiction de l'homme est de travailler à la sueur de son front, mais dans ce salon, sans aller plus loin, les hommes gagnent leur vie avec la sueur du front des autres, répliqua Miss Rose en rougissant violemment.

Les chirurgiens sourirent, gênés, mais Todd l'observa d'un air captivé. Il serait resté à son côté la nuit entière, même si dans une réunion londonienne le plus correct était, d'après les souvenirs de Jacob Todd, de partir dans la demi-heure. Il constata que, dans cette réunion, les gens semblaient disposés à rester et se dit que le cercle social devait être très restreint, et que la seule réunion hebdomadaire était peut-être celle des Sommers. Il était plongé dans de telles pensées quand Miss Rose annonça le divertissement musical. Les domestiques apportèrent d'autres candélabres, illuminant le salon comme en plein jour, disposèrent des chaises autour d'un piano, d'une vihuela et d'une harpe. Les femmes s'assirent en demi-cercle et les hommes restèrent debout derrière elles. Un homme joufflu s'installa au piano et, de ses mains d'assassin, surgit une mélodie enchanteresse, tandis que la fille du fabricant de meubles interprétait une ballade écossaise d'une voix si belle que Todd oublia complètement son allure de souris apeurée. La directrice de l'école pour demoiselles récita un poème héroïque, d'une inutile longueur ; Rose interpréta deux chansons coquines en duo avec son frère John, sous l'œil d'évidente désapprobation de Jeremy Sommers. A la suite de quoi, elle insista pour que Jacob Todd les régale de quelque chose de son répertoire. Cela donna l'occasion au visiteur de montrer sa belle voix.

— Vous êtes une vraie trouvaille, Mr. Todd ! Nous ne vous lâcherons pas. Vous êtes condamné à venir tous les mercredis ! s'exclama-t-elle lorsque les applaudissements eurent cessé, sans prêter attention à l'expression hébétée avec laquelle le visiteur l'observait.

Todd sentait ses dents collées par le sucre, et sa tête lui tournait, il se demandait si seule l'admiration pour Rose Sommers en était la cause, ou si cela venait aussi des liqueurs et du gros cigare cubain fumé en compagnie du capitaine Sommers. Dans cette maison, on ne pouvait refuser un verre ou un plat sans offenser les hôtes. Il découvrirait bientôt que c'était une caractéristique nationale au Chili, où l'on manifestait son hospitalité en obligeant les invités à boire et manger au-delà de toute résistance humaine. A neuf heures, le dîner fut annoncé et les convives passèrent en procession dans la salle à manger, où les attendaient une nouvelle série de plats généreux et maints desserts. Vers minuit, les femmes se levèrent de table et continuèrent à bavarder dans le salon, tandis que les hommes buvaient du brandy et fumaient dans la salle à manger. Finalement, comme Todd était sur le point de s'évanouir, les invités commencèrent à réclamer leur manteau et leur voiture. Les Ebeling, vivement intéressés par la supposée mission d'évangélisation en Terre de Feu, s'offrirent de le raccompagner à son hôtel, ce qu'il accepta aussitôt, effrayé à l'idée de retourner dans l'obscurité, par des rues cauchemardesques, avec le cocher ivre des Sommers. Le trajet lui sembla interminable, il était incapable de suivre la conversation, sa tête tournait et il sentait son estomac barbouillé.

— Ma femme est née en Afrique, elle est la fille de missionnaires qui enseignent là-bas la vraie foi ; nous savons les sacrifices que cela signifie, Mr. Todd. Nous espérons que vous nous concéderez le privilège de vous aider dans votre noble tâche auprès des indigènes, dit Mr. Ebeling avec solennité au moment de prendre congé.

Cette nuit-là, Jacob Todd ne parvint pas à trouver le sommeil, la vision de Rose Sommers l'aiguillonnait cruellement, et avant le lever du jour, il prit la décision de lui faire officiellement la cour. Il ne savait rien à son sujet, mais peu lui importait, son destin était peut-être de perdre un pari et de venir jusqu'au Chili uniquement pour rencontrer sa future épouse. Il l'aurait fait dès le lendemain si, saisi de violentes coliques, il ne s'était retrouvé cloué dans son lit, incapable de se lever. Il resta donc ainsi un jour et une nuit, inconscient par moments et agonisant à d'autres, jusqu'à ce qu'il récupère suffisamment de forces pour atteindre la porte et demander de l'aide. Sur ses indications, le gérant de l'hôtel fit avertir les Sommers, les seules personnes qu'il connaissait en ville, puis il demanda que l'on vienne nettoyer la chambre qui empestait. Jeremy Sommers se présenta à l'hôtel à midi, accompagné par le saigneur le plus connu de Valparaiso, lequel possédait quelques notions d'anglais. Après l'avoir saigné aux jambes et aux bras jusqu'à le laisser exsangue, il lui expliqua que tous les étrangers qui venaient au Chili pour la première fois tombaient malade.

— Il n'y a aucune raison de s'inquiéter car, que je sache, très peu en meurent, le rassura-t-il.

Il lui donna de la quinine sur des feuilles de papier de riz, mais pris de nausées, Todd fut incapable de les avaler. Ayant séjourné en Inde, il connaissait les symptômes de la malaria et autres maladies tropicales que l'on soignait avec de la quinine, mais le mal dont il souffrait ne ressemblait à rien de tout ça. Le saigneur parti, un employé vint emporter le linge sale et laver à nouveau la chambre. Jeremy Sommers avait laissé les coordonnées des docteurs Page et Poett, mais il n'eut pas le temps de les avertir car, deux heures plus tard, une forte femme se présenta à l'hôtel en exigeant de voir le malade. Elle tenait par la main une fillette habillée d'une robe de velours bleu, chaussée de bottines blanches et coiffée d'un bonnet brodé de fleurs, un vrai personnage de conte. C'étaient Mama Fresia et Eliza, envoyées par Rose Sommers, qui n'avait qu'une confiance relative dans les saignées. Elles firent irruption dans la chambre avec une telle assurance que le pauvre Jacob Todd n'osa pas protester. La première venait en qualité de guérisseuse et la seconde comme traductrice.

— *Mamita* dit qu'elle va vous enlever le pyjama. Je ne vais pas regarder, expliqua la fillette, et elle se retourna contre le mur tandis que l'Indienne le déshabillait à toute allure et se mettait à le frictionner des pieds à la tête avec de l'eau-de-vie. Elles mirent des briques chaudes dans son lit, l'enveloppèrent dans des couvertures et lui firent boire, à petites cuillerées, une infusion d'herbes amères sucrées au miel pour apaiser les douleurs de l'indigestion.

— Maintenant *Mamita* va *mélodier* la maladie, dit la fillette.

— Qu'est-ce que c'est ça ?

— N'ayez pas peur, ça ne fait pas mal.

Mama Fresia ferma les yeux et commença à passer ses mains sur son torse et son ventre, tout en murmurant des paroles incantatoires en langue mapuche. Jacob Todd se sentit envahi par une langueur insupportable, et avant même que la femme eût fini, il dormait à poings fermés et jamais il ne sut à quel moment ses deux infirmières avaient disparu. Il dormit dix-huit heures d'affilée et se réveilla en nage. Le lendemain matin, Mama Fresia et Eliza revinrent pour lui administrer une nouvelle friction vigoureuse et lui donner un bol de bouillon de poule.

— *Mamita* dit que vous ne devez plus boire d'eau. Buvez seulement du thé bien chaud et ne mangez pas de fruit, sinon vous aurez à nouveau envie de mourir, traduisit la fillette.

Une semaine plus tard, quand il parvint à se mettre debout et qu'il se regarda dans la glace, il comprit qu'il ne pouvait pas se présenter avec cette tête devant Miss Rose. Il avait perdu plusieurs kilos, son visage était émacié et il ne pouvait faire deux pas sans s'effondrer sur une chaise en haletant. Lorsqu'il fut en état de lui envoyer un mot, pour la remercier de lui avoir sauvé la vie, et remercier Mama Fresia et Eliza avec des chocolats, il apprit que la jeune femme était partie avec une amie et sa femme de chambre à Santiago, dans un voyage risqué, vu les mauvaises conditions du chemin et du temps. Miss Rose effectuait le trajet de trente-quatre lieues une fois l'an, toujours au début de l'automne ou au milieu du printemps, pour aller au théâtre, écouter de la bonne musique et faire ses emplettes annuelles dans le *Grand Magasin Japonais*, parfumé au jasmin et éclairé par des lampes à gaz avec des globes en verre rose, où elle faisait l'acquisition des bagatelles difficiles à trouver dans le port. Cette fois, cependant, elle avait une sérieuse raison d'y aller en hiver : elle allait poser pour un portrait. Le célèbre peintre français Monvoisin venait d'arriver dans le pays, invité par le gouvernement pour faire école auprès des artistes locaux. Le maître ne peignait que la tête, le reste était le travail de ses aides, et pour gagner du temps, la dentelle était collée directement sur la toile. Malgré ces procédés étranges, il n'y avait rien de plus prestigieux qu'un portrait peint par lui. Jeremy Sommers insista pour en avoir un de sa sœur qui présiderait dans le salon. Le tableau coûtait six onces d'or et une once supplémentaire pour chaque main, mais il n'était pas question d'économiser pour une telle occasion. L'opportunité d'avoir une œuvre authentique du grand Monvoisin ne se présentait pas deux fois dans la vie, comme disaient ses clients.

— Si la dépense n'est pas un problème, je veux qu'il me peigne avec trois mains. Ce sera son tableau le plus célèbre et il finira accroché dans un musée, au lieu de rester au-dessus de notre cheminée, dit Miss Rose.

Ce fut l'année des inondations, qui restèrent consignées dans les textes scolaires et dans la mémoire des anciens. Le déluge dévasta des centaines d'habitations, et quand il se calma et que les eaux commencèrent à baisser, une série de petits tremblements de terre, qui furent ressentis comme un signe de Dieu, finirent par détruire tout ce qui avait été endommagé par les pluies. Des vauriens parcouraient les décombres et profitaient de la confusion pour voler dans les maisons. Les soldats reçurent l'ordre d'abattre sans sommation quiconque serait surpris à perpétrer de telles exactions, mais enivrés par leur propre cruauté, ils se mirent à donner des coups de sabre pour le seul plaisir d'entendre les plaintes, et il fallut révoquer l'ordre pris, avant qu'ils en finissent aussi avec les innocents. Jacob Todd, cloîtré dans son hôtel pour soigner une grippe, et encore faible après sa semaine de coliques, passait des heures de désespoir à écouter le carillon incessant des cloches appelant à la pénitence, à lire de vieux journaux et à chercher de la compagnie pour jouer aux cartes. Il fit une sortie jusqu'à l'officine afin de se procurer un tonique pour son estomac, mais il ne trouva qu'un réduit chaotique, encombré de flacons de verre poussiéreux bleus et verts, où un employé allemand lui offrit de l'huile de scorpion et de l'esprit de ver de terre. Pour la première fois il regretta de se trouver si loin de Londres.

La nuit, il avait du mal à dormir à cause du vacarme et des disputes entre ivrognes, à cause aussi des enterrements qui s'effectuaient entre minuit et trois heures du matin. Le cimetière tout neuf se trouvait au sommet d'une colline, il surplombait la ville. Le mauvais temps avait ouvert des crevasses et quelques tombes avaient glissé sur les flancs de la colline dans une confusion d'os qui avait réuni tous les morts dans une même indignité. Ils étaient nombreux à dire que les morts étaient mieux lotis dix ans auparavant, quand les gens riches étaient enterrés dans les églises, les pauvres dans les ravins et les étrangers sur la plage. Ce pays est extravagant, conclut Todd, avec un mouchoir sur le nez car le vent transportait l'air nauséabond du malheur, que les autorités combattirent avec de grands brasiers d'eucalyptus. A peine se sentit-il mieux qu'il alla jusqu'à la fenêtre pour voir les processions. D'une façon générale, elles n'attiraient pas l'attention, car tous les ans elles se répétaient durant les sept jours de la Semaine Sainte et lors d'autres fêtes religieuses, mais à cette occasion, elles donnèrent lieu à des rassemblements massifs afin de réclamer au ciel la fin du mauvais temps. De longues files de fidèles sortaient des églises, suivaient des confréries d'hommes vêtus de noir, portant sur des brancards des statues de saints qui arboraient de magnifiques habits brodés d'or et de pierres précieuses. Une colonne transportait un Christ cloué sur la croix avec sa couronne d'épines autour du cou. On lui expliqua qu'il s'agissait du Christ de Mai, amené spécialement de Santiago pour l'occasion, car c'était l'image la plus miraculeuse du monde, la seule capable de modifier le climat. Deux cents ans auparavant, un terrible tremblement de terre avait rasé la capitale, et l'église de San Agustín avait été entièrement détruite, à l'exception de l'autel où se trouvait ledit Christ. La couronne avait glissé le long de sa tête jusqu'au cou où elle était restée, car chaque fois qu'on avait voulu la remettre à sa place, la terre avait tremblé. Les processions rassemblaient une multitude de moines et de nonnes, de bigotes livides d'avoir beaucoup jeûné, de gens humbles qui priaient et chantaient à tue-tête, de pénitents vêtus de tuniques rustiques, et de flagellants qui se fouettaient le dos avec des lanières de cuir terminées par des tiges métalliques et pointues. Quand l'un d'eux perdait connaissance, il était secouru par des femmes qui nettoyaient ses blessures et lui offraient à boire, mais à peine avait-il repris ses esprits qu'elles le poussaient à nouveau vers la procession. On voyait passer des files d'Indiens qui se martyrisaient avec une ferveur démente et des bandes de musiciens jouant des hymnes religieux. La rumeur de prières plaintives était comme un torrent d'eau tumultueuse, et l'air humide puait l'encens et la transpiration. Il y avait des processions d'aristocrates vêtus avec luxe, mais tout en noir et sans bijoux, et d'autres de gens du peuple, les pieds nus et en haillons, qui se croisaient sur la place sans se toucher, ni se mélanger. A mesure qu'ils avançaient, la clameur s'amplifiait et les marques de piété s'intensifiaient; les fidèles hurlaient pour réclamer le pardon de leurs péchés, persuadés que le mauvais temps était un châtiment divin pour les punir de leurs fautes. Les repentis venaient en masse, les églises regorgeaient de monde, et une rangée de prêtres s'installa sous des tentes et des parapluies pour organiser les confessions. L'Anglais fut fasciné par ce spectacle. Dans aucun de ses voyages il n'avait assisté à quelque chose d'aussi exotique et d'aussi lugubre. Habitué à la sobriété protestante, il lui semblait être revenu en plein Moyen Age; jamais ses amis de Londres ne le croiraient. Même à une distance prudente, il pouvait percevoir les soubresauts de bête primitive et souffrante qui parcouraient par vagues la masse humaine. Il parvint à se hisser non sans mal sur le socle d'un monument qui occupait la petite place, en face de l'église de la Matrice, d'où il put avoir une vue panoramique sur la foule. Soudain il se sentit tiré par le pantalon, il baissa les yeux et vit une fillette apeurée, un châle sur la tête et le visage couvert de sang et de larmes. Il s'écarta brusquement, mais il était trop tard, elle avait sali son pantalon. Il lâcha un juron et essaya de l'écarter avec des gestes, ne pouvant se souvenir des mots adéquats pour s'exprimer en espagnol, mais à sa grande surprise, elle lui dit dans un anglais parfait qu'elle était perdue et qu'il pouvait peut-être la ramener chez elle. Il la regarda alors avec plus d'attention.

— Je suis Eliza Sommers. Vous vous souvenez de moi? murmura la fillette.

Profitant de ce que Miss Rose se trouvait à Santiago, posant pour son portrait, et que Jeremy Sommers ne faisait que de rares apparitions à la maison ces jours-là, parce que les entrepôts de la Société avaient été inondés, elle s'était mis dans la tête d'aller à la procession, et elle avait si bien embêté Mama Fresia que cette dernière avait fini par céder. Ses maîtres lui avaient défendu de mentionner les rites catholiques ou indiens devant la fillette, et encore moins de les lui laisser voir, mais elle aussi mourait d'envie de voir le Christ de Mai une fois au moins dans sa vie. Les frères Sommers n'en sauraient jamais rien, conclut-elle. De sorte qu'elles étaient sorties de la maison sans faire de bruit, avaient descendu la colline à pied, étaient montées dans une carriole qui les avait laissées près de la place, puis elles s'étaient mêlées à une colonne d'Indiens pénitents. Tout se serait déroulé selon les plans imaginés si, dans le tumulte et la ferveur de cette journée, Eliza n'avait lâché la main de Mama Fresia qui, emportée par l'hystérie collective, ne s'en rendit pas compte tout de suite. Elle s'était mise à crier, mais sa voix s'était perdue dans le vacarme des prières et des tambours tristes des confréries. Elle avait couru pour retrouver sa gouvernante, mais toutes les femmes se ressemblaient sous leurs châles noirs et elle glissait sur le pavé couvert de boue, de cire de bougie et de sang. Puis les diverses colonnes s'étaient réunies en une seule foule qui se traînait tel un animal blessé, tandis que les cloches carillonnaient à toute volée et que, dans le port, les sirènes de bateaux hurlaient. Elle ignorait combien de temps elle était restée paralysée de terreur. Mais peu à peu elle avait repris ses esprits. Entre-temps, la procession s'était calmée, tout le monde était à genoux et, sur une estrade située en face de l'église, l'évêque en personne célébrait une messe chantée. Eliza avait songé partir en direction du Cerro Alegre, mais elle avait eu peur d'être prise par l'obscurité avant d'avoir atteint sa maison; elle n'était jamais sortie seule et ne savait pas s'orienter. Elle avait décidé de ne pas bouger et d'attendre que la foule se disperse, peut-être alors Mama Fresia la retrouverait-elle. Puis ses yeux étaient tombés sur un grand rouquin accroché au monument de la place et elle avait reconnu le malade qu'elle avait soigné avec sa gouvernante. Sans hésiter elle s'était frayé un chemin jusqu'à lui.

— Qu'est-ce que tu fais là? Tu es blessée? s'exclama l'homme.

— Je suis perdue ; vous pouvez me ramener chez moi ?

Jacob Todd lui essuya le visage avec son mouchoir et l'inspecta brièvement pour voir si elle n'avait aucune blessure apparente. Il en conclut que le sang devait venir des flagellants.

— Je vais te conduire au bureau de Mr. Sommers.

Mais elle le supplia de n'en rien faire parce que si son protecteur apprenait qu'elle avait suivi la procession, il renverrait Mama Fresia. Todd partit à la recherche d'une voiture de location, difficile à trouver à ce moment-là, tandis que la fillette marchait en silence sans lui lâcher la main. L'Anglais sentit, pour la première fois dans sa vie, un frisson de tendresse au contact de cette main tiède et menue accrochée à la sienne. De temps en temps il la regardait en coin, ému par ce visage enfantin aux yeux noirs en amande. Ils finirent par trouver une charrette tirée par deux mules, et l'homme qui la conduisait accepta de les mener au sommet de la colline pour le double du tarif habituel. Ils firent le trajet en silence et, une heure plus tard, Todd laissait Eliza en face de chez elle. Elle s'en alla en le remerciant, mais sans l'inviter à entrer. Il la vit s'éloigner, frêle et fragile, couverte jusqu'aux pieds par son châle noir. La fillette fit subitement demi-tour, courut dans sa direction, lui jeta les bras autour du cou et lui administra un baiser sur la joue. Merci, dit-elle, une fois encore. Jacob Todd revint à son hôtel dans la même charrette. De temps en temps il se touchait la joue, surpris par ce sentiment doux et triste que lui inspirait la petite.

Les processions servirent à renforcer le repentir collectif et aussi, comme put le constater personnellement Jacob Todd, à interrompre les pluies, justifiant une fois encore l'excellente réputation du Christ de Mai. En moins de quarante-huit heures, le ciel se dégagea et un soleil timide fit son apparition, mettant une note optimiste dans le concert de tous ces malheurs. Pour cause de mauvais temps et d'épidémies, neuf semaines passèrent avant que les Sommers ne décident de reprendre leurs soirées du mercredi, et d'autres encore avant que Jacob Todd trouve le courage de dévoiler ses sentiments à Miss Rose. Quand il s'y résolut finalement, elle feignit ne pas l'avoir entendu, mais devant son insistance elle eut une réponse effrayante.

— La seule bonne chose du mariage, c'est le deuil, dit-elle.

— Un mari, pour bête qu'il soit, en impose toujours, répliqua-t-il sans perdre sa bonne humeur.

— Pas dans mon cas. Un mari serait une gêne et il ne pourrait rien me donner que je n'aie déjà.

— Des enfants, peut-être ?

— Mais quel âge croyez-vous que j'ai, Mr. Todd ?

— Pas plus de dix-sept ans !

— Ne vous moquez pas. Heureusement j'ai Eliza.

— Je suis têtu, Miss Rose, je ne m'estime jamais vaincu.

— Je vous en suis reconnaissante, Mr. Todd. Ce qui en impose, ce n'est pas un mari, mais plusieurs prétendants.

En tout cas, Rose fut la raison qui décida Jacob Todd à rester au Chili beaucoup plus longtemps que les trois mois prévus pour vendre ses bibles. Les Sommers furent le contact social idéal grâce auquel s'ouvrirent, de part en part, les portes de la prospère colonie étrangère, disposée à l'aider dans sa supposée mission religieuse en Terre de Feu. Il décida de s'informer sur les Indiens de Patagonie, mais après avoir jeté un coup d'œil distrait sur quelques vieux livres de la bibliothèque, il comprit que cela revenait au même de savoir ou de ne pas savoir, car l'ignorance en la matière était générale. Il suffisait de dire ce que les gens souhaitaient entendre, et pour cela il comptait sur sa langue en or. Pour placer son chargement de bibles entre les mains d'éventuels clients chiliens, il lui fallut améliorer son espagnol précaire. Avec ses deux mois passés en Espagne et sa bonne oreille, il réussit à apprendre plus vite et mieux que bien des Britanniques arrivés dans le pays vingt ans auparavant. Au début, il occulta ses idées politiques trop libérales, mais il constata que dans chaque réunion on le pressait de questions et qu'il était toujours entouré d'un groupe d'auditeurs ahuris. Ses discours abolitionnistes, égalitaires et démocratiques secouaient l'apathie de ces bonnes gens. Ils donnaient lieu à d'interminables discussions chez les hommes et à des exclamations horrifiées chez les dames d'âge mûr, mais ils attiraient irrémédiablement les plus jeunes. D'une façon générale, on le prenait pour un cinglé et ses idées incendiaires avaient quelque chose d'amusant ; en revanche, ses plaisanteries sur la famille royale britannique furent très mal reçues parmi les membres de la colonie anglaise, pour qui la reine Victoria, comme Dieu et l'Empire, était intouchable. Ses rentes modestes, mais non négligeables, lui permettaient de vivre avec une certaine aisance sans jamais être obligé de travailler sérieusement, ce qui le plaçait dans la catégorie des gentlemen. Lorsqu'on apprit qu'il n'avait aucune liaison, les jeunes filles en âge de se marier s'ingénièrent à lui mettre la main dessus, mais après avoir connu Rose Sommers, lui n'avait d'yeux que pour cette dernière. Il se demandait à longueur de journée pour quelle raison la jeune femme restait célibataire, et la seule réponse qui venait à l'esprit de cet agnostique rationaliste, c'était que le ciel la lui avait destinée.

— Jusqu'à quand me tourmenterez-vous, Miss Rose ? Ne craignez-vous pas que je me fatigue de vous poursuivre ? plaisantait-il.

— Vous ne vous fatiguerez pas, Mr. Todd. Poursuivre le chat est beaucoup plus amusant que l'attraper, répliquait-elle.

L'éloquence du faux missionnaire fut une nouveauté dans ce milieu, et quand le bruit courut qu'il avait consciencieusement étudié les Saintes Ecritures, on lui offrit la parole. Il existait un petit temple anglican, mal vu par l'autorité catholique, mais la communauté protestante se réunissait aussi dans des maisons particulières. « Qu'est-ce que ça veut dire une église sans vierges ni diables ? Les *gringos* sont tous des hérétiques, ils ne croient pas au Pape, ne savent pas prier, ils passent leur temps à chanter et ne communient même pas », marmonnait Mama Fresia, scandalisée quand arrivait le moment d'organiser le service dominical chez les Sommers. Todd se prépara à lire brièvement un texte sur la sortie des Hébreux d'Egypte, souhaitant se référer aussitôt après à la situation des immigrants qui, comme les Juifs de la Bible, devaient s'adapter en terre étrangère. Mais Jeremy Sommers, le présentant aux personnes présentes comme un missionnaire, le pria de parler des Indiens en Terre de Feu. Jacob Todd ne savait pas où se trouvait cette région et pourquoi elle portait ce nom si suggestif, mais il réussit à émouvoir son auditoire jusqu'aux larmes avec l'histoire de trois sauvages, chassés par un capitaine anglais et emmenés en Angleterre. En moins de trois ans, ces malheureux, qui vivaient nus dans un froid glacial et pratiquaient le cannibalisme, dit-il, étaient habillés correctement, étaient devenus de bons chrétiens et avaient appris les coutumes de la civilisation; ils toléraient même la nourriture anglaise. Il ne précisa pas, cependant, qu'à peine rapatriés ils avaient immédiatement retrouvé leurs anciennes habitudes, comme si jamais ils n'avaient été touchés par l'Angleterre ou par la parole de Jésus. A la demande de Jeremy Sommers, une collecte fut organisée sur-le-champ pour favoriser la divulgation de la foi; elle obtint de si bons résultats quë, le lendemain, Jacob Todd put ouvrir un compte dans la succursale de la Banque de Londres à Valparaiso. Le compte était alimenté chaque semaine avec les contributions des protestants et augmentait malgré les retraits fréquents effectués par Todd pour ses frais personnels, lorsque ses rentes n'y suffisaient pas. Plus l'argent rentrait, plus les obstacles et les prétextes se multipliaient pour repousser la mission d'évangélisation. Deux ans passèrent ainsi.

Jacob Todd finit par se sentir aussi à l'aise à Valparaiso que s'il y était né. Les Chiliens et les Anglais avaient plusieurs traits de caractère en commun : ils réglaient tout à travers des syndics et des avocats ; ils avaient un attachement absurde pour la tradition, les symboles patriotiques et la routine ; ils affichaient leur individualisme et leur horreur de l'ostentation, qu'ils méprisaient comme un signe d'arrivisme social ; ils étaient aimables et sûrs d'eux, mais pouvaient être extrêmement cruels. Cependant, à la différence des Anglais, les Chiliens avaient horreur de l'excentricité et ils ne craignaient rien tant que le ridicule. Si je parlais correctement l'espagnol, se dit Jacob Todd, je serais ici comme chez moi. Il avait pris pension chez une veuve anglaise qui hébergeait des chats et confectionnait les plus célèbres tartes du port. Il dormait avec quatre félidés sur son lit, mieux accompagné qu'il ne le fût jamais, et pour son petit déjeuner il mangeait les tartes alléchantes de son amphitryon. Il se fit des relations parmi des Chiliens de tous les milieux, des plus humbles, qu'il rencontrait lors de ses promenades dans les bas quartiers du port, aux plus huppés. Jeremy Sommers le présenta au *Club de l'Union*, où il fut accepté en tant que membre invité. Seuls les étrangers dont l'importance sociale était reconnue pouvaient s'enorgueillir d'un tel privilège, car il s'agissait d'une enclave de propriétaires terriens et de politiciens conservateurs, où la valeur des membres se mesurait au nom qu'ils portaient. Les portes s'ouvrirent devant lui grâce à son adresse aux cartes et aux dés ; il perdait avec une telle élégance que l'on se rendait à peine compte des fortes sommes qu'il gagnait. Là, il se lia d'amitié avec Agustín del Valle, propriétaire de terres agricoles dans cette région et de troupeaux de moutons dans le Sud, où il n'avait jamais mis les pieds ; il y avait installé des contremaîtres écossais. Cette nouvelle amitié lui donna l'occasion de visiter les austères maisons des familles aristocratiques chiliennes, bâtisses carrées et sombres aux grandes pièces presque vides, décorées sans raffinement, avec des meubles lourds, des candélabres funèbres et une quantité de crucifix sanguinolents, de vierges en stuc et de saints habillés comme d'anciens nobles espagnols. C'étaient des maisons tournées vers l'intérieur, fermées à la rue, avec de hautes grilles, incommodes et rustiques, mais possédant de frais corridors et des cours intérieures où poussaient jasmin, orangers et rosiers.

Au début du printemps, Agustín del Valle invita les Sommers et Jacob Todd dans une de ses propriétés. Le trajet fut un cauchemar. Un homme à cheval mettait entre quatre et cinq heures, mais la caravane avec toute la famille et ses hôtes, partie à l'aube, n'arriva à destination qu'à la nuit tombée. Les del Valle se déplaçaient dans des charrettes tirées par des bœufs, dans lesquelles ils installaient des tables et des divans en tissu-éponge. Suivait un troupeau de mules avec l'équipage et des hommes à cheval, armés d'espingoles primitives pour se défendre des bandits, qui avaient l'habitude d'attendre au détour d'une colline. A l'énervante lenteur des animaux venaient s'ajouter les trous du chemin, où s'enfonçaient les charrettes, et les haltes fréquentes durant lesquelles les serviteurs offraient, dans une nuée de mouches, les victuailles contenues dans les paniers. Todd ne connaissait rien à l'agriculture, mais il suffisait d'un regard pour comprendre que, sur cette terre fertile, tout poussait avec abondance; les fruits tombaient des arbres et pourrissaient par terre sans que personne se donne la peine de les ramasser. Dans la propriété, il trouva le même style de vie qu'il avait observé quelques années auparavant en Espagne : une famille nombreuse unie par des liens de sang compliqués et un code de l'honneur inflexible. L'amphitryon était un patriarche puissant et féodal qui dirigeait d'une main de fer le destin de ses descendants et qui arborait, avec arrogance, une lignée remontant aux premiers conquistadores espagnols. Mes arrière-arrière-grands-parents, racontait-il, ont marché plus de mille kilomètres, engoncés dans de lourdes armures en acier, ont traversé des montagnes, des fleuves et le désert le plus aride du monde pour fonder la ville de Santiago. Dans sa famille, il était un symbole d'autorité et de bonne éducation; loin des siens, il était reconnu pour être un tyran. Il avait une flopée de bâtards et la mauvaise réputation de s'être débarrassé de plusieurs paysans lors d'une de ses légendaires sautes d'humeur, mais ces morts-là, comme tant d'autres péchés, ne remontaient jamais à la surface. Sa femme avait la quarantaine ; on aurait dit une vieille, flétrie, la tête baissée, toujours habillée en noir à cause de ses enfants morts en bas âge et étouffant sous le poids de son corset, de la religion et de ce mari que le sort lui avait donné. Les enfants mâles partageaient leur oisive existence entre messes, promenades, siestes, jeux et fêtes, tandis que les filles flottaient comme des nymphes mystérieuses dans la maison et les jardins, dans des crissements de jupons, toujours sous l'œil vigilant de leurs duègnes. On les avait préparées depuis l'enfance à une existence de vertu, de foi et d'abnégation ; leur destin était le mariage de convenance et la maternité.

Ils assistèrent à une corrida de taureaux qui ne ressemblait en rien au brillant spectacle de courage et de mort typique de l'Espagne ; pas d'habits de lumière, pas de fanfare, pas de passion ni de gloire, seuls quelques hommes ivres et bravaches tourmentant l'animal avec des lances et des insultes, jetés à terre par des coups de corne au milieu des injures et des éclats de rire. Le plus dangereux, dans cette corrida, ce fut de faire sortir de l'arène la bête furieuse et mal en point, mais vivante. Todd fut satisfait de voir que l'on épargnait au taureau l'indignité ultime d'une exécution publique, car son bon cœur d'Anglais préférait voir le torero mort plutôt que l'animal. Le soir, les hommes jouaient à l'hombre et au *rocambor*, servis comme des princes par une véritable escouade de serviteurs humbles et sévères, dont le regard ne s'élevait jamais au-delà du sol et dont la voix ne dépassait pas le murmure. Ce n'était pas de l'esclavage, mais cela y ressemblait. Ils travaillaient en échange de protection, d'un toit et d'une partie des récoltes. En théorie ils étaient libres, mais ils restaient avec le patron, bien que ce dernier fût un despote et malgré les dures conditions de vie, parce qu'ils ne savaient pas où aller. L'esclavage avait été aboli une dizaine d'années auparavant sans faire beaucoup d'éclat. Le trafic d'Africains ne fut jamais rentable sous ces latitudes où il n'existait pas de vastes plantations, mais personne ne mentionnait le sort des Indiens, dépouillés de leurs terres et réduits à la misère, ni des paysans que l'on vendait et dont on héritait avec les propriétés, comme les animaux. On ne parlait pas non plus des cargaisons de Chinois et de Polynésiens destinés aux exploitations de *guano* dans les îles Chincha. Tant qu'ils ne débarquaient pas, il n'y avait aucun problème : la loi interdirait l'esclavage sur la terre ferme, mais elle ne disait rien de la mer. Pendant que les hommes jouaient aux cartes, Miss Rose s'ennuyait discrètement en compagnie de madame del Valle et de ses nombreuses filles. Eliza, en revanche, galopait dans la campagne avec Paulina, la seule fille d'Agustín del Valle qui échappât au modèle languissant des femmes de cette famille. Elle avait quelques années de plus qu'Eliza, mais ce jour-là, elles s'amusèrent comme si elles avaient le même âge, les cheveux au vent et le visage tourné vers le soleil, fustigeant leurs montures.

Demoiselles

Eliza Sommers était une fillette de petite taille et menue, aux traits délicats, tel un dessin exécuté à la plume. En 1845, lorsqu'elle eut treize ans et que poitrine et taille commencèrent à prendre forme, c'était encore une gamine, même si l'on devinait déjà la grâce de tous ses gestes qui deviendrait son meilleur atout de beauté. L'implacable surveillance de Miss Rose donna à son corps la rigidité d'une lance : elle l'obligeait à se tenir droite au moyen d'une tige métallique attachée le long du dos, lors des interminables heures d'exercices de piano et de broderie. Elle ne grandit guère et conserva la même allure enfantine, si trompeuse, qui plus d'une fois lui sauva la vie. Elle était dans le fond tellement gamine que, la puberté venue, elle continuait à dormir recroquevillée dans son lit d'enfant, entourée de ses poupées et suçant son pouce. Elle imitait l'attitude nonchalante de Jeremy Sommers car c'était, selon elle, un signe de force intérieure. Avec le temps, elle se fatigua de feindre l'ennui, mais l'entraînement lui avait servi à dominer son caractère. Elle participait aux tâches des domestiques : un jour pour faire le pain, un autre pour moudre le maïs, un jour pour aérer les matelas et l'autre pour faire bouillir le linge blanc. Elle passait des heures blottie derrière le rideau du salon à dévorer une à une les œuvres classiques de la bibliothèque de Jeremy Sommers, les romans d'amour de Miss

Rose, les vieux journaux et toutes les lectures à portée de main, pour ennuyeuses qu'elles fussent. Elle se fit offrir par Jacob Todd une Bible en espagnol et tâchait de la déchiffrer avec une infinie patience, car sa scolarité s'était déroulée en anglais. Elle s'immergeait dans l'Ancien Testament, avec une fascination morbide pour les passions et les vices de ces rois qui séduisaient les épouses des autres, de ces prophètes qui punissaient à coups d'éclairs terribles, et de ces pères qui engendraient avec leurs propres filles. Dans la pièce de débarras, où s'accumulaient toutes sortes de vieilleries, elle trouva des cartes, des livres de voyage et des documents de navigation appartenant à son oncle John, qui lui servirent pour préciser les contours du monde. Les précepteurs engagés par Miss Rose lui apprirent le français, l'écriture, l'histoire, la géographie et un peu de latin, bien plus que ce que l'on inculquait dans les meilleurs collèges pour jeunes filles de la capitale, où finalement la seule chose que l'on apprenait c'était quelques prières et les bonnes manières. Ses lectures désordonnées, aussi bien que les récits du capitaine Sommers, enflammèrent son imagination. Cet oncle navigateur apparaissait dans la maison avec sa cargaison de cadeaux, et mettait sa fantaisie en ébullition avec ses histoires incroyables d'empereurs noirs assis sur des trônes en or massif, de pirates malais qui collectionnaient des yeux humains dans des petites boîtes en coquilles d'huître, de princesses brûlées sur la tombe funéraire de leur mari défunt. A chacune de ses visites, tout était remis à plus tard, études scolaires et classes de piano. L'année se passait à l'attendre et à planter des aiguilles sur la carte en imaginant les latitudes de haute mer où croisait son voilier. Eliza avait peu de contacts avec d'autres enfants de son âge, elle vivait dans le monde clos de la maison de ses bienfaiteurs, dans l'éternelle illusion de n'être pas là, mais en Angleterre. Jeremy Sommers commandait tout par catalogue, depuis le savon jusqu'aux chaussures, il s'habillait avec des vêtements légers en hiver et portait un manteau en été parce qu'il s'en tenait au calendrier de l'hémisphère Nord. La petite écoutait et observait attentivement. D'un tempérament gai et indépendant, elle ne demandait jamais de l'aide et possédait le rare don de se rendre invisible à volonté, se fondant dans les meubles, les rideaux et les fleurs du papier mural. Le jour où elle se réveilla avec sa chemise de nuit tachée par une substance rougeâtre, elle s'en fut dire à Miss Rose qu'elle saignait par en bas.

— N'en parle à personne, c'est une chose très privée. Tu es une femme maintenant et il faudra te comporter comme telle; finis les enfantillages. Le moment est venu d'aller au collège pour jeunes filles de Madame Colbert.

Ce fut toute l'explication de sa mère adoptive, donnée d'une seule traite et sans la regarder, tandis qu'elle tirait de l'armoire une douzaine de petites serviettes ourlées par ses soins.

— Tu es perdue, ma petite, ton corps va changer, tes idées vont s'embrouiller et n'importe quel homme pourra faire de toi ce qu'il voudra, l'avertit peu après Mama Fresia, à qui Eliza n'avait pas pu cacher le fait nouveau.

L'Indienne connaissait des plantes capables d'interrompre pour toujours le flux menstruel, mais elle s'abstint de les lui donner par crainte de ses patrons. Eliza prit cet avertissement au sérieux et décida de rester vigilante pour empêcher que cela arrive. Elle se banda fortement le torse avec une lanière en soie, persuadée que si cette méthode avait fonctionné pendant des siècles pour empêcher les pieds des Chinoises de se développer, comme le disait son oncle John, il n'y avait aucune raison pour que cela ne fonctionne pas pour aplatir les seins. Elle décida aussi de se mettre à écrire. Pendant des années elle avait vu Miss Rose écrire dans ses cahiers et se dit que cette dernière faisait cela pour combattre la malédiction des idées embrouillées. Quant à la dernière partie de la prophétie – n'importe quel homme pourrait faire d'elle ce qu'il voudrait –, elle lui accorda moins d'importance, pour la simple raison qu'elle ne put se mettre dans l'idée qu'il pût exister des hommes dans sa vie future. C'étaient tous des vieux qui avaient au moins vingt ans; le monde était dépourvu d'êtres de sexe masculin de sa génération. Les seuls qu'elle aurait acceptés pour mari, le capitaine John Sommers et Jacob Todd, étaient hors de sa portée, car le premier était son oncle et le second était amoureux de Miss Rose, comme le savait tout Valparaiso.

Des années plus tard, se rappelant son enfance et sa jeunesse, Eliza pensa que Miss Rose et Mr. Todd auraient fait un beau couple; elle aurait adouci les aspérités de Todd, et lui l'aurait tirée de sa torpeur, mais les choses prirent un autre tour. Les années passant, alors que leurs têtes s'ornaient de cheveux blancs et qu'ils avaient fait de la solitude une longue habitude, ils se retrouveraient en Californie dans d'étranges circonstances. Il la courtiserait à nouveau avec la même intensité et elle le repousserait avec la même fermeté. Mais tout cela advint beaucoup plus tard.

Jacob Todd ne perdait pas une occasion de se rapprocher des Sommers. Il n'y eut de visiteur plus assidu et ponctuel à leurs soirées, plus attentif lorsque Miss Rose chantait avec ses trilles impétueuses, ni aussi bien disposé à célébrer ses colères, y compris celles un peu cruelles dont il faisait souvent les frais. C'était une personne pleine de contradictions, mais ne l'était-il pas aussi? N'était-il pas un athée qui vendait des bibles et abusait des gens avec cette histoire de supposée mission d'évangélisation? Il se demandait pourquoi, étant si séduisante, elle ne s'était pas mariée; une femme célibataire à cet âge n'avait aucun avenir et aucune place dans la société. Au sein de la colonie étrangère, on parlait à mots couverts d'un certain scandale survenu en Angleterre, quelques années auparavant, ce qui expliquerait sa présence au Chili, transformée en gouvernante de son frère, mais il ne souhaita pas connaître les détails, préférant le mystère à la certitude d'une chose qu'il n'aurait peut-être pas tolérée. Il se répétait que le passé n'avait pas une grande importance. Il suffisait d'une indiscrétion ou d'une erreur de calcul pour ternir la réputation d'une femme, ou pour l'empêcher de réaliser un bon mariage. Il aurait donné des années de sa vie pour voir son amour partagé, mais elle ne montrait aucune velléité de céder devant son siège, elle n'essayait pas non plus de le décourager. Elle s'amusait au jeu qui consistait à lâcher la bride pour la tirer ensuite d'un coup sec.

— Mr. Todd est un oiseau de mauvais augure avec des idées curieuses, des dents de cheval et des mains moites. Jamais je ne l'épouserais, même s'il était le dernier célibataire de l'univers, confessa en riant Miss Rose à Eliza.

Ce commentaire ne fit pas rire la petite. Elle était en dette envers Jacob Todd, non seulement parce qu'il l'avait sauvée lors de la procession du Christ de Mai, mais aussi parce qu'à aucun moment il n'avait mentionné l'incident, comme si ce dernier n'avait jamais eu lieu. Cet allié étrange lui plaisait : il sentait le chien de chasse, comme son oncle John. La bonne impression qu'elle en avait se transforma en loyale affection quand, cachée derrière le pesant rideau de velours vert du salon, elle l'écouta parler avec Jeremy Sommers.

— Il faut que je prenne une décision concernant Eliza, Jacob. Elle n'a pas la moindre idée de sa place dans la société. Les gens commencent à jaser, et Eliza doit sans doute rêver à un avenir qui ne lui correspond pas. Il n'y a rien de plus dangereux que le démon de la fantaisie dissimulé dans l'âme féminine.

— N'exagérez pas, mon ami. Eliza est encore une petite fille, mais elle est intelligente et elle trouvera sa place, c'est certain.

— L'intelligence est une gêne pour la femme. Rose veut l'envoyer à l'école pour jeunes filles de Madame Colbert, mais moi je ne suis pas partisan de donner trop d'éducation aux filles, elles deviennent ingouvernables. Chacun à sa place, c'est ma devise.

— Le monde est en train de changer, Jeremy. Aux Etats-Unis, les hommes libres sont égaux devant la loi. Les classes sociales ont été abolies.

— Nous parlons des femmes, pas des hommes. Pour le reste, les Etats-Unis sont un pays de commerçants et de pionniers, sans traditions ni sens de l'histoire. L'égalité n'existe nulle part, pas même parmi les animaux, et encore moins au Chili.

— Nous sommes des étrangers, Jeremy, nous parlons à peine l'espagnol. Que nous importent les classes sociales chiliennes ? Nous n'appartiendrons jamais à ce pays...

— Nous devons donner le bon exemple. Si nous, les Britanniques, sommes incapables de garder notre maison en ordre, que peut-on attendre des autres ?

— Eliza a été élevée dans cette famille. Je ne pense pas que Miss Rose acceptera de la mettre à l'écart pour la seule raison qu'elle est en train de grandir.

C'est effectivement ce qui se passa. Rose provoqua son frère avec le répertoire complet de ses maux. Ce furent d'abord des coliques, puis une migraine foudroyante qui, du jour au lendemain, la rendit aveugle. Pendant plusieurs jours, la maison fut plongée dans le silence : on tira les rideaux, on marcha sur la pointe des pieds, on chuchota. On ne cuisinait plus parce que les odeurs de nourriture augmentaient les symptômes. Jeremy Sommers mangeait dans son Club et revenait chez lui avec cet air déconcerté et timide de qui visite un hôpital. L'étrange cécité et autres multiples indispositions de Rose, ainsi que le silence timoré du personnel de la maison, eurent rapidement raison de sa fermeté. Pour couronner le tout, Mama Fresia, mise mystérieusement au courant des discussions privées entre les deux frères, devint une formidable alliée de sa patronne.

Jeremy Sommers se considérait comme un homme cultivé

et pragmatique, invulnérable à l'intimidation d'une sorcière superstitieuse comme Mama Fresia, mais quand l'Indienne alluma des bougies noires et répandit de la fumée de sauge partout sous prétexte d'éloigner les moustiques, il s'enferma dans la bibliothèque, mi-effrayé, mi-furieux. La nuit, il l'entendait traîner ses pieds nus de l'autre côté de la porte, et chantonner à mi-voix des incantations et des malédictions. Le mercredi, il trouva un lézard mort dans sa bouteille de brandy et décida qu'il était temps d'agir. Il frappa pour la première fois à la porte de la chambre de sa sœur et fut admis dans ce sanctuaire des mystères féminins qu'il préférait ignorer, de même qu'il ignorait la petite salle de couture, la cuisine, la buanderie, les chambrettes sombres de la soupente où dormaient les servantes, et la masure de Mama Fresia, au fond de la cour. Son monde à lui, c'étaient les salons, la bibliothèque aux étagères en acajou verni avec sa collection de gravures de chasse, la salle de billard et sa magnifique table sculptée, sa chambre meublée avec une simplicité spartiate et une petite pièce garnie de carreaux italiens pour sa toilette, où un jour il pensait installer une salle de bains moderne, comme celles aperçues dans les catalogues envoyés de New York, parce qu'il avait lu que récupérer les excréments humains dans des pots pour les utiliser comme fertilisant était source d'épidémies. Il dut attendre que ses yeux s'habituent à la pénombre, respirant à contrecœur un mélange d'odeurs pharmaceutiques et de fort parfum vanillé. Rose était à peine visible. Les traits tirés et souffrante, elle reposait, sur le dos, dans son lit sans oreiller, les bras croisés sur la poitrine comme pour une répétition de sa propre mort. A son côté, Eliza serrait un linge imbibé de thé vert qu'elle était sur le point de lui poser sur les yeux.

— Laisse-nous seuls, petite, dit Jeremy Sommers, en s'asseyant sur une chaise, contre le lit.

Eliza fit un salut discret et sortit, mais elle connaissait par cœur les points faibles de la maison et, l'oreille collée à la mince cloison de la chambre, elle put entendre la conversation, qu'elle répéta ensuite à Mama Fresia et nota dans son Journal.

— C'est bon, Rose. Nous ne pouvons plus continuer à nous faire la guerre. Mettons-nous d'accord. Qu'est-ce que tu veux ? demanda Jeremy, vaincu d'avance.

— Rien, Jeremy... soupira-t-elle d'une voix à peine audible.

— Jamais Eliza ne sera acceptée dans le collège de Madame Colbert. N'y vont que les jeunes filles de la haute société, issues de familles normales. Tout le monde sait qu'Eliza est une enfant adoptée.

— Je ferai en sorte qu'on l'accepte, moi ! s'exclama-t-elle avec une passion inattendue pour une agonisante.

— Ecoute-moi, Rose, Eliza a reçu une éducation suffisante. Elle doit apprendre un métier pour gagner sa vie. Qu'adviendra-t-il quand toi et moi nous ne serons plus là pour la protéger ?

— Si elle a une bonne éducation, elle fera un bon mariage, dit Rose, lançant la compresse de thé par terre et se redressant dans son lit.

— Eliza n'est pas précisément une beauté, Rose.

— Tu ne l'as pas bien regardée, Jeremy. Elle s'améliore de jour en jour, elle sera jolie, je peux te l'assurer. Les prétendants ne manqueront pas !

— Orpheline et sans dot ?

— Elle aura une dot, répliqua Miss Rose, sortant de son lit en titubant et faisant des petits pas d'aveugle, nu-pieds et les cheveux en bataille.

— Comment cela ? Nous n'avions jamais parlé de ça...

— Parce que le moment n'était pas encore venu, Jeremy. Une jeune fille à marier a besoin de bijoux, d'une garde-robe avec suffisamment de linge pour plusieurs années et de tout l'indispensable pour la maison, outre une jolie somme d'argent pour permettre au couple de monter une affaire.

— Et puis-je savoir quelle est la contribution de l'époux ?

— La maison, et il lui faudra aussi entretenir sa femme pour le restant de ses jours. De toute façon, Eliza a encore des années devant elle avant d'être en âge de se marier et, le moment venu, elle aura une dot. John et moi nous chargerons de la lui donner, nous ne te demanderons pas un centime, mais il est inutile de perdre notre temps à parler de tout cela maintenant. Tu dois considérer Eliza comme si elle était ta fille.

— Elle ne l'est pas, Rose.

— Alors traite-la comme si elle était ma fille. Es-tu au moins d'accord là-dessus ?

— Oui, je le suis, céda Jeremy Sommers.

Les infusions de thé firent des miracles. La malade guérit complètement et quarante-huit heures plus tard, elle avait récupéré la vue et paraissait radieuse. Elle s'occupa de son frère avec une sollicitude charmante ; jamais elle n'avait été si douce et enjouée à son égard. La maison retrouva son rythme normal et, dans la salle à manger, surgirent à nouveau les délicieux plats typiques de Mama Fresia, les pains odorants préparés par Eliza et les gâteaux délicats qui avaient contribué au renom de la table des Sommers. Dès lors, Miss Rose modifia de façon drastique son comportement hiératique envers Eliza et elle se consacra, avec un élan maternel jamais montré auparavant, à la préparer pour le collège, tandis qu'elle commençait en même temps à faire le siège soutenu de Madame Colbert. Elle avait décidé qu'Eliza ferait des études, aurait une dot et une réputation de belle fille, même si elle ne l'était pas, parce que la beauté, selon elle, était une question de style. Toute femme qui se comporte avec la souveraine assurance d'une beauté finit par convaincre tout le monde qu'elle en est une, soutenait-elle. Le premier pas pour émanciper Eliza serait un bon mariage, dans la mesure où la petite n'avait pas de frère aîné pour lui servir de faire-valoir, comme dans son propre cas. Elle-même ne voyait pas les avantages du mariage, une épouse était la propriété du mari, avec moins de droits qu'un domestique ou un enfant. D'autre part, une femme seule et sans fortune était à la merci des pires abus. Avec de l'astuce, une femme mariée pouvait manœuvrer son mari et, avec un peu de chance, elle pouvait être veuve rapidement...

— Moi je donnerais volontiers la moitié de ma vie pour disposer de la même liberté qu'un homme, Eliza. Mais nous sommes des femmes et nous sommes fichues. La seule chose que nous puissions faire, c'est tirer profit du peu que nous avons.

Miss Rose s'abstint de lui dire que la seule fois où elle avait essayé de voler de ses propres ailes, elle s'était cogné le nez contre la réalité : elle ne voulait pas inculquer des idées subversives dans l'esprit de la fillette. Elle était décidée à lui offrir un destin meilleur que le sien, et l'entraînerait à l'art de la simulation, de la manipulation et de la ruse, car cela était plus utile que la naïveté, elle en était persuadée. Elle s'enfermait avec Eliza trois heures le matin et trois autres heures l'après-midi, pour étudier les textes scolaires venus d'Angleterre. Elle intensifia l'enseignement du français avec un professeur, car une demoiselle bien élevée ne pouvait ignorer cette langue. Le reste du temps, elle supervisait personnellement chaque point d'aiguille effectué par Eliza pour son trousseau ; draps, serviettes, nappes et linge intérieur brodé avec soin étaient rangés par la suite dans des coffres, le tout enveloppé dans des linges et parfumé à la lavande. Tous les trois mois, elles sortaient le contenu des coffres et l'étendaient au soleil, évitant ainsi la dévastation de l'humidité et des mites pendant les années précédant le mariage. Elle acheta un coffret pour les bijoux de la dot et chargea son frère John de le remplir avec les cadeaux rapportés de ses voyages. S'y entassèrent des saphirs de l'Inde, des émeraudes et des améthystes du Brésil, des colliers et des bracelets en or de Venise et même un petit pendentif en diamants. Jeremy Sommers ne sut rien des détails et de la façon dont son frère et sa sœur finançaient de telles extravagances.

Les classes de piano – maintenant données par un professeur venu de Belgique, qui utilisait une baguette pour frapper les doigts maladroits de ses élèves – devinrent un martyre quotidien pour Eliza. Elle suivait aussi des cours dans une Académie de danse de salon et, sur les suggestions du maître de danse, Miss Rose l'obligeait à marcher pendant des heures avec un livre en équilibre sur la tête, afin qu'elle grandisse droit. Elle étudiait, faisait ses exercices de piano et marchait droit comme un I, même quand elle ne portait pas de livre sur la tête, mais le soir elle se glissait, pieds nus, jusqu'à la cour des domestiques et il arrivait que l'aube la surprît dormant sur une paillasse, enlacée à Mama Fresia.

Deux ans après les inondations, la chance tourna et, dans le pays, tout ne fut que temps clément, calme politique et bien-être économique. Les Chiliens étaient sur leurs gardes. Ils s'étaient habitués aux catastrophes naturelles et tant de bonnes choses pouvaient être l'annonce d'un gros cataclysme. On découvrit, d'autre part, de riches gisements d'or et d'argent dans le Nord. Durant la Conquête, quand les Espagnols arpentaient l'Amérique à la recherche de métaux précieux, emportant tout ce qu'ils trouvaient sur leur passage, le Chili était considéré comme un trou perdu car, comparé aux riches contrées du reste du continent, il avait très peu à offrir. Dans leur marche forcée à travers les énormes montagnes et le désert lunaire du Nord, l'avidité s'épuisait dans le cœur de ces conquistadores, et s'il en restait quelque chose, les Indiens sauvages se chargeaient de la transformer en repentir. Les capitaines, épuisés et pauvres, maudissaient cette terre où il ne leur restait d'autre solution que de planter leurs bannières et se laisser mourir, car revenir sans gloire était pis encore. Trois cents ans plus tard, ces mines, invisibles aux yeux des ambitieux soldats espagnols, exhumées tout d'un coup comme par enchantement, furent un cadeau inespéré pour leurs descendants. De nouvelles fortunes naquirent, auxquelles vinrent s'ajouter celles de l'industrie et du commerce. L'ancienne aristocratie de la terre, qui avait toujours tenu la poêle par le manche, se sentit menacée dans ses privilèges, et le mépris pour les nouveaux riches devint un signe de ralliement.

L'un de ces nouveaux riches tomba amoureux de Paulina, la fille aînée d'Agustín del Valle. Il s'agissait de Feliciano Rodríguez de Santa Cruz, qui s'était enrichi en quelques années grâce à une mine d'or exploitée en commun avec son frère. On ne connaissait pas grand-chose de ses origines, on le soupçonnait quand même d'avoir des ancêtres juifs convertis et d'avoir adopté ce nom chrétien si ronflant pour échapper à l'Inquisition, raison amplement suffisante pour se voir rejeté par les orgueilleux del Valle. Des cinq filles d'Agustín, Paulina se distinguait, selon Jacob Todd, parce que son caractère audacieux et gai lui rappelait celui de Miss Rose. La jeune fille avait un rire sincère qui contrastait avec les sourires voilés derrière les éventails et les mantilles de ses sœurs. Mis au courant de l'intention de son père de l'enfermer dans un couvent pour mettre un terme à ses amours, Jacob Todd décida, contre toute prudence, de lui venir en aide. Avant qu'elle ne soit emmenée, il se débrouilla pour échanger quelques mots seul à seul avec elle, profitant d'une inattention de sa duègne. Sachant que le temps pour des explications était compté, Paulina tira de son corsage un billet, tant de fois plié et replié qu'on aurait dit un rocher, et le pria de remettre ce dernier à son amoureux. Le lendemain, la jeune fille s'en fut, séquestrée par son père, pour un voyage de plusieurs jours par des chemins impossibles vers Concepcíon, une ville du Sud proche des réserves d'Indiens, où les religieuses auraient la tâche de lui remettre les idées en place à travers prières et jeûne. Pour éviter qu'elle ait l'idée saugrenue de se rebeller ou de s'échapper, le père donna l'ordre de lui raser la tête. La mère récupéra les tresses, les enveloppa dans un linge de batiste brodé et porta celui-ci, comme présent, aux dévotes de l'église de la Matrice pour la confection de chevelures de saints. Entre-temps, Todd, non seulement réussit à remettre la missive, mais il vérifia aussi auprès des frères de la jeune fille l'emplacement exact du couvent et passa le renseignement à un Feliciano Rodríguez de Santa Cruz fort affligé. Reconnaissant, le prétendant tira sa montre de gousset avec sa chaîne en or massif, et insista pour l'offrir au messager béni de ses amours, mais ce dernier la refusa, offensé.

— Je ne sais comment vous payer pour ce que vous avez fait, murmura Feliciano, troublé.

— Vous ne me devez rien.

Jacob Todd n'eut aucune nouvelle du malheureux couple pendant un certain temps, mais deux mois plus tard, la savoureuse nouvelle de la fuite de la jeune fille était la risée de toutes les réunions, et le fier Agustín del Valle dut supporter le récit des nombreux détails piquants, qui le couvrirent de ridicule. La version, relatée par Paulina à Jacob Todd quelques mois plus tard, fut qu'un soir de juin, une de ces soirées hivernales de pluie fine et de prompte obscurité, elle était parvenue à déjouer la surveillance et s'était enfuie du couvent en habit de novice, emportant les candélabres en argent du maître-autel. Informé par Jacob Todd, Feliciano Rodríguez de Santa Cruz avait gagné le Sud et s'était maintenu secrètement en contact avec elle depuis le début, attendant le moment de la retrouver. Ce soir-là, il l'attendait à proximité du couvent, et quand elle se trouva devant lui, il lui fallut quelques secondes pour reconnaître cette novice à moitié chauve qui s'effondra dans ses bras sans lâcher les candélabres.

— Ne me regarde pas comme ça, enfin, les cheveux repoussent, dit-elle en l'embrassant à pleine bouche.

Feliciano la ramena à Valparaiso dans une voiture fermée et l'installa temporairement dans la maison de sa mère veuve, la cachette la plus respectable qu'il pût trouver, bien décidé à protéger au mieux leur honneur, même s'ils ne pouvaient éviter que le scandale les éclabousse. La première impulsion d'Agustín fut d'affronter en duel le séducteur de sa fille, mais le moment venu, il apprit que ce dernier était en voyage d'affaires à Santiago. Il résolut alors de retrouver Paulina, avec l'aide de ses fils et neveux dûment armés et bien décidés à venger l'honneur de la famille, tandis que la mère et les sœurs récitaient en chœur le rosaire pour la fille égarée. L'oncle évêque, qui avait conseillé d'envoyer Paulina chez les sœurs, tenta de ramener les esprits à la raison, mais ces *protomachos* n'avaient que faire de ses sermons de bon chrétien. Le voyage de Feliciano faisait partie de la stratégie imaginée entre son frère et Jacob Todd. Il s'en fut tranquillement à la capitale tandis que les deux autres mettaient en œuvre le plan d'action à Valparaiso : ils publièrent dans un journal libéral la disparition de mademoiselle Paulina del Valle, nouvelle que la famille s'était bien gardée de divulguer. La vie des deux amoureux fut ainsi sauvée.

Agustín del Valle finit par accepter de ne pas braver la loi et de sauver son honneur avec des noces publiques, plutôt qu'avec un double assassinat. Les bases d'une paix forcée furent établies et, une semaine plus tard, lorsque tout fut prêt, Feliciano s'en revint. Les fugitifs se présentèrent dans la résidence des del Valle accompagnés par le frère du fiancé, un avocat et l'évêque. Jacob Todd resta discrètement absent. Paulina apparut vêtue d'une robe très simple, mais en enlevant son châle, tout le monde put voir qu'elle portait, tel un défi, un diadème de reine. Elle avança au bras de sa future belle-mère, laquelle était prête à répondre de sa vertu, mais on ne lui en laissa pas l'occasion. Comme la dernière chose que la famille souhaitait, c'était un nouvel entrefilet dans la presse, Agustín del Valle n'eut d'autre solution que d'accueillir la fille rebelle et son indésirable prétendant. Il le fit, entouré de ses fils et de ses neveux, dans la salle à manger, transformée en tribunal pour l'occasion, tandis que les femmes de la famille, recluses à l'autre extrémité de la maison, apprenaient les détails par les servantes, qui écoutaient derrière les portes et couraient pour rapporter chaque mot prononcé. Selon elles, la jeune fille se présenta avec tous ces diamants qui brillaient dans ses cheveux dressés sur sa tête de teigneuse, et affronta son père sans faire montre de modestie ou de crainte, annonçant que les candélabres étaient encore en sa possession, et qu'en réalité elle les avait pris uniquement pour faire la nique aux religieuses. Agustín del Valle leva son fouet à chevaux, mais le fiancé s'interposa pour recevoir le châtiment. Alors l'évêque, très fatigué, mais à l'autorité intacte, intervint avec l'argument irréfutable qu'il ne pouvait y avoir de noces publiques, visant à faire taire les cancans, si les fiancés portaient des marques sur le visage.

— Que l'on nous serve une tasse de chocolat, Agustín, et asseyons-nous pour discuter comme des gens bien élevés, proposa le dignitaire de l'Eglise.

Ce qui fut fait. Ils demandèrent à la jeune fille et à la veuve Rodríguez de Santa Cruz d'aller attendre dehors, car c'était là une affaire d'hommes, et après avoir consommé plusieurs jarres d'un chocolat mousseux, ils parvinrent à un accord. Ils rédigèrent un document dans lequel les termes économiques furent clairement définis et l'honneur des deux parties demeura sain et sauf, ils signèrent devant notaire et commencèrent à mettre au point les détails de la noce. Un mois plus tard, Jacob Todd assista à une fête inoubliable où l'hospitalité de la famille del Valle fut d'une prodigalité jamais vue. Il y eut bal, récital et un formidable repas qui se prolongea jusqu'au lendemain. Les invités s'en furent en commentant la beauté de la mariée, le bonheur du marié et la chance des beaux-parents, qui mariaient leur fille avec une solide, bien que récente, fortune. Les mariés partirent aussitôt vers le nord du pays.

Mauvaise réputation

Jacob Todd regretta le départ de Feliciano et de Paulina, il s'était lié d'amitié avec le millionnaire des mines et sa sémillante épouse. Il se sentait de plus en plus à son aise avec les jeunes chefs d'entreprise, et de moins en moins bien avec les membres du *Club de l'Union.* Comme lui, les nouveaux chefs d'industrie avaient la tête pleine d'idées européennes, ils étaient modernes et libéraux, à la différence de l'ancienne oligarchie de la terre, qui avait un demi-siècle de retard. Il lui restait encore cent soixante-dix bibles remisées sous son lit, dont il ne se souvenait plus, parce que le pari était perdu depuis longtemps. Il était parvenu à dominer suffisamment l'espagnol pour se débrouiller tout seul et, bien que n'étant pas payé de retour, il était toujours amoureux de Rose Sommers, deux bonnes raisons pour rester au Chili. Les vexations répétées de la jeune femme étaient devenues une douce habitude et il n'en ressentait plus d'humiliation. Il apprit à les accepter avec ironie et à lui rendre la pareille sans malice, comme un jeu de balle dont les règles mystérieuses n'étaient connues que d'eux seuls. Il entra en relation avec certains intellectuels et passait des nuits entières à parler des philosophes français et allemands, ainsi que des découvertes scientifiques qui ouvraient de nouveaux horizons dans la connaissance de l'homme. Il disposait de longues heures pour penser, lire et discuter. Il en avait tiré quelques idées qu'il notait dans un gros cahier écorné par l'usage et il dépensait une bonne partie de son argent dans l'achat de livres, les uns commandés à Londres, les autres trouvés dans la librairie Santos Tornero, dans le quartier El Almendral où vivaient les Français et où était situé le plus fameux bordel de Valparaiso. La librairie était le lieu de réunion des intellectuels et des apprentis écrivains. Todd passait des journées entières à lire; après quoi, il donnait les livres à ses camarades qui s'ingéniaient à les traduire et à en publier des extraits dans de modestes pamphlets qui circulaient de main en main.

Du groupe d'intellectuels, le plus jeune était Joaquín Andieta, à peine âgé de dix-huit ans, mais qui compensait son manque d'expérience par une nette vocation de leader. Sa personnalité électrisante éclatait avec d'autant plus de force qu'il était jeune et pauvre. Ce Joaquín n'était pas quelqu'un de très bavard. Aimant l'action, il était un des rares à avoir des idées claires et suffisamment de courage pour transformer en menées révolutionnaires les idées contenues dans les livres, alors que les autres préféraient en discuter interminablement autour d'une bouteille dans l'arrière-boutique de la librairie. Todd remarqua Andieta tout de suite, ce jeune homme avait quelque chose d'inquiétant et de pathétique qui l'attirait. Il avait noté sa mallette cabossée et ses vêtements râpés, transparents et cassants comme peau d'oignon. Pour cacher les trous aux semelles de ses bottes, il ne s'asseyait jamais en levant la jambe; il ne retirait pas non plus sa veste parce que, supposait Todd, sa chemise devait être pleine de trous et de ravaudages. Il ne possédait pas de vrai manteau, mais en hiver il était le premier à se lever à l'aube pour aller distribuer des pamphlets et coller des pancartes appelant les travailleurs à la rébellion contre les abus des patrons, ou les marins à s'opposer aux capitaines et aux compagnies navales, tâche souvent inutile car les destinataires étaient, pour la plupart, analphabètes. Leurs appels à la justice étaient la proie du vent et de l'indifférence humaine.

Grâce à des recherches discrètes, Jacob Todd découvrit que

son ami était employé par la *Compagnie Britannique d'Import-Export.* En échange d'un salaire misérable et d'un horaire épuisant, il enregistrait les articles qui passaient par les bureaux du port. Il lui était également exigé de porter un col dur et des souliers cirés. Son existence se déroulait dans une salle non ventilée et mal éclairée où les tables s'alignaient, l'une derrière l'autre, jusqu'à l'infini, et sur lesquelles s'empilaient des dossiers et des livres de compte poussiéreux qui restaient des années sans être consultés. Todd se renseigna auprès de Jeremy Sommers, mais ce dernier ne put l'éclairer. Il le voyait sans doute tous les jours, dit-il, mais il n'avait pas de rapports personnels avec ses subordonnés, et il était rare qu'il pût les identifier par leur nom. Par d'autres sources, il apprit qu'Andieta vivait avec sa mère ; sur le père, il n'eut aucun renseignement. Ce devait être un marin de passage, se dit-il, et la mère, une de ces pauvres femmes qui n'appartiennent à aucune catégorie sociale, bâtarde peut-être ou répudiée par sa famille. Joaquín Andieta avait les traits d'un Andalou et la grâce virile d'un jeune torero. Tout chez lui suggérait fermeté, élasticité, maîtrise de soi ; ses mouvements étaient précis, son regard intense et son orgueil émouvant. Aux idées utopiques de Todd, il opposait une vision terre à terre de la réalité. Todd prêchait pour la création d'une société communautaire, sans curés ni policiers, gouvernée démocratiquement par une loi morale unique et sans appel.

— Vous vivez dans la lune, Mr. Todd. Nous avons beaucoup à faire, il est inutile de perdre notre temps à discuter de choses fantaisistes, l'interrompait Joaquín Andieta.

— Mais si nous ne commençons pas par imaginer la société parfaite, comment allons-nous la créer ? répliquait l'autre en agitant son cahier, tous les jours plus épais, auquel il avait ajouté des plans de villes idéales où chaque habitant cultivait son jardin, et où les enfants grandissaient sains et heureux, élevés par la communauté : puisqu'il n'existait pas de propriété privée, on ne pouvait pas non plus réclamer la possession des enfants.

— Nous devons améliorer la vie désastreuse que nous menons ici. La première chose, c'est d'incorporer les travailleurs, les pauvres et les Indiens, de donner la terre aux paysans et de retirer le pouvoir aux curés. Il est nécessaire de changer la Constitution, Mr. Todd. Ici, seuls les propriétaires votent, ce sont donc les riches qui commandent. Les pauvres ne comptent pas.

Au début, Jacob Todd cherchait des moyens détournés pour aider son ami, mais il lui fallut bientôt y renoncer parce que ses initiatives l'offensaient. Il lui commandait des menus travaux pour avoir le prétexte de lui donner de l'argent, mais Andieta s'exécutait consciencieusement et refusait ensuite catégoriquement toute forme de paiement. Si Todd lui offrait du tabac, un verre de brandy ou son parapluie les nuits d'orage, Andieta réagissait avec une arrogance glacée, laissant l'autre déconcerté et parfois offensé. Le jeune homme n'évoquait jamais sa vie privée ou son passé. Il avait l'air de prendre chair de brefs instants, le temps de passer quelques heures de conversation révolutionnaire ou de lectures enflammées dans la librairie, avant de redevenir fumée au terme de ces soirées. Il n'avait pas d'argent pour aller dans une taverne avec les autres et il n'acceptait aucune invitation.

Un soir, Todd, ne pouvant supporter plus longtemps cette incertitude, le suivit à travers le labyrinthe des rues du port, où il pouvait se cacher dans l'ombre des porches et dans les courbes de ces absurdes ruelles qui, disait-on, étaient tortueuses exprès pour éviter que le Diable ne s'y mette. Il vit Joaquín Andieta retrousser ses pantalons, retirer ses chaussures, les envelopper dans une feuille de journal et les mettre précautionneusement dans sa vieille mallette d'où il tira des sandales de paysan qu'il chaussa. A cette heure tardive, il n'y avait que quelques âmes perdues et des chats errants fouillant dans les poubelles. Todd se sentait comme un voleur, il avançait dans l'obscurité presque sur les talons de son ami. Il pouvait entendre sa respiration agitée et l'incessant frottement de ses mains pour combattre les assauts du vent glacé. Ses pas le conduisirent vers un quartier auquel on accédait par une de ces ruelles étroites et typiques de la ville. Une odeur fétide d'urine et d'excréments lui sauta au visage ; dans ces quartiers, les hommes chargés du nettoyage, avec leurs longues perches pour déboucher les égouts, passaient rarement. Il comprit la précaution d'Andieta d'enlever son unique paire de chaussures : il ne savait pas sur quoi il marchait, ses pieds s'enfonçaient dans une substance pestilentielle. Dans la nuit sans lune, de pâles lumières filtraient à travers les volets déglingués de fenêtres sans vitres, bouchées par du carton ou des lattes de bois. A travers les fentes, on pouvait voir l'intérieur de pièces misérables éclairées à la bougie. Le léger brouillard donnait à la scène un air irréel. Il vit Joaquín Andieta craquer une allumette, la protéger de la bise avec son corps, tirer une clé et ouvrir la porte à la lueur tremblante de la flamme. C'est toi, fils ? Il entendit clairement une voix de femme, plus claire et plus jeune qu'il n'imaginait. La porte se referma aussitôt. Todd resta un long moment dans l'obscurité à observer la masure avec un très fort désir de frapper à la porte, désir qui n'était pas seulement de la curiosité, mais une affection débordante pour son ami. Nom de Dieu, je deviens complètement idiot, marmonna-t-il finalement. Il fit demi-tour et se dirigea vers le *Club de l'Union* pour prendre un verre et lire le journal, mais il revint sur sa décision, incapable d'affronter le contraste entre la pauvreté qu'il venait de laisser derrière lui et les salons encombrés de meubles en cuir et de lustres en cristal. Il gagna sa chambre, enflammé par un feu de compassion assez semblable à cette fièvre qui avait bien failli l'emporter lors de sa première semaine au Chili.

Les choses en étaient là, fin 1845, lorsque la flotte commerciale maritime de Grande-Bretagne affecta, à Valparaiso, un aumônier pour répondre aux besoins spirituels des protestants. L'homme arriva avec l'idée d'affronter les catholiques, de construire un temple anglican solide et de redorer le blason de sa congrégation. Son premier geste officiel fut d'examiner les comptes concernant le projet de mission en Terre de Feu, dont les résultats n'étaient visibles nulle part. Jacob Todd se fit inviter à la campagne par Agustín del Valle afin de donner le temps au nouveau pasteur d'épuiser son énergie, mais quand il revint, deux semaines plus tard, il constata que l'aumônier n'avait pas oublié l'affaire. Todd trouva cependant de nouveaux prétextes pour l'éviter, mais il dut finalement se présenter devant un auditeur, puis devant une commission de l'Eglise Anglicane. Il s'embrouilla dans des explications qui devinrent de plus en plus fantaisistes à mesure que les chiffres apportaient la preuve irréfutable de l'escroquerie. Il rendit l'argent qui restait sur son compte, mais sa réputation souffrit un irrémédiable revers. Il lui fallut faire une croix sur les soirées du mercredi chez les Sommers, et plus personne, dans la colonie étrangère, ne le réinvita. On l'évitait dans la rue, et ceux qui avaient avec lui une affaire en cours y mirent un terme. La nouvelle de l'escroquerie parvint aux oreilles de ses amis chiliens qui lui suggérèrent discrètement, mais fermement, de ne plus mettre les pieds au *Club de l'Union*, s'il voulait s'épargner la honte de s'en voir expulsé. Il ne fut plus accepté aux parties de cricket, ni au bar de l'Hôtel Anglais, et se trouva bientôt isolé car même ses amis libéraux lui tournèrent le dos. La famille del Valle coupa tout contact avec lui, à l'exception de Paulina avec qui Todd entretenait une sporadique relation épistolaire.

Dans le Nord, Paulina avait mis au monde son premier enfant et, dans ses lettres, elle semblait satisfaite de sa vie de femme mariée. Feliciano Rodríguez de Santa Cruz, chaque fois plus riche, selon les dires, s'était révélé être un mari peu conventionnel. Il était convaincu que l'audace dont avait fait preuve Paulina, en s'enfuyant du couvent et en manœuvrant sa famille pour l'épouser, ne devait pas être gaspillée dans des tâches domestiques, mais mise à profit. Sa femme, éduquée comme une demoiselle, savait juste lire et compter, mais elle avait développé une véritable passion pour les affaires. Surpris au début par son désir de connaître tous les détails du processus d'extraction et du transport des minerais, ainsi que des fluctuations de la Bourse du Commerce, Feliciano apprit très vite à respecter l'extraordinaire intuition de sa femme. Suivant ses conseils, sept mois après leur mariage, il engrangea de gros bénéfices en spéculant sur le sucre. Reconnaissant, il lui offrit un service à thé en argent fabriqué au Pérou, qui pesait dix-neuf kilos. Paulina, qui pouvait à peine remuer à cause du poids de son premier enfant, refusa le cadeau sans lever les yeux des chaussons qu'elle était en train de tricoter.

— Je préfère que tu ouvres un compte à mon nom dans une banque de Londres et que, dorénavant, tu y déposes les vingt pour cent des bénéfices que j'obtiendrai pour toi.

— Pourquoi ? Je ne te donne pas tout ce dont tu as besoin ? demanda Feliciano, offensé.

— La vie est longue et pleine d'aléas. Je ne veux pas être une veuve pauvre, encore moins avec des enfants, expliqua-t-elle en soupesant son ventre.

Feliciano sortit en claquant la porte, mais son sens inné de la justice fut plus fort que sa mauvaise humeur de mari piqué au vif. De plus, ces vingt pour cent seraient un puissant stimulant pour Paulina, décida-t-il. Il fit ce qu'elle lui demandait, bien qu'il n'eût jamais entendu dire qu'une femme mariée pût disposer d'argent propre. Si une épouse ne pouvait se déplacer seule, signer des documents légaux, faire appel à la justice, vendre ou acheter sans l'autorisation de son mari, elle pouvait encore moins posséder un compte en banque et l'utiliser à discrétion. Il ne serait pas aisé d'expliquer cela à la banque et aux associés.

— Venez dans le Nord avec nous, l'avenir est dans les mines, et là, vous pourrez repartir à zéro, suggéra Paulina à Jacob Todd, lorsqu'elle apprit, lors d'un bref passage à Valparaiso, qu'il était tombé en disgrâce.

— Qu'y ferais-je, mon amie ? murmura-t-il.

— Vendre vos bibles, se moqua Paulina, mais émue en voyant sa tristesse abyssale, elle lui offrit sa maison, son amitié et du travail dans les sociétés de son mari.

Todd était tellement découragé par le mauvais sort et la honte publique qu'il ne trouva pas la force de recommencer une aventure dans le Nord. La curiosité et l'inquiétude qui le poussaient jadis avaient cédé la place à l'obsession de redonner quelque brillant à son nom.

— J'ai le nez dans la boue, madame, vous ne le voyez pas ? Un homme sans honneur est un homme mort.

— Les temps ont changé, le consola Paulina. Jadis, l'honneur entaché d'une femme ne se lavait que dans le sang. Mais vous voyez, Mr. Todd, dans mon cas, il a été lavé avec une jarre de chocolat. L'honneur des hommes est beaucoup plus résistant que le nôtre. Ne désespérez pas.

Feliciano Rodríguez de Santa Cruz, qui n'avait pas oublié son intervention lors de ses amours frustrées avec Paulina, voulut lui prêter de l'argent pour qu'il rembourse jusqu'au dernier centime, mais Todd décida qu'entre en devoir à un ami et à un aumônier protestant, il préférait la deuxième solution, dans la mesure où sa réputation était de toute façon déjà bien entachée. Peu après, il lui fallut prendre congé des chats et des tartes, car la veuve anglaise de la pension l'expulsa avec une liste interminable de reproches. Cette bonne personne avait redoublé d'efforts dans sa cuisine pour financer la propagation de sa foi dans ces régions aux hivers éternels, où un vent spectral hululait jour et nuit, comme disait Jacob Todd, ivre d'éloquence. Quand elle apprit le destin de ses économies, fondues entre les mains du faux missionnaire, elle s'enflamma d'une juste colère et le mit à la porte. Grâce à l'aide de Joaquín Andieta, qui lui chercha un autre logement, il déménagea dans une chambre exiguë, mais avec vue sur la mer, dans un quartier modeste du port. La maison appartenait à une famille chilienne et n'avait pas les prétentions européennes de la précédente. C'était une construction ancienne, en pisé blanchi à la chaux et au toit de tuiles rouges, composée d'un hall d'entrée, d'une grande pièce quasiment sans meubles qui faisait office de salon, d'une salle à manger et d'une chambre à coucher pour les parents, d'une plus petite sans fenêtre où dormaient tous les enfants, et d'une autre au fond qu'ils louaient. Le propriétaire était maître d'école, et sa femme améliorait l'ordinaire avec une industrie artisanale de bougies fabriquées dans la cuisine. L'odeur de la cire imprégnait toute la maison. Todd sentait cette odeur douceâtre dans ses livres, son linge, ses cheveux et même dans son âme; elle avait si bien pénétré dans sa peau que, bien des années plus tard, de l'autre côté du monde, il continuerait à sentir la bougie. Il ne fréquentait que les bas quartiers du port, où la mauvaise réputation d'un *gringo* aux cheveux roux importait peu. Il mangeait dans des estaminets de pauvres et passait des journées entières avec les pêcheurs, occupé aux filets et aux barques. L'exercice physique lui faisait du bien et, l'espace de quelques heures, il oubliait son orgueil blessé. Seul Joaquín Andieta continuait à lui rendre visite. Ils s'enfermaient pour discuter de politique et pour échanger des textes de philosophes français, tandis que de l'autre côté de la porte, les enfants du maître d'école couraient et que, tel un fil d'or fondu, s'infiltrait la cire des bougies. Joaquín Andieta ne fit jamais aucune allusion à l'argent des missions, il ne pouvait cependant l'ignorer, puisque le scandale s'était ébruité au fil des semaines. Lorsque Todd voulut lui expliquer que ses intentions n'avaient jamais été d'escroquer les gens, que tout cela venait de ce qu'il était fâché avec les chiffres, et aussi de son désordre proverbial et de sa malchance, Joaquín Andieta mit un doigt sur ses lèvres dans le geste universel de faire silence. Dans une impulsion de honte et d'affection, Jacob Todd l'étreignit maladroitement et l'autre le serra contre lui, mais il se dégagea aussitôt avec brusquerie, rouge jusqu'aux oreilles. Les deux reculèrent simultanément, étourdis, sans comprendre comment ils avaient pu violer la règle élémentaire de conduite qui exclut tout contact physique entre hommes, excepté dans les batailles ou les sports violents.

Les mois s'écoulaient et l'Anglais perdait peu à peu les pédales, il négligeait son apparence, errait avec une barbe de plusieurs jours, sentait la bougie et l'alcool. Quand il buvait trop de genièvre, il pestait comme un possédé, sans pause ni répit, contre les gouvernements, la famille royale anglaise, les militaires et les policiers, le système de privilèges de classe, qu'il comparait aux castes en Inde, la religion en général et le christianisme en particulier.

— Il faut partir d'ici, Mr. Todd, vous perdez la tête, s'enhardit à lui dire Joaquín Andieta un jour qu'il réussit à l'entraîner hors d'une place, au moment où la police allait l'emmener.

C'est exactement dans cet état, prêchant dans la rue comme un possédé, que l'avait vu le capitaine John Sommers, qui avait débarqué de sa goélette quelques semaines auparavant. Son navire avait tellement souffert pendant la traversée du cap Horn qu'il avait dû le soumettre à de longues réparations. John Sommers avait passé un mois entier dans la maison de son frère Jeremy et de sa sœur Rose. Cela le décida à chercher du travail sur un de ces bateaux modernes à vapeur dès son retour en Angleterre, car il n'était pas disposé à renouveler l'expérience de captivité dans la prison familiale. Il aimait sa famille, mais il préférait la savoir loin. Il avait résisté jusqu'alors à prendre en compte les bateaux à vapeur car il ne concevait pas l'aventure en mer sans le défi des voiles et du temps, qui éprouvaient l'adresse d'un capitaine, mais il dut admettre finalement que l'avenir se trouvait dans les nouvelles embarcations, plus grandes, plus sûres et plus rapides. Constatant qu'il perdait ses cheveux, il en rendit bien évidemment responsable la vie sédentaire. L'ennui commença à lui peser comme une armure et il s'échappait de la maison pour aller se promener dans le port avec l'impatience d'un fauve en cage. En reconnaissant le capitaine, Jacob Todd abaissa le rebord de son chapeau et feignit de ne pas le voir pour éviter l'humiliation d'une nouvelle déconvenue, mais le marin s'arrêta tout net et le salua avec d'affectueuses tapes sur l'épaule.

— Allons boire un verre, l'ami ! dit-il en l'entraînant dans un troquet voisin.

C'était un de ces endroits du port connus des gens du quartier pour la qualité de leurs boissons, où de plus on offrait un plat unique à la renommée bien méritée : congre frit accompagné de pommes de terre et salade d'oignons crus. Todd, qui oubliait de manger à cette époque par manque d'argent, sentit la délicieuse odeur de nourriture et crut s'évanouir. Une bouffée de reconnaissance et de plaisir lui tira des larmes. Par politesse, John Sommers détourna la tête pendant qu'il dévorait son assiette jusqu'à la dernière bouchée.

— Je n'ai jamais pensé que cette histoire de mission chez les Indiens était une bonne idée, dit-il, alors que Todd commençait justement à se demander si le capitaine était au courant du scandale financier. Ces pauvres gens ne méritent pas la punition d'être évangélisés. Que pensez-vous faire maintenant ?

— J'ai rendu l'argent qui restait sur le compte, mais je dois encore une belle somme.

— Et vous n'avez pas de quoi la payer, n'est-ce pas ?

— Pour le moment, non, mais...

— Mais rien du tout, allez ! Vous avez donné à ces bons chrétiens un prétexte de se sentir vertueux et maintenant vous leur avez offert un motif de scandale pour un bon bout de temps. La diversion ne leur a pas coûté cher. Quand je vous demandais ce que vous pensiez faire, je pensais à votre avenir, pas à vos dettes.

— Je n'ai aucun projet.

— Revenez avec moi en Angleterre. Cet endroit n'est pas pour vous. Combien y a-t-il d'étrangers dans ce port ? Quatre chats et ils se connaissent tous. Croyez-moi, ils ne vous ficheront pas la paix. En Angleterre, au moins, vous pourrez vous fondre dans la foule.

Jacob Todd fixa le fond de son verre avec une expression si désespérée que le capitaine éclata de rire.

— Ne me dites pas que vous restez ici pour ma sœur Rose !

Et pourtant oui. La répudiation générale aurait été plus supportable pour Todd si Miss Rose avait montré à son égard un minimum de loyauté ou de compréhension, mais elle avait refusé de le recevoir et lui avait renvoyé, sans les ouvrir, les lettres dans lesquelles il avait essayé de redorer son blason. Jamais il ne sut que ses missives n'étaient pas parvenues entre les mains de leur destinataire parce que Jeremy Sommers, violant l'accord de respect mutuel passé avec sa sœur, avait décidé de la protéger de son bon cœur et de l'empêcher de commettre une nouvelle bêtise irréparable. Le capitaine ne le savait pas non plus, mais il devina les précautions de Jeremy et en conclut qu'il aurait sans doute fait la même chose dans des circonstances identiques. L'idée de voir le pathétique vendeur de bibles transformé en soupirant de sa sœur Rose lui semblait désastreuse : pour une fois, il était totalement d'accord avec Jeremy.

— Mes intentions vis-à-vis de Miss Rose étaient-elles si évidentes ? demanda Jacob Todd, troublé.

— Disons qu'elles ne sont pas un mystère, mon ami.

— Je crains de n'avoir jamais le moindre espoir qu'un jour elle m'accepte...

— Je le crains aussi.

— Me feriez-vous l'immense faveur d'intercéder pour moi, capitaine ? Si Miss Rose consentait à me recevoir une fois, je pourrais lui expliquer...

— Ne comptez pas sur moi pour jouer les entremetteurs, Todd. Si Rose avait pour vous les sentiments que vous-même avez pour elle, vous le sauriez. Ma sœur n'est pas timide, je peux vous l'assurer. Je vous le répète, allez, la seule chose qui vous reste à faire, c'est quitter ce maudit port ; ici, vous finirez mendiant. Mon bateau part dans trois jours vers Honk Kong, puis vers l'Angleterre. La traversée sera longue, mais vous n'êtes pas pressé. L'air frais et le travail dur sont des remèdes infaillibles contre la stupidité de l'amour. Je parle en connaissance de cause, moi qui tombe amoureux dans chaque port et qui guéris dès que je reprends la mer.

— Je n'ai pas d'argent pour le billet.

— Il vous faudra travailler comme marin et, le soir, jouer aux cartes avec moi. Si vous n'avez pas oublié les trucs de tricheur que vous connaissiez quand je vous ai amené au Chili il y a trois ans, vous me plumerez durant le trajet, c'est sûr.

Trois jours plus tard, Jacob Todd s'embarqua, beaucoup plus pauvre qu'il n'était arrivé. Le seul qui l'accompagna jusqu'au quai fut Joaquín Andieta. Le sombre jeune homme avait demandé la permission de s'absenter une heure de son travail. Il prit congé de Jacob Todd avec une forte poignée de main.

— Nous nous reverrons, l'ami, dit l'Anglais.

— Je ne crois pas, répliqua le Chilien, qui avait une intuition plus nette du destin.

Les prétendants

Deux ans après le départ de Jacob Todd, Eliza Sommers effectua sa métamorphose définitive. L'insecte anguleux qu'elle avait été dans son enfance se transforma en une jeune fille aux contours suaves et au visage délicat. Sous la tutelle de Miss Rose, elle passa ses ingrates années de puberté à se balancer, un livre sur la tête, et à étudier le piano. Elle cultivait en même temps toutes sortes d'herbes dans le potager de Mama Fresia et apprenait les vieilles recettes pour guérir les maladies connues et inconnues : la moutarde contre l'indifférence des choses quotidiennes, la feuille d'hortensia pour faire mûrir les tumeurs et retrouver le rire, la violette pour supporter la solitude, et la verveine, avec laquelle elle assaisonnait la soupe de Miss Rose, parce que cette plante noble était censée soigner les sautes d'humeur. Miss Rose ne parvint pas à désintéresser sa protégée de la cuisine et elle finit par se résigner à la voir perdre des heures précieuses à manipuler les marmites noires de Mama Fresia. Elle considérait les connaissances culinaires comme un simple agrément dans l'éducation d'une jeune fille, parce qu'elles vous donnaient de l'assurance pour diriger le personnel, elle en savait quelque chose, mais de là à se salir avec des poêles et des casseroles, la marge était grande. Une dame ne pouvait pas sentir l'ail et l'oignon. Mais Eliza préférait la pratique à la théorie et recueillait auprès de ses amies des recettes qu'elle copiait dans un cahier et qu'elle améliorait ensuite au moment de se mettre aux fourneaux. Elle pouvait passer des journées entières à moudre des épices et des noix pour faire des gâteaux, ou du maïs pour confectionner des plats typiques, nettoyer des tourterelles pour la marinade et des fruits pour les conserves. A quatorze ans, elle avait dépassé la timide pâtisserie de Miss Rose et appris tout le répertoire de Mama Fresia. A quinze ans, elle s'occupait du festin pour les soirées du mercredi, et quand les plats chiliens ne furent plus un défi, elle s'intéressa à la cuisine raffinée, française, que lui enseigna Madame Colbert, et aux épices exotiques des Indes que son oncle John ramenait et que, ignorant leur nom, elle identifiait à l'odeur. Quand le cocher laissait un message chez certains amis des Sommers, il présentait l'enveloppe accompagnée d'une friandise juste sortie des mains d'Eliza, qui avait élevé l'habitude locale d'échanger plats et desserts au niveau d'un art. Elle s'y employait si bien que Jeremy Sommers finit par l'imaginer propriétaire de son propre salon de thé, projet qui, comme tous ceux de son frère concernant la jeune fille, fut écarté par Miss Rose sans la moindre considération. Une femme qui gagne sa vie descend de catégorie sociale, aussi respectable que soit son travail, affirmait-elle. Elle envisageait, en revanche, un bon mari pour sa protégée et s'était fixé un délai de deux ans pour le trouver au Chili, à la suite de quoi elle emmènerait Eliza en Angleterre. Elle ne pouvait pas lui faire courir le risque de se retrouver, à vingt ans, sans mari et de rester vieille fille. Le candidat devait être capable d'ignorer ses origines obscures et de s'enthousiasmer pour ses qualités. Parmi les Chiliens, c'était impensable, l'aristocratie se mariait entre elle et la classe moyenne ne l'intéressait pas. Elle ne souhaitait pas voir Eliza aux prises avec des soucis d'argent. Elle avait des contacts sporadiques avec des hommes d'affaires ou des exploitants miniers qui entretenaient des relations commerciales avec son frère Jeremy, mais ceux-là couraient derrière les noms et les blasons de l'oligarchie. Il était peu probable qu'ils remarquent Eliza, son physique n'avait pas de quoi enflammer les passions : elle était de petite taille et menue, et ne possédait pas la pâleur laiteuse ou l'opulence du buste et des hanches à la mode. En la regardant de plus près, on découvrait sa beauté discrète, la grâce de ses gestes et l'expression intense de ses yeux ; elle ressemblait à une poupée de porcelaine que le capitaine John Sommers avait rapportée de Chine. Miss Rose cherchait un prétendant qui serait en mesure d'apprécier le grand discernement de sa protégée, ainsi que la fermeté de son caractère et son habileté pour retourner les situations en sa faveur, ce que Mama Fresia appelait chance et qu'elle préférait appeler intelligence. Un homme économiquement solvable et pourvu d'un bon caractère, qui lui offrirait sécurité et respect, mais qu'Eliza pourrait manœuvrer à sa guise. Elle pensait lui apprendre en temps voulu la subtile discipline des attentions quotidiennes qui alimentent chez l'homme l'habitude de la vie domestique ; le système de caresses audacieuses pour le récompenser et le silence profond pour le punir ; les secrets pour lui ôter la volonté, qu'elle n'avait elle-même pas eu le loisir de pratiquer, et aussi l'art millénaire de l'amour physique. Elle n'aurait jamais osé aborder ce sujet avec Eliza, mais elle possédait plusieurs livres enfermés à double tour dans son armoire, qu'elle lui prêterait au moment opportun. On peut tout dire par écrit, telle était sa théorie, et en matière de théorie elle en savait plus que quiconque. Miss Rose aurait pu donner un cours magistral sur toutes les manières possibles et impossibles de faire l'amour.

— Tu dois adopter Eliza légalement pour qu'elle porte notre nom, exigea-t-elle de son frère Jeremy.

— Elle le porte depuis des années, que veux-tu de plus, Rose ?

— Qu'elle puisse se marier la tête haute.

— Se marier avec qui ?

Miss Rose ne lui dit rien à cette occasion, mais elle avait déjà quelqu'un en vue. Il s'agissait de Michael Steward, âgé de vingt-huit ans, officier de la flotte navale anglaise cantonnée dans le port de Valparaiso. Elle s'était fait confirmer par son frère John que le marin appartenait à une ancienne famille. Ils ne verraient pas d'un bon œil le fils aîné, et unique héritier, épouser une inconnue sans fortune venant d'un pays dont ils n'avaient jamais entendu parler. Il était indispensable qu'Eliza eût une dot alléchante et que Jeremy l'adoptât, ainsi au moins la question de ses origines ne serait pas un obstacle.

Michael Steward avait un port d'athlète et un regard innocent derrière ses pupilles bleues, des moustaches et des favoris blonds, de bonnes dents et un nez aristocratique. Le menton fuyant lui enlevait de la prestance et Miss Rose attendait d'être en confiance pour lui suggérer de le dissimuler sous une barbe. Selon le capitaine Sommers, le jeune homme était un exemple de moralité, et sa feuille de service impeccable lui garantissait une brillante carrière dans la marine. Aux yeux de Miss Rose, le fait de passer tant de temps à naviguer était un avantage énorme pour qui l'épouserait. Plus elle y pensait, plus elle était convaincue d'avoir découvert l'homme idéal, mais Eliza avait son caractère et elle ne l'accepterait pas seulement par convenance, elle devait en tomber amoureuse. Il y avait un espoir : l'homme était beau dans son uniforme et personne ne l'avait encore vu sans.

— Steward n'est qu'un idiot affublé de bonnes manières. Eliza mourrait d'ennui si elle l'épousait, dit le capitaine John Sommers lorsqu'elle lui raconta ses projets.

— Tous les maris sont ennuyeux, John. Aucune femme avec deux doigts de jugeote ne se marie pour être divertie, mais pour être entretenue.

Eliza avait encore l'air d'une enfant, mais elle avait terminé son éducation et serait bientôt en âge de se marier. Elle avait du temps devant elle, conclut Miss Rose, mais il lui fallait agir avec fermeté pour empêcher qu'entre-temps une fille plus maligne ne lui vole son candidat. Une fois la décision prise, elle s'employa à attirer l'officier en usant de tous les prétextes qu'elle fut capable d'imaginer. Elle organisa ses soirées musicales pour les faire coïncider avec les jours où Michael Steward descendait à quai, sans se préoccuper des autres convives, qui des années durant avaient réservé leur mercredi pour ce moment sacré. Piqués, certains cessèrent de venir. C'était justement ce que Miss Rose souhaitait, ainsi put-elle transformer les paisibles soirées musicales en joyeuses fêtes et renouveler la liste des invités, conviant des jeunes gens célibataires et des jeunes filles à marier de la colonie étrangère, au lieu des ennuyeux Ebeling, Scott et Appelgren, qui devenaient de vrais fossiles. Les récitals de poésie et de chant cédèrent le pas à des jeux de salon, à des bals informels, à des épreuves d'intelligence et des charades. Elle organisait des repas champêtres fort compliqués et des promenades sur la plage. Ils partaient dans plusieurs voitures, précédés à l'aube par de lourdes charrettes à plancher de cuir et toit de paille, emportant les domestiques chargés d'installer les innombrables paniers du déjeuner sous des tentes et des parasols. Devant eux s'étendaient les vallées fertiles plantées d'arbres fruitiers, de vignes, des champs de blé et de maïs, des côtes abruptes où l'océan Pacifique éclatait en nuées d'écume et, au loin, la silhouette majestueuse de la cordillère enneigée. Miss Rose s'arrangeait toujours pour qu'Eliza et Steward voyagent dans la même voiture, qu'ils soient assis l'un à côté de l'autre et fassent la paire pour les jeux de balle et de pantomime, mais pour les cartes et les dominos, elle les séparait car Eliza refusait catégoriquement de le laisser gagner.

— Tu dois faire en sorte que l'homme se sente supérieur, ma petite, lui expliqua patiemment Miss Rose.

— Cela demande beaucoup de travail, répliqua Eliza sans s'émouvoir.

Jeremy Sommers ne put s'opposer aux énormes frais engagés par sa sœur. Miss Rose achetait des tissus en gros et entretenait deux filles de service à coudre toute la journée des robes copiées dans des revues. Elle s'endettait de façon peu raisonnable vis-à-vis des marins qui faisaient de la contrebande pour ne jamais manquer de parfums, de carmin de Turquie, de belladone et de khôl pour le mystère des yeux, de crème de perles vivantes pour éclaircir la peau. Pour la première fois, elle n'avait plus le temps d'écrire. L'officier anglais faisait l'objet de toutes ses attentions : biscuits et conserves à emporter en haute mer, par exemple, le tout confectionné à la maison et présenté dans de superbes pots.

— Eliza a préparé ceci pour vous, mais elle est trop timide pour vous le remettre personnellement, lui disait-elle, sans préciser qu'Eliza cuisinait tout ce qu'on lui demandait sans s'informer du destinataire, et elle était donc surprise lorsqu'il la remerciait.

Michael Steward ne resta pas indifférent à la campagne de séduction. Peu bavard, il manifestait sa reconnaissance par des lettres brèves et formelles, sur un papier portant l'en-tête de la marine, et il avait pris l'habitude quand il descendait à terre, de se présenter avec un bouquet de fleurs. Il avait étudié le langage des fleurs, mais cette délicatesse tombait à plat car Miss Rose, comme tout le monde dans ces contrées si lointaines de l'Angleterre, n'avait jamais entendu parler de la différence entre une rose et un œillet, et encore moins soupçonnait-elle la signification à donner à la couleur du ruban. Les efforts de Steward pour trouver des fleurs qui montent graduellement de ton, du rose pâle en passant par toutes les variétés de rouge jusqu'à l'incarnat le plus vif, comme indice de sa passion croissante, tombèrent complètement à l'eau. Avec le temps, l'officier parvint à dominer sa timidité, et du silence pénible, qui le caractérisait au début, il passa à une loquacité incommodante pour l'assemblée. Il exposait avec euphorie ses opinions morales sur des niaiseries et se perdait dans des explications inutiles à propos de courants marins et de cartes de navigation. Là où il se mettait vraiment en valeur, c'était dans les sports violents qui faisaient ressortir son courage et sa musculature. Miss Rose le poussait à effectuer des démonstrations acrobatiques, suspendu à une branche du jardin, et elle obtint même, après une certaine insistance, qu'il les régale avec les coups de talon, les flexions et les sauts de la mort d'une danse ukrainienne apprise auprès d'un autre marin. Miss Rose applaudissait à tout avec un enthousiasme exagéré, tandis qu'Eliza observait, sérieuse et en silence, sans donner son opinion. Plusieurs semaines passèrent ainsi. Pesant et calculant les conséquences du pas qu'il voulait franchir, Michael Steward échangeait des lettres avec son père pour discuter de ses projets. Les retards inévitables du courrier prolongèrent l'incertitude de plusieurs mois. Il s'agissait de la décision la plus grave de sa vie et il lui fallait beaucoup plus de courage pour l'affronter que pour combattre les ennemis potentiels de l'Empire britannique dans le Pacifique. Finalement, lors d'une soirée musicale, après cent essais devant le miroir, retrouvant son courage, qui avait tendance à s'estomper, et assurant sa voix, que la peur rendait aiguë, il réussit à coincer Miss Rose dans le couloir.

— Je dois vous parler en privé, lui murmura-t-il.

Elle le conduisit dans la petite salle de couture. Bien que pressentant ce qu'elle allait entendre, elle fut néanmoins surprise de sa propre émotion : ses pommettes s'enflammèrent et son cœur se mit à battre très fort. Elle remonta une mèche qui s'était échappée de son chignon et sécha discrètement son front baigné de sueur. Michael Steward se dit qu'il ne l'avait jamais vue si belle.

— Je pense que vous avez deviné ce que j'ai à vous dire, Miss Rose.

— Deviner est dangereux, Mr. Steward. Je vous écoute...

— Il s'agit de mes sentiments. Vous savez sans doute ce que je veux dire. Je tiens à vous assurer que mes intentions sont du plus irréprochable sérieux.

— Je n'en attends pas moins d'une personne comme vous. Croyez-vous que vos sentiments sont partagés ?

— Vous seule pouvez me répondre, dit en bégayant le jeune officier.

Ils restèrent à se regarder, elle les sourcils levés dans un geste d'attente et lui craignant que le plafond ne s'effondre sur sa tête. Décidé à agir avant que la magie du moment ne se transforme en cendres, l'amoureux la saisit par les épaules et se pencha pour l'embrasser. Pétrifiée par la surprise, Miss Rose ne put faire un geste. Elle sentit les lèvres humides et les moustaches de l'officier sur sa bouche, sans comprendre ce qui n'avait pas fonctionné, et quand, finalement, elle fut en état de réagir, elle l'écarta violemment.

— Que faites-vous! Vous ne voyez pas que je suis beaucoup plus âgée que vous! s'exclama-t-elle en se séchant la bouche du revers de la main.

— Qu'importe l'âge? balbutia l'officier déconcerté, parce qu'en réalité il avait calculé que Miss Rose n'avait pas plus de vingt-sept ans.

— Comment osez-vous! Avez-vous perdu la raison?

— Mais vous... vous m'avez laissé entendre... je ne peux pas me tromper à ce point! murmura le pauvre homme, étourdi de honte.

— Je vous veux pour Eliza, pas pour moi! s'exclama Miss Rose effrayée, et elle sortit en courant s'enfermer dans sa chambre, tandis que le malheureux prétendant demandait sa cape et sa casquette et s'en allait sans prendre congé de quiconque, pour ne plus jamais revenir dans cette maison.

D'un angle du couloir, Eliza avait tout entendu à travers la porte entrouverte de la petite salle de couture. Elle non plus n'avait pas bien compris le sens de ses attentions envers l'officier. Miss Rose avait toujours démontré une telle indifférence pour ses prétendants qu'elle s'était habituée à la considérer comme une vieille. Ce n'est que dans les derniers mois, la voyant se consacrer corps et âme aux jeux de la séduction, qu'elle avait remarqué son port magnifique et sa peau lumineuse. Elle la crut éperdue d'amour pour Michael Steward et il ne lui était pas venu à l'esprit que les repas bucoliques à la campagne sous des parasols japonais, et les biscuits au beurre pour soulager les indispositions de la navigation, fussent une stratégie de sa protectrice pour mettre la main sur l'officier et le lui offrir sur un plateau. Cette découverte la frappa comme un coup de poing dans l'estomac et lui coupa le souffle, car la dernière chose qu'elle souhaitait ici-bas, c'était un mariage arrangé dans son dos. Elle était prise dans l'ouragan récent de son premier amour et avait juré, avec une irrévocable certitude, qu'elle n'épouserait personne d'autre que *lui*.

Eliza Sommers vit Joaquín Andieta pour la première fois un vendredi de mai 1848, quand celui-ci, menant une charrette tirée par plusieurs mules, et entièrement couverte de ballots de la *Compagnie Britannique d'Import-Export*, s'arrêta devant la maison. Ils contenaient des tapis persans, des lustres en cristal et une collection de figurines en ivoire, commande de Feliciano Rodríguez de Santa Cruz pour meubler la demeure qu'il s'était fait construire dans le Nord, une de ces précieuses cargaisons qui, dans le port, couraient un risque certain, et qu'il était plus prudent d'entreposer chez les Sommers en attendant de les envoyer vers leur destination finale. Si le reste du voyage s'effectuait par terre, Jeremy engageait des gardes armés pour protéger la marchandise, mais dans ce cas elle devait être envoyée dans une goélette chilienne qui prenait la mer la semaine suivante. Andieta portait ses uniques vêtements, passés de mode, sombres et usés; il n'avait ni chapeau ni parapluie. Sa pâleur funèbre contrastait avec ses yeux pétillants, et ses cheveux noirs brillaient dans l'humidité d'une des premières pluies de l'automne. Miss Rose alla à sa rencontre et Mama Fresia, qui portait toujours le trousseau de clés de la maison accroché à sa ceinture, le conduisit jusqu'à la dernière cour où se trouvait l'entrepôt. Le jeune homme disposa les employés sur une file et ils se passèrent les ballots de main en main, traversant le terrain accidenté, les escaliers tordus, les terrasses superposées et les tonnelles inutiles. Tandis qu'il comptait, marquait et annotait dans son cahier, Eliza usa de sa faculté de se rendre invisible pour l'observer à sa guise. Elle avait eu seize ans deux mois auparavant et se sentait prête pour l'amour. Voyant les mains aux longs doigts tachés d'encre de Joaquín Andieta et entendant sa voix profonde et en même temps claire et fraîche comme le murmure d'une rivière donnant des ordres secs aux employés, elle se sentit émue jusqu'aux entrailles et un violent désir de se rapprocher et de le flairer l'obligea à quitter sa cachette derrière les palmes d'un gros pot de fleurs. Mama Fresia, rouspétant parce que les mules avaient sali l'entrée, et tout occupée à ses clés, ne remarqua rien, mais Miss Rose parvint à voir du coin de l'œil la rougeur de la jeune fille. Elle n'y accorda aucune importance, l'employé de son frère lui fit l'effet d'un pauvre diable insignifiant, juste une ombre parmi les nombreuses ombres de cette journée nuageuse. Eliza disparut vers la cuisine et réapparut quelques minutes plus tard avec des verres et une jarre contenant du jus d'orange adouci au miel. Pour la première fois dans sa vie, elle, qui avait passé des années à porter un livre en équilibre sur la tête sans penser à ce qu'elle faisait, prit conscience de ses pas, de l'ondulation de ses hanches, du balancement de son corps, de l'angle de ses bras, de la distance entre ses épaules et son menton. Elle aurait voulu être aussi belle que Miss Rose quand celle-ci était la jeune fille splendide qui l'avait recueillie dans son berceau improvisé dans une caisse de savons de Marseille ; elle aurait voulu chanter avec la voix de rossignol avec laquelle mademoiselle Appelgren interprétait ses mélodies écossaises ; elle aurait voulu danser avec l'impossible légèreté de son professeur de danse et elle aurait voulu mourir là même, touchée par un sentiment tranchant et indompté comme une épée, qui lui aurait rempli la bouche d'un sang chaud et qui, bien avant de pouvoir le formuler, l'oppressait du poids terrible de l'amour idéalisé. Bien des années plus tard, devant une tête humaine conservée dans un flacon de genièvre, Eliza se souviendrait de cette première rencontre avec Joaquín Andieta et sentirait à nouveau cette insupportable angoisse. Elle se demanderait cent et cent fois tout au long de son parcours si elle aurait pu fuir cette passion dévorante qui allait briser sa vie, si durant ces brefs instants elle aurait pu faire demi-tour et se sauver, mais chaque fois qu'elle avait formulé cette question, elle était arrivée à la conclusion que son destin était tracé dès l'origine des temps. Et quand le sage Tao Chi'en l'introduisit dans la poétique possibilité de la réincarnation, elle fut convaincue que dans chacune de ses vies le même drame se répétait : si elle était née mille fois auparavant et devait naître mille autres fois dans le futur, elle viendrait toujours au monde avec la mission d'aimer cet homme de la même façon. Pour elle, il n'y avait pas d'échappatoire. Tao Chi'en lui enseigna alors les formules magiques pour dénouer les nœuds du karma et éviter de toujours répéter la même déchirante incertitude amoureuse.

Ce jour de mai, Eliza posa le plateau sur un banc et offrit le rafraîchissement d'abord aux travailleurs, pour gagner du temps pendant qu'elle affermissait ses genoux et dominait la rigidité de mule rusée qui, lui paralysant la poitrine, l'empêchait de respirer, et ensuite à Joaquín Andieta qui était toujours absorbé dans son travail et qui leva à peine les yeux quand elle lui tendit le verre. En faisant ce geste, Eliza se rapprocha le plus possible de lui, calculant la direction de la brise pour que cette dernière lui apporte l'odeur de l'homme qui, c'était décidé, serait à elle. Les yeux à demi clos, elle respira son odeur de linge humide, de savon ordinaire et de transpiration fraîche. Un fleuve de lave ardente lui parcourut les entrailles, elle se sentit faiblir et, dans un instant de panique, crut réellement être en train de mourir. Ces quelques secondes furent d'une telle intensité que Joaquín Andieta laissa tomber son cahier comme si une force incontrôlable le lui avait ravi, tandis qu'une chaleur de brasier l'atteignait lui aussi, le brûlant de son reflet. Il regarda Eliza sans la voir, le visage de la jeune fille était un miroir pâle où il crut apercevoir sa propre image. Il eut une idée vague de la taille de son corps et de l'auréole sombre de ses cheveux, mais ce n'est qu'à la seconde rencontre, quelques jours plus tard, qu'il parviendrait enfin à se perdre dans ses yeux noirs et dans la grâce aquatique de ses gestes. Ils se penchèrent en même temps pour ramasser le cahier, leurs épaules s'entrechoquèrent et le contenu du verre se répandit sur la robe d'Eliza.

— Regarde ce que tu fais, Eliza ! s'exclama Miss Rose, inquiète, car l'impact de cet amour subit l'avait également frappée. Va te changer et fais tremper cette robe dans de l'eau froide, pour voir si cette tache part, ajouta-t-elle sèchement.

Mais Eliza ne bougea pas, accrochée aux yeux de Joaquín Andieta, tremblante, les narines dilatées, flairant sans retenue, jusqu'à ce que Miss Rose la prenne par le bras et l'entraîne dans la maison.

— Je te l'avais dit, petite : n'importe quel homme, pour misérable qu'il soit, peut faire avec toi ce qu'il voudra, lui rappela l'Indienne ce soir-là.

— Je ne sais pas de quoi tu me parles, Mama Fresia, répliqua Eliza.

En rencontrant Joaquín Andieta ce matin d'automne dans la cour de chez elle, Eliza crut trouver son destin : elle serait son esclave pour toujours. Elle n'avait pas encore suffisamment vécu pour comprendre ce qui s'était passé, exprimer en paroles le tumulte qui l'étouffait, ou élaborer un projet, mais elle expérimenta l'intuition de l'inévitable. De manière vague mais douloureuse, elle comprit qu'elle était attrapée, et eut une réaction physique similaire à la peste. Pendant une semaine, jusqu'à ce qu'elle le revoie, elle souffrit de coliques spasmodiques sans trouver de soulagement dans les herbes magiques de Mama Fresia, ni dans les poudres d'arsenic dilué dans de la liqueur de cerise de l'apothicaire allemand. Elle perdit du poids et ses os devinrent aussi légers que ceux d'une tourterelle, à la grande frayeur de Mama Fresia qui fermait les fenêtres pour éviter qu'un vent marin n'emportât la jeune fille vers l'horizon. L'Indienne lui administra plusieurs mixtures et prononça certaines exhortations de son vaste répertoire, et quand elle comprit que rien n'avait d'effet, elle s'en remit aux saints catholiques. Elle tira du fond de son coffre quelques misérables économies, acheta douze bougies et s'en fut négocier avec le curé. Après les avoir fait bénir lors de la grand-messe dominicale, elle en alluma une devant chaque saint des chapelles latérales de l'église, huit au total, et en mit trois devant l'image de saint Antoine, patron des jeunes filles célibataires sans espoir, des épouses malheureuses et autres causes perdues. Elle emporta la dernière, avec une mèche de cheveux et une chemise d'Eliza à la *machi* la plus connue des environs. C'était une mapuche âgée et aveugle de naissance, sorcière en magie blanche, célèbre pour ses prédictions sans appel et son bon jugement pour soigner les maux du corps et les angoisses de l'âme. Mama Fresia avait passé ses années d'adolescence à servir d'apprentie et de servante à cette femme, mais elle n'avait pas pu suivre ses pas, comme elle l'aurait souhaité, parce qu'elle n'avait pas le don. Il n'y avait rien à faire : on naît avec le don ou sans le don. Un jour, elle voulut expliquer cela à Eliza et la seule chose qui lui vint à l'esprit, c'était que le don était la faculté de voir ce qu'il y avait derrière les miroirs. A défaut de ce mystérieux talent, Mama Fresia avait dû renoncer à ses aspirations de guérisseuse et entrer au service des Anglais.

La *machi* vivait seule au fond d'un ravin, entre deux collines, dans une cabane en pisé et au toit de paille, prête à s'effondrer. Tout autour de la maison régnait un désordre de pierres, de bûches, de plantes en pot, de chiens faméliques et d'oiseaux noirs qui fouillaient en vain la terre à la recherche de quelque nourriture. Sur le sentier d'accès se dressait une petite forêt d'amulettes et de présents plantés par des clients satisfaits, pour indiquer les faveurs reçues. La femme sentait un peu toutes les décoctions qu'elle avait préparées durant sa vie, elle portait un châle couleur terre sèche, était nu-pieds et très sale, mais arborait une profusion de colliers en argent de mauvaise qualité. Son visage sombre et ridé était comme un masque, avec juste deux dents et des yeux éteints. Elle accueillit son ancienne disciple sans sembler la reconnaître, accepta les présents de nourriture et la bouteille d'anis, puis lui fit signe de prendre place en face d'elle et resta silencieuse, attendant. Quelques bûches vacillantes brûlaient au milieu de la cabane, la fumée s'échappait par un orifice du toit. Aux murs noircis de suie pendaient des récipients en terre cuite et en fer-blanc, des plantes et une collection de reptiles séchés. L'odeur dense d'herbes sèches et de décoctions médicinales se mélangeait à la puanteur des animaux morts. Elles parlèrent en *mapudungo*, la langue des mapuches. Pendant un long moment la magicienne écouta l'histoire d'Eliza, depuis son apparition dans une caisse de savons de Marseille jusqu'à la récente crise, puis elle prit une bougie, les cheveux et la chemise et renvoya sa visiteuse en lui disant de revenir quand elle aurait complété ses incantations et ses rites de divination.

— On sait qu'il n'y a pas de remède pour ça, annonça-t-elle, à peine Mama Fresia eut-elle franchi le pas de sa porte deux jours plus tard.

— Est-ce que ma petite va mourir ?

— Je ne peux pas le dire, mais qu'elle va souffrir beaucoup, ça ne fait pas de doute.

— Qu'est-ce qu'il lui arrive ?

— Obstination dans l'amour. C'est un mal très profond. Elle a certainement laissé sa fenêtre ouverte par une nuit claire et le mal a pénétré dans son corps pendant son sommeil. Il n'y a pas de conjurations contre ça.

Mama Fresia s'en retourna résignée : si l'art de cette *machi* si savante ne parvenait pas à changer le sort d'Eliza, ses pauvres connaissances ou les bougies offertes aux saints serviraient encore moins.

Miss Rose

Miss Rose observait Eliza avec davantage de curiosité que de compassion, car elle connaissait bien les symptômes et, d'après son expérience, le temps et les contrariétés venaient apaiser les pires feux de l'amour. Elle avait à peine dix-sept ans lorsqu'elle était tombée éperdument amoureuse d'un ténor viennois. Elle vivait alors en Angleterre et rêvait de devenir une diva, malgré la ferme opposition de sa mère et de son frère Jeremy, chef de famille depuis la mort du père. Ils ne considéraient pas le chant lyrique comme une occupation souhaitable pour une jeune fille, principalement parce qu'il se pratiquait dans les théâtres, la nuit, avec des robes décolletées. Elle n'avait pas non plus l'appui de son frère John, qui s'était engagé dans la marine marchande et qui faisait de rares apparitions, toujours en coup de vent. Il bouleversait la routine de la petite famille, exubérant et brûlé par le soleil d'autres contrées, arborant chaque fois un nouveau tatouage ou une nouvelle cicatrice. Il distribuait des cadeaux, les abreuvait d'histoires exotiques et disparaissait aussitôt vers le quartier des prostituées, où il demeurait jusqu'au moment de reprendre la mer. Les Sommers étaient des gentilshommes de province sans grandes ambitions. Ils avaient possédé des terres pendant plusieurs générations, mais le père, fatigué des moutons et des maigres récoltes, préféra tenter sa chance à Londres. Il aimait tellement les livres qu'il était capable d'affamer sa famille et de s'endetter pour acquérir des premières éditions signées par ses auteurs préférés, mais il n'avait pas la cupidité des vrais collectionneurs. Après d'infructueuses tentatives dans le commerce, il décida de donner libre cours à sa véritable vocation et finit par ouvrir une boutique où il vendait des vieux livres, et d'autres édités par ses soins. Dans l'arrière-boutique, il installa une machine à imprimer qu'il manipulait avec l'aide de deux collaborateurs et, dans un grenier du même local, son affaire de livres rares prospérait à pas de tortue. De ses trois enfants, seule Rose s'intéressait à son travail. Elle grandit avec la passion de la musique et de la lecture, et quand elle n'était pas assise devant le piano ou occupée à ses exercices de vocalises, on pouvait la trouver dans un coin en train de lire. Le père regrettait qu'elle fût la seule à aimer ainsi les livres, et non Jeremy ou John qui auraient pu hériter de son affaire. A sa mort, les deux fils liquidèrent l'imprimerie et la librairie, John prit la mer et Jeremy s'occupa de sa mère veuve et de sa sœur. Il disposait d'un salaire modeste comme employé à la *Compagnie Britannique d'Import-Export* et d'une petite rente laissée par le père, outre les contributions sporadiques de son frère John, qui n'arrivaient pas toujours en espèces sonnantes et trébuchantes mais sous forme de contrebande. Scandalisé, Jeremy gardait dans la remise, sans les ouvrir, ces caisses de perdition jusqu'au retour de son frère qui se chargeait de vendre leur contenu. La famille emménagea dans un appartement petit et cher pour leur budget, mais bien placé, dans le cœur de Londres, car ils considéraient cela comme un investissement. Il fallait marier convenablement Rose.

A dix-sept ans, la beauté de la jeune fille commençait à s'épanouir et les prétendants, nantis d'une bonne situation et prêts à mourir d'amour, ne manquaient pas, mais pendant que ses amies se démenaient pour trouver un mari, Rose cherchait un professeur de chant. C'est ainsi qu'elle fit la connaissance de Karl Bretzner, un ténor viennois venu à Londres pour chanter dans plusieurs opéras de Mozart, dont l'apothéose aurait lieu lors d'une nuit étoilée avec *Les Noces de Figaro*, en présence de la famille royale. Son allure ne révélait rien de son immense talent : on aurait dit un boucher. Son corps, gros ventre et jambes maigrichonnes, manquait d'élégance, et son visage sanguin, couronné de touffes de cheveux décolorés, était plutôt vulgaire ; cependant, quand il ouvrait la bouche pour offrir au monde le torrent de sa voix, il devenait quelqu'un d'autre, il grandissait, sa panse disparaissait dans la largeur de sa poitrine et son visage rouge de teuton s'emplissait d'une lumière olympienne. Du moins, c'est ainsi que le voyait Rose Sommers qui s'arrangea pour trouver des billets pour chacune des représentations. Elle arrivait au théâtre bien avant l'ouverture des portes et, soutenant les regards scandalisés des passants peu habitués à voir une jeune fille de sa condition toute seule dans la rue, elle attendait devant l'entrée des artistes des heures durant afin d'apercevoir le maître à sa descente de voiture. Le dimanche soir, l'homme remarqua la beauté postée dans la rue et s'approcha pour lui parler. Tremblante, elle répondit à ses questions et confessa son admiration pour lui et son désir de suivre ses pas sur le sentier ardu mais divin du *bel canto*, selon ses propres paroles.

— Venez dans ma loge après la représentation et nous verrons ce que je peux faire pour vous, dit-il avec sa superbe voix et un fort accent autrichien.

Ce qu'elle fit, transportée vers la gloire. A l'issue de l'ovation offerte par le public debout, un huissier envoyé par Karl Bretzner la conduisit dans les coulisses. Elle n'avait jamais vu les entrailles d'un théâtre, mais ne perdit pas son temps à admirer les ingénieuses machines à produire les tempêtes et les paysages peints sur toiles, son seul propos était de rencontrer son idole. Elle le trouva en peignoir de velours bleu roi à bordure d'or, le visage encore maquillé et portant une belle perruque aux boucles blanches. L'huissier les laissa seuls et referma la porte. La pièce, encombrée de miroirs, de meubles et de rideaux, sentait le tabac, les pommades et le moisi. Dans un coin, un paravent peint montrait des scènes de femmes rubicondes dans un harem turc et, accrochés à des perches fixées aux murs, pendaient les vêtements de l'opéra. En voyant son idole de près, l'enthousiasme de Rose retomba un instant, mais très vite il récupéra le terrain perdu. Il saisit ses deux mains entre les siennes, les porta à ses lèvres et les baisa longuement, puis il lança un *do* de poitrine qui fit trembler le paravent aux odalisques. Les dernières barrières de Rose s'effondrèrent, comme les murailles de Jéricho, dans une nuée de poussière qui s'échappa de la perruque quand l'artiste l'enleva dans un geste passionné et viril, l'envoyant sur un divan où elle resta inerte, tel un lapin mort. Il avait les cheveux aplatis sous un épais filet qui, ajouté au maquillage, lui donnait un air de courtisane décatie.

Sur le même divan où était tombée la perruque, Rose lui offrirait sa virginité deux jours plus tard, précisément à trois heures et quart de l'après-midi. Le ténor viennois lui avait donné rendez-vous, sous prétexte de lui montrer le théâtre ce mardi où il n'y avait pas de représentation. Ils s'étaient rencontrés secrètement dans une pâtisserie, où il avait savouré avec délicatesse cinq éclairs à la crème et deux tasses de chocolat, tandis qu'elle tournait sa cuiller dans sa tasse de thé, sans pouvoir, par peur et appréhension, en avaler une gorgée. Puis ils avaient gagné le théâtre. A cette heure-là, il y avait seulement deux femmes en train de nettoyer la salle et un éclairagiste qui préparait les lampes à huile, les torches et les bougies pour le lendemain. Karl Bretzner, expert en conquêtes amoureuses, trouva par un tour de magie une bouteille de champagne. Il en servit deux coupes qu'ils burent cul sec en l'honneur de Mozart et de Rossini. Puis il installa la jeune fille dans le fauteuil impérial en velours réservé à l'usage exclusif du roi, orné de haut en bas avec des amours joufflus et des roses en stuc, après quoi il se dirigea vers la scène. Debout sur un fragment de colonne en carton peint, éclairé par les torches nouvellement allumées, il chanta pour elle seulement une aria du *Barbier de Séville*, déployant toute son aisance vocale et le suave délire de sa voix dans d'interminables fioritures. Morte la dernière note de son hommage, il entendit les sanglots lointains de Rose Sommers, courut jusqu'à elle avec une agilité inattendue, traversa la salle et, en deux sauts, se retrouva à ses pieds sur le balcon. Hors d'haleine, il posa sa grosse tête sur la jupe de la jeune fille, enfouit son visage entre les plis de sa jupe de soie vert tendre. Il pleurait également car, sans le vouloir, lui aussi était tombé amoureux; ce qui avait commencé comme une conquête passagère de plus était devenu, en quelques heures, une passion enflammée.

Rose et Karl se levèrent et, appuyés l'un sur l'autre, titubant et atterrés devant l'inexorable, arpentèrent à l'aveuglette un long couloir sombre, montèrent quelques marches et atteignirent la zone des loges. Le nom du ténor apparaissait en italique sur l'une des portes. Ils entrèrent dans la pièce encombrée de meubles et de linge de luxe, poussiéreux et dégageant une odeur de transpiration, où deux jours auparavant ils s'étaient trouvés seuls pour la première fois. Elle était dépourvue de fenêtre et, dans un premier temps, ils se réfugièrent dans l'obscurité, où ils parvinrent à récupérer l'air perdu dans les sanglots et les premiers soupirs, puis il craqua une allumette et alluma les cinq bougies d'un candélabre. A la lumière jaune et tremblante des flammes ils se dévisagèrent, confondus et maladroits, avec un torrent d'émotions à exprimer, et sans pouvoir articuler un seul mot. Rose ne put soutenir les regards qui la transperçaient et elle cacha son visage dans ses mains, mais lui les écarta avec la même délicatesse utilisée peu avant pour émietter ses gâteaux à la crème. Ils commencèrent par échanger des petits baisers mouillés sur le visage, comme des picotements de pigeon, qui se transformèrent tout naturellement en vrais baisers. Rose avait eu des relations tendres, hésitantes et fuyantes, avec certains de ses prétendants et, si quelques-uns avaient réussi à lui frôler la joue de leurs lèvres, elle n'aurait jamais imaginé qu'on pouvait parvenir à un tel degré d'intimité, que la langue d'un autre pût s'enrouler autour de la sienne comme une couleuvre espiègle, et que sa salive pût la mouiller de l'extérieur et l'envahir de l'intérieur ; cependant la répugnance initiale fut bientôt vaincue par les élans de sa jeunesse et son enthousiasme pour l'art lyrique. Non seulement elle rendit les caresses avec la même intensité, mais elle prit l'initiative de retirer son chapeau et l'étole d'astrakan gris qui lui couvrait les épaules. De là à se laisser déboutonner la petite veste et ensuite la blouse ne fut qu'une question de deux-trois gestes. La jeune fille sut suivre pas à pas la danse copulative, guidée par l'instinct et les chaudes lectures interdites qu'elle soustrayait précautionneusement des étagères de son père. Ce fut le jour le plus mémorable de son existence et elle s'en souviendrait jusque dans ses plus infimes détails, ornementés et exagérés dans les années qui suivirent. Ce serait là son unique expérience, sa seule source de connaissances et son unique motif d'inspiration pour nourrir ses fantaisies et créer, des années plus tard, l'art qui la rendrait célèbre dans certains cercles très fermés. Ce jour merveilleux était seulement comparable en intensité à cet autre jour de mars, deux années plus tard à Valparaiso, où Eliza, à peine née, tomberait dans ses bras, comme une consolation pour les enfants qu'elle n'aurait pas, pour les hommes qu'elle ne pourrait pas aimer et pour le foyer qu'elle ne posséderait jamais.

Le ténor viennois était un amant raffiné. Aimant et connaissant parfaitement les femmes, il parvint à effacer de sa mémoire les amours dispersées dans le passé, la souffrance des multiples adieux, les jalousies, les excès et les tromperies d'autres relations pour se consacrer, avec une totale innocence, à sa brève passion pour Rose Sommers. Son expérience ne venait pas d'accouplements pathétiques avec des putains faméliques. Bretzner se vantait de n'avoir jamais dû payer pour le plaisir, parce que les femmes de tous poils, des humbles femmes de chambre jusqu'aux superbes comtesses, se donnaient à lui sans conditions après l'avoir entendu chanter. Il avait appris l'art de l'amour en même temps que celui du chant. Il avait dix ans quand celle qui allait devenir son mentor, une Française aux yeux de tigre et aux seins d'albâtre pur, qui aurait pu être sa mère, s'enticha de lui. De son côté, elle avait été initiée à l'âge de treize ans, en France, par Donatien Alphonse François de Sade. Fille d'un geôlier de la Bastille, elle avait connu le célèbre marquis dans une cellule immonde, où il écrivait ses histoires perverses à la lueur d'une chandelle. Elle allait l'observer à travers les barreaux par simple curiosité d'enfant, sans savoir que son père l'avait vendue au prisonnier en échange d'une montre en or, dernière possession du noble tombé dans l'indigence. Un matin où elle regardait par le judas, son père prit son trousseau de grosses clés accroché à sa ceinture, ouvrit la porte et poussa la fillette dans la cellule, comme qui donne à manger aux lions. Que se passa-t-il là, elle ne pouvait s'en souvenir, le fait est qu'elle demeura auprès de Sade, le suivant de la prison à la pire misère qu'est la liberté, et apprenant tout ce qu'il pouvait lui enseigner. Quand, en 1802, le marquis fut interné à l'asile de Charenton, elle se retrouva à la rue et sans le sou, mais elle était détentrice d'une vaste science amoureuse qui lui permit de s'offrir un mari de cinquante-deux ans plus âgé qu'elle et très riche. L'homme mourut peu après, épuisé par les excès de sa jeune épouse, et elle fut enfin libre, avec suffisamment d'argent pour vivre à sa guise. A trente-quatre ans, elle avait survécu à son brutal apprentissage auprès du marquis, à la pauvreté des croûtons de pain de sa jeunesse, à la tourmente de la Révolution française, à la peur engendrée par les guerres napoléoniennes, et maintenant, il lui fallait supporter la répression dictatoriale de l'Empire. Elle était lasse et son esprit demandait grâce. Elle décida de chercher un endroit sûr où passer le restant de ses jours en paix et opta pour Vienne. A ce moment de son existence, elle fit la connaissance de Karl Bretzner, fils de ses voisins, alors âgé d'à peine dix ans, mais qui chantait déjà comme un rossignol dans le chœur de la cathédrale. Grâce à elle, devenue entre-temps l'amie et la confidente des Bretzner, le petit ne fut pas châtré cette année-là pour préserver sa voix de chérubin, comme l'avait suggéré le chef de chœur.

— Ne le touchez pas et, d'ici peu, il sera le ténor le mieux payé d'Europe, pronostiqua la belle, avec raison.

Malgré l'énorme différence d'âge, fleurit entre elle et le petit Karl une relation particulière. Elle admirait chez l'enfant sa pureté de sentiments et sa passion pour la musique; lui avait trouvé en elle la muse qui non seulement avait sauvé sa virilité, mais lui avait appris à l'utiliser. A l'époque où sa voix mua définitivement et qu'il commença à se raser, il développait l'habileté proverbiale des eunuques pour satisfaire une femme par des méthodes non prévues par la nature et la coutume. Mais avec Rose Sommers il ne courut aucun risque. Pas question de l'attaquer avec un débordement fougueux de caresses trop audacieuses, car il ne s'agissait pas de la choquer par des pratiques de sérail, décida-t-il, sans s'imaginer qu'en moins de trois leçons, son élève serait plus inventive que lui. C'était un homme soucieux des détails et qui connaissait le pouvoir hallucinant du mot précis dans l'acte amoureux. De la main gauche il défit, un à un, les petits boutons de perle dans son dos, alors que de la droite il enlevait les épingles de ses cheveux, sans perdre le rythme des baisers entrecoupés par une litanie de cajoleries. Il lui parla de sa taille fine, du blanc pur de sa peau, de la rondeur classique de son cou et ses épaules, qui provoquaient chez lui un embrasement, une excitation incontrôlable.

— Tu me rends fou... Je ne sais pas ce qui m'arrive, je n'ai jamais aimé et n'aimerai jamais personne autant que toi. Cette rencontre est voulue par les dieux, nous sommes destinés à nous aimer, murmurait-il.

Il lui récita son répertoire complet, mais le fit sans malice, profondément convaincu de sa propre honnêteté et fasciné par Rose. Il dénoua les lanières de son corset et enleva, un à un, ses jupons jusqu'à la laisser vêtue de ses caleçons en batiste et d'une chemisette de rien du tout qui révélait les fraises de ses tétons. Il ne lui retira pas ses bottines en cuir aux talons tordus, ni ses bas blancs maintenus aux genoux par des rubans brodés. Parvenu à ce stade, il s'interrompit, haletant, avec une éruption tellurique dans la poitrine, convaincu que Rose Sommers était la femme la plus belle de l'univers, un ange, et que son cœur allait exploser s'il ne se calmait pas. Il la souleva dans ses bras sans le moindre effort, traversa la pièce et la déposa, debout, devant le grand miroir à cadre doré. La lumière vacillante des bougies et les costumes de théâtre qui pendaient des murs, dans une profusion de brocarts, de plumes, de velours et de dentelles jaunies, donnaient à la scène un air irréel.

Inerte, ivre d'émotion, Rose se regarda dans le miroir et ne reconnut pas cette femme en petite tenue, les cheveux emmêlés et les joues en feu, et cet homme qui l'embrassait dans le cou et lui caressait les seins à pleines mains. Cette pause prometteuse lui permit de retrouver son souffle et un peu de sa lucidité perdue durant les premières approches. Il commença à se dévêtir devant le miroir, sans pudeur et, disons-le, il était bien mieux nu qu'habillé. Il lui faut un bon tailleur, pensa Rose qui n'avait jamais vu d'homme nu, pas même ses frères dans son enfance; ses connaissances provenaient des descriptions exagérées tirées des livres coquins et des estampes japonaises qu'elle avait découverts dans les affaires de John, où les organes génitaux avaient des proportions franchement optimistes. Le toton rose et raide qui apparut sous ses yeux ne lui fit pas peur, comme l'avait craint Karl Bretzner, il provoqua chez elle un incontrôlable et joyeux fou rire. Cela donna le ton à ce qui suivit. Au lieu de la solennelle et douloureuse cérémonie qu'est habituellement la défloration, ils s'amusèrent à des contorsions joyeuses, se poursuivirent à travers la pièce en sautant comme des enfants par-dessus les meubles, finirent le champagne et ouvrirent une deuxième bouteille pour s'en asperger avec des jets mousseux, se dirent des saletés entre rires et promesses d'amour murmurées, se mordirent et se léchèrent et fouillèrent à perdre haleine dans le marais sans fond de l'amour nouvellement étrenné, durant tout l'après-midi et jusqu'à tard le soir, sans penser le moins du monde à l'heure et au reste de l'univers. Eux seuls existaient. Le ténor viennois conduisit Rose vers des sommets épiques et elle, élève appliquée, le suivit sans hésiter; une fois sur la cime, elle vola de ses propres ailes avec un talent naturel surprenant, se laissant guider par des indices et s'informant sur ce qu'elle ne pouvait deviner, fascinant le maître et, pour finir, le dépassant par son adresse improvisée et par le don écrasant de son amour. Quand ils se séparèrent finalement et redescendirent sur terre, la montre marquait dix heures. Le théâtre était vide, dehors tout était obscur et une brume épaisse comme une meringue s'était installée.

Commença entre les amants un échange frénétique de missives, de fleurs, de bonbons, de vers recopiés et de petites reliques sentimentales, tant que dura la saison lyrique londonienne. Ils se retrouvaient où ils pouvaient, la passion leur fit perdre toute prudence. Pour gagner du temps, ils cherchaient des chambres d'hôtel proches du théâtre, au risque d'être reconnus. Rose s'échappait de la maison avec des excuses ridicules, et sa mère, atterrée, ne disait rien de ses soupçons à Jeremy, priant pour que le dévergondage de sa fille fût passager et disparût sans laisser de traces. Karl Bretzner arrivait en retard aux répétitions et à force de se dévêtir à n'importe quelle heure, il prit froid et ne put chanter deux soirées de suite, mais loin de s'en plaindre, il en profita pour faire l'amour, exalté par les frissons provoqués par la fièvre. Il se présentait dans la chambre avec des fleurs pour Rose, du champagne pour boire et s'asperger, des gâteaux à la crème, des poèmes écrits à la volée à lire dans le lit, des huiles aromatiques pour s'en frotter certains endroits jusqu'alors scellés, des livres érotiques qu'ils feuilletaient en cherchant les scènes les plus inspirées, des plumes d'autruche pour se faire des chatouilles et une infinité d'autres accessoires destinés à leurs jeux. La jeune fille sentit qu'elle s'ouvrait comme une fleur carnivore, exhalant des parfums de perdition afin d'attirer l'homme comme un insecte, le triturer, l'avaler, le digérer et finalement recracher ses os réduits en esquilles. Dominée par une énergie insupportable, elle étouffait, ne pouvait rester tranquille un instant, dévorée d'impatience. Entre-temps, Karl Bretzner pataugeait dans la confusion, parfois exalté jusqu'au délire et parfois exsangue, s'efforçant d'honorer ses obligations musicales, mais il se détériorait à vue d'œil et les critiques, implacables, dirent que Mozart devait se retourner dans sa tombe en entendant le ténor viennois exécuter, littéralement, ses œuvres.

Voyant approcher avec panique le moment de la séparation, les amants entrèrent dans la phase de l'amour contrarié. Ils pensèrent s'enfuir au Brésil ou se suicider ensemble, mais jamais ils n'évoquèrent la possibilité de se marier. Finalement, l'amour de la vie fut plus fort que la tentation du tragique et, après la dernière représentation, ils prirent une voiture et partirent en vacances au nord de l'Angleterre, dans une hostellerie de campagne. Ils avaient décidé de profiter de ces derniers jours d'anonymat, avant que Karl Bretzner ne parte pour l'Italie où il avait d'autres engagements. Rose le rejoindrait à Vienne, une fois qu'il aurait trouvé un logement approprié, se serait organisé et lui aurait envoyé l'argent du voyage.

Comme ils prenaient leur petit déjeuner sous un auvent, à la terrasse du petit hôtel, les jambes sous une couverture en laine, car l'air de la côte était coupant et froid, ils furent interrompus par Jeremy Sommers, indigné et solennel comme un prophète. Rose avait laissé une telle quantité de pistes que son frère aîné n'avait eu aucun mal à retrouver sa trace et à la suivre jusqu'à cette lointaine station balnéaire. En le voyant elle poussa un cri de surprise, plus que de frayeur, car la passion amoureuse lui donnait du courage. A cet instant, elle prit conscience, pour la première fois, de ce qu'elle avait fait, et le poids des conséquences se révéla dans toute son ampleur. Elle se leva, résolue à défendre son droit à vivre selon son bon vouloir, mais son frère ne lui laissa pas le temps de poursuivre et se dirigea directement vers le ténor.

— Vous devez une explication à ma sœur. Je suppose que vous ne lui avez pas dit que vous êtes marié et que vous avez deux enfants, envoya-t-il à l'adresse du séducteur.

C'était la seule chose qu'il avait omis de raconter à Rose. Ils avaient parlé à satiété, il lui avait même livré certains détails intimes de ses amours passées, sans oublier les extravagances du Marquis de Sade que lui avait rapportées son mentor, la Française aux yeux de tigre, parce qu'elle montrait une curiosité morbide de savoir quand, avec qui et particulièrement comment il avait fait l'amour, depuis l'âge de dix ans jusqu'au jour qui avait précédé leur rencontre. Et il lui avait raconté tout cela sans scrupules, voyant combien elle aimait l'écouter et comment elle l'intégrait à ses théories et ses pratiques personnelles. Mais il n'avait rien dit de sa femme et de ses enfants par compassion envers cette belle vierge qui s'était offerte à lui sans conditions. Il ne voulait pas détruire la magie de cette rencontre : Rose Sommers méritait de profiter pleinement de son premier amour.

— Vous me devez réparation, lui lança Jeremy Sommers en le giflant de son gant.

Karl Bretzner était un homme du monde et il n'allait pas faire la bêtise de se battre en duel. Il comprit que le moment était venu de se retirer et regretta de ne pas disposer de quelques instants en privé pour donner des explications à Rose. Il ne voulait pas la laisser avec le cœur brisé et l'idée qu'il l'avait séduite consciemment pour l'abandonner ensuite. Il avait besoin de lui dire une fois encore combien il l'aimait et de lui exprimer ses regrets de n'être pas libre pour réaliser leurs rêves communs, mais il lut sur le visage de Jeremy Sommers que ce dernier ne lui en laisserait pas le loisir. Jeremy saisit par le bras sa sœur, abasourdie, et l'entraîna vers la voiture, sans lui laisser le temps de prendre son maigre équipage. Il la conduisit chez une tante en Ecosse, où elle resterait jusqu'à ce que l'on connaisse son état. Si le pire des malheurs arrivait, comme Jeremy appelait la grossesse, la vie et l'honneur de la famille seraient compromis pour toujours.

— Pas un mot de tout cela à quiconque, pas même à maman ou à John, tu m'as entendu ? furent les seules paroles qu'il prononça durant le trajet.

Rose passa quelques semaines d'incertitude, pour apprendre finalement qu'elle n'était pas enceinte. Cette nouvelle fut pour elle un immense soulagement, c'était comme si le ciel l'avait absoute. Elle passa trois autres mois de punition à coudre pour les pauvres, à lire et à écrire en cachette, sans verser une seule larme. Pendant tout ce temps, elle réfléchit à son destin, et quelque chose se modifia en son for intérieur, car le temps de claustration chez sa tante terminé, elle avait changé. Elle fut la seule à s'en rendre compte. En reparaissant à Londres, elle était comme auparavant, souriante, calme, s'intéressant au chant et à la lecture, sans un mot de rancœur contre Jeremy pour l'avoir arrachée aux bras de son amant ou de nostalgie envers l'homme qui l'avait abusée, olympienne dans sa façon d'ignorer la médisance d'autrui et les têtes d'enterrement de sa famille. En surface, elle était la même jeune fille qu'avant, et sa mère ne put trouver de faille dans son attitude parfaite, qui lui aurait permis d'émettre un reproche ou un conseil. D'autre part, la veuve n'était pas en condition d'aider sa fille ou de la protéger ; un cancer la rongeait à grande vitesse. La seule modification dans le comportement de Rose fut ce caprice de passer des heures à écrire, enfermée dans sa chambre. Elle remplissait d'une écriture minuscule des dizaines de cahiers qu'elle gardait sous clé. Comme elle n'avait jamais essayé d'envoyer une lettre, Jeremy Sommers, qui ne craignait rien tant que de devoir sévir, cessa de s'en faire pour ce vice de l'écriture et se dit que sa sœur avait eu la bonne idée d'oublier le néfaste ténor viennois. Mais elle, non seulement ne l'avait pas oublié, mais elle se rappelait avec une parfaite clarté chaque détail de ce qui s'était passé et chaque mot prononcé à voix haute ou murmuré. La seule chose qu'elle effaça de son esprit fut la déception d'avoir été trompée. La femme et les enfants de Karl Bretzner disparurent purement et simplement car ils n'avaient jamais eu leur place dans l'immense fresque de ses souvenirs amoureux.

Sa retraite chez la tante d'Ecosse ne parvint pas à éviter que le scandale éclate, mais comme les rumeurs ne purent être confirmées, nul n'osa faire un affront direct à la famille. Les nombreux prétendants qui tournaient autour de Rose revinrent l'un après l'autre; elle les repoussa, prenant la maladie de sa mère pour prétexte. La chose que l'on tait est comme si elle n'avait jamais existé, soutenait Jeremy Sommers, bien disposé à tuer par le silence tout vestige de cette affaire. La sulfureuse escapade de Rose resta suspendue dans les limbes des choses non dites, même si parfois les deux frères y faisaient des allusions détournées qui maintenaient toute fraîche la rancœur, mais qui les unissaient aussi dans le secret partagé. Des années plus tard, quand plus personne ne se souciait de l'aventure, Rose s'enhardit à tout raconter à son frère John, devant qui elle avait toujours joué le rôle d'enfant gâtée et innocente. Peu après la mort de la mère, Jeremy Sommers se vit offrir la direction de la *Compagnie Britannique d'Import-Export* au Chili. Il s'en fut avec sa sœur Rose, emportant avec lui le secret intact à l'autre bout du monde.

Ils arrivèrent à la fin de l'hiver 1830, alors que Valparaiso n'était encore qu'un village, mais où étaient déjà installées quelques compagnies et des familles européennes. Rose considéra le Chili comme sa pénitence et l'assuma stoïquement, résignée à payer sa faute dans cet exil irrévocable, sans permettre à quiconque, encore moins à son frère Jeremy, de deviner le désespoir qui l'habitait. La discipline à laquelle Rose s'astreignait pour ne pas se plaindre et ne jamais parler, pas même en rêve, de l'amant perdu, lui permit de tenir quand elle se voyait submergée par les soucis. Dans l'hôtel, elle s'installa du mieux qu'elle put, bien disposée à s'abriter du vent et de l'humidité, car une épidémie de diphtérie venait d'éclater, que les barbiers locaux combattaient avec de cruelles et inutiles opérations chirurgicales pratiquées à coups de scalpel. Le printemps, puis l'été, tempérèrent un peu sa mauvaise impression du pays. Elle décida d'oublier Londres et de tirer parti de sa nouvelle situation, malgré l'ambiance provinciale et le vent de la mer qui lui glaçait les os, même les jours de soleil. Elle convainquit son frère, et lui sa Société, de la nécessité d'acquérir une maison décente au nom de la Compagnie, et de faire venir des meubles d'Angleterre. Elle présenta cela comme une question d'autorité et de prestige : il était inconcevable que le représentant d'une Compagnie si importante fût logé dans cet hôtel minable. Dix-huit mois plus tard, quand la petite Eliza entra dans leurs vies, le frère et la sœur vivaient dans une grande maison sur le Cerro Alegre. Miss Rose avait relégué son ancien amant dans un compartiment scellé de sa mémoire, et se consacrait entièrement à la conquête d'une place privilégiée dans la société où elle évoluait. Les années suivantes, Valparaiso grandit et se modernisa aussi rapidement qu'elle-même avait laissé son passé derrière elle, et elle devint la femme exubérante, et apparemment heureuse, qui ferait l'objet des attentions de Jacob Todd onze ans plus tard. Le faux missionnaire ne fut pas le seul à se voir éconduit; elle ne voulait pas se marier. Rose avait découvert une formule extraordinaire pour préserver son idylle amoureuse avec Karl Bretzner : elle revivait chacun des moments de sa passion incendiaire et autres délires inventés dans le silence de ses nuits de célibataire.

L'amour

Miss Rose pouvait, mieux que quiconque, savoir ce qui se passait dans l'âme malade d'amour d'Eliza. Elle devina immédiatement l'identité de l'homme, car seul un aveugle n'aurait pas fait la relation entre les humeurs de la jeune fille et les visites de l'employé de son frère, avec les caisses du trésor destiné à Feliciano Rodríguez de Santa Cruz. Sa première réaction fut d'écarter le jeune homme d'un coup de plume, pour son insignifiance et sa pauvreté, mais ayant aussi senti sa dangereuse attirance, elle ne parvenait pas à se débarrasser de son image. Bien sûr, elle avait d'abord remarqué ses vêtements rapiécés et sa pâleur lugubre, mais un second regard lui avait suffi pour apprécier son aura tragique de poète maudit. Tout en brodant furieusement dans la petite salle de couture, elle tournait et retournait dans sa tête ce revers du sort qui bouleversait ses plans : trouver pour Eliza un mari complaisant et fortuné. Ses pensées étaient une suite de pièges destinés à détruire cet amour avant qu'il ne commence, envoyer Eliza en Angleterre dans une pension pour demoiselles, ou en Ecosse chez sa vieille tante, jusqu'à dire toute la vérité à son frère pour qu'il se débarrasse de son employé. Cependant, dans le fond de son cœur germait, bien malgré elle, le désir secret qu'Eliza vive sa passion jusqu'à épuisement, pour compenser le terrible vide que le ténor avait laissé dix-huit ans auparavant dans sa propre existence.

Entre-temps, pour Eliza, les heures passaient avec une effrayante lenteur, dans un tourbillon de sentiments confus. Elle ne savait s'il faisait jour ou nuit, si c'était mardi ou vendredi, s'il s'était écoulé quelques heures ou plusieurs années depuis qu'elle avait rencontré ce jeune homme. Elle sentait subitement que son sang se transformait en écume et que sa peau se couvrait de croûtes, qui disparaissaient aussi vite et de façon aussi inexplicable qu'elles étaient apparues. Elle voyait l'aimé partout : dans les ombres des recoins, dans la forme des nuages, dans sa tasse de thé, et surtout en rêve. Elle ne savait pas son nom et n'osait le demander à Jeremy Sommers car elle craignait de soulever des soupçons, mais elle passait des heures à imaginer un nom approprié pour lui. Elle avait désespérément besoin de parler avec quelqu'un de son amour, d'analyser chaque détail de la brève visite du jeune homme, de spéculer sur ce qui ne s'était pas dit, sur ce qu'ils auraient dû se dire et ce qu'ils s'étaient transmis à travers leurs regards, leurs rougeurs subites et leurs intentions, mais il n'y avait personne à qui se confier. Elle aurait souhaité une visite de John Sommers, cet oncle à vocation de flibustier qui avait été le personnage le plus fascinant de son enfance, le seul capable de la comprendre et de l'aider dans un moment comme celui-là. Elle savait parfaitement que s'il venait à l'apprendre, Jeremy Sommers déclarerait une guerre sans merci au modeste employé de sa Société, et elle ne pouvait prévoir quelle serait l'attitude de Miss Rose. Elle décida que moins on en saurait à la maison, plus elle et son futur fiancé auraient de liberté d'action. Jamais elle n'envisagea de n'être pas payée de retour, et avec la même intensité de sentiments, car il lui semblait tout simplement impossible qu'un tel amour ne fût pas partagé. Il eût été totalement logique et juste que, quelque part en ville, lui souffre le même délicieux tourment.

Eliza se cachait pour toucher son corps, en des endroits secrets jamais explorés auparavant. Elle fermait les yeux et c'était alors sa main à lui qui la caressait avec une délicatesse d'oiseau, c'étaient ses lèvres qu'elle embrassait dans le miroir, sa taille qu'elle enlaçait sur l'oreiller, ses murmures d'amour qui lui étaient apportés par le vent. Même ses rêves ne purent échapper au pouvoir de Joaquín Andieta. Elle le voyait apparaître comme une ombre immense qui se balançait sur elle pour la dévorer de mille manières folles et troublantes. Amoureux, démon, archange, elle ne savait pas. Elle aurait voulu ne jamais se réveiller, pratiquant avec une détermination fanatique la faculté apprise auprès de Mama Fresia d'entrer dans les rêves et d'en sortir à volonté. Eliza était parvenue à si bien dominer cet art que son amant illusoire apparaissait en chair et en os, elle pouvait le toucher, le flairer et entendre sa voix parfaitement nette et proche. Plongée éternellement dans le sommeil, elle n'aurait eu besoin de rien d'autre : elle aurait pu continuer à l'aimer de sa chambre, pour toujours. Eliza aurait péri dans l'égarement de cette passion si Joaquín Andieta ne s'était pas présenté une semaine plus tard, pour récupérer les ballots du trésor afin de les expédier dans le Nord.

Eliza apprit la nuit précédente qu'il viendrait, non par instinct ou prémonition, comme elle l'insinuerait des années plus tard, quand elle raconterait l'histoire à Tao Chi'en, mais parce que, au dîner, elle entendit Jeremy Sommers donner des instructions à sa sœur et à Mama Fresia.

— L'employé de l'autre jour va venir chercher le chargement, ajouta-t-il en passant, sans soupçonner l'ouragan d'émotions que ses paroles allaient, pour différentes raisons, provoquer chez les trois femmes.

La jeune fille passa la matinée sur la terrasse à scruter le chemin qui montait jusqu'à la maison. Aux environs de midi, elle vit venir la charrette tirée par six mules et suivie par des cavaliers en armes. Elle se sentit envahie d'une paix glacée, comme si elle était morte, sans se douter que Miss Rose et Mama Fresia l'observaient de la maison.

— Tant d'efforts pour l'éduquer et la voilà qui s'amourache

du premier traîne-savates qui croise son chemin ! marmonna Miss Rose entre ses dents.

Elle avait décidé de faire son possible pour éviter le désastre, sans trop de conviction, car elle savait bien ce qu'était l'entêtement du premier amour.

— Je vais m'occuper du chargement. Dis à Eliza d'entrer dans la maison et ne la laisse sortir sous aucun prétexte, ordonna-t-elle.

— Et comment voulez-vous que je fasse ? demanda Mama Fresia de mauvaise humeur.

— Enferme-la si nécessaire.

— Enfermez-la vous-même, si vous pouvez. Ne me mêlez pas à ça, répliqua-t-elle en traînant les pieds vers la porte.

On ne put empêcher la jeune fille de s'approcher de Joaquín Andieta et de lui remettre une lettre. Elle le fit ouvertement, le regardant dans les yeux et avec une telle féroce détermination que Miss Rose n'eut pas le courage de l'intercepter, ni Mama Fresia celui de s'interposer. Les deux femmes comprirent alors que l'ensorcellement était beaucoup plus profond qu'elles l'avaient imaginé, et qu'aucune porte fermée à clé, aucune bougie bénie n'était en mesure de le conjurer. Le jeune homme avait passé, lui aussi, la semaine dans l'obsession du souvenir de la jeune fille, qu'il croyait être la fille de son patron, Jeremy Sommers, et de ce fait totalement inaccessible. Il ne soupçonnait pas l'impression qu'il avait provoquée chez elle, et il ne lui était pas venu à l'esprit qu'en lui offrant ce mémorable verre de jus d'orange, lors de la visite précédente, elle lui déclarait son amour. Ainsi fut-il saisi d'une incroyable frayeur quand elle lui remit une lettre cachetée. Déconcerté, il la mit dans sa poche et continua à surveiller le chargement des ballots dans la charrette, tandis que ses oreilles s'enflammaient, que ses vêtements se trempaient de sueur et que des frissons lui parcouraient le dos. Droite, immobile et silencieuse, Eliza l'observait fixement à quelques pas de là, sans vouloir remarquer l'expression furieuse de Miss Rose, et celle affligée de Mama Fresia. Quand la dernière caisse fut attachée dans la charrette et que les mules eurent fait demi-tour pour entreprendre la descente, Joaquín Andieta s'excusa auprès de Miss Rose pour le dérangement, salua Eliza d'une brève inclinaison de tête et s'en fut aussi vite qu'il put.

Le mot d'Eliza contenait seulement deux lignes pour lui indiquer où et comment se retrouver. Le stratagème était d'une simplicité et d'une audace telles que quiconque l'aurait prise pour une experte en friponneries : Joaquín devait se présenter dans trois jours, à neuf heures du soir, dans l'ermitage de la Vierge du Perpétuel Secours, une chapelle qui se dressait sur le Cerro Alegre et servait d'abri aux marcheurs, à une courte distance de la maison des Sommers. Eliza avait choisi cet endroit parce qu'il était proche, et la date parce que c'était un mercredi. Miss Rose, Mama Fresia et les domestiques seraient occupés au dîner et nul ne remarquerait sa courte absence. Depuis le départ du malheureux Michael Steward, il n'y avait aucune raison d'organiser des bals, et l'hiver prématuré n'y invitait pas non plus, mais Miss Rose maintenait l'habitude pour faire taire les cancans qui circulaient sur elle et l'officier de marine. Suspendre les soirées musicales en l'absence de Steward, c'était confesser qu'il était l'unique raison de leur existence.

A sept heures, Joaquín Andieta était déjà sur place, dans une attente impatiente. De loin il vit la maison illuminée, le défilé des voitures amenant les invités, et les lanternes des cochers qui attendaient sur le chemin. Il dut se cacher à deux reprises en voyant approcher les veilleurs de nuit qui s'occupaient des lampes de l'ermitage, que le vent éteignait. C'était une petite construction rectangulaire en pisé, couronnée d'une croix en bois peint, à peine plus grande qu'un confessionnal, qui abritait une statue en plâtre de la Vierge. Il y avait un plateau avec des rangées de cierges votifs éteints et une amphore emplie de fleurs mortes. C'était une nuit de pleine lune, mais le ciel était strié de gros nuages qui, par moments, occultaient complètement la clarté lunaire. A neuf heures juste, il sentit la présence de la jeune fille et perçut sa silhouette enveloppée de la tête aux pieds dans un châle sombre.

— Je vous attendais, mademoiselle, furent les seules paroles qu'il parvint à bégayer, se sentant comme un idiot.

— Moi je t'attends depuis toujours, répliqua-t-elle sans la moindre hésitation.

Eliza enleva son châle et Joaquín vit qu'elle était en habits de fête. La robe relevée, chaussée de sandales, elle tenait à la main ses bas blancs et ses escarpins en daim pour ne pas les salir en chemin. Ses cheveux noirs, séparés par le milieu, étaient ramassés de chaque côté de la tête en tresses serties de rubans en satin. Ils s'assirent au fond de l'ermitage, sur le châle qu'elle posa par terre, cachés derrière la statue, en silence, très près l'un de l'autre mais sans se toucher. Pendant un long moment ils n'osèrent se regarder dans la douce pénombre, étourdis par la proximité, respirant le même air, le corps en feu malgré les rafales de vent qui menaçaient de les plonger dans l'obscurité.

— Je m'appelle Eliza Sommers, finit-elle par dire.

— Et moi Joaquín Andieta, répondit-il en écho.

— Je pensais que tu t'appelais Sébastien.

— Pourquoi ?

— Parce que tu ressembles à saint Sébastien, le martyr. Je ne vais pas à l'église papiste, je suis protestante, mais Mama Fresia m'a emmenée quelquefois pour respecter ses promesses.

La conversation prit fin parce qu'ils ne surent quoi se dire d'autre ; ils se lançaient des regards en coin et rougissaient au même moment. Eliza percevait son odeur de savon et de transpiration, mais elle n'osait pas approcher son nez, comme elle l'aurait souhaité. Dans l'ermitage on n'entendait que le murmure du vent et celui de leur respiration précipitée. Passé quelques minutes, elle annonça qu'elle devait rentrer, avant qu'on ne constate son absence, et ils se séparèrent en se serrant la main. Ainsi devaient-ils se rencontrer les mercredis suivants, à des heures différentes et pour de courts instants. A chacune de ces rencontres tourmentées, ils avançaient à pas de géant dans les délires et les tourments de l'amour. Ils se racontèrent juste l'indispensable car les paroles semblaient être une perte de temps, et bien vite ils se prirent par la main et continuèrent à parler, leurs corps de plus en plus proches à mesure que leurs âmes se rapprochaient. Finalement, le cinquième mercredi, ils s'embrassèrent sur la bouche, d'abord en tâtonnant, ensuite en explorant et finalement en s'abandonnant au plaisir, jusqu'à libérer complètement la ferveur qui les consumait. Ils avaient alors déjà échangé des résumés importants sur les seize ans d'Eliza et les vingt et un ans de Joaquín. Ils discutèrent de l'improbable panier aux draps de batiste et à couverture de vison, ainsi que de la caisse de savons de Marseille, et ce fut un soulagement pour Andieta d'apprendre qu'elle n'était la fille d'aucun Sommers et que son origine était incertaine, comme la sienne, bien qu'un abîme social et économique les séparât de toute façon. Eliza apprit que Joaquín était le fruit d'un amour de passage, le père s'étant évaporé aussitôt après avoir semé sa graine. L'enfant avait grandi sans connaître son nom, portant celui de sa mère et marqué par sa condition de bâtard qui entravait chacun de ses pas. La famille avait expulsé la fille déshonorée et ignoré l'enfant illégitime. Les grands-parents et les oncles, commerçants et fonctionnaires de classe moyenne empêtrés dans leurs préjugés, vivaient dans la même ville, à quelques rues de chez lui, mais ils ne se croisaient jamais. Le dimanche, ils allaient à la messe dans la même église, mais à des heures différentes ; les pauvres n'allaient pas à la messe de midi. Marqué par ces stigmates, Joaquín ne joua pas dans les mêmes jardins et ne fréquenta pas la même école que ses cousins, cependant il profita de leurs vieux vêtements et de leurs jouets usés, qu'une tante bienveillante faisait parvenir par des moyens détournés à sa sœur répudiée. La mère de Joaquín Andieta avait eu moins de chance que Miss Rose et avait payé son faux pas d'un prix beaucoup plus élevé. Les deux femmes avaient presque le même âge, mais alors que l'Anglaise se voyait jeune, la mère de Joaquín était usée par la misère, la consomption et la triste tâche de broder des trousseaux à la lueur d'une chandelle. Le mauvais sort n'avait pas entamé sa dignité et elle avait initié son fils aux principes inébranlables de l'honneur. Joaquín avait appris dès son plus jeune âge à garder la tête haute, attentif à toute tentative de représailles ou de pitié.

— Un jour je pourrai sortir ma mère de ce quartier misérable, promit Joaquín dans les chuchotements de l'ermitage. Je lui offrirai une vie décente, identique à celle qu'elle avait avant de tout perdre...

— Elle n'a pas tout perdu. Elle a un fils, répliqua Eliza.

— J'ai été son malheur.

— Le malheur a été de tomber amoureuse d'un mauvais homme. Tu es sa rédemption, fit-elle d'un ton ferme.

Les rendez-vous des deux jeunes gens étaient très courts et comme ils n'avaient jamais lieu à la même heure, Miss Rose ne put maintenir sa surveillance jour et nuit. Bien qu'elle sût qu'il se passait quelque chose dans son dos, elle ne se sentit pas assez de perfidie pour enfermer Eliza sous clé ou l'envoyer à la campagne, comme cela aurait été son devoir, et elle s'abstint de faire part de ses soupçons à son frère Jeremy. Elle supposait qu'Eliza et son amoureux échangeaient des lettres, mais ne put en intercepter aucune, bien qu'elle eût alerté tout le personnel. Les lettres existaient et elles étaient d'une telle intensité que si Miss Rose les avait lues, elle en serait restée abasourdie. Joaquín ne les envoyait pas, il les remettait à Eliza à chacune de leurs rencontres. Il lui écrivait, dans les termes les plus fiévreux, ce qu'il n'osait pas lui dire en face, par orgueil ou par pudeur. Elle les cachait dans une boîte, trente centimètres sous terre, dans le petit potager de la maison où, quotidiennement, elle feignait de s'affairer autour des herbes médicinales de Mama Fresia. Ces pages, relues mille fois à ses moments perdus, constituaient le principal aliment de sa passion, parce qu'elles révélaient un aspect de Joaquín Andieta qui n'apparaissait pas lorsqu'ils étaient ensemble. On les aurait crues écrites par quelqu'un d'autre. Ce jeune homme hautain, toujours sur la défensive, sombre et tourmenté, qui l'enlaçait passionnément pour la repousser aussitôt comme s'il se fût brûlé à son contact, par écrit ouvrait les portes de son âme et décrivait ses sentiments comme un poète. Plus tard, quand Eliza poursuivrait pendant des années les traces imprécises de Joaquín Andieta, ces lettres seraient sa seule marque de vérité, la preuve irréfutable que l'amour effréné n'avait pas été le fruit de son imagination d'adolescente, mais qu'il avait existé comme une brève bénédiction et un long supplice.

Après le premier mercredi dans l'ermitage, les coliques d'Eliza disparurent sans laisser de trace, et rien dans son comportement, ou son aspect, ne révélait le secret, à part le fol éclat de ses yeux et l'usage plus fréquent de son talent de se rendre invisible. Parfois, on avait l'impression qu'elle se trouvait dans plusieurs endroits à la fois, confondant tout le monde, ou alors on ne pouvait se souvenir où et quand on l'avait vue, et au moment même où on l'appelait, elle se matérialisait avec cet air de qui ignore qu'on est en train de la chercher. En d'autres occasions, elle se trouvait dans la petite salle de couture avec Miss Rose, ou préparait un plat avec Mama Fresia, mais elle était devenue tellement silencieuse et transparente qu'elles n'avaient pas la sensation de la voir. Sa présence était subtile, presque imperceptible, et quand elle s'absentait pendant quelques heures, personne ne remarquait rien.

— On dirait un esprit ! Je suis fatiguée de te chercher partout. Je ne veux pas que tu sortes de la maison et que tu t'éloignes, ne cessait de répéter Miss Rose.

— Je n'ai pas bougé de tout l'après-midi, répliquait Eliza, impassible, surgissant tranquillement dans un coin, avec un livre ou une broderie dans la main.

— Fais-toi remarquer, petite, mon Dieu ! Comment je vais te voir si tu es plus silencieuse qu'un lapin ? disait à son tour Mama Fresia.

Elle acquiesçait et ensuite faisait ce que bon lui semblait, mais s'arrangeait pour paraître obéissante et être agréable. En l'espace de peu de jours, elle acquit un incroyable savoir-faire pour embrouiller la réalité, comme si toute sa vie elle avait pratiqué l'art de la magie. Devant l'impossibilité de la confondre avec une contradiction ou un vrai mensonge, Miss Rose se décida à gagner sa confiance et traitait à tout instant quelque thème lié à l'amour. Les prétextes ne manquaient pas : cancans sur les amies, lectures de romans d'amour, qu'elles partageaient, ou livrets des nouveaux opéras italiens, qu'elles apprenaient de mémoire, mais Eliza ne lâchait pas un mot qui aurait trahi ses sentiments. Miss Rose chercha alors dans la maison, en vain, des signes révélateurs. Elle fouilla dans la chambre et parmi les vêtements de la jeune fille, retourna dans tous les sens sa collection de poupées et ses petites boîtes à musique, ses livres, ses cahiers, mais il lui fut impossible de mettre la main sur son Journal. Elle aurait été déçue car, dans ces pages, il n'était fait nulle mention de Joaquín Andieta. Eliza n'écrivait que pour se souvenir. Son Journal contenait de tout, depuis ses rêves répétitifs jusqu'à la liste inépuisable des recettes de cuisine et des conseils domestiques, comme la manière d'engraisser une poule ou enlever une tache de graisse. Il y avait aussi des spéculations sur sa naissance, le panier luxueux et la caisse de savons de Marseille, mais pas un mot sur Joaquín Andieta. Elle n'avait pas besoin d'un Journal pour s'en souvenir. Ce serait des années plus tard qu'elle se mettrait à raconter, dans ces pages, ses amours du mercredi.

Finalement, une nuit, les jeunes gens ne se retrouvèrent pas dans l'ermitage, mais dans la résidence des Sommers. Pour en arriver là, Eliza passa par le tourment des doutes infinis, consciente qu'il s'agissait là d'un pas définitif. Le seul fait de le retrouver en secret, sans surveillance externe, lui ôtait son honneur, le plus grand trésor d'une jeune fille, sans lequel il n'y avait pas d'avenir possible. « Une femme sans vertu ne vaut rien, elle ne pourra jamais devenir une épouse et une mère, elle ferait mieux d'attacher une pierre autour de son cou et de se jeter à la mer », lui avait-on assené. Eliza se disait qu'elle n'avait aucune circonstance atténuante pour la faute qu'elle allait commettre, cela se ferait avec calcul et préméditation. A deux heures du matin, quand il n'y avait plus une âme éveillée en ville, à l'exception des veilleurs de nuit qui montaient la garde dans l'obscurité, Joaquín Andieta se débrouilla pour s'introduire comme un voleur par la terrasse de la bibliothèque, où l'attendait Eliza, en chemise de nuit, pieds nus et tremblant de froid et d'anxiété. Elle le prit par la main et le conduisit à l'aveuglette à travers la maison jusqu'à une pièce reculée où étaient remisés, dans de grandes armoires, la garde-robe de la famille et, dans des boîtes diverses, tout le nécessaire pour confectionner les vêtements et les chapeaux, utilisés et transformés par Miss Rose au fil des ans. Par terre, enveloppés dans des linges, se trouvaient les rideaux du salon et de la salle à manger, dans l'attente de la saison prochaine. Eliza avait estimé que c'était l'endroit le plus sûr, loin des autres pièces. De toute façon, elle avait versé par précaution de la valériane dans le petit verre d'anis que Miss Rose buvait avant de s'endormir, et dans le brandy de Jeremy pendant qu'il fumait son cigare cubain après le dîner. Elle connaissait chaque centimètre de la maison, elle savait exactement où le sol craquait et comment ouvrir les portes pour qu'elles ne grincent pas, elle pouvait guider Joaquín dans l'obscurité sans autre lumière que sa propre mémoire. Il la suivit, docile et pâle de frayeur, ignorant la voix de sa conscience, qui se confondait avec celle de sa mère qui lui rappelait, de façon implacable, le code d'honneur d'un homme respectable.

Je ne ferai jamais à Eliza ce qu'a fait mon père à ma mère, se disait-il tout en avançant à tâtons et tenant la main de la jeune fille, sachant que toute considération serait inutile, car il était déjà vaincu par ce désir impétueux qui le tourmentait depuis la première fois où il l'avait vue. Entre-temps, Eliza se débattait entre les voix d'avertissement qui résonnaient dans sa tête et la puissance de l'instinct, avec ses prodigieux artifices. Elle n'avait pas une idée claire de ce qui allait se passer dans la pièce aux armoires, mais elle y allait, soumise d'avance.

La maison des Sommers, suspendue dans l'air comme une araignée à la merci du vent, était impossible à chauffer, malgré les braseros à charbon que les servantes allumaient sept mois dans l'année. Les draps étaient toujours humides à cause de l'air marin, on dormait avec des bouteilles d'eau chaude aux pieds. Le seul endroit toujours tiède était la cuisine où le fourneau à bois, une machine énorme à usages multiples, restait allumé jour et nuit. Pendant l'hiver, les bois craquaient, des lattes se détachaient et la charpente de la maison donnait l'impression de vouloir prendre la mer, comme une vieille frégate. Miss Rose n'avait pu s'habituer aux orages du Pacifique, comme elle n'avait pu s'habituer aux tremblements de terre. Les véritables tremblements, ceux qui mettaient tout sens dessus dessous, se faisaient sentir environ tous les six ans et, à chaque occasion, elle avait démontré un surprenant sang-froid, mais les soubresauts quotidiens qui secouaient la vie la rendaient de très mauvaise humeur. Elle n'avait jamais voulu ranger la porcelaine et les verres sur des étagères posées au ras du sol, comme le faisaient les Chiliens, et quand le meuble du couloir se balançait et que les assiettes tombaient par terre, elle maudissait le pays en hurlant. Au rez-de-chaussée se trouvait la remise où Eliza et Joaquín s'aimaient, étendus sur l'épaisseur des rideaux en cretonne fleurie qui remplaçaient, en été, les lourds rideaux en velours vert du salon. Ils faisaient l'amour entourés d'armoires solennelles, de boîtes à chapeaux et de ballots renfermant les habits printaniers de Miss Rose.

Ni le froid ni l'odeur de naphtaline ne les gênaient, car ils étaient au-delà des contingences matérielles, au-delà de la peur des conséquences, au-delà de leur maladresse de jeunes chiots. Ils ne savaient pas comment faire, mais ils improvisèrent au fur et à mesure, étonnés et confus, dans un silence complet, guidant leurs mutuels tâtonnements. A vingt et un ans, il était aussi vierge qu'elle. A quatorze ans, il avait décidé de devenir prêtre pour faire plaisir à sa mère, mais à seize ans, s'initiant aux lectures libérales, il se déclara ennemi des curés, mais pas de la religion, et décida de rester chaste jusqu'à atteindre le but fixé : sortir sa mère de son quartier misérable. Selon lui, c'était le prix minimum à payer pour les innombrables sacrifices auxquels elle avait consenti. Malgré leur virginité et la terrible peur d'être surpris, les jeunes gens purent trouver dans l'obscurité ce qu'ils cherchaient. Ils se déboutonnèrent, dénouèrent les rubans, se débarrassèrent de leur pudeur et se retrouvèrent nus, à boire l'air et la salive de l'autre. Ils humèrent des parfums violents, mirent fébrilement une chose ici et l'autre là, dans un désir honnête de déchiffrer les énigmes, d'atteindre le fond de l'autre et de se perdre dans le même abîme. Les rideaux d'été se retrouvèrent tachés par la transpiration, le sang virginal et le sperme, mais ils ne firent pas attention à ces marques de l'amour. Dans l'obscurité, ils pouvaient à peine percevoir les contours et estimer l'espace disponible pour ne pas faire tomber, dans la précipitation de leurs étreintes, les piles de caisses et les perches qui supportaient les vêtements. Ils bénissaient le vent et la pluie sur les toits qui étouffaient les grincements du sol, mais le galop de leurs cœurs, le bruit de leurs halètements et autres soupirs amoureux étaient tellement forts qu'ils se demandaient comment ils ne réveillaient pas toute la maison.

A l'aube, Joaquín Andieta ressortit par la même fenêtre de la bibliothèque, et Eliza retrouva son lit, totalement exsangue. Tandis qu'elle dormait, enveloppée dans plusieurs couvertures, lui descendit la colline et marcha pendant deux heures sous la pluie. Il traversa silencieusement la ville sans attirer l'attention de la police, parvenant chez lui au moment où les cloches appelaient à la première messe. Il pensait entrer discrètement, se laver un peu, changer le col de sa chemise et partir avec son habit mouillé car il n'en avait pas d'autre, mais sa mère l'attendait avec de l'eau chaude pour le *mate* et du pain dur, mais grillé, comme tous les matins.

— Où étais-tu, mon fils ? lui demanda-t-elle avec une telle tristesse qu'il ne put lui mentir.

— Je découvrais l'amour, maman, répliqua-t-il en l'enlaçant, radieux.

Joaquín Andieta était tourmenté par un romantisme politique sans écho dans ce pays de gens pratiques et prudents. Il était devenu un fanatique des théories de Lamennais, qu'il lisait dans de médiocres et confuses traductions du français, et, de la même façon, il lisait les Encyclopédistes. Comme son maître, il prônait le libéralisme catholique en politique et la séparation de l'Eglise et de l'Etat. Il se déclarait chrétien primitif, comme les apôtres et les martyrs, mais ennemi des curés, traîtres de Jésus et de sa vraie doctrine, comme il disait, les comparant à des sangsues qui se nourrissaient de la crédulité des fidèles. Il se gardait bien, cependant, de s'étendre sur de telles idées devant sa mère que la contrariété aurait tuée. Il se déclarait également ennemi de l'oligarchie, inutile et décadente, et du gouvernement parce qu'il ne représentait pas les intérêts du peuple, mais des riches, comme le prouvaient, avec d'innombrables exemples, ses camarades lors des réunions dans la librairie Santos Tornero, et comme lui-même l'expliquait patiemment à Eliza, qui l'écoutait d'une oreille, préférant le flairer. Le jeune homme était prêt à jouer sa vie pour la gloire inutile d'un éclat d'héroïsme, mais il avait une peur viscérale de regarder Eliza dans les yeux et de parler de ses sentiments. Ils établirent la routine de faire l'amour au moins une fois par semaine dans la même pièce aux armoires, transformée en nid. Les moments dont ils disposaient étaient si courts et si précieux, qu'elle trouvait inepte de les perdre à philosopher ; quitte à parler, elle préférait l'entendre parler de ses goûts, de son passé, de sa mère et de ses projets de mariage avec elle un jour. Elle aurait donné n'importe quoi pour qu'il lui dise, droit dans les yeux, les phrases magnifiques qu'il lui écrivait dans ses lettres. Lui dire, par exemple, qu'il serait plus facile de mesurer les intentions du vent ou la patience des vagues sur la plage que l'intensité de son amour ; qu'il n'était de nuit d'hiver capable de refroidir le brasier inépuisable de sa passion ; qu'il passait ses journées à rêver et ses nuits à veiller, continuellement tourmenté par la folie des souvenirs et racontant, avec l'angoisse d'un condamné, les heures qui restaient avant de l'étreindre à nouveau. « Tu es mon ange et ma perdition, en ta présence j'atteins l'extase divine et, en ton absence, je descends aux enfers ; en quoi consiste cette domination que tu exerces sur moi, Eliza ? Ne me parle pas d'hier et de demain, je ne vis que pour cet instant présent où je replonge dans la nuit infinie de tes yeux sombres. » Nourrie par les romans de Miss Rose et par les poètes romantiques, dont elle connaissait les vers par cœur, la jeune fille se perdait dans la délicieuse drogue de se sentir adorée comme une déesse et ne percevait pas le décalage entre ces déclarations enflammées et la personne réelle qu'était Joaquín Andieta. Dans ses lettres, il devenait l'amant parfait, capable de décrire sa passion avec un souffle tellement angélique que la faute et la peur disparaissaient, pour céder la place à l'exaltation la plus absolue des sens. Nul n'avait aimé auparavant de cette manière, ils avaient été choisis parmi tous les mortels pour une passion unique, disait Joaquín dans ses lettres, et elle le croyait. Cependant, il faisait l'amour de façon pressée et famélique, sans le savourer, comme qui succombe à un vice, tourmenté par la faute. Il ne se donnait pas le temps de connaître son corps à elle, ni de révéler le sien propre ; il était emporté par l'urgence du désir et du secret. Il lui semblait que le temps était toujours trop court, même si Eliza le tranquillisait en lui expliquant que personne n'entrait dans cette pièce la nuit, les Sommers étaient drogués dans leur sommeil, Mama Fresia dormait dans sa cabane au fond de la cour et les chambres des domestiques se trouvaient sous les toits. L'instinct attisait l'audace de la jeune fille en l'incitant à découvrir les multiples possibilités du plaisir, mais elle apprit très vite à se réprimer. Ses initiatives dans les jeux de l'amour mettaient Joaquín sur la défensive; il se sentait critiqué, blessé ou menacé dans sa virilité. Il était tourmenté par les pires soupçons, car il ne pouvait imaginer tant de sensualité naturelle chez une fille de seize ans dont l'unique horizon était les murs de sa maison. La crainte d'une grossesse aggravait la situation car aucun des deux ne savait comment l'éviter. Joaquín comprenait vaguement le mécanisme de la fécondation et supposait qu'en se retirant à temps, ils étaient à l'abri, mais il n'y parvenait pas toujours. Il était conscient de la frustration d'Eliza, mais il ne savait pas comment la consoler et, au lieu d'essayer, il se réfugiait immanquablement dans son rôle de mentor intellectuel, où il se sentait en sécurité. Alors qu'elle aurait aimé être caressée ou, pour le moins, pouvoir se reposer sur l'épaule de son amant, il se levait, s'habillait rapidement et passait le reste du temps précieux qu'il leur restait à brasser de nouveaux arguments pour les mêmes idées politiques cent fois répétées. Ces étreintes mettaient Eliza sur des charbons ardents, mais elle n'osait pas l'admettre, même au plus profond de sa conscience, parce que cela remettait en question la qualité de cet amour. Elle tombait alors dans le piège de plaindre et de disculper son amant, se disant qu'en disposant de plus de temps et d'un lieu sûr, ils s'aimeraient mieux. Bien meilleures que leurs cabrioles étaient les heures qui suivaient, à inventer ce qui ne s'était pas passé, et les nuits à rêver ce qui se passerait peut-être la prochaine fois dans la pièce aux armoires.

Avec le même sérieux qu'elle mettait dans tous ses actes,

Eliza se mit à idéaliser son amoureux jusqu'à le convertir en une obsession. Tout ce qu'elle voulait, c'était le servir de façon inconditionnelle pour le restant de ses jours, se sacrifier et souffrir pour prouver son abnégation, mourir pour lui, si nécessaire. Aveuglée par l'ensorcellement de cette première passion, Eliza ne voyait pas qu'elle n'était pas payée de retour avec la même intensité. Son amoureux n'était jamais totalement présent. Même dans les étreintes les plus passionnées, sur l'épaisseur des rideaux, son esprit errait autre part, prêt à partir ou déjà absent. Il se révélait seulement à moitié, de façon fugace, en un jeu exaspérant d'ombres chinoises, mais en prenant congé, alors qu'elle était sur le point de fondre en larmes par manque d'amour, il lui remettait une de ses prodigieuses lettres. Pour Eliza alors, l'univers entier devenait un cristal dont l'unique finalité consistait à refléter ses sentiments. Soumise à la rude tâche de l'amour absolu, elle ne doutait pas de son pouvoir inépuisable de don de soi et, pour cela même, elle ne reconnaissait pas l'ambiguïté de Joaquín. Elle avait inventé un amant parfait et nourrissait cette chimère avec une volonté d'acier. Son imagination compensait les étreintes ingrates qui la laissaient perdue dans les limbes obscurs du désir insatisfait.

DEUXIÈME PARTIE

1848-1849

La nouvelle

Le 21 septembre, premier jour du printemps selon le calendrier de Miss Rose, on aéra les chambres, sortit matelas et couvertures au soleil, on cira les meubles en bois et on changea les rideaux du salon. Mama Fresia lava les rideaux en cretonne fleurie sans faire de commentaires, convaincue que les taches sèches étaient de l'urine de souris. Dans la cour elle prépara de grandes bassines d'eau chaude savonneuse, avec de l'écorce de *quillay*, elle laissa tremper les rideaux pendant une journée entière, les amidonna avec de l'eau de riz et les fit sécher au soleil. Après quoi, deux femmes les repassèrent, et quand ils furent comme neufs, elles les accrochèrent pour accueillir la nouvelle saison. Entre-temps, Eliza et Joaquín, indifférents au remue-ménage printanier de Miss Rose, batifolaient dans les rideaux de velours vert, plus moelleux que ceux en cretonne. Le froid avait disparu et les nuits étaient claires. Ils filaient le bel amour depuis trois mois et les lettres de Joaquín Andieta, pleines de poésie et de déclarations enflammées, s'étaient considérablement espacées. Eliza sentait son amoureux absent, parfois elle croyait enlacer un fantôme. Malgré le chagrin de l'amour insatisfait et le poids écrasant de tant de secrets, la jeune fille avait retrouvé un calme apparent. Elle passait ses journées occupée aux mêmes activités qu'autrefois, se consacrant à ses livres et à ses exercices de piano, ou s'activant dans la cuisine et la petite salle de couture, sans montrer le moindre désir de sortir de la maison, mais si Miss Rose lui demandait de l'accompagner, elle le faisait avec la bonne disposition de qui n'a rien de mieux à faire. Elle se couchait et se levait tôt, comme toujours ; elle avait un bon appétit et paraissait en bonne santé, mais ces symptômes de parfaite normalité soulevaient d'horribles soupçons chez Miss Rose et Mama Fresia. Ne la quittant pas des yeux, elles avaient peine à croire que l'ivresse de l'amour se fût évaporée subitement, mais comme après plusieurs semaines Eliza ne donnait aucun signe de perturbation, elles relâchèrent leur surveillance. Les bougies à saint Antoine ont peut-être fait leur effet, se dit l'Indienne ; ce n'était peut-être pas de l'amour, après tout, pensa Miss Rose sans grande conviction.

La nouvelle de la découverte de l'or en Californie parvint au Chili en août. Ce fut d'abord une rumeur folle sortie de la bouche de navigateurs ivres dans les bordels de El Almendral, mais, quelques jours plus tard, le capitaine de la goélette *Adelaida* annonça que la moitié de son équipage avait déserté à San Francisco.

— Il y a de l'or partout, on peut le ramasser à la pelle, on a vu des pépites grosses comme des oranges ! Avec deux doigts de volonté, on peut devenir millionnaire ! raconta-t-il en s'étouffant d'enthousiasme.

En janvier de cette année, aux abords du moulin appartenant à un fermier suisse situé en bordure du rio Americano, un individu appelé Marshall avait trouvé dans l'eau une paillette d'or. Cette particule jaune, qui déchaîna l'hystérie, fut découverte neuf jours après la fin de la guerre entre le Mexique et les Etats-Unis, à la suite de la signature du traité de Guadalupe Hidalgo. Quand la nouvelle se répandit, la Californie n'appartenait plus au Mexique. Avant que l'on sache que ce territoire renfermait en son sein un trésor inépuisable, personne ne s'y intéressait vraiment. Pour les Américains, c'était une région peuplée d'Indiens, et les pionniers, eux, préféraient conquérir l'Oregon où, croyaient-ils, la terre serait meilleure pour l'agriculture. Le Mexique considérait ce territoire comme un échaudoir de voleurs et il ne prit même pas la peine d'envoyer ses troupes pour le défendre pendant la guerre. Peu après, Sam Brannan, éditeur d'un journal et prédicateur mormon envoyé pour propager sa foi, parcourait les rues de San Francisco en annonçant la nouvelle. On ne l'aurait peut-être pas cru, car sa réputation était quelque peu entachée – on murmurait qu'il avait détourné l'argent de Dieu et, quand l'Eglise mormone en avait exigé le remboursement, il avait répliqué qu'il le ferait... contre un reçu signé par Dieu –, mais pour étayer ses propos, il avait avec lui un flacon rempli de poudre d'or, qui passa de main en main, provoquant l'excitation des gens. Au cri de « de l'or! de l'or! », les trois quarts des hommes abandonnèrent tout et s'en furent vers les gisements. Il fallut fermer la seule école car il ne restait même plus les enfants. Au Chili, la nouvelle eut le même impact. Le salaire moyen était de vingt centimes par jour et, selon les journaux, on avait finalement découvert l'Eldorado, la ville rêvée par les conquistadores, où les rues étaient pavées de métal précieux : « La richesse des mines est comme celle des contes de Sinbad ou de la lampe d'Aladin. On pense, sans craindre d'exagérer, que le rapport journalier est d'une once d'or pur », publiaient les journaux, ajoutant qu'il y en avait suffisamment pour enrichir des milliers d'hommes pendant des décennies. Le cancer du lucre prit aussitôt racine parmi les Chiliens, qui avaient une âme de mineurs, et les départs pour la Californie commencèrent dès le mois suivant. De plus, en comparaison des aventuriers qui naviguaient depuis l'Atlantique, ils se trouvaient à mi-chemin. Le voyage jusqu'à Valparaiso durait trois mois, et il fallait encore deux autres mois pour atteindre la Californie. La distance entre Valparaiso et San Francisco ne dépassait pas les sept mille milles, tandis qu'entre Valparaiso et la côte Est de l'Amérique du Nord, passant par le cap Horn, elle était presque de vingt mille. Cela, comme le calcula Joaquín Andieta, représentait une avance considérable pour les Chiliens, car les premiers arrivés réclameraient les meilleurs filons.

Feliciano Rodríguez de Santa Cruz fit le même calcul et décida de s'embarquer immédiatement avec cinq de ses meilleurs et plus loyaux mineurs, leur promettant une récompense pour les inciter à se séparer de leur famille et à se lancer dans cette entreprise non dépourvue de risques. Il passa trois semaines à préparer son équipage pour un séjour de plusieurs mois dans ces contrées au nord du continent, qu'il imaginait désolées et sauvages. Il était bien mieux préparé que la majorité des imprudents qui partaient à l'aveuglette, avec une main devant et une main derrière, excités par l'attrait d'une fortune facile, mais sans avoir la moindre idée des dangers et des efforts que représentait une telle entreprise. Il n'avait pas l'intention de se briser l'échine à travailler comme le premier venu, c'est pour cela qu'il voyageait avec de grosses provisions, et emmenait des hommes de confiance, expliqua-t-il à sa femme qui attendait son deuxième enfant, mais qui insistait pour l'accompagner. Paulina pensait voyager avec deux bonnes d'enfant, son cuisinier, une vache et des poules vivantes pour alimenter en lait et en œufs les enfants durant la traversée, mais pour une fois son mari s'y opposa catégoriquement. L'idée de se lancer dans une pareille odyssée avec toute la famille sur le dos était un projet totalement fou. Sa femme avait perdu la raison.

— Comment s'appelait ce capitaine, ami de Mr. Todd? l'interrompit Paulina au milieu de sa péroraison, mettant en équilibre une tasse de chocolat sur son énorme ventre, tout en mordillant un petit feuilleté au blanc-manger, recette des sœurs clarisses.

— John Sommers, non ?

— Je veux parler de celui qui était fatigué de naviguer sur des voiliers et qui parlait des bateaux à vapeur.

— Celui-là même.

Paulina resta pensive un moment, enfournant des gâteaux et ne prêtant pas la moindre attention à la liste des dangers évoqués par son mari. Elle avait grossi, et il ne restait plus grand-chose de la svelte jeune fille qui s'était échappée d'un couvent avec la tête rasée.

— Combien je possède sur mon compte en banque de Londres ? finit-elle par demander.

— Cinquante mille livres. Tu es une dame très riche.

— C'est insuffisant. Tu peux me prêter le double à dix pour cent d'intérêt payable en trois ans ?

— Tu as de ces idées, mon Dieu ! Pourquoi diable veux-tu une telle somme ?

— Pour un bateau à vapeur. La grande affaire ce n'est pas l'or, Feliciano, qui n'est en définitive que du caca jaune. La grande affaire, c'est les mineurs. Ils ont besoin de tout en Californie et ils paieront au comptant. On dit que les bateaux à vapeur naviguent tout droit, ils n'ont pas à se soumettre aux caprices du vent, ils sont plus grands et plus rapides. Les voiliers sont de l'histoire ancienne.

Feliciano continua à mettre son projet à exécution, mais l'expérience lui avait enseigné de ne pas mésestimer les intuitions financières de sa femme. Il ne put trouver le sommeil pendant plusieurs nuits. Il se promenait dans les somptueux salons de sa demeure, entre sacs de provisions, caisses à outils, barils de poudre et piles d'armes pour le voyage, mesurant et pesant les paroles de Paulina. Plus il y pensait, plus il se disait que cette idée d'investir dans le transport lui semblait judicieuse, mais avant de prendre une décision il consulta son frère, à qui il était associé dans toutes ses affaires. Ce dernier l'écouta bouche bée, et quand Feliciano eut fini de lui exposer l'affaire, il se donna une claque sur le front.

— Nom de Dieu, frérot ! Comment n'y avons-nous pas songé plus tôt ?

Entre-temps, Joaquín Andieta rêvait, comme des milliers

d'autres Chiliens de son âge et toutes conditions confondues, à des sacs de poudre d'or en poudre et aux pépites jonchant le sol. Plusieurs de ses connaissances étaient déjà parties, parmi elles un de ses camarades de la librairie Santos Tornero, un jeune libéral qui déblatérait contre les riches et qui était le premier à dénoncer la corruption de l'argent. Il n'avait pu résister aux sirènes et il était parti sans prendre congé de personne. La Californie représentait pour Joaquín le seul moyen de fuir la pauvreté, de sortir sa mère de son quartier misérable et de chercher un remède pour ses poumons malades; de se planter devant Jeremy Sommers la tête haute et les poches pleines pour demander la main d'Eliza. De l'or... de l'or à sa portée... Il pouvait voir les sacs de poudre d'or, les paniers de pépites énormes, les billets dans ses poches, le palais qu'il se ferait construire, plus solide et plus riche en marbres que le *Club de l'Union*, pour clouer le bec aux membres de sa famille qui avaient humilié sa mère. Il se voyait aussi sortant de l'église de la Matrice au bras d'Eliza Sommers, les mariés les plus heureux de la planète. Il suffisait de se lancer dans l'aventure. Quel avenir lui offrait le Chili? Dans le meilleur des cas, il vieillirait en comptant les produits qui passaient par les bureaux de la *Compagnie Britannique d'Import-Export.* Il n'avait rien à perdre puisqu'il ne possédait rien. La fièvre de l'or lui monta au cerveau, il perdit l'appétit et le sommeil, il était nerveux et avait des yeux de fou en scrutant la mer. Son ami le libraire lui prêta des cartes et des livres sur la Californie et quelques feuillets sur la façon de laver le métal, qu'il lut avidement tout en faisant des comptes désespérés pour trouver le moyen de financer son voyage. Les nouvelles dans les journaux ne pouvaient être plus alléchantes : « Dans une partie des mines appelée le *dry diggins,* on n'a besoin, pour tout ustensile, que d'un couteau ordinaire pour décrocher le métal de la roche. Dans d'autres, il est déjà séparé et on utilise un matériel très simple, qui consiste en une batée ordinaire en lattes de bois, à fond arrondi d'environ dix pieds de long et deux de large sur la partie supérieure. Un capital n'étant pas nécessaire, la concurrence dans le travail est grande, et des hommes qui pouvaient à peine se procurer le nécessaire pour vivre un mois possèdent à présent des milliers de pesos de métal précieux. »

Quand Andieta évoqua l'éventualité de s'embarquer vers le nord, sa mère réagit aussi mal qu'Eliza. Sans s'être jamais vues, les deux femmes dirent exactement la même chose : si tu pars, Joaquín, je mourrai. L'une comme l'autre s'ingénièrent à lui énumérer les innombrables dangers d'une pareille entreprise et lui jurèrent qu'elles préféraient mille fois la pauvreté irrémédiable à ses côtés qu'une fortune illusoire et le risque de le perdre pour toujours. Sa mère lui assura qu'elle ne quitterait pas son quartier, même si elle était millionnaire, parce qu'elle y avait ses amis et qu'elle ne savait pas où aller. Quant à ses poumons, il n'y avait rien à faire, dit-elle, si ce n'était attendre qu'ils éclatent. De son côté, Eliza lui dit qu'elle s'enfuirait dans le cas où on les empêcherait de se marier. Mais il ne les écoutait pas, perdu dans ses rêves, persuadé qu'une opportunité comme celle-là ne se représenterait pas, et que la laisser passer était d'une impardonnable lâcheté. Il mit au service de sa nouvelle manie la même intensité employée jadis à propager les idées libérales, mais il lui manquait les moyens de mettre ses plans à exécution. Il ne pouvait aller au-devant de son destin sans une certaine somme d'argent, pour l'achat du billet et l'indispensable à son voyage. Il se présenta à la banque pour demander un petit prêt, mais n'ayant aucune caution, et vu son allure de pauvre diable, il lui fut refusé de façon glaciale. Pour la première fois, il songea à s'adresser à la famille de sa mère, avec qui il n'avait à ce jour pas échangé un traître mot, mais il était trop orgueilleux pour cela. La vision d'un avenir éblouissant ne le laissait pas en paix, il parvenait difficilement à faire son travail, les longues heures de bureau devinrent vite une punition. Il restait la plume en l'air, les yeux sur la page blanche qu'il ne voyait pas, tout en répétant de mémoire le nom des navires qui pouvaient le conduire vers le Nord. La nuit se déroulait entre rêves orageux et insomnies agitées, il se levait épuisé et le cerveau en ébullition. Il commettait des erreurs de débutant, tandis qu'autour de lui l'exaltation se transformait en hystérie. Tout le monde voulait partir, et ceux qui ne pouvaient le faire personnellement montaient des sociétés, investissaient dans des compagnies vite constituées ou envoyaient un représentant de confiance à leur place, après avoir décidé de partager les bénéfices. Les célibataires furent les premiers à prendre la mer; peu après, ce fut le tour des hommes mariés qui, se séparant de leurs enfants, s'embarquaient sans regarder en arrière, en dépit des effroyables récits de maladies inconnues, d'accidents terribles et de crimes violents. Les hommes les plus pacifiques étaient disposés à affronter les risques de coups de feu et de poignard, les plus prudents laissaient derrière eux une certaine sécurité, à laquelle ils étaient parvenus après des années d'effort, et se lançaient à l'aventure avec leur content de délires. Les uns dépensaient toutes leurs économies pour le billet, d'autres finançaient le voyage en s'engageant comme marins ou hypothéquant leur avenir, mais les candidats étaient si nombreux que Joaquín Andieta ne trouva de place dans aucun bateau, bien qu'il allât se renseigner tous les jours sur le quai.

En décembre, il ne put résister plus longtemps. En prenant note du contenu d'une cargaison arrivée au port, comme il le faisait méticuleusement tous les jours, il altéra les chiffres dans le livre de compte, puis détruisit les documents originaux du déchargement. Ainsi, grâce à un tour de magie comptable, il fit disparaître plusieurs caisses contenant des revolvers et des balles en provenance de New York. Durant trois nuits de suite, il parvint à déjouer la surveillance des gardes, à forcer les serrures et à s'introduire dans l'entrepôt de la *Compagnie Britannique d'Import-Export* pour dérober le contenu de ces caisses. Il dut effectuer plusieurs voyages car le chargement était lourd. Il sortit d'abord les armes dans ses poches, et d'autres attachées aux jambes et aux bras, sous ses vêtements ; ensuite, il emporta les balles dans des sacs. Il faillit être découvert à plusieurs reprises par les veilleurs de nuit, mais la chance lui sourit et, chaque fois, il parvint à s'éclipser à temps. Il savait qu'il fallait deux ou trois semaines avant que l'on vienne réclamer les caisses, et que l'on découvre le vol ; il supposait aussi qu'il serait très facile de suivre la trace des documents absents et des comptes falsifiés menant au coupable, mais alors il espérait se trouver en haute mer. Et quand il aurait son propre trésor, il rembourserait jusqu'au dernier centime, avec les intérêts, car l'unique raison qui l'avait poussé à commettre une telle forfaiture, ne cessait-il de se répéter, c'était le désespoir. C'était une question de vie ou de mort : la vie, telle qu'il l'entendait, se trouvait en Californie ; rester prisonnier au Chili signifiait une mort lente. Il vendit une partie de son butin à vil prix dans les bas quartiers du port, et l'autre à ses amis de la librairie Santos Tornero, après leur avoir fait jurer de garder le secret. Ces idéalistes éclairés n'avaient jamais tenu une arme dans leurs mains, mais cela faisait des années qu'ils se préparaient, en paroles, à une révolte utopique contre le gouvernement conservateur. Ç'aurait été trahir leurs propres intentions de ne pas acheter les revolvers au marché noir, compte tenu du prix sacrifié. Joaquín Andieta en garda deux pour lui, décidé à en faire usage pour se frayer la route, mais il ne dit mot de ses projets de départ à ses camarades. Cette nuit-là, dans l'arrière-boutique de la librairie, lui aussi posa sa main droite sur son cœur pour jurer, au nom de la patrie, qu'il donnerait sa vie pour la démocratie et la justice. Le lendemain matin, il acheta un billet de troisième classe dans la première goélette qui prenait le large, et aussi des sacs de farine grillée, des haricots noirs, du riz, du sucre, de la viande séchée de cheval et des tranches de lard qui, pris avec frugalité, pouvaient le faire vivre tant bien que mal le temps de la traversée. Les quelques pièces de monnaie qui lui restèrent furent gardées dans une bande serrée autour de la taille.

La nuit du 22 décembre, il prit congé d'Eliza et de sa mère. Le lendemain, il partait vers la Californie.

Mama Fresia découvrit les lettres d'amour par hasard, quand, ramassant des oignons dans son étroit potager de la cour, sa fourche buta contre la boîte en fer. Elle ne savait pas lire, mais du premier coup d'œil elle comprit de quoi il s'agissait. La tentation la prit de les remettre à Miss Rose, car le seul fait de les tenir en main représentait une menace. Elle aurait juré que le paquet noué avec un ruban battait comme un cœur vivant, mais son affection pour Eliza fut plus forte que la prudence et, au lieu d'aller voir sa maîtresse, elle remit les lettres dans la boîte à biscuits, la cacha sous son ample jupe noire et gagna la chambre de la jeune fille en soupirant. Elle trouva Eliza assise sur une chaise, regardant la mer par la fenêtre, tellement abattue que l'air autour d'elle semblait épais et plein de prémonitions. Posant la boîte sur les genoux de la jeune fille, elle attendit en vain une explication.

— Cet homme est un démon. Il ne t'apportera que des malheurs, finit-elle par dire.

— Les malheurs ont commencé. Il est parti il y a six semaines en Californie et mes règles ne sont pas revenues.

Mama Fresia s'assit à même le sol, les jambes croisées, comme elle le faisait quand les douleurs envahissaient son corps, et elle commença à se balancer d'avant en arrière tout en gémissant doucement.

— Tais-toi, *mamita*, Miss Rose peut nous entendre, supplia Eliza.

— Un enfant du ruisseau ! Un *huacho* ! Qu'est-ce que nous allons faire, ma petite ? Qu'est-ce que nous allons faire ? continua à se lamenter la femme.

— Je vais me marier avec lui.

— Et comment s'il est parti ?

— Il faudra que j'aille le chercher.

— Ah, doux Enfant Jésus ! Tu es devenue folle ? Je vais te

préparer un remède et en quelques jours tu seras comme neuve.

La femme prépara une infusion à base de bourrache et une potion d'excréments de poule dans de la bière noire, qu'elle administra à Eliza trois fois par jour. De plus, elle lui fit prendre des bains de soufre, et lui posa des compresses de moutarde sur le ventre. Le résultat, c'est qu'elle devint jaune et se retrouva baignée d'une transpiration poisseuse qui sentait le gardénia pourri ; une semaine plus tard, il n'y avait toujours aucun signe d'avortement. Mama Fresia en conclut que l'enfant était un mâle et qu'il était sans doute maudit, raison pour laquelle il s'accrochait de la sorte au ventre de sa mère. Cette tragédie dépassait ses compétences, c'était l'affaire du Diable, et seule son maître, la *machi*, pourrait venir à bout d'un si grand malheur. Ce même après-midi, elle demanda la permission à ses patrons de sortir, et elle refit à pied le pénible chemin jusqu'au ravin pour se présenter, tête basse, devant la vieille magicienne aveugle. Elle lui apporta en cadeau deux portions de pâte de coings et un canard à l'estragon, cuit à l'étouffée.

La *machi* écouta les dernières nouvelles en acquiesçant d'un air las, comme si elle savait à l'avance ce qui était arrivé.

— Je l'ai déjà dit, l'obstination est un mal très puissant : il attaque le cerveau et brise le cœur. Il y a plusieurs sortes d'obstinations, mais la pire est celle de l'amour.

— Vous pouvez faire quelque chose pour que la petite rejette le *huacho* ?

— Je peux le faire, bien sûr. Mais cela ne la guérira pas. Elle suivra son homme, c'est tout.

— Il est parti très loin pour chercher de l'or.

— Après l'amour, l'obstination la plus grave est celle de l'or, trancha la *machi*.

Mama Fresia comprit qu'il serait impossible de faire sortir Eliza pour l'emmener jusqu'au ravin de la *machi*, pratiquer un avortement et retourner à la maison sans que Miss Rose s'en rende compte. La magicienne avait cent ans et elle n'avait pas quitté sa misérable maison depuis un demi-siècle, de sorte qu'elle ne pouvait pas davantage venir jusqu'au domicile des Sommers pour traiter la jeune fille. Il restait la solution de s'en occuper elle-même. La *machi* lui tendit une fine branche de *colihue* et une pommade sombre à l'odeur fétide, puis elle lui expliqua en détail comment enduire le morceau de bois avec cette potion avant de l'introduire dans Eliza. Puis elle lui apprit les paroles incantatoires pour éliminer l'enfant du Diable et en même temps protéger la vie de la mère. Il fallait réaliser cette opération une nuit de vendredi, seul jour de la semaine autorisé pour cela, l'avertit-elle. Mama Fresia revint très tard, épuisée, avec le *colihue* et la pommade sous son châle.

— Prie, mon enfant, car dans deux jours je te ferai remède, notifia-t-elle à Eliza en posant le chocolat du petit déjeuner sur son lit.

Le capitaine John Sommers débarqua à Valparaiso le jour indiqué par la *machi*. C'était le deuxième vendredi de février d'un été clément. La baie fourmillait d'activité, avec une cinquantaine de bateaux ancrés et d'autres qui attendaient leur tour en haute mer pour s'approcher de la côte. Comme toujours, Jeremy, Rose et Eliza vinrent sur le quai accueillir cet oncle formidable, qui arrivait chargé de nouveautés et de cadeaux. La bourgeoisie, qui se donnait rendez-vous pour visiter les bateaux et acheter de la contrebande, se mélangeait aux hommes de mer, aux voyageurs, aux arrimeurs et aux employés des douanes, tandis que les prostituées, postées à une certaine distance, faisaient leurs comptes. Au cours des derniers mois, depuis que la découverte de l'or aiguisait la fièvre des hommes aux quatre coins de la planète, les navires entraient et sortaient à un rythme démentiel et les bordels ne désemplissaient pas. Cependant, les femmes les plus intrépides ne se contentaient pas des bonnes affaires réalisées à Valparaiso et calculaient combien elles pourraient gagner en Californie, où il y avait deux cents hommes pour une femme, selon les dires. Dans le port, les gens se heurtaient aux charrettes, aux animaux et aux ballots ; on parlait plusieurs langues, les sirènes de bateau hurlaient et les policiers donnaient des coups de sifflet à tort et à travers. Miss Rose, un mouchoir parfumé à la vanille sur le nez, scrutait les passagers des canots cherchant son frère préféré, tandis qu'Eliza aspirait l'air par brèves saccades, essayant d'identifier les odeurs. La puanteur du poisson dans de grands paniers exposés au soleil se mélangeait à l'odeur d'excréments des bêtes de somme et à la transpiration humaine. Eliza fut la première à voir le capitaine Sommers et elle ressentit un tel soulagement qu'elle fut à deux doigts de fondre en larmes. Elle l'avait attendu pendant des mois, persuadée que lui seul pouvait comprendre l'angoisse de ses amours contrariées. Elle n'avait pas dit un mot de Joaquín Andieta à Miss Rose, et encore moins à Jeremy Sommers, mais elle avait la certitude que son oncle navigateur, que rien ne pouvait surprendre, l'aiderait.

Le capitaine eut juste le temps de poser un pied à terre qu'Eliza et Miss Rose se jetèrent sur lui, tout excitées. Il les saisit par la taille de ses bras musclés de corsaire, les souleva en même temps et commença à tourner comme une toupie au milieu des cris d'allégresse de Miss Rose et des protestations d'Eliza, qui était sur le point de vomir. Jeremy Sommers le salua avec une poignée de main et lui demanda comment il se faisait que son frère n'eût pas changé depuis vingt ans, et qu'il fût toujours la même tête brûlée.

— Que t'arrive-t-il, petite ? Tu as très mauvaise mine, dit le capitaine en examinant Eliza.

— J'ai mangé des fruits verts, mon oncle, expliqua-t-elle en s'appuyant sur lui pour ne pas tomber.

— Je sais que vous n'êtes pas venues au port pour m'accueillir. Ce que vous voulez, c'est acheter des parfums, n'est-ce pas ? Je vous indiquerai qui a rapporté les meilleurs produits, directement de Paris.

A cet instant, un étranger passa à son côté et le heurta accidentellement avec sa valise qu'il portait sur l'épaule. John Sommers se retourna, indigné, mais en le reconnaissant, il lança une de ses malédictions bien à lui, sur le ton de la plaisanterie et le retint par un bras.

— Viens que je te présente à ma famille, Chinois, lui lança-t-il cordialement.

Eliza observa l'homme ouvertement car elle n'avait jamais vu un Asiatique de près ; finalement, elle avait sous les yeux un individu venant de la Chine, ce pays fabuleux qui figurait dans nombre d'histoires racontées par son oncle. C'était un homme dont il était difficile de déterminer l'âge, plutôt grand, comparé aux Chiliens, bien qu'à côté du corpulent capitaine anglais, on aurait dit un enfant. Il marchait sans grâce, avait le visage lisse, le corps mince d'un jeune homme et une expression désuète dans ses yeux bridés. Son allure doctorale contrastait avec le rire enfantin qui jaillit du fond de sa poitrine quand Sommers s'adressa à lui. Il portait un pantalon à mi-jambes, une tunique flottante en tissu grossier et une ceinture autour de la taille, dans laquelle était fiché un grand couteau. Il portait de petites sandales, était coiffé d'un vieux chapeau de paille, et une longue tresse pendait dans son dos. Il salua en inclinant plusieurs fois la tête, sans lâcher sa valise et sans regarder personne dans les yeux. Miss Rose et Jeremy Sommers, déconcertés par la familiarité avec laquelle leur frère traitait une personne de rang sans aucun doute inférieur, ne surent quel comportement adopter et répondirent par un geste bref et sec. Devant l'air horrifié de Miss Rose, Eliza lui tendit la main, mais l'homme feignit de ne pas la voir.

— Voici Tao Chi'en, le pire cuisinier que j'aie jamais eu, mais il sait soigner toutes les maladies, c'est pour ça que je ne l'ai pas encore jeté par-dessus bord, se moqua le capitaine.

Tao Chi'en exécuta une nouvelle série de courbettes, lança un autre éclat de rire sans raison apparente, et aussitôt s'éloigna à reculons. Eliza se demanda s'il comprenait l'anglais.

En cachette des deux femmes, John Sommers murmura à son frère que le Chinois pouvait lui vendre de l'opium de la meilleure qualité, ainsi que de la poudre de corne de rhinocéros contre l'impuissance, au cas où il déciderait un jour d'en finir avec la mauvaise habitude du célibat. Dissimulée derrière son éventail, Eliza écoutait, intriguée.

Ce même après-midi, à l'heure du thé, le capitaine distribua les cadeaux qu'il avait rapportés : une crème à raser anglaise, un jeu de ciseaux tolédans et des havanes pour son frère, des peignes en écaille de tortue et un châle de Manille pour Rose et, comme toujours, un bijou pour le trousseau d'Eliza. Cette fois, il s'agissait d'un collier de perles. Emue, la jeune fille remercia et le mit dans sa boîte à bijoux, à côté des autres cadeaux qu'elle avait reçus. Grâce à l'entêtement de Miss Rose et à la générosité de cet oncle, le coffre de mariage se remplissait de trésors.

— La coutume du trousseau me semble stupide, surtout quand on ne dispose pas d'un fiancé sous la main, dit le capitaine en souriant. Ou peut-être en existe-t-il un à l'horizon ?

La jeune fille échangea un regard terrorisé avec Mama Fresia qui entrait à cet instant avec le plateau supportant le service à thé. Le capitaine ne dit rien, mais il se demanda comment sa sœur Rose n'avait pas remarqué les changements intervenus sur Eliza. L'intuition féminine ne servait donc pas à grand-chose, à ce qu'il semblait.

On passa le reste de l'après-midi à écouter les merveilleux récits du capitaine sur la Californie, bien qu'il ne fût pas retourné dans ces contrées après la fantastique découverte ; tout ce qu'il pouvait dire de San Francisco, c'était qu'il s'agissait d'un hameau plutôt misérable, mais situé dans la plus belle baie du monde. Le chambardement de l'or était l'unique sujet de conversation en Europe et aux Etats-Unis, la nouvelle était même parvenue jusqu'aux lointaines rives de l'Asie. Son bateau était rempli de passagers qui se dirigeaient vers la Californie, la plupart ignoraient absolument tout du travail de la mine, ils n'avaient jamais vu d'or de leur vie, pas même sur une dent. Il n'existait pas de moyen commode ou rapide d'atteindre San Francisco, la navigation durait des mois dans des conditions précaires, expliqua le capitaine, mais en passant par le continent américain, avec ses espaces immenses et l'agression des Indiens, le voyage était plus long et il y avait moins de probabilités de rester en vie. Ceux qui s'aventuraient jusqu'à Panama en bateau, traversaient l'isthme sur des radeaux, par des cours d'eau infectés de bestioles, à dos de mule dans la forêt et, une fois sur la côte Pacifique, ils prenaient une autre embarcation pour gagner le Nord. Il leur fallait supporter une chaleur étouffante, des bêtes venimeuses, les moustiques, le choléra et la fièvre jaune, sans oublier l'incommensurable méchanceté humaine. Les voyageurs qui sortaient indemnes des chutes de montures dans les précipices et des marais truffés de dangers, se retrouvaient, de l'autre côté, victimes des bandits qui les dépouillaient de leurs biens, ou des mercenaires qui leur demandaient une fortune pour les conduire à San Francisco, entassés comme du bétail dans des embarcations branlantes.

— La Californie est très grande ? demanda Eliza, faisant en sorte que sa voix ne trahisse pas l'anxiété qui la tenaillait.

— Apporte-moi la carte pour que je te la montre. C'est beaucoup plus grand que le Chili.

— Et comment parvient-on jusqu'à l'or ?

— On dit qu'il y en a partout...

— Mais si on voulait, par exemple, retrouver une personne en Californie...

— Ce serait bien difficile, répliqua le capitaine en étudiant l'expression d'Eliza avec curiosité.

— Tu y vas dans ton prochain voyage, oncle ?

— J'ai une proposition alléchante, et je crois que je vais l'accepter. Des investisseurs chiliens veulent établir un service régulier pour les marchandises et les passagers vers la Californie. Ils ont besoin d'un capitaine pour leur bateau à vapeur.

— Alors nous te verrons plus souvent, John ! s'exclama Rose.
— Tu n'as aucune expérience des vapeurs, dit Jeremy.
— Non, mais je connais la mer mieux que personne.

La nuit du vendredi prévu, Eliza attendit que la maison fût silencieuse pour gagner la cabane de la dernière cour, et retrouver Mama Fresia. Elle quitta son lit et descendit pieds nus, vêtue de sa seule chemise de nuit en batiste. Elle n'avait pas idée du type de remède qu'on allait lui donner, mais elle était certaine de passer un mauvais quart d'heure. D'après ses expériences, tous les médicaments étaient désagréables, et ceux de l'Indienne étaient, en plus, écœurants. « Ne t'en fais pas, ma petite, je vais te donner tellement d'eau-de-vie qu'à ton réveil, tu ne te souviendras plus de la douleur. Mais nous allons avoir besoin de beaucoup de linges pour contenir le sang », lui avait dit la femme. Eliza avait souvent fait ce trajet dans l'obscurité pour aller à la rencontre de son amant et il était inutile de prendre des précautions, mais cette nuit-là elle avançait à pas très lents, faisant traîner, souhaitant que vienne un de ces tremblements de terre chiliens capables de tout détruire, afin d'avoir un bon prétexte pour ne pas aller au rendez-vous de Mama Fresia. Elle sentit ses pieds glacés et un frisson lui parcourut l'échine. Elle ne savait si c'était de froid, de peur pour ce qui allait lui arriver, ou s'il s'agissait du dernier sursaut de sa conscience. Dès les premiers soupçons de grossesse, elle avait senti la voix qui l'appelait. C'était la voix de l'enfant au fond de son ventre, clamant pour son droit à vivre, elle en était sûre. Elle essayait de ne pas l'entendre et de ne pas y penser, elle était prise au piège, et quand son état serait visible, il n'y aurait plus aucun espoir de pardon pour elle. Personne ne pourrait comprendre sa faute ; il n'y aurait plus aucun moyen de retrouver l'honneur perdu. Même les prières de Mama Fresia ne pourraient empêcher la catastrophe. Son amant ne ferait pas demi-tour pour revenir précipitamment l'épouser avant que la grossesse ne devienne évidente. Il était trop tard pour cela. Elle était terrorisée à l'idée de finir comme la mère de Joaquín, marquée par un signe d'infamie, expulsée de sa famille et vivant dans la pauvreté et la solitude avec un enfant illégitime. Elle ne pourrait pas affronter la répudiation, et préférait mourir une fois pour toutes. Et elle pouvait mourir cette nuit, entre les mains de cette femme bonne qui l'avait élevée et qu'elle aimait plus que tout au monde.

La famille se retira tôt, mais le capitaine et Miss Rose restèrent enfermés dans la petite salle de couture à murmurer pendant des heures. A chaque voyage, John Sommers apportait des livres pour sa sœur et, en repartant, il emportait de mystérieux paquets qui devaient contenir, selon Eliza, les écrits de Miss Rose. Elle l'avait vue envelopper avec beaucoup de soin ses cahiers, ceux-là mêmes qu'elle remplissait de son écriture serrée lors des soirées oisives. Par respect ou par une sorte d'étrange pudeur, nul n'y faisait allusion, de même qu'on n'évoquait pas ses pâles aquarelles. L'écriture et la peinture étaient traitées comme des déviations mineures, pas de quoi avoir vraiment honte, mais pas non plus de quoi être fier. L'art culinaire d'Eliza était accueilli avec la même indifférence par les Sommers, qui savouraient ses plats en silence et changeaient de sujet si les invités y faisaient allusion. En revanche, on applaudissait de façon exagérée ses laborieuses exécutions pianistiques qui servaient tout juste à accompagner, au trot, certaines chansons. Eliza avait toujours vu sa protectrice écrire et elle ne lui avait jamais demandé ce que celle-ci écrivait, elle n'avait pas davantage entendu Jeremy ou John le faire. Elle était curieuse de savoir pourquoi son oncle emportait discrètement les cahiers de Miss Rose, mais sans qu'on ne lui eût jamais rien dit, elle savait que c'était là un des secrets fondamentaux sur lesquels reposait l'équilibre de la famille, et le violer pouvait entraîner l'effondrement subit du château de cartes dans lequel ils vivaient. Il y avait un bon moment que Jeremy et Rose dormaient dans leur chambre, et elle supposait que son oncle John était sorti, à cheval, après le dîner. Connaissant les habitudes du capitaine, la jeune fille l'imagina faisant la noce avec certaines de ses amies écervelées, les mêmes qui le saluaient dans la rue quand Miss Rose ne les accompagnait pas. Eliza savait qu'elles dansaient et buvaient, mais comme elle n'avait entendu parler des prostituées qu'à travers des murmures, l'idée d'une chose plus sordide ne lui venait pas à l'esprit. La possibilité de faire pour de l'argent, ou pour le sport, ce qu'elle avait fait avec Joaquín Andieta par amour, ne lui venait pas à l'esprit. D'après ses calculs, son oncle ne reviendrait pas avant l'aube, raison pour laquelle elle eut très peur lorsque, parvenue au rez-de-chaussée, elle se sentit attrapée par un bras dans l'obscurité. Sentant la chaleur d'un grand corps contre le sien, une haleine exhalant l'alcool et le tabac sur son visage, elle identifia aussitôt son oncle. Elle essaya de se libérer tout en cherchant à toute vitesse une explication sur sa présence en ce lieu, en chemise de nuit, à cette heure, mais le capitaine la conduisit fermement dans la bibliothèque, à peine éclairée par quelques rayons de lune venant de la fenêtre. Il l'obligea à s'asseoir dans le fauteuil en cuir anglais de Jeremy et chercha des allumettes pour allumer une lampe.

— Bien, Eliza, maintenant tu vas me dire ce qui t'arrive, lui ordonna-t-il sur un ton qu'il n'avait jamais utilisé avec elle.

En un éclair de lucidité, Eliza comprit que le capitaine ne serait pas son allié, comme elle l'avait espéré. La tolérance, dont il faisait montre, ne servirait pas dans ce cas : s'il s'agissait du renom de la famille, sa loyauté irait du côté de ses frères. Muette, la jeune fille soutint son regard avec un air de défi.

— Rose dit que tu fréquentes un crève-la-faim aux chaussures trouées, c'est vrai ?

— Je l'ai vu deux fois, oncle John. Cela remonte à quelques mois. Je ne connais même pas son nom.

— Mais tu ne l'as pas oublié, n'est-ce pas ? Le premier amour est comme la vérole, il laisse des traces indélébiles. Vous vous êtes vus seul à seul ?

— Non.

— Je ne te crois pas. Tu me prends pour un idiot ? Tout le monde peut voir comme tu as changé, Eliza.

— Je suis malade, oncle. J'ai mangé des fruits verts et j'ai l'estomac barbouillé, c'est tout. J'allais justement aux toilettes.

— Tu as des yeux de chienne en chaleur !

— Pourquoi m'insultez-vous, oncle !

— Excuse-moi, ma petite. Comprends-moi, je t'aime beaucoup et je suis inquiet pour toi. Je ne peux pas permettre que tu gâches ta vie. Rose et moi nous avons un plan excellent... Tu aimerais aller en Angleterre ? Je peux faire en sorte que toutes les deux vous vous embarquiez dans un mois, cela vous laisse le temps d'acheter le nécessaire pour le voyage.

— L'Angleterre ?

— Vous voyagerez en première classe, comme des reines, et à Londres vous vous installerez dans une pension ravissante à quelques rues du Palais de Buckingham.

Eliza comprit que les deux frères avaient décidé de son sort. La dernière chose qu'elle souhaitait, c'était de partir dans la direction opposée à celle de Joaquín, mettant la distance de deux océans entre eux.

— Merci, oncle. Je serais ravie de connaître l'Angleterre, dit-elle avec la plus grande douceur dont elle fut capable.

Le capitaine se servit un autre brandy, alluma sa pipe et passa les deux heures suivantes à énumérer les avantages de la vie à Londres, où une demoiselle pouvait fréquenter la meilleure société, aller au bal, au théâtre et au concert, acheter les plus beaux vêtements et contracter un bon mariage. Elle était en âge d'y penser. Et n'aimerait-elle pas aller aussi à Paris ou en Italie ? Il fallait voir Venise ou Florence avant de mourir. Il se chargerait de satisfaire ses caprices, ne l'avait-il pas toujours fait ? Le monde était plein d'hommes beaux, intéressants, possédant une bonne situation. Elle pourrait s'en rendre compte par elle-même quand elle sortirait du trou où elle vivait, ce port perdu. Valparaiso n'était pas un endroit pour une jeune fille belle et bien élevée. Ce n'était pas de sa faute si elle s'était amourachée du premier venu : elle vivait recluse. Et quant à ce jeune homme, comment s'appelait-il ? Employé de Jeremy, non ? Elle l'oublierait vite. L'amour, assura-t-il, meurt inexorablement de sa propre combustion, ou déraciné par la distance. Il était bien placé pour la conseiller, lui qui était devenu expert en distances et en amours mortes.

— Je ne sais pas de quoi vous me parlez, oncle. Miss Rose a inventé ce roman à partir d'un verre de jus d'orange. Un type est venu laisser des ballots, je lui ai offert un rafraîchissement, il l'a bu et puis il est parti. C'est tout. Il ne s'est rien passé et je ne l'ai pas revu.

— Si c'est comme tu dis, tu t'en sors bien : tu n'auras pas à t'arracher cette lubie de la tête.

John Sommers continua à boire et à parler jusqu'au petit jour, tandis qu'Eliza, recroquevillée dans le fauteuil en cuir, s'abandonnait au sommeil, pensant que ses désirs avaient été entendus dans le ciel, après tout. Ce ne fut pas un tremblement de terre opportun qui la guérit de l'horrible remède de Mama Fresia, mais son oncle. Dans la cabane de la cour, l'Indienne attendit la nuit entière.

Les adieux

Le samedi après-midi, John Sommers invita sa sœur Rose à visiter le bateau des Rodríguez de Santa Cruz. Si tout allait bien dans les négociations des jours prochains, il en serait le capitaine; son rêve de naviguer sur un bateau à vapeur devenait finalement réalité. Plus tard, Paulina les reçut dans le salon de l'Hôtel Anglais, où elle était descendue. Elle avait fait le voyage depuis le Nord pour mettre son projet en route, tandis que son mari se trouvait en Californie depuis plusieurs mois déjà. Ils profitaient du trafic maritime ininterrompu, dans un sens et dans l'autre, pour échanger une vigoureuse correspondance, dans laquelle les déclarations d'affection conjugale étaient tissées de projets commerciaux. Paulina avait choisi d'associer John Sommers à son entreprise par pure intuition. Elle se souvenait vaguement qu'il était le frère de Jeremy et Rose Sommers, des *gringos* invités par ses parents dans leur propriété à deux reprises, mais elle ne l'avait vu qu'une seule fois, échangeant à cette occasion quelques paroles de courtoisie. Sa seule référence était l'amitié commune avec Jacob Todd, mais ces dernières semaines elle s'était renseignée et se trouvait très satisfaite de ce qu'elle avait entendu. Le capitaine jouissait d'une solide réputation parmi les gens de mer et dans les comptoirs commerciaux. On pouvait compter sur son expérience et sur sa parole, chose peu fréquente en ces temps de folie collective, où n'importe qui pouvait louer un bateau, réunir un groupe d'aventuriers et prendre la mer. Il s'agissait généralement de petits gommeux et les navires étaient dans un piètre état, mais peu importait car, en arrivant en Californie, les sociétés se défaisaient, les bateaux restaient en rade et tous détalaient vers les gisements aurifères. Cependant, Paulina avait une vision à longue portée. Pour commencer, elle n'était pas tenue d'obéir aux exigences externes, dans la mesure où ses seuls associés étaient son mari et son beau-frère, et la majeure partie du capital lui appartenait, de sorte qu'elle pouvait prendre ses décisions en toute liberté. Son vapeur, qu'elle avait baptisé *Fortuna*, était, malgré sa petite taille et ses années mouvementées passées en mer, en excellent état. Elle était disposée à payer correctement son équipage qui, attiré par le mirage de l'or, risquait de déserter, mais elle se doutait bien qu'il fallait autre chose qu'un salaire pour maintenir la discipline à bord, il fallait la poigne de fer d'un bon capitaine. L'idée de son mari et de son beau-frère consistait à exporter des outils pour la mine, du bois de construction, des vêtements de travail, des ustensiles domestiques, de la viande séchée, des céréales, des haricots noirs et autres denrées non périssables. Mais en posant le pied à Valparaiso elle comprit qu'ils n'étaient pas les seuls à avoir eu cette idée et que la concurrence serait féroce. Jetant un regard autour d'elle, Paulina vit le scandaleux déballage de légumes et de fruits de cet été généreux. La profusion était telle qu'il y avait mévente. Les légumes poussaient dans les cours intérieures, et les arbres se brisaient sous le poids des fruits. Qui allait payer pour une chose que l'on pouvait avoir gratuitement ? Elle pensa à la propriété de son père où les produits pourrissaient par terre parce que personne ne se donnait la peine de les ramasser. Si elle pouvait les amener en Californie, ils seraient plus précieux que l'or, conclut-elle. Des produits frais, du vin chilien, des médicaments, des œufs, de la lingerie fine, des instruments de musique et, pourquoi pas ? des spectacles théâtraux, des opérettes, des zarzuelas. San Francisco accueillait des centaines d'immigrants par jour. Pour le moment, il s'agissait d'aventuriers et de bandits, mais il arriverait sans doute des colons de l'autre côté des Etats-Unis, d'honnêtes fermiers, des avocats, des médecins, des maîtres d'école et toutes sortes de gens bien éduqués, disposés à s'installer avec leur famille. Là où il y a des femmes, il y a de la civilisation, et quand celle-ci se mettra en place à San Francisco, mon bateau à vapeur y sera avec tout le nécessaire, décida-t-elle.

Paulina accueillit le capitaine John Sommers et sa sœur Rose à l'heure du thé, quand la chaleur de la mi-journée avait un peu baissé et qu'une brise fraîche venant de la mer commençait à souffler. Elle était habillée avec un luxe excessif pour la sobre société portuaire : couverte de la tête aux pieds d'une mousseline et de dentelles beurre-frais, une couronne de boucles sur les oreilles et plus de bijoux que nécessaire à cette heure du jour. Son fils de deux ans s'agitait dans les bras d'une nounou en uniforme et, à ses pieds, un petit chien poilu attendait les morceaux de gâteau qu'elle lui mettait entre les dents. Dans la première demi-heure, on fit les présentations, on prit le thé et on évoqua le souvenir de Jacob Todd.

— Qu'est devenu ce bon ami ? voulut savoir Paulina, qui n'oublierait jamais l'intervention de cet Anglais farfelu dans l'épisode de ses amours avec Feliciano.

— Il y a longtemps que je n'ai pas eu de ses nouvelles, l'informa le capitaine. Il est parti avec moi en Angleterre, il y a deux ans de cela. Il était très déprimé, mais l'air marin lui a fait du bien et, en débarquant, il avait retrouvé sa bonne humeur. La dernière chose que je sais, c'est qu'il pensait fonder une colonie utopique.

— Une quoi ? s'exclamèrent en même temps Paulina et Miss Rose.

— Un groupe pour vivre loin de la société, avec des lois et un gouvernement propres, guidés par des principes d'égalité, d'amour libre et de travail communautaire, me semble-t-il.

C'est en tout cas comme cela qu'il me l'a expliqué mille fois au cours du voyage.

— Il est plus fou que nous le croyions tous, conclut Miss Rose avec un air de pitié pour son fidèle prétendant.

— Les gens qui ont des idées originales finissent tous par se faire traiter de fous, dit Paulina. Moi, par exemple, sans aller plus loin, j'ai une idée à vous soumettre, capitaine Sommers. Vous connaissez le *Fortuna.* Combien de temps mettrait-il, à toute vapeur, pour relier Valparaiso au golfe de Penas ?

— Le golfe de Penas ? Mais c'est à l'extrême sud !

— En effet. Plus bas que Puerto Aisén.

— Et qu'irais-je faire là-bas ? Il n'y a que des îles, des forêts et de la pluie, madame.

— Vous connaissez ces contrées ?

— Oui, mais je croyais que la destination était San Francisco...

— Goûtez ces feuilletés, ils sont délicieux, fit-elle en caressant le chien.

Tandis que John et Rose Sommers discutaient avec Paulina dans le salon de l'Hôtel Anglais, Eliza se trouvait dans le quartier de El Almendral avec Mama Fresia. A cette heure commençaient à se retrouver les élèves et les invités aux séances de l'Académie de danse et, exceptionnellement, Miss Rose l'avait laissée sortir pour deux heures avec sa nounou comme chaperonne. D'habitude, elle ne la laissait pas aller à l'Académie sans elle, mais le professeur de danse n'offrait, il est vrai, de boisson alcoolisée qu'après le coucher du soleil, ce qui maintenait à distance les jeunes excités pendant les dernières heures de l'après-midi. Eliza, décidée à profiter de cette opportunité unique de sortir sans Miss Rose, s'efforça de convaincre l'Indienne de l'aider dans ses projets.

— Donne-moi ta bénédiction, *mamita.* Je dois aller en Californie chercher Joaquín, lui demanda-t-elle.

— Mais tu vas t'en aller seule et enceinte ! s'exclama la femme horrifiée.

— Si tu ne m'aides pas, je le ferai de toute façon.

— Je dirai tout à Miss Rose !

— Si tu fais ça, je me tue. Et après je viendrai te hanter pour le restant de tes nuits. Je te le jure, répliqua la jeune fille avec une féroce détermination.

La veille, elle avait vu un groupe de femmes dans le port, en train de négocier pour embarquer sur un bateau. Vu leur allure, si différente des femmes qu'elle croisait habituellement dans la rue, couvertes été comme hiver d'un châle noir, elle se dit qu'il devait s'agir de ces gourgandines avec lesquelles son oncle John prenait du bon temps. « Ce sont des garces, elles couchent pour de l'argent et iront directement en enfer », lui avait une fois expliqué Mama Fresia. Elle avait capté quelques phrases du capitaine destinées à Jeremy Sommers concernant les Chiliennes et les Péruviennes qui partaient en Californie, dans le but de s'approprier l'or des mineurs, mais elle ne pouvait s'imaginer la façon dont elles s'y prenaient. Si ces femmes pouvaient entreprendre ce voyage seules et survivre sans l'aide de qui que ce fût, elle pouvait en faire autant, résolut-elle.

Elle marcha d'un pas rapide, le cœur battant et le visage à moitié dissimulé derrière son éventail, transpirant dans la chaleur de décembre. Elle avait les bijoux de son trousseau dans une petite bourse en velours. Ses bottines neuves étaient une vraie torture et son corset lui comprimait la taille. La puanteur des tranchées ouvertes, où s'écoulaient les eaux usées de la ville, augmentait ses nausées, mais elle marchait droite, comme elle avait appris à le faire avec un livre posé en équilibre sur sa tête et une barre métallique attachée dans le dos pour jouer du piano. Mama Fresia, gémissant et marmonnant des litanies dans sa langue, pouvait à peine la suivre à cause de ses varices et de sa corpulence. Mon Dieu, ma petite, où allons-nous... Mais Eliza ne pouvait lui répondre parce qu'elle ne le savait pas. Elle était sûre d'une chose : il n'était pas question d'engager ses bijoux et d'acheter un billet pour la Californie, parce que son oncle John finirait par l'apprendre. Malgré les dizaines de bateaux qui entraient quotidiennement dans le port, Valparaiso restait une petite ville, et tout le monde connaissait le capitaine John Sommers. De plus, elle ne possédait pas de papiers d'identité, encore moins de passeport, impossible à obtenir parce que la Légation des Etats-Unis au Chili était fermée pour une histoire d'amour contrarié entre le diplomate américain et une dame chilienne. Eliza se dit que la seule façon de suivre Joaquín Andieta en Californie serait d'embarquer clandestinement. Son oncle John lui avait raconté que des voyageurs pénétraient parfois clandestinement dans le bateau, avec la complicité d'un membre de l'équipage. Si certains parvenaient à rester cachés durant la traversée, d'autres mouraient et leurs corps allaient finir dans la mer sans qu'il le sache, mais quand il en découvrait un, il punissait aussi bien le clandestin que ceux qui l'avaient aidé. C'était l'un des cas, avait-il dit, où il exerçait avec la plus grande rigueur son incontestable autorité de capitaine : en haute mer, il n'existait d'autre loi et de justice que la sienne.

La majeure partie des transactions illégales du port, selon son oncle, se scellaient dans les tavernes. Eliza n'avait jamais mis les pieds dans de tels lieux, mais elle vit une silhouette féminine se diriger vers un local proche et reconnut une des femmes qui se trouvaient la veille sur le quai, cherchant le moyen d'embarquer. C'était une jeune fille trapue avec deux longues tresses tombant dans son dos, elle portait une jupe en coton, une blouse brodée et un fichu sur les épaules. Eliza la suivit sans y penser à deux fois, tandis que Mama Fresia restait dans la rue à réciter des mises en garde : « Là-dedans n'entrent que les putains, mon enfant, c'est un péché mortel. » Eliza poussa la porte et il lui fallut quelques secondes pour s'habituer à l'obscurité, aux relents de tabac et de bière rance qui imprégnaient l'air. L'endroit était plein d'hommes, et tous les yeux se tournèrent pour regarder les deux femmes.

L'espace d'un instant, il régna un silence figé dans l'attente, bientôt suivi d'un chœur de moqueries et de propos grossiers. La fille avança d'un pas assuré vers une table du fond, jouant des mains à droite et à gauche quand on essayait de la toucher. Eliza, elle, recula à l'aveuglette, horrifiée, sans très bien comprendre ce qui se passait, ni pourquoi ces hommes criaient après elle. Parvenue à la porte, elle trébucha sur un client qui entrait. L'individu lança une exclamation dans une langue étrangère et la rattrapa au moment où elle glissait à terre. En la voyant, il fut déconcerté : Eliza, avec ses vêtements virginaux et son éventail, n'était pas du tout à sa place en ce lieu. Le regardant à son tour, elle reconnut le cuisinier chinois que son oncle avait salué la veille.

— Tao Chi'en ? lança-t-elle, se félicitant de sa bonne mémoire.

L'homme la salua en joignant les mains devant son visage et faisant des courbettes répétées, alors que dans le bar le chahut continuait. Deux marins se levèrent et s'approchèrent d'un pas hésitant. Tao Chi'en montra la porte à Eliza et ils sortirent.

— Miss Sommers ? s'enquit-il une fois dehors.

Eliza acquiesça, mais elle n'eut pas le temps d'en dire davantage car les deux marins du bar surgirent sur le seuil, visiblement ivres et cherchant la bagarre.

— Comment as-tu le culot de déranger cette superbe demoiselle, Chinois de merde ? fit l'un d'eux, menaçant.

Tao Chi'en baissa la tête, fit demi-tour et commençait à s'éloigner quand l'un des deux hommes l'intercepta, le retenant par sa tresse et tirant dessus, tandis que l'autre bafouillait quelques galanteries en projetant son haleine vineuse sur le visage d'Eliza. Le Chinois se retourna avec la rapidité d'un félin et affronta l'agresseur. Il avait son énorme couteau à la main et la lame brillait comme un miroir sous le soleil d'été. Mama Fresia lança un hurlement et repoussa violemment le marin qui se trouvait le plus près, puis, saisissant Eliza par un bras, elle se mit à trotter avec une agilité insoupçonnée chez quelqu'un de sa corpulence. Elles coururent pendant plusieurs centaines de mètres, s'éloignant du quartier chaud, sans s'arrêter jusqu'à atteindre la petite place de San Agustín, où Mama Fresia s'écroula en tremblant sur le premier banc.

— Ah, ma petite! Si les patrons apprennent ça, ils me tuent! Retournons immédiatement à la maison...

— Je n'ai pas encore fait ce que j'étais venue faire, *mamita*. Je dois retourner dans cette taverne.

Mama Fresia se croisa les bras, refusant catégoriquement de bouger, tandis qu'Eliza se promenait à grandes enjambées, essayant dans sa grande confusion d'échafauder un plan. Elle ne disposait pas de beaucoup de temps. Les instructions de Miss Rose avaient été très claires : à six heures précises la voiture les attendrait devant l'Académie de danse pour les ramener à la maison. Elle devait agir vite, décida-t-elle, car une opportunité comme celle-là ne se représenterait pas. Eliza en était là quand elles virent le Chinois venir tranquillement à leur rencontre, de son pas hésitant et avec son imperturbable sourire. Il fit ses courbettes habituelles en guise de salut et s'adressa à Eliza en bon anglais, pour demander si l'honorable fille du capitaine John Sommers avait besoin d'aide. Elle précisa qu'elle n'était pas sa fille, mais sa nièce, et dans un soudain élan de confiance ou de désespoir, elle lui confessa qu'elle avait effectivement besoin de son aide, mais qu'il s'agissait d'une affaire très privée.

— Une chose que le capitaine ne doit pas savoir?

— Personne ne doit le savoir.

Tao Chi'en s'excusa. Le capitaine était une bonne personne, dit-il, il l'avait séquestré de mauvaise manière pour le faire monter dans son bateau, certes, mais il s'était bien conduit avec lui et il ne pensait pas le trahir. Abattue, Eliza s'effondra sur le banc, le visage entre les mains, tandis que Mama Fresia l'observait sans comprendre un traître mot d'anglais, mais devinant les intentions. Elle finit par s'approcher d'Eliza et tira plusieurs fois sur la bourse en velours où se trouvaient les bijoux de son trousseau.

— Tu crois que sur cette terre on fait les choses gratuitement, ma petite ? dit-elle.

Eliza comprit sur-le-champ. Elle sécha ses larmes et, montrant le banc, invita l'homme à s'asseoir. Elle plongea la main dans la bourse et en tira le collier de perles, que son oncle John lui avait offert la veille, et le posa sur les genoux de Tao Chi'en.

— Pouvez-vous me cacher dans un bateau ? Je dois aller en Californie, expliqua-t-elle.

— Pourquoi ? Ce n'est pas un endroit pour une femme, il n'y a que des bandits là-bas.

— Je vais chercher quelque chose.

— De l'or ?

— Une chose plus précieuse que l'or.

L'homme resta bouche bée car il n'avait jamais vu une femme capable d'en arriver à de telles extrémités dans la vie réelle, il l'avait lu uniquement dans les romans classiques où les héroïnes mouraient toujours à la fin.

— Avec ce collier, vous pouvez acheter un billet. Vous n'avez pas besoin de voyager cachée, lui expliqua Tao Chi'en qui ne pensait pas se compliquer la vie en violant la loi.

— Aucun capitaine ne m'emmènera sans avertir ma famille avant.

La surprise initiale de Tao Chi'en se transforma en franche stupeur : cette femme pensait tout simplement déshonorer sa famille, et elle attendait de lui qu'il l'aide ! Elle avait le diable au corps, cela ne faisait aucun doute. Eliza plongea à nouveau sa main dans la bourse, en tira une broche en or sertie de turquoises et la déposa sur la jambe de l'homme, à côté du collier.

— Avez-vous déjà aimé quelqu'un plus que votre propre vie, monsieur ? fit-elle.

Tao Chi'en la regarda dans les yeux pour la première fois depuis qu'ils s'étaient rencontrés, et il dut y voir quelque chose car il prit le collier et le cacha sous sa chemise, puis lui rendit la broche. Il se leva, remonta ses pantalons en coton, ajusta son couteau de boucher dans sa ceinture et s'inclina à nouveau cérémonieusement.

— Je ne travaille plus pour le capitaine Sommers. Demain, le brigantin *Emilia* prend la mer pour la Californie. Venez ce soir à dix heures et je vous monterai à bord.

— Comment ?

— Je ne sais pas. Nous verrons.

Tao Chi'en fit une nouvelle courbette en guise de salut et s'en fut aussi discrètement et rapidement que s'il s'était évaporé. Eliza et Mama Fresia retournèrent à l'Académie de danse et trouvèrent le cocher, qui les attendait depuis une demi-heure en vidant sa gourde.

L'*Emilia* était un navire d'origine française qui fut jadis svelte et rapide, mais qui avait arpenté beaucoup de mers et perdu depuis longtemps l'impétuosité de sa jeunesse. Il était couvert de vieilles cicatrices marines et traînait des masses de mollusques incrustés sur ses flancs de matrone. Ses jointures fatiguées gémissaient dans le va-et-vient des vagues, et sa voilure maculée et mille fois rapiécée était comme le dernier vestige d'un vieux jupon. Il quitta Valparaiso dans la matinée, radieuse, du 18 février 1849, emportant à bord quatre-vingt-sept passagers de sexe masculin, cinq femmes, six vaches, huit porcs, trois chats, dix-huit marins, un capitaine hollandais, un pilote chilien et un cuisinier chinois. Eliza s'y trouvait aussi, mais la seule personne au courant de son existence à bord était Tao Chi'en.

Les passagers de première s'entassaient sur le pont supérieur sans beaucoup de place pour chacun, mais ils étaient mieux lotis que les autres, installés dans des cabines minuscules contenant quatre couchettes, ou dormant à même le sol sur les différents ponts, qu'ils avaient arpentés pour y déposer leurs affaires. Une cabine, sous la ligne de flottaison, fut assignée aux cinq Chiliennes qui allaient tenter leur chance en

Californie. Dans le port de El Callao, deux Péruviennes devaient monter, qui se joindraient aux premières, à deux par couchette, sans façons. Le capitaine Vincent Katz informa l'équipage et les passagers qu'ils ne devaient avoir aucun contact avec ces dames, car il ne tolérerait aucun commerce indécent sur son bateau, et, cela sautait aux yeux, ces voyageuses n'étaient pas de la première vertu. Comme il fallait s'y attendre, ses ordres furent violés maintes fois durant le trajet. Les hommes regrettaient la compagnie féminine et elles, humbles prostituées lancées à l'aventure, n'avaient pas un sou en poche. Les vaches et les porcs, bien attachés dans de petits enclos du pont inférieur, devaient pourvoir en lait frais et en viande toutes les personnes à bord. Le régime de base était constitué principalement de haricots noirs, de biscuits durs et noirs, de viande séchée et salée, et de l'éventuel produit de la pêche. Pour compenser une telle frugalité, les passagers les plus argentés amenaient leurs propres provisions, principalement du vin et du tabac; la majorité supportait la faim. Deux chats circulaient librement pour chasser les rats qui, sans cela, se seraient reproduits de façon anarchique durant les deux mois de la traversée. Le troisième voyageait avec Eliza.

Dans le ventre de l'*Emilia* s'entassaient les équipages nombreux et variés des voyageurs ainsi que la marchandise destinée au commerce en Californie, le tout disposé de façon à tirer le meilleur parti de l'espace réduit. On ne touchait à rien de tout cela jusqu'à la destination finale, et personne n'entrait dans les soutes à l'exception du cuisinier, le seul autorisé à y pénétrer pour chercher les aliments séchés, sévèrement rationnés. Tao Chi'en gardait les clés accrochées à sa ceinture et répondait personnellement devant le capitaine du contenu de la cale. Dans l'endroit le plus profond et le plus sombre de cette cale, dans une cavité de deux mètres carrés, se trouvait Eliza. Les murs de son antre étaient couverts jusqu'au plafond de malles et de caisses de marchandises, un sac lui servait de lit et, pour toute lumière, elle avait un morceau de bougie. Elle disposait d'une écuelle pour ses repas, d'un pot à eau et d'un vase pour ses besoins. Elle pouvait faire quelques pas et s'étirer entre les caisses, et aussi crier et pleurer à satiété parce que le choc des vagues contre la coque étouffait sa voix. Son unique contact avec le monde extérieur était Tao Chi'en, qui descendait sous divers prétextes pour lui apporter à manger et vider le vase. Pour toute compagnie elle avait le chat, enfermé dans la remise pour s'occuper des rats, mais lors des effroyables semaines de navigation, le pauvre animal devint fou et Tao Chi'en, pris de pitié, dut se résoudre à lui trancher le cou avec son couteau.

Eliza avait pénétré dans le bateau enfermée dans un sac, porté par un des arrimeurs qui avaient monté à bord la marchandise et l'équipage. Jamais elle ne sut comment Tao Chi'en s'était arrangé pour obtenir la complicité de l'homme et déjouer la surveillance du capitaine et du pilote, lesquels annotaient sur un livre tout ce qui entrait. Elle s'était échappée quelques heures auparavant en imaginant un subterfuge compliqué, qui avait consisté à falsifier une invitation écrite de la famille del Valle pour aller passer quelques jours dans leur propriété. L'idée n'était pas insensée. A plusieurs occasions, les filles d'Agustín del Valle l'avaient invitée à la campagne, et Miss Rose y avait consenti, la faisant accompagner par Mama Fresia. Elle prit congé de Jeremy, de Miss Rose et de son oncle John avec une légèreté feinte, sentant dans sa poitrine le poids d'un rocher. Elle les vit assis autour de la table du petit déjeuner, lisant des journaux anglais, ignorant totalement ses plans, et une douloureuse incertitude faillit la faire reculer. Ils étaient sa seule famille, ils représentaient la sécurité et le bien-être, mais elle avait dépassé la frontière de la décence, et un retour en arrière était inenvisageable. Les Sommers l'avaient éduquée selon des règles strictes et une faute aussi grave salissait leur nom. La réputation de la famille serait entachée par sa fuite, mais au moins existerait-il un doute : ils pourraient toujours dire qu'elle était morte. Quelle que soit l'explication qu'ils donneraient, elle ne serait pas là pour les voir supporter la honte. L'odyssée de la recherche de son amant lui semblait être la seule issue possible, mais au moment des adieux silencieux, assaillie par une énorme tristesse, elle faillit fondre en larmes et tout confesser. Alors la dernière image de Joaquín Andieta, le soir de son départ, lui revint en mémoire avec une atroce précision pour lui rappeler son devoir d'amour. Elle remonta quelques mèches de cheveux, coiffa son chapeau de paille italien et sortit en disant au revoir d'un geste de la main.

Elle avait sa valise préparée par Miss Rose avec ses plus beaux vêtements d'été, un peu d'argent subtilisé dans la chambre de Jeremy Sommers et les bijoux de son trousseau. Elle avait été tentée de mettre également la main sur ceux de Miss Rose, mais au dernier moment, le respect pour cette femme qui lui avait servi de mère fut le plus fort. Dans sa chambre, à l'intérieur du coffre vide, elle avait laissé une brève note, remerciant pour tout ce qu'elle avait reçu, et répétant combien elle les aimait. Elle termina en confessant son larcin pour laver les domestiques de tout soupçon. Mama Fresia avait mis dans sa valise ses bottes les plus solides, ainsi que ses cahiers et les lettres d'amour de Joaquín Andieta. Elle emportait, de plus, une lourde capeline en laine de Castille, cadeau de son oncle John. Elles sortirent sans se faire remarquer. Le cocher les laissa devant la maison de la famille del Valle et, sans attendre que la porte s'ouvrît, il disparut. Mama Fresia et Eliza se dirigèrent vers le port pour retrouver Tao Chi'en à l'endroit et à l'heure convenus.

L'homme les attendait. Il prit la valise des mains de Mama Fresia et fit signe à Eliza de le suivre. La jeune fille et sa nounou s'embrassèrent longuement. Elles étaient certaines de ne jamais se revoir, mais aucune des deux ne versa de larmes.

— Que vas-tu dire à Miss Rose, *mamita*?

— Rien. Je m'en vais tout de suite chez moi, dans le Sud, où personne ne me retrouvera.

— Merci, *mamita*. Je ne t'oublierai jamais...

— Moi je vais prier pour que tout aille bien, ma petite, furent les dernières paroles qu'entendit Eliza des lèvres de Mama Fresia, avant d'entrer dans une cabane de pêcheur sur les pas du cuisinier chinois.

Dans la sombre pièce tout en bois et sans fenêtres, qui sentait les filets humides, dont l'unique aération venait de la porte, Tao Chi'en remit à Eliza des pantalons amples et un blouson très usé, lui indiquant de les passer. Il ne fit aucun geste pour sortir ou se retourner, par discrétion. Eliza hésita, elle ne s'était jamais déshabillée devant un homme, Joaquín Andieta excepté ; Tao Chi'en ne perçut pas sa confusion car le sens de l'intimité lui était étranger. Le corps et ses fonctions lui paraissaient des choses naturelles et, pour lui, la pudeur, plus qu'une vertu, était un inconvénient. Elle comprit que le moment n'était pas aux scrupules, le bateau partait au matin et les canots effectuaient les derniers transports de marchandises. Elle enleva son petit chapeau de paille, déboutonna ses bottines en cuir et sa robe, défit les rubans de ses jupons et, morte de honte, elle fit signe au Chinois de l'aider à délacer son corset. A mesure que ses affaires de petite fille anglaise s'entassaient par terre, elle perdait un à un les contacts avec la réalité connue et entrait, inexorablement, dans l'étrange illusion que serait sa vie durant les années à venir. Elle eut clairement la sensation de commencer une autre histoire où elle était, tout à la fois, la protagoniste et la narratrice.

Le Quatrième Fils

Tao Chi'en n'avait pas toujours porté ce nom. En fait, il n'eut un nom qu'à partir de l'âge de onze ans, ses parents étaient trop pauvres pour s'occuper de ce genre de détail : il s'appelait simplement le Quatrième Fils. Il était né neuf ans avant Eliza, dans un hameau de la province de Kuangtung, à un jour et demi de marche de la ville de Canton. Il venait d'une famille de guérisseurs. Durant des générations, les hommes de son sang se transmirent, de père en fils, leurs connaissances sur les plantes médicinales, sur l'art d'extirper les mauvaises humeurs, sur les rituels magiques pour éloigner les démons et sur la faculté de régler l'énergie, *qi*. L'année où naquit le Quatrième Fils, la famille, qui se trouvait dans une très grande misère, avait peu à peu perdu ses terres au profit des prêteurs sur gages et des filous. Les officiers de l'Empire percevaient les impôts, gardaient l'argent et instauraient ensuite de nouveaux tributs pour couvrir leurs vols, tout en pratiquant pots-de-vin et chantages. La famille du Quatrième Fils, comme la majorité des paysans, ne pouvait pas les payer. S'ils parvenaient à préserver de la rapacité des mandarins quelque argent de leurs maigres revenus, ils le perdaient aussitôt au jeu, une des rares distractions à la portée des pauvres. On pouvait parier sur des courses de crapauds et de sauterelles, des combats de cafards, au *fan tan*, et bien d'autres jeux populaires.

Le Quatrième Fils était un enfant gai, riant pour un rien, et qui possédait une énorme capacité d'attention et la soif d'apprendre. A sept ans, il savait que le talent d'un bon guérisseur consistait à préserver l'équilibre entre le *yin* et le *yang*, à neuf ans il connaissait les propriétés des plantes de la région et pouvait aider son père et ses frères aînés dans la rébarbative préparation des emplâtres, pommades, toniques, baumes, potions, poudres et autres pilules de la pharmacopée paysanne. Son père et le Premier Fils se déplaçaient à pied de village en village pour offrir soins et remèdes, tandis que le Deuxième et le Troisième cultivaient un misérable lopin de terre, unique bien de la famille. Le Quatrième Fils avait pour mission de ramasser des plantes, et il aimait le faire, car cela lui permettait de vagabonder aux alentours sans surveillance, inventant des jeux et imitant les chants d'oiseaux. Parfois, s'il lui restait des forces après avoir accompli les innombrables tâches ménagères, sa mère l'accompagnait, car en tant que femme, elle ne pouvait pas travailler la terre sans s'attirer les moqueries des voisins. Ils avaient survécu tant bien que mal, chaque fois plus endettés, jusqu'à cette fatale année 1834 où les pires démons s'abattirent sur la famille. D'abord, une bassine d'eau bouillante se renversa sur la petite sœur, à peine âgée de deux ans, la brûlant de la tête aux pieds. On appliqua du blanc d'œuf sur ses brûlures, puis on la traita avec certaines herbes appropriées ; cependant, en moins de trois jours la fillette s'épuisa de souffrir et mourut. La mère ne s'en remit pas. Elle avait perdu d'autres enfants en bas âge et chacun d'eux lui avait laissé une blessure à l'âme. Mais l'accident de la petite la jeta au-delà de ce qu'elle pouvait supporter. Sa santé se mit à décliner à vue d'œil, elle devint chaque jour plus maigre, la peau verdâtre et les os cassants, sans que les breuvages de son mari parviennent à ralentir l'inexorable développement de sa mystérieuse maladie. Un matin, on la trouva toute raide, avec un sourire de soulagement et les yeux en paix, parce qu'elle allait enfin retrouver ses enfants morts. Les rites funéraires furent très simples puisqu'il s'agissait d'une femme. Ils ne purent se payer les services d'un moine, et n'avaient pas de riz à offrir aux parents et voisins lors de la cérémonie, mais du moins s'assurèrent-ils que son esprit n'irait pas se réfugier sur le toit, dans le puits ou les trous de rats, d'où il pouvait plus tard sortir pour venir les hanter. Sans la mère, qui, grâce à ses efforts et sa patience à toute épreuve, avait maintenu la famille unie, il fut impossible de mettre un frein à la calamité. Ce fut une année de typhons, de mauvaises récoltes et de famine, le vaste territoire de la Chine se peupla de miséreux et de bandits. La fillette de sept ans qui restait dans la famille fut vendue à un agent et on n'entendit plus parler d'elle. Le Premier Fils, destiné à remplacer le père dans sa charge de médecin ambulant, fut mordu par un chien enragé et mourut peu après, le corps raidi comme un arc et l'écume à la bouche. Les Deuxième et Troisième Fils étaient déjà en âge de travailler, et c'est sur eux que retomba la tâche de s'occuper de leur père, d'accomplir les rites funéraires à sa mort et d'honorer sa mémoire et celle de leurs ancêtres mâles sur cinq générations. Le Quatrième Fils n'était pas particulièrement utile et on n'avait pas non plus de quoi le nourrir, de sorte que son père le vendit pour dix années de servitude à des commerçants qui passaient en caravane aux abords du hameau. L'enfant avait onze ans.

Grâce à l'un de ces événements fortuits qui lui feraient souvent changer de direction, ce temps d'esclavage, qui aurait pu être un enfer pour l'enfant, fut en réalité moins pénible que les années passées sous le toit paternel. Deux mules traînaient une charrette sur laquelle se trouvait le chargement le plus lourd de la caravane. Un énervant grincement accompagnait chaque tour des roues, volontairement non graissées pour éloigner les démons. Afin d'éviter qu'il ne s'échappe, ils avaient attaché par une corde à l'une des bêtes le Quatrième Fils, qui pleurait à chaudes larmes depuis qu'on l'avait séparé de son père et de ses frères. Pieds nus et assoiffé, portant le sac de ses maigres affaires dans le dos, il avait vu disparaître les toits de son hameau et le paysage familier. La vie dans cette hutte était la seule qu'il connaissait, et elle n'avait pas été mauvaise, ses parents le traitaient avec douceur, sa mère lui racontait des histoires, et tout prétexte était bon pour rire et festoyer, même aux époques de grande pauvreté. Il trottait derrière la mule, convaincu que chaque pas le faisait pénétrer plus avant dans le territoire des esprits malins, et il craignait que les grincements des roues et les clochettes accrochées à la charrette fussent insuffisants pour le protéger. Il comprenait à peine le dialecte des voyageurs, mais les quelques mots saisis au vol provoquaient dans tout son corps une frayeur terrible. Ils parlaient des innombrables génies mécontents qui erraient dans la région, âmes perdues des morts qui n'avaient pas reçu de sépulture appropriée. La famine, le typhus et le choléra avaient parsemé la région de cadavres ; il ne restait pas suffisamment de vivants pour honorer autant de trépassés. Par chance, les spectres et les démons avaient la réputation d'être maladroits : ils ne savaient pas tourner à angle droit et se laissaient facilement distraire quand on leur offrait de la nourriture ou des cadeaux en papier. Parfois, cependant, rien ne parvenait à les éloigner et ils pouvaient se matérialiser, prêts à gagner leur liberté en assassinant les étrangers ou en s'introduisant dans leur corps, les obligeant à accomplir d'inimaginables forfaits. Ils marchaient depuis quelques heures déjà. La chaleur estivale et la soif étaient intenses, le garçon trébuchait tous les deux pas et ses impatients nouveaux maîtres le pressaient sans véritable méchanceté à coups de trique dans les jambes. Quand le soleil se fut couché, ils décidèrent de s'arrêter et de camper. Ils soulagèrent les animaux de leur charge, allumèrent un feu, préparèrent du thé et se divisèrent en petits groupes pour jouer au *fan tan* et au *mah jong*. Quelqu'un finit par se souvenir du Quatrième Fils et lui apporta une écuelle de riz et un verre de thé, que ce dernier engloutit avec la voracité accumulée par des mois et des mois de faim. Sur ce, des hurlements se firent entendre et aussitôt ils se trouvèrent enveloppés par un nuage de poussière. Les cris des assaillants vinrent s'ajouter à ceux des voyageurs et, terrorisé, le garçon se glissa sous la charrette, autant que la corde à laquelle il était attaché pouvait le lui permettre. Il ne s'agissait pas d'une légion infernale, comme on le sut immédiatement, mais d'une bande de brigands qui, narguant les soldats impériaux inefficaces, sillonnaient les chemins en ces temps de grand désespoir. Une fois remis de leur première surprise, les marchands empoignèrent leurs armes et affrontèrent les hors-la-loi dans une confusion de cris, de menaces et de coups de feu qui dura à peine quelques minutes. Lorsque la poussière se fut dissipée, l'un des bandits avait pris la fuite et les deux autres gisaient à terre, blessés à mort. Ils découvrirent leur visage et constatèrent qu'il s'agissait d'adolescents couverts de guenilles et armés de gourdins et de lances primitives. Alors ils les décapitèrent sur-le-champ pour qu'ils souffrent de l'humiliation de quitter ce monde brisés, et non entiers comme à leur naissance, puis ils plantèrent les têtes sur des pics de chaque côté du chemin. Quand tout le monde eut retrouvé ses esprits, on s'aperçut qu'un membre de la caravane se tordait à terre, grièvement blessé à la cuisse par un coup de lance. Le Quatrième Fils, qui était resté paralysé de terreur sous la charrette, sortit en rampant de sa cachette et demanda respectueusement la permission aux honorables commerçants de s'occuper du blessé. A défaut d'autre solution, ils l'y autorisèrent. Il demanda du thé pour nettoyer le sang, puis il ouvrit son sac et en tira un flacon contenant du *bai yao*. Il appliqua cette pâte blanche sur la blessure, banda la jambe en serrant fort, et annonça sans la moindre hésitation qu'en moins de trois jours la blessure aurait cicatrisé. Il en fut ainsi. Cet incident lui évita de passer les dix années suivantes à travailler comme esclave et d'être plus mal traité qu'un chien car, voyant ses aptitudes, les commerçants le vendirent, à Canton, à un médecin traditionnel et maître d'acupuncture renommé – un *zhong yi* – qui avait besoin d'un apprenti. Au côté de ce sage, le Quatrième Fils put acquérir les connaissances qu'il n'aurait jamais obtenues auprès de son rustre père.

Le vieux maître était un homme placide, avec un visage lisse de lune, une voix lente et des mains osseuses et sensibles, ses meilleurs instruments. La première chose qu'il fit avec son serviteur, ce fut de lui donner un nom. Il consulta les livres d'astrologie et de divination pour vérifier le nom qui correspondait au jeune garçon : Tao. Le mot avait plusieurs significations, telles que voie, direction, sens et harmonie, mais surtout il représentait le voyage de la vie. Le maître lui donna son propre nom de famille.

— Tu t'appelleras Tao Chi'en. Ce nom t'initie aux voies de la médecine. Ton destin sera de soulager la douleur d'autrui et d'atteindre la sagesse. Tu seras un *zhong yi*, comme moi.

Tao Chi'en... Le jeune apprenti reçut son nom avec grand plaisir. Il baisa les mains de son maître et sourit pour la première fois depuis qu'il avait quitté son foyer. L'élan de gaieté, qui jadis le faisait danser de joie sans motif apparent, se remit à palpiter dans sa poitrine, et son sourire ne le quitta de plusieurs semaines. Il arpentait la maison en sautillant, savourant son nom avec gourmandise, comme un caramel dans la bouche, le répétant à voix haute et y rêvant, jusqu'à s'identifier pleinement à lui. Son maître, suivant Confucius pour les aspects pratiques, et Bouddha pour ce qui concernait l'idéologie, lui apprit avec fermeté, mais grande douceur, la discipline qui le conduirait à faire de lui un bon médecin.

— Si je parviens à t'enseigner tout ce que je souhaite, un jour tu deviendras un homme éclairé, lui dit-il.

Il affirmait que les rites et les cérémonies étaient aussi nécessaires que les règles de la bonne éducation et le respect des hiérarchies. Il disait que la connaissance sans la sagesse ne servait pas à grand-chose : il n'est pas de sagesse sans spiritualité, et la véritable spiritualité est de toujours se mettre au service d'autrui. Comme il l'expliqua à de nombreuses reprises, l'essence d'un bon médecin consiste en sa capacité de compassion et en son sens de l'éthique, sans lesquels l'art sacré de la guérison dégénère en vulgaire charlatanerie. Le sourire facile de son apprenti lui plaisait.

— Tu as une belle avance sur le chemin de la sagesse, Tao. Le sage est toujours gai, soutenait-il.

Toute l'année Tao Chi'en se levait à l'aube, comme n'importe quel étudiant, pour faire une heure de méditation, chanter des cantiques et dire des prières. Il n'avait qu'un seul jour de repos, pour la célébration du Nouvel An ; travailler et étudier étaient ses seules occupations. Avant tout, il lui fallut dominer à la perfection le chinois écrit, moyen officiel de communication dans cet immense territoire aux centaines de peuples et de langues. Son maître était inflexible quant à la beauté et à la précision de la calligraphie, qui distinguait l'homme raffiné de l'homme vulgaire. Il tenait aussi à développer chez Tao Chi'en la sensibilité artistique qui, selon lui, caractérisait l'être supérieur. Comme tout Chinois civilisé, il éprouvait un mépris total pour la guerre, et se sentait porté, en revanche, vers la musique, la peinture et la littérature. A son côté, Tao Chi'en apprit à apprécier la dentelle délicate d'une toile d'araignée perlée de gouttes de rosée à la lueur de l'aurore, et à exprimer son plaisir dans des poèmes inspirés, servis par une élégante calligraphie. Selon l'opinion du maître, il était une chose pire que de ne pas composer de poésie, c'était de la composer mal. Dans cette maison, le garçon assista à de fréquentes réunions où les invités créaient des vers sur l'inspiration du moment, et admiraient le jardin, tandis que lui servait le thé et écoutait, émerveillé. On pouvait atteindre l'immortalité en écrivant un livre, surtout de poésie, disait le maître, qui en avait écrit plusieurs. Aux connaissances pratiques extrêmement simples que Tao Chi'en avait acquises en voyant travailler son père, il ajouta l'impressionnante masse théorique de la médecine chinoise ancestrale. Le jeune garçon apprit que le corps humain était composé de cinq éléments, bois, feu, terre, métal et eau, qui étaient associés aux cinq planètes, aux cinq conditions atmosphériques, aux cinq couleurs et aux cinq notes. A travers l'utilisation adéquate des plantes médicinales, acupuncture et ventouses, un bon médecin pouvait prévenir et guérir divers maux, et contrôler l'énergie masculine, active et légère, et l'énergie féminine, passive et obscure – *yin* et *yang*. Cependant, le but de cet art n'était pas tant d'éliminer les maladies que de préserver l'harmonie. « Tu dois choisir tes aliments, orienter ton lit et conduire ta méditation selon la saison de l'année et la direction du vent. Ainsi tu seras toujours en résonance avec l'univers », lui conseillait le maître.

Le *zhong yi* était satisfait de son sort, bien que le manque de descendants pesât comme une ombre sur la sérénité de son esprit. Il n'avait pas eu d'enfant, malgré les herbes miraculeuses ingurgitées régulièrement durant sa vie entière pour se nettoyer le sang et fortifier son membre, et malgré les remèdes et les incantations dont avaient bénéficié ses deux épouses, mortes à la fleur de l'âge, ainsi que les nombreuses concubines qui avaient suivi. Il devait accepter en toute humilité que la faute ne vînt pas des femmes dévouées, mais de l'apathie de sa liqueur virile. Aucun des remèdes qu'il avait utilisés pour aider les autres n'avait donné de résultat sur lui, et il avait fini par se résigner au fait, indéniable, que ses reins étaient secs. Il cessa de punir ses femmes avec des exigences inutiles et il en jouit pleinement, conformément aux préceptes des superbes *livres de l'oreiller* de sa collection. Cependant, le vieil homme s'était éloigné de ces plaisirs depuis longtemps, plus désireux d'acquérir de nouvelles connaissances et d'explorer l'étroit sentier de la sagesse; il s'était séparé une à une de ses concubines, dont la présence le distrayait de ses recherches intellectuelles. Il n'avait pas besoin d'avoir sous ses yeux une jeune fille pour la décrire dans des poèmes élevés, le souvenir lui suffisait. Il avait également fait une croix sur des enfants qu'il n'aurait pas, mais il devait songer à l'avenir. Qui l'aiderait pendant la dernière étape et à l'heure de sa mort ? Qui nettoierait sa tombe et vénérerait sa mémoire ? Il avait formé plusieurs apprentis, et avec chacun d'eux il avait nourri la secrète ambition de l'adopter, mais aucun ne fut digne d'un tel honneur. Tao Chi'en n'était ni plus intelligent ni plus intuitif que les autres, mais il avait une obsession d'apprendre que le maître reconnut aussitôt, car identique à la sienne. De plus, c'était un garçon doux et amusant, on s'y attachait facilement. Durant les années qu'ils partagèrent, il se prit d'une telle affection pour lui qu'il se demandait souvent comment il se faisait qu'il ne fût pas un fils de son sang. Cependant, l'estime qu'il avait pour son apprenti ne l'aveuglait pas, l'expérience montrait que les changements au cours de l'adolescence étaient habituellement très profonds, et il ne pouvait prédire quel genre d'homme il deviendrait. Comme dit le proverbe chinois : « Si tu es brillant jeune, cela ne signifie pas que tu seras utile adulte. » Il craignait de se tromper à nouveau, comme cela lui était arrivé par le passé, et préférait attendre patiemment que la vraie nature du garçon se révèle. Entre-temps, il le guiderait, comme il le faisait avec les jeunes arbres de son jardin, pour les aider à pousser droit. Au moins celui-là apprend vite, pensait le vieux médecin, calculant combien d'années il lui restait à vivre. D'après les signes astraux et l'observation minutieuse de son propre corps, il n'aurait pas le temps de former un nouvel apprenti.

Très vite, Tao Chi'en sut faire son choix de produits au marché et chez les herboristes – marchandant, bien entendu –, et il put préparer les remèdes sans se faire aider. Observant le médecin à son travail, il parvint à connaître les mécanismes compliqués de l'organisme humain, les procédés pour soulager les fièvres et les tempéraments fougueux, pour réchauffer ceux qui souffraient du froid qui précède la mort, solliciter le sperme chez les stériles et apaiser ceux que des éjaculations répétées épuisaient. Il faisait de longues excursions dans la campagne pour ramasser les meilleures plantes, parvenues à leur point d'efficacité maximale, qu'il transportait ensuite enveloppées dans des linges humides pour les maintenir au frais durant le chemin du retour. Quand il eut quatorze ans, son maître, le considérant mûr pour exercer, l'envoya régulièrement s'occuper des prostituées, avec l'ordre formel de s'abstenir de tout commerce avec elles, car comme il pouvait le constater en les examinant, elles portaient la mort sur leur corps.

— Les maladies des bordels tuent plus de gens que l'opium et le typhus. Mais si tu t'en tiens à tes obligations et que tu apprends à un bon rythme, le moment venu je t'achèterai une jeune fille vierge, lui promit le maître.

Tao Chi'en avait souffert de la faim enfant, mais son corps s'étira jusqu'à une hauteur jamais atteinte par aucun membre de sa famille. A quatorze ans, il ne ressentait aucune attirance pour les filles que l'on payait, juste une curiosité scientifique. Elles étaient si différentes de lui, elles vivaient dans un monde si lointain et secret qu'il ne pouvait les considérer comme vraiment humaines. Plus tard, quand l'assaut subit de sa nature lui fit voir des étoiles, et qu'il allait comme un possédé, trébuchant contre son ombre, son précepteur regretta de s'être séparé de ses concubines. Rien n'éloignait autant un bon étudiant de ses responsabilités que l'explosion des forces viriles. Une femme l'apaiserait et pourrait, en passant, lui donner des connaissances pratiques, mais comme l'idée d'en acheter une lui paraissait délicate – il se trouvait à l'aise dans son univers uniquement masculin –, il obligeait Tao à prendre des infusions pour calmer ses ardeurs. Le *zhong yi* ne se souvenait pas de l'ouragan des passions charnelles et, avec la meilleure intention du monde, il faisait lire à son élève les *livres de l'oreiller* de sa bibliothèque comme complément à son éducation, sans penser à l'excitation qu'ils provoquaient sur le pauvre garçon.

Il lui faisait mémoriser chacune des deux cent vingt-deux positions de l'amour avec leurs noms poétiques, et le garçon devait les identifier sans hésiter dans les illustrations raffinées desdits livres, ce qui était pour lui une grande distraction.

Tao Chi'en se familiarisa avec Canton comme, jadis, il s'était familiarisé avec son hameau. Il aimait cette ville ancienne entourée de murailles, chaotique, avec ses rues tortueuses et ses canaux, où les palais et les baraques se côtoyaient dans une totale promiscuité. Certaines personnes vivaient et mouraient dans des bateaux sur le fleuve, sans jamais descendre sur la terre ferme. Il s'habitua au climat humide et chaud du long été balayé par les typhons, mais agréable en hiver, d'octobre à mars. Canton était fermé aux étrangers, cependant des pirates faisaient parfois leur apparition, arborant des bannières d'autres nations. Il existait quelques étals de commerces où les étrangers pouvaient échanger des marchandises, de novembre à mai seulement, mais il y avait tant d'impôts, de règlements et d'obstacles que les commerçants internationaux préféraient s'établir à Macao. Tôt le matin, quand Tao Chi'en partait au marché, il trouvait des nouveau-nés de sexe féminin abandonnés dans les rues ou flottant sur les canaux, souvent à moitié mangés par des chiens et des rats. Personne n'en voulait, on s'en débarrassait. Pourquoi nourrir une fille qui ne valait rien et dont le destin était de servir la famille de son mari ? « Mieux vaut un fils difforme qu'une douzaine de filles sages comme Bouddha », disait le dicton populaire. De toute façon, il y avait trop d'enfants, il en naissait autant que des souris. Bordels et fumeries d'opium proliféraient un peu partout. Canton était une ville populeuse, riche et gaie, remplie de temples, de restaurants et de maisons de jeu, où l'on festoyait bruyamment. Même les châtiments et les exécutions étaient l'occasion de fêtes. Des foules se rassemblaient pour encourager les bourreaux, parés de leurs tabliers tachés de sang et de leurs collections de couteaux effilés, coupant les têtes d'un coup net et précis. La justice était rendue de façon expéditive et simple, sans recours possible ni cruauté superflue, sauf dans le cas de trahison envers l'empereur, le pire de tous les crimes, que l'on payait par une mort lente et la relégation de toute la famille, réduite à l'esclavage. Les fautes mineures étaient punies par des coups de fouet ou par un carcan de bois serré autour du cou des coupables pendant plusieurs jours, de sorte qu'ils ne puissent se reposer ni se toucher la tête avec les mains, pour manger ou se gratter. Sur les places et les marchés se produisaient les conteurs d'histoires qui, comme les moines mendiants, se déplaçaient à travers le pays en préservant une tradition orale millénaire. Les jongleurs, acrobates, charmeurs de serpents, travestis, musiciens itinérants, magiciens et contorsionnistes se donnaient rendez-vous dans la rue, tandis que tout autour fourmillait le commerce de la soie, du thé, du jade, des épices, de l'or, des carapaces de tortue, de la porcelaine, de l'ivoire et des pierres précieuses. Les légumes, les fruits et les viandes s'étalaient dans un mélange confus : choux pommés et tendres pousses de bambou côtoyaient des cages à chats, à chiens et à carcajous que le boucher tuait et écorchait d'un seul geste à la demande du client. Il y avait de longues ruelles uniquement réservées aux oiseaux, car chaque maison possédait des oiseaux et des cages, des plus simples jusqu'à celles fabriquées avec le bois le plus précieux incrusté d'argent et de nacre. D'autres coins du marché étaient réservés aux poissons exotiques, qui portaient chance. Tao Chi'en, toujours curieux, s'amusait à observer et se faisait des amis, et ensuite il devait courir pour faire ses achats dans le secteur où l'on vendait la matière première dont il avait besoin. Il pouvait l'identifier les yeux fermés par l'odeur pénétrante d'épices, de plantes et d'écorces médicinales. Les serpents desséchés s'empilaient, enroulés comme des écheveaux poussiéreux ; des crapauds, des salamandres et d'étranges animaux marins pendaient à une corde, comme des colliers ; des grillons et de grands scarabées à la dure carapace phosphorescente languissaient dans des boîtes ; des singes de toutes races attendaient leur tour de mourir; des pattes d'ours et d'orang-outang, des cornes d'antilope et de rhinocéros, des yeux de tigre, des ailerons de requin et des griffes de mystérieux oiseaux nocturnes, tout cela s'achetait au poids.

Pour Tao Chi'en, les premières années à Canton se passèrent à étudier, travailler et servir son vieux précepteur, qu'il finit par estimer comme un grand-père. Ce furent des années heureuses. Le souvenir de sa propre famille s'évanouit et il finit par oublier le visage de son père et de ses frères, mais pas celui de sa mère, car elle lui apparaissait régulièrement. L'étude ne fut bientôt plus pour lui un travail, elle devint une passion. Chaque fois qu'il apprenait quelque chose de nouveau, il volait vers son maître pour lui raconter précipitamment la découverte. « Plus tu apprendras, plus tu sauras combien tu en sais peu », riait le vieil homme. Sur sa propre initiative, Tao Chi'en décida de dominer le mandarin et le cantonais, car il trouvait le dialecte de son hameau très limité. Il assimilait les connaissances de son maître à une telle vitesse que le vieil homme l'accusait, en plaisantant, de lui voler aussi ses rêves, mais sa propre passion pour l'enseignement le rendait généreux. Il partagea avec le jeune garçon tout ce que ce dernier voulut vérifier, non seulement en matière de médecine, mais aussi dans d'autres domaines de son vaste savoir et de sa culture raffinée. Bon par nature, il était sévère, en revanche, dans ses appréciations et exigeant dans l'effort car, comme il disait, « il me reste peu de temps à vivre et, dans l'autre monde, je ne peux emporter ce que je sais, quelqu'un doit l'utiliser après ma mort ». Il le mettait en garde cependant contre la voracité des connaissances, qui pouvait emprisonner un homme, comme la gourmandise ou la luxure. « Le sage ne désire rien, ne juge pas, ne fait pas de projets, conserve son esprit ouvert et son cœur en paix », soutenait-il. Il le reprenait avec une telle tristesse quand il se trompait que Tao Chi'en aurait préféré des coups de fouet, mais cette pratique répugnait au tempérament du *zhong yi*, qui ne voulait pas que la colère guidât ses actions. Les seules fois où il le frappa d'une façon cérémonieuse, avec une baguette en bambou, sans colère mais avec une ferme volonté didactique, ce fut quand il eut la certitude, preuves à l'appui, que son apprenti avait cédé à la tentation du jeu ou payé pour une femme. Tao Chi'en avait pris l'habitude de falsifier les comptes du marché pour aller parier dans les maisons de jeu, dont il ne pouvait éviter l'attraction, ou pour trouver une consolation, à prix étudiant, dans les bras de l'une de ses patientes de bordel. Son maître le démasquait rapidement car, s'il perdait au jeu, il ne pouvait expliquer où était passé l'argent, et s'il gagnait, il lui était impossible de dissimuler son euphorie. Quant aux femmes, il les sentait sur la peau du garçon.

— Enlève ta chemise, je dois te donner des coups de baguette, à voir si tu finis par comprendre, mon petit. Combien de fois je t'ai dit que les pires maux de la Chine sont le jeu et le bordel ? Dans le premier, les hommes perdent le fruit de leur travail et, dans le second, ils perdent la santé et la vie. Tu ne seras jamais un bon médecin ni un bon poète avec de pareils vices.

Tao Chi'en avait seize ans en 1839, quand éclata la Guerre de l'Opium entre la Chine et la Grande-Bretagne. A cette époque, le pays était infesté de mendiants. Des masses humaines abandonnaient les campagnes et surgissaient avec leurs haillons et leurs pustules dans les villes, d'où elles étaient chassées sans ménagement, et elles erraient comme des bandes de chiens faméliques sur les chemins de l'Empire. Des bandes de hors-la-loi et de rebelles se battaient contre les troupes du gouvernement dans une interminable guerre d'embuscades. C'était une époque de destructions et de pillages. A la tête des pâles armées impériales, les officiers corrompus, qui recevaient de Pékin des ordres contradictoires, ne purent faire face à la flotte navale anglaise, puissante et bien disciplinée. Ils ne pouvaient compter sur l'appui populaire car les paysans étaient fatigués de voir leurs champs détruits, leurs villages incendiés et leurs filles violées par la soldatesque. Après quatre ans de lutte, la Chine dut accepter une humiliante défaite et payer l'équivalent de vingt et un millions de dollars aux vainqueurs, leur remettre Hong Kong et leur céder le droit d'établir des « concessions », quartiers résidentiels régis par des lois d'extraterritorialité. C'est là que vivaient tous les étrangers, avec une police, des services, un gouvernement et des lois propres, protégés par leurs troupes. C'étaient de vraies nations étrangères à l'intérieur du territoire chinois, d'où les Européens contrôlaient le commerce, principalement celui de l'opium. Ces derniers n'entrèrent dans Canton que cinq ans plus tard mais, constatant la dégradante déroute de son vénéré empereur, et voyant l'économie et le moral de sa patrie s'effondrer, le maître d'acupuncture se dit qu'il n'avait plus aucune raison de continuer à vivre.

Durant cette période de guerre, le vieux *zhong yi* sentit son cœur se briser, il perdit la sérénité si difficilement gagnée tout au long de son existence. Son détachement et sa distraction pour les choses matérielles s'intensifièrent à un tel point que Tao Chi'en devait lui-même porter la nourriture à sa bouche, quand il passait plusieurs jours sans s'alimenter. Il délaissa ses comptes, et les créanciers commencèrent à frapper à sa porte, mais il les ignora majestueusement, car tout ce qui concernait l'argent lui paraissait une charge honteuse dont les sages étaient naturellement exempts. Dans la confusion sénile de ces dernières années, il oublia les bonnes intentions d'adopter son apprenti et de lui trouver une femme. Il était, en vérité, tellement égaré qu'il lui arrivait de regarder Tao Chi'en d'un air perplexe, incapable de se rappeler son nom ou de le situer dans le labyrinthe des visages et des événements qui assaillaient son esprit à tort et à travers. Mais il trouva les forces nécessaires pour préparer son enterrement dans les moindres détails, car pour un Chinois illustre, l'événement le plus important de sa vie est celui de ses propres funérailles. L'idée de mettre fin à sa lassitude par une mort élégante le tracassait depuis longtemps, toutefois il attendit la fin de la guerre avec l'espoir secret et irrationnel de voir triompher les armées de l'Empire Céleste. L'arrogance des étrangers lui semblait intolérable, il éprouvait un grand mépris pour ces brutaux *fan güey*, fantômes blancs qui ne se lavaient pas, buvaient du lait et de l'alcool, qui étaient totalement ignorants des règles élémentaires de la bonne éducation, et incapables d'honorer leurs ancêtres comme il se devait. Les accords commerciaux étaient, pour lui, une faveur octroyée par l'empereur à ces barbares ingrats qui, au lieu de se confondre en gratitude et en remerciements, exigeaient toujours davantage. Le traité de Nankin fut le coup de grâce pour le *zhong yi*. L'empereur et tout habitant de la Chine, jusqu'au plus humble, avaient perdu leur honneur. Comment pouvait-on retrouver sa dignité après un tel affront ?

Le vieux sage s'empoisonna en avalant de l'or. Au retour d'une de ses excursions champêtres en quête de plantes, son disciple le trouva dans le jardin, allongé sur des coussins de soie et vêtu de blanc, en signe de son propre deuil. A son côté se trouvaient le thé encore tiède, et l'encre du pinceau frais. Sur son petit écritoire, il y avait un vers inachevé et une libellule se profilait dans la minceur du parchemin. Tao Chi'en baisa les mains de cet homme qui lui avait tant donné, puis il passa un instant à apprécier le dessin des ailes transparentes de l'insecte à la lumière de l'après-midi mourant, comme son maître l'aurait souhaité.

Beaucoup de monde assista aux funérailles du sage car, au cours de sa longue existence, il avait aidé des milliers de personnes à vivre sainement et à mourir sans angoisse. Les officiels et les dignitaires du gouvernement défilèrent de façon extrêmement solennelle, les hommes de lettres récitèrent leurs meilleurs poèmes et les courtisanes se présentèrent en habits de soie. Un devin détermina le jour propice pour l'enterrement et un artiste d'objets funéraires visita la maison du défunt pour faire une copie de ses biens. Ce dernier arpenta lentement la demeure sans prendre de mesures ni de notes, mais sous ses manches volumineuses il faisait, avec son ongle, des marques sur une tablette en cire. Après quoi, il construisit des miniatures en papier de la maison, avec ses différentes pièces et ses meubles, ainsi que des objets favoris du défunt, le tout devant être brûlé en même temps que des liasses de billets. Il devait emporter dans l'autre monde ce qu'il avait tant aimé ici-bas. Le cercueil, énorme et décoré comme un carrosse impérial, passa par les avenues de la ville, entre deux rangées de soldats en uniforme de parade, précédés de cavaliers portant des couleurs brillantes, et une bande de musiciens avec cymbales, tambours, flûtes, cloches, triangles métalliques et une série d'instruments à cordes. Le tintamarre était indescriptible, comme il convenait à un défunt de cette importance. Sur sa tombe s'amoncelèrent fleurs, vêtements et nourriture ; on alluma des bougies, on brûla de l'encens, puis on mit le feu à l'argent et aux nombreux objets en papier. La tablette ancestrale en bois couverte d'or, et gravée au nom du maître, fut posée sur sa tombe pour recevoir l'esprit, tandis que le corps retournait à la terre. C'était au fils aîné que revenait la tâche de reprendre la tablette, de l'emporter chez lui et de la mettre à la place d'honneur, à côté de celles des autres ancêtres masculins, mais le médecin n'avait personne qui pût s'acquitter de cette obligation. Tao Chi'en n'était qu'un serviteur et ç'aurait été un manque absolu d'étiquette de s'offrir pour une telle tâche. Il était tendrement ému. Dans la foule, il était le seul dont les larmes et les gémissements exprimaient une vraie douleur, mais la tablette ancestrale finit entre les mains d'un lointain neveu qui aurait l'obligation morale de placer des offrandes, et de prier devant elle, tous les quinze jours, ainsi que pour les fêtes.

Une fois les solennels rites funéraires terminés, les créanciers se jetèrent comme des chacals sur les biens du maître. Ils violèrent les textes sacrés et le laboratoire, mirent les herbes sens dessus dessous, ruinèrent les préparations médicinales, détruisirent les précieux poèmes, emportèrent les meubles et les objets d'art, piétinèrent le superbe jardin et vendirent la vieille demeure aux enchères. Peu avant, Tao Chi'en avait mis à l'abri les aiguilles d'or pour l'acupuncture, une caisse avec des instruments médicinaux et quelques remèdes essentiels, ainsi qu'un peu d'argent subtilisé au cours des dernières années, alors que son patron commençait à s'égarer dans les méandres de la sénilité. Il n'avait pas eu l'intention de voler le vénérable *zhong yi*, qu'il estimait comme un grand-père, mais d'utiliser cet argent pour le nourrir, car il voyait s'accumuler les dettes et craignait pour son avenir. Le suicide avait précipité les choses et Tao Chi'en se retrouva en possession de moyens inespérés. S'approprier cet argent pouvait lui coûter la tête, car cela serait considéré comme un crime d'un inférieur envers un supérieur, mais il était certain que personne ne l'apprendrait, sauf l'esprit du défunt, qui approuverait sans doute son geste. Ne préférerait-il pas récompenser son fidèle serviteur et disciple au lieu de rembourser une des nombreuses dettes à ses féroces créanciers ? Avec ce modeste trésor et un peu de linge propre, Tao Chi'en s'enfuit de la ville. L'idée de retourner dans son hameau natal lui traversa fugitivement l'esprit, mais il l'écarta aussitôt. Pour sa famille, il serait toujours le Quatrième Fils, il devrait soumission et obéissance à ses frères aînés. Il lui faudrait travailler pour eux, accepter l'épouse qu'on lui aurait choisie et se résigner à la misère. Rien ne le réclamait dans cette direction, pas même les obligations filiales envers son père et ses aïeux, qui retombaient sur ses frères aînés. Il devait partir loin, là où le long bras de la justice chinoise ne le rattraperait pas. Il avait vingt ans, il lui en restait un pour accomplir les dix ans de servitude, et n'importe quel créancier pouvait réclamer le droit de l'utiliser comme esclave pendant cette période.

Tao Chi'en

Tao Chi'en prit un sampan pour Hong Kong, bien décidé à commencer une nouvelle vie. Maintenant il était un *zhong yi*, formé à la médecine traditionnelle chinoise par le meilleur maître de Canton. Il devait une éternelle reconnaissance aux esprits de ses vénérables ancêtres qui avaient redressé son karma de façon aussi glorieuse. La première chose, décida-t-il, c'était de trouver une femme, car il était largement en âge de se marier, et le célibat lui pesait. L'absence de femme était un signe indéniable de pauvreté. Il caressait l'ambition d'acquérir une jeune fille délicate et possédant de jolis pieds. Ses *lys dorés* ne devaient pas dépasser trois ou quatre pouces de long, et être dodus et tendres au toucher, comme ceux d'un enfant de quelques mois. Il était fasciné par la façon dont les jeunes filles marchaient sur leurs pieds minuscules, avec des pas très courts et vacillants, comme si elles étaient toujours sur le point de tomber, les hanches rejetées en arrière et se balançant comme les joncs sur la berge d'un étang dans le jardin de son maître. Il détestait les pieds grands, musclés et froids, comme ceux des paysannes. Dans son hameau, il avait vu de loin quelques fillettes bandées, orgueil de leur famille qui pourrait les marier convenablement, mais c'est au contact des prostituées de Canton qu'il avait pu tenir entre ses mains une paire de ces *lys dorés*, qu'il avait pu s'extasier devant les petits chaussons brodés qui les recouvraient toujours car, pendant des années, les os écrasés rejetaient une substance malodorante. Après les avoir touchés, il comprit que leur élégance était le fruit d'une douleur constante, ce qui leur donnait d'autant plus de prix. Alors il apprécia à leur juste valeur les livres consacrés aux pieds féminins, que son maître collectionnait, dans lesquels étaient énumérés les cinq catégories et les dix-huit styles différents de *lys dorés*. Sa femme devait aussi être très jeune, car la beauté est de courte durée : elle commence vers l'âge de douze ans et finit peu après la vingtième année. C'était l'explication que lui avait donnée son maître. Ce n'est pas pour rien que les héroïnes les plus célébrées dans la littérature chinoise mouraient toujours à l'âge de leur plus grande beauté; heureuses celles qui disparaissaient avant de se voir abîmées par l'âge, et dont on pouvait se souvenir au plus haut de leur fraîcheur. Il y avait, d'autre part, des raisons pratiques pour préférer une jeune fille nubile : elle lui donnerait des enfants mâles, sans compter qu'il serait facile de dominer son caractère pour la rendre tout à fait soumise. Rien de plus désagréable qu'une femme criarde; il en avait vu certaines qui crachaient par terre, giflaient leur mari et leurs enfants, même dans la rue et devant les voisins. Un tel affront de la part d'une femme était la pire des hontes pour un homme. Dans le sampan qui le conduisait lentement le long des quatre-vingt-dix *miles* entre Canton et Hong Kong, l'éloignant chaque minute davantage de sa vie passée, Tao Chi'en rêvait à cette jeune fille, au plaisir et aux enfants qu'elle lui donnerait. Il comptait et recomptait l'argent de sa bourse, comme si par des calculs abstraits il pouvait le faire fructifier, mais il était clair qu'il ne serait pas suffisant pour acquérir une épouse de cette qualité. Cependant, malgré l'urgence, il ne pensait pas dépenser moins et passer le restant de ses jours avec une femme affublée de grands pieds et d'un fort caractère.

L'île de Hong Kong surgit soudain sous ses yeux, avec son profil de montagnes et sa nature verdoyante, émergeant comme une sirène des eaux indigo de la mer de Chine. Quand la légère embarcation qui le transportait eut mouillé dans le port, Tao Chi'en perçut la présence des étrangers abhorrés. Il en avait vu quelques-uns de loin, jadis, mais maintenant ils étaient si proches qu'il les aurait touchés, s'il en avait eu le courage, pour vérifier si ces êtres grands et sans aucune grâce étaient réellement humains. Il découvrit avec étonnement que beaucoup de *fan güey* avaient des cheveux roux ou jaunes, les yeux déteints et la peau rouge comme des langoustes cuites. Les femmes, très laides à son goût, portaient des chapeaux couronnés de plumes et de fleurs, peut-être avec l'intention de dissimuler leurs diaboliques cheveux. Ils étaient habillés d'une façon extraordinaire, avec des vêtements raides et serrés au corps ; c'était sans doute pour cela, se dit-il, qu'ils se déplaçaient comme des automates et ne saluaient pas avec d'aimables courbettes. Ils passaient, tout droits, sans voir personne, souffrant en silence de la chaleur estivale sous leurs attirails incommodes. Il y avait une douzaine de bateaux européens dans le port, au milieu de milliers d'embarcations asiatiques de toutes les tailles et toutes les couleurs. Dans la rue, il vit des voitures à cheval conduites par des hommes en uniforme, perdues entre les véhicules de transport humain, litières, palanquins, brancards, et aussi des individus portant simplement leur client sur le dos. L'odeur de poisson lui sauta au visage comme une gifle, ravivant sa faim. Avant tout, il devait trouver un local où manger, toujours indiqué par de longues bandes de tissu jaune.

Tao Chi'en mangea comme un prince dans un restaurant plein de gens qui parlaient et riaient aux éclats, signe évident de satisfaction et de bonne digestion, où il savoura les petits plats délicats qui, chez le bon maître d'acupuncture, étaient passés aux oubliettes. Le *zhong yi* avait été un gourmand durant sa vie et il se vantait d'avoir eu les meilleurs cuisiniers de Canton à son service, mais, ces dernières années, il ne se nourrissait plus que de thé vert et de riz accompagné de quelques verdures. A l'époque où il avait échappé à sa servitude, Tao Chi'en était maigre comme tous ceux, nombreux, qui avaient la tuberculose à Hong Kong. Ce fut son premier repas correct depuis longtemps, et l'assaut des saveurs, des parfums et des textures le mena jusqu'à l'extase. Il termina son repas en fumant une pipe avec un plaisir extrême. Il sortit, flottant et riant seul, comme un fou : de sa vie il ne s'était senti aussi enthousiaste et favorisé par la chance. Il aspira l'air autour de lui et décida qu'il serait facile de conquérir cette ville, comme neuf ans auparavant il était parvenu à dominer l'autre. Il partirait d'abord à la recherche du marché, puis du quartier des guérisseurs et des herboristes, où il pourrait trouver à se loger et offrir ses services professionnels. Ensuite, il réfléchirait à l'affaire de la femme aux petits pieds...

Ce même après-midi, Tao Chi'en trouva un logement au dernier étage d'une maison divisée en compartiments, qui hébergeait une famille par chambre : une véritable fourmilière. Sa chambre, un tunnel noir d'un mètre de large sur trois de long, sans fenêtre, sombre et chaud, attirait les effluves de nourriture et de vase de nuit des autres locataires, auxquels se mélangeait la puanteur typique de la saleté. Comparée à la maison raffinée de son maître, c'était comme vivre dans un trou à rat, mais il se rappelait que la hutte de ses parents était encore plus misérable. Etant célibataire, il n'avait pas besoin d'un espace plus vaste ou plus luxueux, décida-t-il, juste un coin pour poser sa natte et ranger son maigre baluchon. Plus tard, quand il se marierait, il chercherait un logement approprié où il pourrait préparer ses médicaments, recevoir ses clients et se faire servir par sa femme, tradition oblige. Pour le moment, tout en cherchant quelques contacts indispensables pour se remettre au travail, cet espace lui offrait à tout le moins un toit et un peu d'intimité. Il déposa ses affaires et alla prendre un bon bain, se raser et renouer sa tresse. Une fois présentable, il partit à la recherche d'une maison de jeu, bien décidé à doubler son capital le plus rapidement possible, ainsi pourrait-il se lancer sur le chemin du succès.

En moins de deux heures à parier au *fan tan*, Tao Chi'en perdit tout son argent, et s'il ne perdit pas également ses instruments de médecine, c'est parce qu'il n'avait pas pensé à les prendre avec lui. Le vacarme dans la salle de jeu était tellement assourdissant que les paris s'effectuaient par signes, au milieu d'une épaisse fumée de tabac. Le *fan tan* était un jeu très simple, il consistait en une poignée de boutons mis sous une tasse. On pariait, on comptait les boutons de quatre en quatre, et celui qui devinait combien il en restait, un, deux, trois ou aucun, gagnait. Tao Chi'en avait du mal à suivre des yeux les mains de l'homme qui plaçait les boutons et les comptait. Il eut l'impression qu'il y avait tricherie, mais l'accuser en public aurait été une offense telle que, en cas d'erreur, cela pouvait lui coûter la vie. A Canton, on ramassait quotidiennement des cadavres de perdants insolents aux alentours des maisons de jeu ; il ne pouvait en être autrement à Hong Kong. Il retourna dans son tunnel du dernier étage et s'allongea sur sa natte pour pleurer comme un enfant, pensant aux coups de baguette de son vieux maître. Son désespoir se prolongea jusqu'au lendemain, quand il prit nettement conscience de son impatience et de son arrogance. Cette leçon le fit alors rire franchement, convaincu que l'esprit malin de son maître était apparu pour lui apprendre quelque chose de nouveau. Il s'était réveillé dans une obscurité totale, avec les bruits de la maison et de la rue. Il était tard dans la matinée, mais pas un rayon de lumière ne pénétrait dans son cagibi. Il s'habilla à tâtons avec ses seuls autres vêtements propres, toujours riant, prit sa mallette de médecin et gagna le marché. Dans la zone où s'alignaient les échoppes des tatoueurs, tapissées de bas en haut de pièces de tissu et de papier couverts de croquis, on pouvait choisir parmi des milliers de dessins, depuis les discrètes fleurs à l'encre bleu indigo jusqu'aux fantastiques dragons en cinq couleurs, pouvant décorer entièrement, de leurs ailes déployées et de leur souffle de feu, le dos d'un homme robuste. Après une demi-heure de marchandage, il fit affaire avec un artiste désireux d'échanger un modeste tatouage contre une potion pour le foie. En moins de dix minutes, il lui grava sur le dos de la main droite, la main parieuse, le mot NON avec des traits simples et élégants.

— Si la potion vous fait du bien, recommandez mes services à vos amis, lui demanda Tao Chi'en.

— Si mon tatouage vous plaît, faites de même, répliqua l'artiste.

Tao Chi'en soutint toujours que ce tatouage lui avait porté chance. Sortant de la petite échoppe, il se retrouva dans le vacarme du marché et dut se frayer un passage à coups de coudes dans les étroites ruelles noires de monde. Sur le marché, comme dans celui de Canton, on ne voyait aucun étranger. Le bruit faisait penser à une cascade, les vendeurs hurlaient les mérites de leurs produits, les clients marchandaient en criant au milieu de la péroraison assourdissante des oiseaux en cage et des gémissements des animaux qui attendaient leur tour de se faire égorger. Les mauvaises odeurs provenant de la transpiration, des animaux vivants et morts, des excréments et des déchets, des épices, de l'opium, de la cuisine et de toutes sortes de produits et de créatures terrestres, aériennes et aquatiques, étaient si intenses qu'on aurait pu les palper. Ses yeux tombèrent sur une femme qui vendait des crabes. Elle les tirait vivants d'un sac, les faisait bouillir quelques minutes dans une marmite dont l'eau avait la consistance pâteuse du fond de la mer, les retirait avec une passoire, les arrosait de sauce au soja et les offrait aux passants sur un morceau de papier. Elle avait les mains couvertes de verrues. Tao Chi'en négocia avec elle le déjeuner d'un mois en échange d'un traitement contre son mal.

— Ah! Je vois que vous aimez beaucoup les crabes, dit-elle.

— Je les déteste, mais je les mangerai comme pénitence pour ne jamais oublier une certaine leçon.

— Et si au bout d'un mois je n'ai pas guéri, qui va me rembourser les crabes que vous m'aurez mangés ?

— Si dans un mois vous avez encore des verrues, je perds ma réputation. Qui donc achètera mes médecines ? répliqua Tao en souriant.

— D'accord.

Ainsi commença sa nouvelle vie d'homme libre à Hong Kong. En deux ou trois jours l'inflammation céda et le tatouage apparut avec un dessin net de veines bleues. Au cours de ce mois, tandis qu'il arpentait les étals du marché en offrant ses services professionnels, il mangea une seule fois par jour, toujours des crabes bouillis, et il maigrit tellement qu'il pouvait coincer une pièce de monnaie entre ses côtes. Chaque petite bête qu'il portait à la bouche, en luttant contre sa répugnance, le faisait sourire en pensant à son maître qui, lui non plus, n'aimait pas les crabes. Les verrues de la femme disparurent en vingt-six jours et elle, reconnaissante, propagea la bonne nouvelle dans le voisinage. Elle lui offrit un autre mois de crabes s'il lui guérissait sa cataracte des yeux, mais Tao considéra que son châtiment avait assez duré et qu'il pouvait s'offrir le luxe de ne plus remanger de ces bestioles pour le restant de ses jours. Le soir, il revenait exténué dans son cagibi, il comptait ses pièces de monnaie à la lueur d'une bougie, les cachait sous une latte du plancher, puis faisait chauffer de l'eau sur le réchaud à charbon pour tuer sa faim avec du thé. De temps en temps, quand il sentait que ses jambes ou sa volonté commençaient à faiblir, il achetait une écuelle de riz, un peu de sucre ou une pipe d'opium, qu'il savourait lentement, reconnaissant de ce qu'il y eût au monde des présents aussi extraordinaires que la consolation du riz, la douceur du sucre et les rêves parfaits de l'opium. Il ne dépensait que pour son loyer, ses cours d'anglais, pour se faire raser et donner son linge à laver parce qu'il ne pouvait pas vivre comme un miséreux. Son maître s'habillait comme un mandarin. « La bonne présentation est un signe de civilité, un *zhong yi* n'est pas un guérisseur de campagne. Plus le malade est pauvre, plus riches doivent être tes vêtements, par respect », lui enseigna-t-il. Peu à peu sa réputation se répandit, d'abord parmi les gens du marché et leur famille, ensuite à travers le port, où il soignait les marins blessés au cours de bagarres, ou qui souffraient de scorbut, de pustules vénériennes et d'intoxications.

Au bout de six mois, Tao Chi'en pouvait compter sur une clientèle fidèle et il commençait à prospérer. Il déménagea dans une chambre avec fenêtre, la meubla avec un grand lit, qui lui servirait quand il se marierait, un fauteuil et un bureau anglais. Il fit également l'acquisition de quelques vêtements; cela faisait des années qu'il voulait s'habiller correctement. Il avait décidé d'apprendre l'anglais car il avait vite compris de quel côté se trouvait le pouvoir. Une poignée de Britanniques contrôlait Hong Kong, faisait les lois et les appliquait, dirigeait le commerce et la politique. Les *fan güey* vivaient dans des quartiers réservés et ils n'avaient de relations avec les Chinois riches que pour traiter des affaires, toujours en anglais. L'immense multitude chinoise partageait avec eux le même espace et le même temps, mais c'était comme si elle n'existait pas. De Hong Kong partaient les produits les plus raffinés, destinés aux salons d'une Europe fascinée par cette lointaine culture millénaire. Les « chinoiseries » étaient à la mode. La soie faisait fureur dans la couture. Il fallait posséder de jolis ponts avec des lanternes et des saules tristes pour imiter les magnifiques jardins secrets de Pékin; on utilisait les toits de pagode dans les pergolas et les motifs de dragon et de fleur de cerisier se répétaient jusqu'à la nausée dans la décoration. Toute demeure anglaise possédait un salon oriental avec son paravent en laque de Coromandel, une collection de porcelaines et d'ivoires, des éventails brodés par des mains d'enfant au *point interdit* et des canaris impériaux dans des cages sculptées. Les bateaux qui transportaient ces trésors vers l'Europe ne revenaient pas à vide, ils apportaient de l'opium des Indes pour être vendu en contrebande et des babioles qui ruinaient les petites industries locales. Les Chinois devaient se mesurer aux Anglais, aux Hollandais, aux Français et aux Américains pour faire du commerce dans leur propre pays. Mais le grand malheur était l'opium. Utilisé depuis des siècles en Chine comme passe-temps et à des fins médicinales, quand les Anglais inondèrent le marché, l'opium devint un mal incontrôlable. Il toucha tous les secteurs de la société, l'affaiblissant et l'émiettant comme du pain pourri.

Au début, les Chinois voyaient les étrangers avec mépris, dégoût et la supériorité écrasante de ceux qui se considèrent comme les seuls vrais êtres civilisés de l'univers, mais en quelques années ils apprirent à les respecter et à les craindre. De leur côté, les Européens se comportaient avec le même sentiment de supériorité raciale, persuadés d'être les hérauts de la civilisation dans un pays de gens sales, laids, faibles, bruyants, corrompus et sauvages, qui mangeaient des chats et des couleuvres, et tuaient leurs propres filles à la naissance. Peu savaient que les Chinois utilisaient l'écriture mille ans avant eux. Alors que les commerçants imposaient la culture de la drogue et de la violence, les missionnaires se lançaient dans l'évangélisation. Le christianisme devait se propager à n'importe quel prix, c'était l'unique véritable foi, et le fait que Confucius eût vécu cinq cents ans avant le Christ ne signifiait rien. Ils considéraient les Chinois comme des êtres à peine humains, mais ils tâchaient de sauver leurs âmes et payaient leurs conversions en riz. Les nouveaux chrétiens consommaient leur ration de corruption divine et se dirigeaient vers une autre église pour se convertir à nouveau, très amusés devant cette manie des *fan güey* de prêcher leurs croyances comme si elles étaient uniques. Pour eux, pratiques et tolérants, la spiritualité était plus proche de la philosophie que de la religion; c'était une question d'éthique, jamais de dogme.

Tao Chi'en prit des cours avec un compatriote qui parlait un anglais gélatineux et dépourvu de consonnes, mais qui l'écrivait fort correctement. Comparé aux caractères chinois, l'alphabet européen était d'une simplicité délicieuse et, cinq semaines plus tard, Tao Chi'en pouvait lire les journaux britanniques sans se casser le nez sur les lettres, même si tous les cinq mots il avait besoin de recourir au dictionnaire. La nuit, il passait de longues heures à étudier. Il regrettait son vénérable maître qui l'avait marqué à vie avec sa soif d'apprendre, aussi tenace que la soif d'alcool pour l'alcoolique ou de pouvoir pour l'ambitieux. Il ne disposait plus de la bibliothèque du vieil homme, ni de la source inépuisable de son expérience, il ne pouvait lui rendre visite pour lui demander un conseil ou discuter des symptômes d'un patient, il n'avait plus de guide, se sentait orphelin. Depuis la mort de son protecteur, il n'avait plus écrit ou lu de poésie, il ne se donnait pas le temps d'admirer la nature, de méditer ou d'observer les rites et les cérémonies quotidiennes qui enrichissaient jadis son existence. Il se sentait plein de bruit à l'intérieur, regrettait le vide du silence et de la solitude que son maître lui avait appris à cultiver comme un don extrêmement précieux. Dans la pratique de son métier, il apprenait la nature complexe des êtres humains, les différences émotionnelles entre hommes et femmes, les maladies que l'on pouvait traiter uniquement par des remèdes et celles qui nécessitaient aussi la magie du mot juste, mais il lui manquait quelqu'un avec qui partager ses expériences. Son rêve d'acheter une femme et de fonder une famille ne le quittait pas, mais ce rêve était léger et vague, comme un beau paysage peint sur soie. En revanche, le désir d'acquérir des livres, d'étudier et de trouver d'autres maîtres disposés à l'aider sur le chemin de la connaissance devenait peu à peu une obsession.

Les choses en étaient là quand Tao Chi'en fit la connaissance du docteur Ebanizer Hobbs, un aristocrate anglais qui n'avait rien d'arrogant et qui, contrairement à d'autres Européens, s'intéressait à la couleur locale de la ville. Il le vit pour la première fois sur le marché, fouillant parmi les herbes et les potions d'une échoppe de guérisseur. Il ne parlait que dix mots de mandarin, mais il les répétait avec une voix de stentor et avec une telle force de conviction que, tout autour de lui, un petit attroupement mi-moqueur, mi-effrayé s'était formé. Il était facile de le repérer de loin parce que sa tête dépassait de la masse des Chinois. Tao Chi'en n'avait jamais vu un étranger dans ces parages, si loin des secteurs où ils évoluaient normalement, et il s'approcha pour le regarder de près. C'était un homme encore jeune, grand et mince, avec des traits nobles et de grands yeux bleus. Tao Chi'en se rendit compte, ravi, qu'il pouvait traduire les dix mots de ce *fan güey* et que lui-même connaissait au moins autant de mots anglais, de sorte qu'il serait sans doute possible de communiquer. Il le salua d'une cordiale révérence et l'Anglais répondit en imitant les courbettes avec maladresse. Tous deux sourirent et puis se mirent à rire, imités par les spectateurs. Ils se lancèrent dans un dialogue encourageant de vingt mots mal prononcés de part et d'autre, puis dans une pantomime comique de saltimbanques, devant l'hilarité croissante des badauds. Un groupe considérable de gens, tous hilares, interrompit bientôt la circulation, ce qui attira l'attention d'un policier britannique à cheval qui donna l'ordre à l'attroupement de se disperser sur-le-champ. C'est ainsi que naquit une solide complicité entre les deux hommes.

Ebanizer Hobbs était aussi conscient des limites de sa profession que l'était Tao Chi'en des siennes. Le premier souhaitait apprendre les secrets de la médecine orientale, dont il avait eu un aperçu lors de ses voyages en Asie, tout particulièrement le contrôle de la douleur à l'aide d'aiguilles plantées sur les points nerveux, et l'utilisation de combinaisons de plantes et d'herbes pour traiter les diverses maladies qui, en Europe, étaient considérées comme mortelles : un art subtil d'équilibre et d'harmonie, un lent labeur pour redresser l'énergie déviée, prévenir les maladies et chercher les causes des symptômes. Le second ressentait une fascination pour la médecine occidentale et ses méthodes agressives. Tao Chi'en n'avait jamais pratiqué la chirurgie et ses connaissances d'anatomie, très précises en ce qui concernait les différents types de pouls et les points d'acupuncture, se réduisaient à ce qu'il pouvait voir et palper. Il connaissait de mémoire les dessins anatomiques de la bibliothèque de son ancien maître, mais il n'avait jamais eu l'idée d'ouvrir un cadavre. Cette pratique était inconnue dans la médecine chinoise. Son sage maître, qui avait pratiqué l'art de soigner toute sa vie, n'avait vu des organes internes qu'à de rares occasions, et il était incapable de donner un diagnostic s'il se trouvait face à des symptômes inconnus au répertoire des maladies. Ebanizer Hobbs, en revanche, ouvrait des cadavres et cherchait la cause du mal, c'est ainsi qu'il apprenait. Tao Chi'en s'y employa pour la première fois dans les sous-sols de l'hôpital des Anglais, une nuit de typhon, en tant qu'aide du docteur Hobbs, qui ce même matin avait planté ses premières aiguilles pour soulager une migraine, dans la salle de consultation où Tao Chi'en recevait sa clientèle. Il y avait à Hong Kong certains missionnaires, aussi soucieux de soigner le corps que de convertir l'âme de leurs fidèles, avec lesquels le docteur Hobbs entretenait d'excellentes relations. Ils étaient beaucoup plus proches de la population locale que les médecins britanniques de la colonie, et ils admiraient les méthodes de la médecine orientale. Ils ouvrirent les portes de leurs petits dispensaires au *zhong yi*. L'enthousiasme de Tao Chi'en et d'Ebanizer Hobbs pour l'étude et la pratique les conduisit immanquablement à éprouver de l'affection l'un pour l'autre. Ils se retrouvaient presque en secret, car si on avait appris leur amitié, leur réputation aurait pu en pâtir. Les patients, européens aussi bien que chinois, acceptaient difficilement de recevoir des leçons d'une race autre que la leur.

Le désir d'acheter une épouse recommença à occuper les rêves de Tao Chi'en dès que l'état de ses finances fut un peu meilleur. Quand il eut vingt-deux ans, il compta une fois encore ses économies, comme il le faisait régulièrement, et se réjouit de constater qu'elles suffisaient à acquérir une femme à petits pieds et caractère doux. N'ayant plus ses parents pour l'aider dans ses recherches, conformément à la coutume, il lui fallut recourir à un agent. Les portraits de plusieurs candidates lui furent soumis, mais elles lui semblèrent toutes identiques. Il lui paraissait impossible de deviner l'aspect d'une jeune fille – et encore moins sa personnalité – à partir de ces modestes dessins à l'encre. Il n'était pas autorisé à la voir de ses propres yeux, ni à écouter sa voix, comme il l'aurait souhaité; il ne disposait pas non plus d'un membre de sa famille de sexe féminin pour le faire à sa place. En revanche, il pouvait voir ses pieds qui dépassaient de sous un rideau, mais on lui avait raconté que ce n'était pas un gage d'authenticité parce que les agents trompaient la clientèle en montrant les *lys dorés* d'une autre femme. Il devait faire confiance au destin. Il fut tenté de laisser les dés décider à sa place, mais le tatouage sur sa main droite lui rappela ses mésaventures passées dans les jeux de hasard et il préféra s'en remettre à l'esprit de sa mère, ainsi qu'à celui de son maître d'acupuncture. Après s'être rendu dans cinq temples pour faire des offrandes, il tira sa chance avec les baguettes de I Chin. Y lisant que le moment était propice, il partit choisir sa fiancée. Le procédé fut le bon. Quand il souleva le voile de soie rouge qui couvrait la tête de sa flambante épouse, après s'être plié aux cérémonies simples, car il n'avait pas suffisamment d'argent pour un grand mariage, il se trouva devant un visage harmonieux qui regardait obstinément vers le sol. Il dut répéter son nom à trois reprises avant qu'elle ose le regarder, les yeux baignés de larmes, tremblante de peur.

— Je serai bon avec toi, lui promit-il, au moins aussi ému qu'elle.

Dès l'instant où il souleva ce tissu rouge, Tao adora la jeune fille que le sort lui avait donnée. Cet amour le prit par surprise : il n'imaginait pas que de tels sentiments pussent exister entre un homme et une femme, il n'avait jamais entendu parler de ce type d'amour. Les vagues références dont il disposait venaient de la littérature classique, où les demoiselles, comme les paysages ou la lune, étaient les thèmes obligés de l'inspiration poétique. Cependant, il croyait que dans la vie réelle les femmes étaient seulement des créatures destinées au travail et à la reproduction, comme les paysannes parmi lesquelles il avait grandi, ou des objets précieux de décoration. Lin ne correspondait à aucune de ces catégories, c'était une personne mystérieuse et complexe, capable de le désarmer par son ironie et le mettre à l'épreuve avec ses questions. Elle le faisait rire comme personne, elle lui inventait des histoires impossibles, le provoquait avec des jeux de mots. En présence de Lin, tout semblait s'illuminer d'une lumière irrésistible. La prodigieuse découverte de l'intimité avec un autre être humain fut l'expérience la plus profonde de sa vie. Avec les prostituées, il avait eu des contacts de coq pressé, mais il n'avait jamais disposé du temps et de l'amour nécessaires pour connaître une femme en profondeur. Ouvrir les yeux le matin et voir Lin dormant à son côté le faisait rire de bonheur, et un instant après, trembler d'angoisse. Et si un matin elle ne se réveillait pas ? La douce odeur de sa transpiration lors des nuits d'amour, le fin tracé de ses sourcils incurvés en signe de surprise, l'impossible sveltesse de sa taille, tout cela le comblait de tendresse. Ah ! Et leurs fous rires. C'était le plus beau : la gaieté débridée de cet amour. Les *livres de l'oreiller* de son vieux maître, qui lui avaient causé tant d'exaltation inutile durant son adolescence, furent d'un grand profit au moment de se consacrer au plaisir. Comme il convenait à une jeune fille vierge bien élevée, Lin était modeste dans son comportement pendant le jour, mais dès qu'elle n'eut plus peur de son mari, sa nature féminine spontanée et passionnée se révéla. En peu de temps, cette élève avide apprit les deux cent vingt-deux positions de l'amour et, toujours disposée à le suivre dans sa folle course, elle suggéra à son mari d'en inventer d'autres.

Heureusement pour Tao Chi'en, les connaissances raffinées acquises en théorie dans la bibliothèque de son précepteur incluaient d'innombrables manières de combler une femme, et il savait que la vigueur compte bien moins que la patience. Ses doigts étaient entraînés à percevoir les divers pouls du corps et situer les points sensibles les yeux fermés ; ses mains chaudes et fermes, expertes pour soulager les douleurs de ses patients, se transformèrent en instruments d'un infini plaisir pour Lin. De plus, il avait découvert une chose que son honorable *zhong yi* avait oublié de lui enseigner : que le meilleur aphrodisiaque était l'amour. Au lit, ils pouvaient atteindre un tel degré de bonheur que les contrariétés de la vie s'estompaient pendant la nuit. Mais ces contrariétés étaient nombreuses, comme cela devint vite évident.

Les esprits invoqués par Tao Chi'en pour l'aider dans sa décision matrimoniale œuvrèrent à la perfection : Lin avait les pieds bandés et elle était timide et douce comme un écureuil. Mais Tao Chi'en n'avait pas eu l'idée de demander que son épouse eût aussi force et santé. La femme qui semblait inépuisable la nuit, se transformait en invalide durant la journée. Elle avait du mal à marcher plus de quelques centaines de mètres avec ses petits pas de mutilée. C'est vrai qu'elle se mouvait avec la grâce légère d'un jonc exposé à la brise, comme l'aurait écrit le vieux maître d'acupuncture dans une de ses poésies, mais il était également vrai qu'un bref déplacement jusqu'au marché, pour acheter du chou pour le repas, signifiait une torture pour ses *lys dorés*. Elle ne se plaignait jamais à haute voix, mais il suffisait de la voir transpirer et se mordre les lèvres pour deviner l'effort consenti à chaque mouvement. Elle n'avait pas non plus des poumons bien solides. Elle respirait avec un sifflement de chardonneret, passait la saison des pluies à renifler et la saison sèche à s'étouffer, parce que l'air chaud restait coincé entre ses dents. Ni les herbes de son mari ni les potions de son ami, le docteur anglais, ne la soulageaient. Quand elle se trouva enceinte, ses maux empirèrent, car son squelette fragile pouvait à peine supporter le poids de l'enfant. Au quatrième mois, elle cessa complètement de sortir et s'installa langoureusement devant la fenêtre pour voir passer la vie dans la rue. Tao Chi'en engagea deux servantes pour s'occuper des tâches ménagères et lui tenir compagnie, car il craignait que Lin ne meure en son absence. Il travailla deux fois plus et, pour la première fois, il harcelait ses patients pour se faire payer, ce qui l'emplissait de honte. Il sentait le regard critique de son maître qui lui rappelait le devoir de servir sans attendre de récompense, car « plus on sait, plus on a d'obligations vis-à-vis de l'humanité ». Cependant, il ne pouvait soigner gratuitement ou en échange de faveurs, comme jadis, car il avait besoin de chaque centime pour permettre à Lin de vivre commodément. Il occupait alors le deuxième étage d'une vieille maison où il avait installé sa femme, avec les raffinements qu'aucun des deux n'avait jamais eus, mais il n'était pas satisfait. Il songea à prendre un logement avec un jardin, pour qu'elle puisse jouir de beauté et d'air pur. Son ami Ebanizer Hobbs lui expliqua – puisqu'il refusait de se rendre à l'évidence – que la tuberculose était très avancée et qu'aucun jardin ne pourrait guérir Lin.

— Au lieu de travailler de l'aube à minuit pour lui acheter des robes en soie et des meubles de luxe, restez auprès d'elle le plus longtemps possible, docteur Chi'en. Vous devez en profiter tant qu'elle est là, lui conseillait Hobbs.

Les deux médecins tombèrent d'accord, chacun à la lumière de sa propre expérience : l'accouchement serait pour Lin l'épreuve du feu. Aucun des deux ne s'y entendait mais, en Europe comme en Chine, l'accouchement avait toujours été l'affaire des accoucheuses. Ils décidèrent cependant d'étudier la question. Ils n'avaient pas confiance dans le savoir-faire d'une grosse femme balourde, comme ils jugeaient toutes ces praticiennes. Ils les avaient vues travailler avec leurs mains dégoûtantes, leurs sorcelleries et leurs méthodes brutales pour tirer l'enfant du ventre de la mère, et de ce fait, ils prirent la décision d'éviter à Lin une expérience si funeste. La jeune femme, cependant, ne voulait pas accoucher devant deux hommes, surtout si l'un d'eux était un *fan güey* aux yeux déteints, qui ne parlait même pas la langue des êtres humains. Elle pria son mari d'aller quérir la sage-femme du quartier, car la décence la plus élémentaire l'empêchait d'écarter les jambes devant un diable étranger, mais Tao Chi'en, toujours disposé à lui faire plaisir, se montra cette fois inflexible. Ils décidèrent finalement que lui s'en occuperait personnellement, tandis qu'Ebanizer Hobbs resterait dans la pièce d'à côté pour le conseiller oralement, en cas de besoin.

Les premiers signes de la délivrance furent, pour Lin, une crise d'asthme qui faillit lui coûter la vie. Elle redoubla d'efforts pour respirer et pour expulser l'enfant; Tao Chi'en, avec tout son amour et toute sa science, et Ebanizer Hobbs avec ses textes de médecine, furent incapables de l'aider. Dix heures plus tard, lorsque les gémissements de la mère n'étaient plus qu'un rauque hoquet de noyé et que l'enfant ne donnait aucun signe de vouloir sortir, Tao Chi'en partit en courant chercher l'accoucheuse et, malgré sa répulsion, la ramena en la traînant presque. Comme Chi'en et Hobbs le craignaient, c'était une vieille femme qui sentait mauvais, et qui n'avait aucune notion de médecine, car chez elle la science n'entrait pas en ligne de compte; longue expérience et vieil instinct lui suffisaient. Elle commença par repousser d'un coup de coude les deux hommes, leur interdisant de franchir le rideau qui séparait les deux pièces. Tao Chi'en ne sut jamais ce qui s'était passé derrière le rideau, mais il retrouva son calme quand il entendit Lin respirer sans s'étouffer et crier avec force. Les heures suivantes, tandis qu'Ebanizer Hobbs dormait exténué dans un fauteuil, et que Tao Chi'en consultait désespérément l'esprit de son maître, Lin mit au monde une fille qui respirait à peine. Comme il s'agissait d'un enfant de sexe féminin, ni l'accoucheuse ni le père ne tentèrent de la ranimer, en revanche tous deux firent leur possible pour sauver la mère, qui perdait ses maigres forces à mesure que le sang s'écoulait entre ses jambes.

Lin regretta mollement la mort de la fillette, comme si elle avait deviné qu'elle n'aurait pas le temps de l'élever. Elle se remit de ce pénible accouchement et, pour un temps, elle tâcha d'être à nouveau la compagne gaie de leurs jeux nocturnes. Avec la même discipline qu'elle utilisait pour dissimuler sa douleur aux pieds, elle feignait l'enthousiasme lors des étreintes passionnées avec son mari. « Le sexe est un voyage, un voyage sacré », lui disait-elle souvent, mais elle n'avait plus assez d'entrain pour l'accompagner. Tao Chi'en désirait tellement cet amour qu'il s'arrangea pour ignorer, l'un après l'autre, les signes qui le mettaient en péril, et continuer à croire jusqu'à la fin que Lin était la même qu'avant. Pendant des années il avait rêvé d'avoir des enfants mâles, mais maintenant son seul souhait était de protéger sa femme d'une nouvelle grossesse. Ses sentiments pour Lin s'étaient transformés en vénération qu'il ne pouvait confesser qu'à elle seule. Il pensait que personne ne pourrait comprendre un tel amour pour une femme, personne ne connaissait Lin comme lui, personne ne savait la lumière qu'elle apportait dans sa vie. Je suis heureux, je suis heureux, se répétait-il pour écarter les prémonitions funestes qui l'assaillaient dès qu'il se laissait aller. Mais il n'en était rien. Tao ne riait plus avec la légèreté des premiers temps, et quand il se trouvait auprès d'elle, il en profitait à peine, sauf à certains moments parfaits de plaisir charnel, parce qu'il vivait en l'observant, préoccupé, toujours scrutant sa santé, conscient de sa fragilité, écoutant le rythme de sa respiration. Il en vint à haïr ses *lys dorés* que, aux premiers temps de son mariage, il embrassait transporté par l'exaltation du désir. Ebanizer Hobbs pensait que Lin devait faire de longues promenades à l'air libre pour fortifier ses poumons et s'ouvrir l'appétit, mais elle ne parvenait pas à faire plus de dix pas sans s'effondrer. Tao ne pouvait rester au côté de son épouse tout le temps, comme le suggérait Hobbs, parce qu'il devait pourvoir à leur subsistance. Chaque moment loin d'elle était, pour lui, une vie gâchée dans le malheur, du temps volé à l'amour. Il mit à la disposition de sa bien-aimée toute la pharmacopée et les connaissances acquises au terme d'années de pratique de la médecine, mais un an après son accouchement, Lin n'était plus que l'ombre de la jeune fille gaie qu'elle avait été. Son mari essayait de la faire rire, mais leurs rires à tous deux sonnaient faux.

Un jour, Lin ne put quitter son lit. Elle s'étouffait, perdait ses forces à cracher du sang, à essayer d'aspirer de l'air. Elle refusait de manger autre chose que des petites cuillerées de soupe maigre, parce que l'effort l'épuisait. Elle dormait par intermittence pendant les rares moments où la toux se calmait. Tao Chi'en constata qu'elle respirait avec un ronflement liquide, comme si elle était immergée dans l'eau, depuis six semaines. En la soulevant dans ses bras, il constatait qu'elle perdait du poids et il en avait le cœur serré de terreur. Il l'avait tellement vue souffrir que sa mort aurait dû être un soulagement, mais à l'aube du jour fatidique où il se réveilla enlacé au corps glacé de Lin, il pensa mourir lui aussi. Un cri long et terrible, surgi du fond même de la terre, comme une clameur de volcan, secoua la maison et réveilla le quartier. Les voisins accoururent, ouvrirent les portes à coups de pied et le trouvèrent nu au centre de la chambre, portant sa femme dans ses bras et hurlant. Ils durent utiliser la force pour le séparer du corps et le maîtriser en attendant l'arrivée d'Ebanizer Hobbs, qui l'obligea à avaler une quantité de laudanum capable de terrasser un lion.

Tao Chi'en s'enfonça dans le veuvage avec un désespoir total. Il fabriqua un autel avec le portrait de Lin et certains objets lui appartenant, et il passait des heures à le contempler, l'air désolé. Il cessa de voir ses patients et de partager avec Ebanizer Hobbs l'étude et la recherche, fondements de leur amitié. Les conseils de l'Anglais le répugnaient ; il soutenait qu'« un clou chasse l'autre », et que la meilleure façon de se remettre du deuil, c'était d'aller visiter les bordels du port, où il pourrait choisir toutes les femmes aux pieds difformes, que lui appelait *lys dorés*, qu'il voudrait. Comment pouvait-il lui suggérer une telle aberration ? Personne ne pourrait remplacer Lin, jamais il n'en aimerait une autre, Tao Chi'en en était tout à fait sûr. La seule chose qu'il acceptait de Hobbs, durant cette période, c'étaient ses généreuses bouteilles de whisky. Il passa plusieurs semaines plongé dans l'alcool, jusqu'à épuisement de ses ressources. Petit à petit, il lui fallut vendre ou engager ses biens ; un beau jour, il ne put payer son loyer et dut déménager dans un hôtel de basse catégorie. Il se souvint alors qu'il était un *zhong yi* et se remit au travail, non sans mal, avec ses vêtements sales, sa tresse en bataille, mal rasé. Comme il jouissait d'une bonne réputation, les patients supportaient son allure d'épouvantail et ses erreurs d'alcoolique avec cette attitude résignée des pauvres, mais on cessa bien vite de le consulter. Ebanizer Hobbs lui aussi cessa de faire appel à lui pour traiter les cas difficiles, car il n'avait plus confiance dans son jugement. Jusqu'alors, ils s'étaient complétés avec succès : pour la première fois, l'Anglais pouvait pratiquer la chirurgie avec audace, grâce aux puissantes drogues et aux aiguilles en or pour calmer la douleur, réduire les hémorragies et écourter le temps de cicatrisation ; de son côté, le Chinois apprenait l'usage du scalpel et autres procédés de la science européenne. Mais avec ses mains agitées de tremblements et ses yeux embués par l'alcool et les larmes, Tao Chi'en représentait un danger plus qu'une aide.

Au printemps 1847, le destin de Tao Chi'en prit subitement un tour nouveau, comme cela lui était arrivé deux autres fois dans sa vie. Comme il perdait sa clientèle et que la rumeur de son discrédit comme médecin se propageait, il dut se replier vers les quartiers les plus déshérités du port, où personne ne demandait ses références. Les cas étaient routiniers : contusions, coups de rasoir et perforations par balle. Une nuit, Tao Chi'en fut appelé d'urgence dans une taverne pour recoudre un marin après une bagarre monumentale. On le conduisit dans l'arrière-salle où l'homme gisait inconscient, la tête ouverte comme un melon. Son adversaire, un gigantesque Norvégien, avait soulevé une lourde table en bois et l'avait utilisée comme bouclier pour se défendre de ses attaquants, un groupe de Chinois disposés à lui administrer une raclée mémorable. Ils s'étaient élancés en masse sur le Norvégien et ils en auraient fait de la charpie si plusieurs marins nordiques, qui buvaient dans le même local, n'étaient venus à son secours, et ce qui avait commencé par une discussion de joueurs ivres se transforma en bataille raciale. Quand Tao Chi'en arriva sur les lieux, ceux qui pouvaient marcher avaient disparu depuis longtemps. Le Norvégien retourna indemne sur son navire, escorté par deux policiers anglais, et les seules personnes visibles étaient le tavernier, la victime agonisante et le pilote, qui s'était arrangé pour éloigner les policiers. S'il s'était agi d'un Européen, le blessé aurait sans doute terminé à l'hôpital britannique, mais puisqu'il s'agissait d'un Asiatique, les autorités du port ne s'étaient même pas dérangées.

Il suffit d'un regard à Tao Chi'en pour affirmer qu'on ne pouvait plus rien pour ce pauvre diable, qui avait le crâne fendu et la cervelle à l'air. Il l'expliqua au pilote, un Anglais barbu et grossier.

— Maudit Chinois ! Tu ne peux pas arrêter le sang et lui recoudre la tête ? exigea-t-il.

— Il a le crâne fracassé, pourquoi le recoudre ? Il a le droit de mourir en paix.

— Il ne peut pas mourir ! Mon bateau lève l'ancre à l'aube et j'ai besoin de cet homme à bord ! C'est le cuisinier !

— Je regrette, répliqua Tao Chi'en avec une grimace respectueuse, essayant de dissimuler le dégoût que lui inspirait ce *fan güey* insensé.

Le pilote demanda une bouteille de genièvre et invita Tao

Chi'en à boire en sa compagnie. Si le cuisinier était au-delà de toute consolation, ils pouvaient bien boire un verre en son nom, dit-il, pour que son putain de fantôme, maudit soit-il, ne vienne pas ensuite les tirer par les pieds pendant la nuit. Ils s'installèrent à quelques pas du moribond afin de se soûler tranquillement. De temps en temps, Tao Chi'en se penchait, et prenant son pouls, calculait qu'il ne devait lui rester que quelques minutes à vivre, mais l'homme était plus résistant que prévu. Le *zhong yi* ne se rendait pas compte que l'Anglais lui versait un verre après l'autre, alors que lui-même buvait à peine. Bientôt il sentit sa tête tourner ; il devint incapable de se souvenir pourquoi il se trouvait dans ce lieu. Une heure plus tard, alors que le patient expirait après une série de convulsions, Tao Chi'en n'en sut rien parce qu'il avait roulé sous la table, sans connaissance.

Il se réveilla à la lumière d'un midi éclatant, ouvrit les yeux avec beaucoup de difficulté et parvint à se redresser un peu pour se voir entouré de ciel et d'eau. Il mit un bon moment à comprendre qu'il se trouvait allongé, à même un rouleau de cordage, sur le pont d'un bateau. Le choc des vagues contre les flancs du navire cognait dans sa tête comme de formidables coups de cloches. Il croyait entendre des voix et des cris, mais il n'était sûr de rien, il pouvait tout aussi bien se trouver en enfer. Il parvint à se mettre à genoux et à faire quelques mètres à tâtons, mais il fut pris de nausées et s'écroula en avant. Quelques minutes plus tard, il sentit le coup de fouet d'une bassine d'eau froide sur la tête et une voix qui s'adressait à lui en cantonais. Il leva les yeux et se trouva devant un visage imberbe et sympathique qui le saluait avec un large sourire, où il manquait la moitié des dents. Une seconde bassine d'eau froide finit de le tirer de sa torpeur. Le jeune Chinois qui lui jetait de l'eau avec un tel entrain se recroquevilla à son côté en riant aux éclats et en se frappant les cuisses de la paume, comme si sa condition pathétique était irrésistiblement drôle.

— Où suis-je ? parvint à balbutier Tao Chi'en.

— Bienvenu à bord du *Liberty* ! Nous nous dirigeons vers l'ouest, semble-t-il.

— Mais moi je ne veux aller nulle part ! Je dois descendre immédiatement !

De nouveaux éclats de rire répondirent à ce souhait. Quand il réussit finalement à maîtriser son hilarité, le jeune homme lui expliqua qu'il avait été « engagé », de la même façon que lui-même l'avait été deux mois auparavant. Tao Chi'en crut qu'il allait s'évanouir. Il connaissait la méthode. S'il manquait des hommes dans un équipage, on recourait à la pratique expéditive consistant à soûler ou étourdir d'un coup sur la tête les imprudents avant de les embarquer contre leur gré. La vie en mer était dure, mal payée, les accidents, la malnutrition et les maladies faisaient des ravages. A chaque voyage il mourait des hommes, et leurs corps allaient finir au fond de l'océan ; on les oubliait très vite. De plus, les capitaines étaient généralement des despotes qui ne devaient rendre de comptes à personne, et toute faute était punie par des coups de fouet. A Shanghai, il avait fallu en arriver à un accord de gentlemen entre les capitaines pour limiter les rapts d'hommes libres, et éviter de se voler mutuellement les marins. Avant cet accord, chaque fois qu'un marin débarquait pour aller boire quelques verres dans le port, il courait le risque de se réveiller le lendemain sur un navire qui n'était pas le sien. Le pilote du *Liberty* avait décidé de remplacer le cuisinier mort par Tao Chi'en – à ses yeux, tous les « jaunes » étaient identiques et peu importait celui-ci ou celui-là – et, après l'avoir soûlé, il l'avait fait transporter à bord. Avant qu'il se réveille, il avait apposé l'empreinte de son pouce sur un contrat, le liant à son service pour deux ans. Lentement, l'ampleur de ce qui était arrivé se dessina dans l'esprit embrouillé de Tao Chi'en. Il écarta l'idée de se révolter, c'était un suicide, mais il se promit de déserter dès qu'il toucherait terre en quelque endroit de la planète.

Le jeune homme l'aida à se relever et à se laver, puis il le conduisit dans la cale du bateau, où s'alignaient litières et hamacs. Il lui assigna une place et un tiroir pour mettre ses affaires. Tao Chi'en croyait avoir tout perdu, mais il vit sa mallette contenant ses instruments de médecine sur le cadre en bois qui lui servirait de lit. Le pilote avait eu la bonne idée de la sauver. Le dessin de Lin, cependant, était resté sur son autel. Il comprit, horrifié, que l'esprit de sa femme ne pourrait peut-être pas le retrouver au milieu de l'océan. Les premiers jours de navigation furent un supplice, par moments il était tenté de se jeter par-dessus bord, pour en finir une fois pour toutes avec ses souffrances. Quand il parvint à se tenir debout, on lui désigna une cuisine rudimentaire où les ustensiles, pendus à un crochet, se cognaient les uns aux autres à chaque va-et-vient dans un bruit assourdissant. Les provisions fraîches embarquées à Hong Kong s'épuisèrent rapidement et, bientôt, il ne resta que du poisson et de la viande salée, des haricots noirs, du sucre, du saindoux, de la farine pleine de vers et des biscuits si durs qu'il fallait parfois les casser à coups de marteau. Tous les plats étaient assaisonnés avec du soja. Chaque marin disposait d'une pinte d'eau-de-vie par jour pour guérir ses peines et se rincer la bouche, car les gencives enflammées étaient un des problèmes de la vie en mer. Pour la table du capitaine, Tao Chi'en disposait d'œufs et de confiture anglaise, qu'il devait protéger comme sa propre vie, ainsi que cela lui fut recommandé. Les rations étaient calculées pour la durée de la traversée. Quand ils avaient à subir des phénomènes naturels, tels que les tempêtes qui déviaient le bateau de sa route, ou le manque de vent qui le paralysait, on complétait alors avec du poisson frais attrapé dans les filets. On n'attendait pas de Tao Chi'en qu'il eût un talent culinaire, son rôle était de contrôler les aliments, l'alcool et l'eau douce assignés à chaque homme, et de lutter contre la détérioration et les rats. Il devait aussi accomplir les tâches de nettoyage et de navigation comme n'importe quel marin.

Au terme d'une semaine il commença à profiter de l'air

libre, à s'habituer au travail pénible et à la compagnie de ces hommes qui venaient des quatre coins de la planète, chacun avec ses histoires, ses nostalgies et ses petits talents. Dans les moments de repos, ils jouaient d'un instrument et se racontaient des histoires de fantômes marins et de femmes exotiques dans des ports lointains. Les hommes d'équipage venaient d'horizons différents, ils avaient leurs langues et leurs coutumes, mais ils étaient unis par quelque chose qui ressemblait à de l'amitié. L'isolement et la certitude qu'ils avaient besoin les uns des autres faisaient de ces hommes, qui sur la terre ferme ne se seraient pas regardés, des camarades. Tao Chi'en recommença à rire, ce qui ne lui était pas arrivé depuis la maladie de Lin. Un matin, le pilote l'appela pour le présenter personnellement au capitaine John Sommers, qu'il avait vu seulement de loin sur la passerelle de pilotage. Il se trouva devant un homme grand, tanné par le vent de diverses latitudes, avec une barbe sombre et des yeux d'acier. Il s'adressa à lui par l'intermédiaire du pilote qui parlait un peu le cantonais, mais Tao Chi'en lui répondit dans son anglais livresque, avec l'accent affecté et aristocratique appris auprès d'Ebanizer Hobbs.

— Mister Oglesby me dit que tu es une sorte de guérisseur?

— Je suis un *zhong yi*, un médecin.

— Médecin? Comment ça, médecin?

— La médecine chinoise est antérieure de plusieurs siècles à la médecine anglaise, capitaine, fit Tao Chi'en avec un sourire doux, répétant les mots exacts de son ami Ebanizer Hobbs.

Le capitaine leva les sourcils dans un geste de colère devant l'insolence de ce petit homme, mais la vérité le désarma. Il se mit à rire ouvertement.

— S'il vous plaît, mister Oglesy, servez-nous trois verres de brandy. Nous allons trinquer avec le docteur. Ce luxe est extrêmement rare. C'est la première fois que nous emmenons notre propre médecin à bord!

Tao Chi'en ne déserta pas dans le premier port touché par le *Liberty*, comme décidé, parce qu'il ne sut où aller. Retourner à sa vie désespérée de veuf à Hong Kong n'avait pas plus de sens que de continuer à naviguer. Ici ou là-bas, c'était la même chose et au moins, comme marin, il pourrait voyager et apprendre les méthodes de soins utilisées dans d'autres parties du monde. La seule chose qui le tourmentait, c'était que dans cette déambulation de vague en vague, Lin ne pourrait peut-être pas le retrouver, même s'il criait son nom à tous les vents. Dans le premier port il descendit avec les autres et la permission de rester à terre six heures, mais au lieu d'en profiter pour aller dans les tavernes, il se dirigea vers le marché et s'approvisionna en épices et plantes médicinales, sur la demande du capitaine. « Maintenant que nous avons un docteur, il nous faut également des médicaments », avait-il dit. Il lui avait remis une bourse avec l'argent compté et l'avertit que s'il pensait s'échapper ou le tromper, il partirait à sa recherche et lui trancherait le cou da sa propre main, car il n'était pas né celui qui pouvait se moquer impunément de lui.

— C'est clair, Chinois ?

— C'est clair, Anglais.

— Moi, tu me traites de monsieur !

— Oui, monsieur, répliqua Tao Chi'en en baissant les yeux, car il était en train d'apprendre à ne pas regarder les Blancs en face.

Sa première surprise fut de découvrir que la Chine n'était pas le centre absolu de l'univers. Il existait d'autres cultures, plus barbares, certes, mais beaucoup plus puissantes. Il n'imaginait pas que les Britanniques pussent contrôler une bonne partie de la planète, de même qu'il ne soupçonnait pas que d'autres *fan güey* fussent les maîtres d'énormes colonies dans des terres lointaines partagées en quatre continents, ainsi que le capitaine John Sommers se donna la peine de le lui expliquer, le jour où il lui arracha une molaire infectée en face des côtes africaines. Il réalisa l'opération proprement et presque sans douleur, grâce à une combinaison entre ses aiguilles en or plantées sur les tempes et une pâte de clous odorants et d'eucalyptus appliquée sur la gencive. Quand il eut fini et que le patient, soulagé et reconnaissant, put terminer sa bouteille d'alcool, Tao Chi'en s'enhardit à lui demander où ils allaient. Voyager à l'aveuglette le déconcertait, avec la ligne d'horizon diffuse, entre une mer et un ciel infinis comme unique référence.

— Nous nous dirigeons vers l'Europe, mais pour nous, ça revient au même. Nous sommes des gens de mer, toujours sur l'eau. Tu veux retourner chez toi ?

— Non, monsieur.

— Tu as de la famille quelque part ?

— Non, monsieur.

— Alors, pour toi, ça revient au même d'aller au nord ou au sud, à l'est ou à l'ouest, n'est-ce pas ?

— Oui, mais j'aime savoir où je me trouve.

— Pourquoi ?

— Si jamais je tombe à l'eau ou si nous coulons. Il faudra que mon esprit sache où il se trouve pour retourner en Chine, sinon il errera sans savoir où aller. La porte vers le ciel se trouve en Chine.

— Tu as de drôles d'idées ! dit le capitaine en riant. Ainsi pour aller au Paradis il faut mourir en Chine ? Regarde la carte, allez. Ton pays est le plus grand, c'est vrai, mais il y a beaucoup de monde en dehors de la Chine. Voici l'Angleterre, qui est juste une petite île, mais si tu additionnes nos colonies, tu verras que nous sommes les maîtres de la moitié de la planète.

— Comment ?

— Comme nous l'avons fait à Hong Kong : en faisant la guerre et en abusant des gens. Disons que c'est un mélange de puissance navale, de cupidité et de discipline. Nous ne sommes pas supérieurs, seulement plus cruels et plus déterminés. Je ne suis pas particulièrement fier d'être anglais, et quand tu auras voyagé autant que moi, tu ne seras pas non plus fier d'être chinois.

Durant les deux années suivantes, Tao Chi'en descendit à terre à trois reprises, et l'une de ces escales fut l'Angleterre. Il se perdit dans la foule grossière du port et marcha dans les rues de Londres, observant les nouveautés avec les yeux d'un enfant émerveillé. L'observation des *fan güey* offrait des surprises, d'un côté ils manquaient totalement de raffinement et se comportaient comme des sauvages, de l'autre, ils avaient une capacité d'invention prodigieuse. Il observa que les Anglais faisaient preuve, dans leur pays, de la même arrogance et de la même mauvaise éducation qu'à Hong Kong : ils le traitaient sans respect, n'avaient aucune notion de politesse ou d'étiquette. Il voulut boire une bière, mais on le poussa rudement vers la porte de la taverne : ici n'entrent pas les chiens jaunes, lui dit-on. Il finit par rejoindre d'autres marins asiatiques et, ensemble, ils trouvèrent un local tenu par un vieux Chinois où ils purent manger, boire et fumer en paix. En écoutant les histoires des autres hommes, il calcula tout ce qui lui restait à apprendre et décida que le plus important, c'était de savoir se servir de ses poings et manier un couteau. A quoi servent les connaissances si on est incapable de se défendre ; le sage maître d'acupuncture avait également oublié de lui apprendre ce principe fondamental.

En février 1849, le *Liberty* accosta dans le port de Valparaiso. Le lendemain, le capitaine John Sommers le fit appeler dans sa cabine et lui tendit une lettre.

— On me l'a donnée au port, elle est pour toi, elle vient d'Angleterre.

Tao Chi'en prit l'enveloppe, rougit et un énorme sourire éclaira son visage.

— Ne me dis pas que c'est une lettre d'amour ! se moqua le capitaine.

— Mieux que ça, répliqua-t-il, en la gardant à l'intérieur de sa chemise.

La lettre ne pouvait être que de son ami Ebanizer Hobbs, la première qui lui parvenait après deux années passées en mer.

— Tu as fait un bon travail, Chi'en.

— Je croyais que vous n'aimiez pas ma cuisine, monsieur, dit Tao en souriant.

— Comme cuisinier, tu es une catastrophe, mais tu t'y connais en médecine. Pendant ces deux ans, pas un seul homme n'est mort et personne n'a eu le scorbut. Tu sais ce que cela signifie ?

— Bonne chance.

— Ton contrat se termine aujourd'hui. Je pourrais te soûler et te faire signer une prolongation. Je le ferais peut-être avec quelqu'un d'autre, mais je te dois certains services et moi je paie mes dettes. Tu veux poursuivre avec moi ? J'augmenterai ton salaire.

— Pour où ?

— La Californie. Mais pas sur ce voilier, on vient de me proposer un bateau à vapeur, c'est une opportunité que j'attends depuis des années. J'aimerais que tu viennes avec moi.

Tao Chi'en avait entendu parler des bateaux à vapeur et en avait horreur. L'idée d'énormes chaudières pleines d'eau bouillante, produisant de la vapeur pour mouvoir une machinerie infernale, n'avait pu germer que dans l'esprit de gens très pressés. N'était-ce pas mieux de voyager au rythme des vents et des courants ? Pourquoi provoquer la nature ? La rumeur courait que des chaudières explosaient en haute mer, brûlant tout le monde. Les lambeaux de chair humaine, cuits comme des crevettes, s'envolaient dans toutes les directions, nourrissant les poissons, tandis que les âmes de ces pauvres gens, désintégrées dans l'explosion et les tourbillons de vapeur, ne pourraient jamais rejoindre leurs ancêtres. Tao Chi'en se souvenait clairement de l'aspect de sa petite sœur après avoir reçu la marmite d'eau bouillante, de même qu'il se souvenait de ses horribles gémissements de douleur et des convulsions précédant sa mort. Il n'était pas disposé à courir un tel risque. L'or de la Californie, que l'on trouvait par terre comme des cailloux, à ce qu'on disait, ne l'intéressait pas outre mesure. Il ne devait rien à John Sommers. Le capitaine était un peu plus tolérant que la majorité des *fan güey*, et traitait l'équipage avec une certaine impartialité, mais il n'était pas son ami et ne le serait jamais.

— Non merci, monsieur.

— Tu ne veux pas connaître la Californie ? Tu peux devenir riche très vite et retourner en Chine converti en magnat.

— Oui, mais sur un voilier.

— Pourquoi ? Les vapeurs sont plus modernes et plus rapides.

Tao Chi'en n'essaya pas de lui en expliquer les raisons. Il demeura silencieux en regardant le sol, sa casquette à la main tandis que le capitaine terminait son verre de whisky.

— Je ne peux pas t'obliger, dit finalement Sommers. Je vais te donner une lettre de recommandation pour mon ami Vincent Katz, du brigantin *Emilia*, qui prend la mer vers la Californie les jours prochains. C'est un Hollandais assez particulier, très religieux et strict, mais c'est une bonne personne et un bon marin. Ton voyage sera plus lent que le mien, mais peut-être nous verrons-nous à San Francisco, et si tu as des remords, tu pourras toujours revenir travailler avec moi.

Le capitaine John Sommers et Tao Chi'en se serrèrent la main pour la première fois.

Le voyage

Recroquevillée dans son antre, Eliza commença à mourir. A l'obscurité et à la sensation d'être emmurée vivante, s'ajoutait l'odeur, un mélange du contenu des ballots et des caisses, celle du poisson salé en barils et des rémoras de mer incrustés dans le vieux bois du bateau. Son bon odorat, si utile pour se déplacer à travers le monde les yeux fermés, était devenu un instrument de torture. Sa seule compagnie était un étrange chat tricolore, enterré comme elle dans l'entrepôt pour la protéger des rats. Tao Chi'en l'assura qu'elle s'habituerait à l'odeur et à l'enfermement, parce que le corps s'habitue à tout quand il le faut. Il ajouta que le voyage serait long et qu'elle ne pourrait pas sortir à l'air libre, de sorte qu'il valait mieux ne pas y penser pour ne pas devenir folle. Elle disposerait d'eau et de nourriture, lui promit-il, il s'en chargerait chaque fois qu'il pourrait descendre dans l'entrepôt sans attirer l'attention. Le brigantin était de petite taille, mais encombré de monde, et il serait facile de trouver des prétextes pour s'éclipser.

— Merci. Quand nous serons arrivés en Californie je vous donnerai la broche aux turquoises...

— Gardez-la, vous m'avez déjà payé. Vous en aurez besoin. Pourquoi allez-vous en Californie ?

— Me marier. Mon fiancé s'appelle Joaquín. Il a été saisi par la fièvre de l'or et il est parti. Il a dit qu'il reviendrait, mais je ne peux pas l'attendre.

Tandis que le navire abandonnait la baie de Valparaiso et prenait la mer, Eliza se mit à délirer. Pendant des heures elle demeura allongée dans l'obscurité, comme un animal dans ses déjections, si malade qu'elle ne se souvenait pas où elle se trouvait, ni pourquoi. La porte de l'entrepôt s'ouvrit finalement sur Tao Chi'en, éclairé par un bout de chandelle, qui apportait une assiette de nourriture. Il lui suffit d'un regard pour comprendre que la jeune fille ne pourrait rien avaler. Il donna l'assiette au chat, alla chercher une bassine d'eau et revint pour la nettoyer. Il commença par lui faire boire une forte infusion de gingembre, puis il lui planta une douzaine de ses aiguilles en or; son estomac se calma peu à peu. Il la déshabilla entièrement, la lava délicatement à l'eau de mer, la rinça avec un bol d'eau douce et la massa de la tête aux pieds avec le baume recommandé pour les tremblements de la malaria sans qu'Eliza s'en rende compte. Quelques instants plus tard elle dormait, enveloppée dans sa capeline de Castille avec le chat à ses pieds, tandis que sur le pont Tao Chi'en rinçait ses vêtements dans la mer, essayant de ne pas attirer l'attention, bien que ce fût l'heure du repos pour les marins. Les passagers qui venaient d'embarquer étaient aussi malades qu'Eliza; ceux qui avaient passé trois mois à naviguer depuis l'Europe, ayant déjà connu cette épreuve, les regardaient d'un œil indifférent.

Les jours suivants, tandis que les nouveaux passagers de l'*Emilia* s'habituaient au roulis et s'installaient dans leur routine pour le reste de la traversée, au fond de la cale, Eliza était de plus en plus malade. Tao Chi'en descendait dès qu'il le pouvait pour lui donner de l'eau et essayer de calmer ses nausées, et s'étonnait de voir que le mal augmentait au lieu de diminuer. Il tenta de la soulager avec les moyens recommandés dans de tels cas, et avec d'autres qu'il improvisa en risquant le tout pour le tout, mais Eliza ne gardait presque rien dans l'estomac. Elle se déshydratait. Il lui préparait de l'eau salée et sucrée qu'il lui donnait par petites cuillerées avec une infinie patience, en vain; deux semaines passèrent sans amélioration apparente et il vint un moment où la jeune fille, la peau flasque comme un parchemin, ne put se lever pour faire les exercices que Tao lui imposait. « Si tu ne bouges pas, ton corps va s'engourdir et tes idées vont s'embrouiller », lui répétait-il. Le brigantin fit de brèves haltes dans les ports de Coquimbo, Caldera, Antofagasta, Iquique et Arica, et chaque fois il essaya de la convaincre de débarquer et de chercher le moyen de retourner chez elle, car il la voyait tellement faible par moments qu'il prenait peur.

Quand ils eurent laissé le port de El Callao, la situation d'Eliza prit un tour fatal. Tao Chi'en avait trouvé sur le marché une provision de feuilles de coca, dont il connaissait bien les facultés thérapeutiques, et trois poules vivantes qu'il pensait cacher et ensuite sacrifier l'une après l'autre, car la malade avait besoin de quelque chose de plus substantiel que les maigres rations du bateau. Il cuisina la première dans un bouillon bien garni de gingembre frais et descendit, fermement décidé à donner le bouillon à Eliza, même s'il fallait utiliser la force. Il alluma une lanterne à graisse de baleine, se fraya un passage entre les ballots et s'approcha du cagibi de la jeune fille qui, les yeux clos, ne parut pas s'apercevoir de sa présence. Une grosse tache de sang s'étendait sous son corps. Le *zhong yi* lâcha une exclamation et se pencha sur elle, se disant que la malheureuse s'était arrangée pour se suicider. Il ne pouvait pas lui en vouloir, dans des conditions analogues, il en aurait fait de même, pensa-t-il. Il souleva sa chemise, mais ne vit aucune blessure apparente et, en la touchant, il comprit qu'elle vivait encore. Il la secoua jusqu'à ce qu'elle ouvrît les yeux.

— Je suis enceinte, finit-elle par admettre dans un filet de voix.

Tao Chi'en prit sa tête dans ses mains et se plongea dans une litanie de lamentations dans le dialecte de son hameau natal, auquel il n'avait pas eu recours depuis quinze ans : s'il avait su, jamais il ne l'aurait aidée, vouloir aller en Californie alors qu'elle était enceinte ! elle était folle, il ne manquait plus que ça, un avortement, si elle mourait, il était perdu, dans quel pétrin l'avait-elle mis, il avait été idiot, comment n'avait-il pas deviné la raison de son empressement à fuir le Chili. Il ajouta une série de jurons et de malédictions en anglais, mais elle avait à nouveau perdu connaissance et les reproches ne pouvaient plus l'atteindre. Il la prit dans ses bras en la berçant comme un enfant, tandis que sa colère se transformait peu à peu en une irrépressible compassion. L'espace d'un instant l'idée de s'adresser au capitaine Katz et de tout lui avouer lui passa par l'esprit, mais il ne pouvait prévoir sa réaction. Ce Hollandais luthérien, qui traitait les femmes à bord comme si elles avaient la peste, serait sans doute furieux d'apprendre qu'il y avait une passagère clandestine, enceinte et moribonde par-dessus le marché. Et quel châtiment lui réserverait-il ? Non, il ne pouvait en parler à personne. La seule solution serait d'attendre qu'Eliza meure, si tel était son karma, et de jeter ensuite son corps à la mer avec les déchets de la cuisine. Tout ce qu'il pouvait faire pour elle, s'il la voyait souffrir trop, serait de l'aider à mourir dignement.

Comme il se dirigeait vers la sortie, il perçut sur sa peau une présence étrange. Effrayé, il leva la lanterne et vit avec une parfaite netteté, dans le cercle de lumière tremblante, sa Lin adorée qui l'observait à quelque distance de là, avec cette expression moqueuse sur son visage translucide qui faisait tout son charme. Elle portait sa robe en soie verte brodée de fils d'or, celle-là même qu'elle mettait pour les grandes occasions, les cheveux remontés en un simple chignon maintenu par des baguettes en ivoire et deux pivoines fraîches sur les oreilles. C'est ainsi qu'il l'avait vue pour la dernière fois, quand les femmes du voisinage lui avaient rendu visite avant la cérémonie funèbre. L'apparition de sa femme dans l'entrepôt fut si réelle qu'il se sentit gagné par la panique : les esprits, aussi bons qu'ils aient été de leur vivant, devenaient souvent cruels avec les mortels. Il essaya de fuir vers la porte, mais elle lui bloqua l'issue. Tao Chi'en tomba à genoux en tremblant, sans lâcher la lanterne, son seul point d'appui avec la réalité. Il se lança dans une prière pour exorciser les diables, au cas où ils auraient pris la forme de Lin pour le confondre, mais il ne put se souvenir des paroles et seule une longue plainte d'amour pour elle, et de nostalgie pour le passé, s'échappa de ses lèvres. Alors Lin se pencha sur lui avec sa douceur inoubliable, si proche qu'il aurait pu l'embrasser s'il avait osé, et murmura qu'elle n'était pas venue de si loin pour lui faire peur, mais pour lui rappeler les devoirs d'un bon médecin. Elle aussi avait été sur le point de mourir en se vidant de son sang, comme cette jeune fille, après avoir mis sa fille au monde, et à cette occasion il avait réussi à la sauver. Pourquoi n'en faisait-il pas autant pour cette jeune fille ? Qu'arrivait-il à son Tao bien-aimé ? Avait-il perdu son bon cœur, était-il devenu un cafard ? Une mort prématurée n'était pas le karma d'Eliza, lui assura-t-elle. Si une femme est disposée à traverser le monde, enterrée dans un trou cauchemardesque, pour retrouver son amoureux, c'est qu'elle a beaucoup de *qi*.

— Tu dois l'aider, Tao, si elle meurt sans avoir revu son bien-aimé, elle ne trouvera jamais la paix et son fantôme te poursuivra pour toujours, l'avertit Lin avant de disparaître.

— Attends ! supplia-t-il en allongeant une main pour la retenir, mais ses doigts se refermèrent sur le vide.

Tao Chi'en resta prostré sur le sol un long moment, essayant de retrouver ses esprits, jusqu'à ce que son cœur fou cesse de galoper et que le léger parfum de Lin se soit dissipé dans l'entrepôt. Ne pars pas, ne pars pas, répéta-t-il longtemps, transi d'amour. Se relevant finalement, il ouvrit la porte et sortit.

C'était une nuit tiède. Les reflets de la lune donnaient à l'océan Pacifique un éclat argenté, et une légère brise gonflait les vieilles voiles de l'*Emilia*. Beaucoup de passagers s'étaient déjà retirés ou jouaient aux cartes dans leurs cabines, d'autres avaient accroché leur hamac pour passer la nuit au milieu d'un désordre d'instruments, de selles de cheval et de caisses qui encombraient les ponts, et d'autres encore se trouvaient en poupe pour contempler les dauphins qui jouaient sur la traînée d'écume laissée par le navire. Tao Chi'en leva les yeux vers l'immense voûte céleste, reconnaissant. Pour la première fois depuis sa mort, Lin avait vaincu sa timidité pour lui rendre visite. Avant de commencer sa vie de marin, il avait perçu sa présence à diverses occasions, surtout quand il s'enfonçait dans une profonde méditation, mais alors il était facile de confondre la faible présence de son esprit avec ses souvenirs de veuf. Lin passait à son côté en le frôlant de ses doigts fins, mais lui se demandait si c'était vraiment elle ou une simple création de son âme tourmentée. Quelques instants auparavant, dans l'entrepôt, cependant, il n'avait eu aucun doute : le visage de Lin lui était apparu aussi radieux et précis que cette lune sur la mer. Il se sentit accompagné et content, comme pendant les nuits lointaines où elle dormait recroquevillée dans ses bras, après qu'ils avaient fait l'amour.

Tao Chi'en gagna le dortoir de l'équipage où il disposait d'une étroite couchette en bois, loin de la seule ventilation qui venait de la porte. Il était impossible de dormir à cause de l'air confiné et de la pestilence des hommes, mais depuis son départ de Valparaiso il avait pu éviter ce calvaire car, en été, on pouvait s'allonger sur le pont. Il chercha sa malle, clouée au sol pour l'empêcher de tanguer en même temps que le navire, saisit la clé pendue à son cou, ouvrit le cadenas et en tira sa mallette et un flacon de laudanum. Puis il subtilisa silencieusement une double ration d'eau douce et alla chercher des linges dans la cuisine, bien utiles à défaut d'autre chose.

Comme il regagnait l'entrepôt, une main se posa sur son bras. Il se retourna, surpris, et vit une des Chiliennes qui, passant outre à l'ordre péremptoire du capitaine de se retirer après le coucher du soleil, était sortie séduire quelque client. Il la reconnut sur-le-champ. De toutes les femmes se trouvant à bord, Azucena Placeres était la plus sympathique et la plus audacieuse. Les premiers jours, elle avait été la seule à venir en aide aux passagers malades, elle s'était également occupée d'un jeune marin qui, tombé d'un mât, s'était fracturé un bras. Elle s'était ainsi gagné le respect de tous, même du sévère capitaine Katz qui, dès lors, ferma les yeux sur ses incartades. Azucena offrait ses services d'infirmière gratis, mais celui qui osait poser la main sur ses chairs fermes devait payer en monnaie sonnante et trébuchante, car il ne fallait pas confondre bon cœur et bêtise, comme elle disait. C'est mon seul capital, et si je n'en prends pas soin, je suis foutue, expliquait-elle, en se donnant de grosses claques sur les cuisses. Azucena Placeres s'adressa à lui avec quatre mots compréhensibles dans n'importe quelle langue : chocolat, café, tabac, brandy. Comme chaque fois qu'elle le croisait, elle lui expliqua avec des gestes audacieux son souhait d'échanger l'un de ces produits de luxe contre ses faveurs, mais le *zhong yi* la repoussa et poursuivit son chemin.

Tao Chi'en passa une bonne partie de la nuit au chevet d'Eliza, qui souffrait d'une forte fièvre. Il travailla sur ce corps épuisé avec les moyens limités de sa mallette, sa longue expérience et une tendresse vacillante, jusqu'à ce qu'elle expulse un mollusque sanguinolent. Tao Chi'en l'examina à la lumière de la lanterne et constata qu'il s'agissait d'un fœtus de plusieurs semaines et qu'il était complet. Pour nettoyer le ventre à fond, il planta ses aiguilles sur les bras et les jambes de la jeune fille, provoquant de fortes contractions. Lorsqu'il fut assuré des résultats, il soupira avec soulagement : il restait à demander à Lin d'intervenir pour éviter une infection. Jusqu'à cette nuit, Eliza représentait pour lui un pacte commercial et, au fond de sa malle, se trouvait le collier de perles pour le prouver. C'était une fille inconnue avec laquelle il ne se sentait, croyait-il, aucun lien personnel, une *fan güey* aux grands pieds et au tempérament trempé qui aurait eu bien du mal à trouver un mari, car elle ne montrait aucune disposition pour satisfaire ou servir un homme, c'était visible. Maintenant, handicapée par un avortement, elle ne pourrait plus se marier. Même son amant, qui l'avait déjà abandonnée une fois, ne la voudrait pas comme épouse, dans le cas improbable où elle le retrouverait un jour. Il admettait que, pour une étrangère, Eliza n'était pas totalement laide, du moins y avait-il un léger air oriental dans ses yeux étirés, et elle possédait des cheveux longs, noirs et brillants, comme la queue fière d'un cheval impérial. Si elle avait eu de diaboliques cheveux jaunes ou roux, comme tant de femmes entrevues depuis son départ du Chili, peut-être ne l'aurait-il pas approchée. Mais pas plus sa belle allure que la fermeté de son caractère ne l'aideraient, son mauvais sort était jeté, il n'y avait aucun espoir : elle finirait comme prostituée en Californie. Il avait beaucoup fréquenté ce genre de femmes à Canton et à Hong Kong. Il devait une grande partie de ses connaissances médicales à ses années de pratique auprès des corps de ces malheureuses maltraitées par les coups, les maladies et les drogues. Plusieurs fois, durant cette longue nuit, il se dit qu'il serait peut-être plus noble de la laisser mourir, malgré les instructions de Lin, et la sauver ainsi d'un destin horrible, mais elle l'avait payé d'avance et il devait respecter sa part de l'accord, se dit-il. Non, ce n'était pas l'unique motivation, conclut-il, car depuis le début il s'était interrogé sur les raisons qui l'avaient poussé à embarquer cette jeune fille clandestinement sur le bateau. Le risque était immense, il n'était pas sûr d'avoir commis cette énorme imprudence seulement pour la valeur des perles. Quelque chose dans la courageuse détermination d'Eliza l'avait ému, quelque chose dans la fragilité de son corps et dans l'amour bravache qu'elle affichait pour son amant lui rappelait Lin...

A l'aube, Eliza cessa finalement de saigner. Elle était brûlante de fièvre et tremblait malgré la chaleur insupportable de l'entrepôt, mais son pouls s'était calmé et elle respirait tranquillement dans son sommeil. Cependant, elle n'était pas hors de danger. Tao Chi'en aurait voulu rester là pour la surveiller, mais il calcula que l'aube était proche et que la cloche n'allait pas tarder à retentir pour annoncer son tour de travail. Exténué, il se traîna jusqu'au pont, se laissa tomber à plat ventre contre les lattes du sol et s'endormit comme un enfant. Le coup de pied amical d'un marin le réveilla pour lui rappeler ses obligations. Il plongea sa tête dans une bassine d'eau de mer et, encore étourdi, gagna la cuisine où il fit cuire la bouillie d'avoine qui constituait le petit déjeuner à bord. Tout le monde en mangeait sans faire de commentaires, même le sobre capitaine Katz, à l'exception des Chiliens qui protestaient en chœur, bien qu'ils fussent mieux approvisionnés pour avoir été les derniers à embarquer. Les autres avaient épuisé leurs provisions de tabac, d'alcool et de friandises durant les mois de navigation supportés avant d'atteindre Valparaiso. Le bruit avait couru que certains Chiliens étaient des aristocrates, raison pour laquelle ils ne savaient pas laver leurs culottes ou faire bouillir de l'eau pour le thé. Ceux qui voyageaient en première classe étaient accompagnés de serviteurs, qu'ils pensaient utiliser dans les mines d'or, car l'idée de se salir les mains était impensable. D'autres préféraient se payer les services des marins, puisque les femmes s'y refusaient en bloc : elles pouvaient gagner dix fois plus en les recevant pour dix minutes dans l'intimité de leur cabine. Pourquoi passer deux heures à laver leur linge ? L'équipage et tous les passagers se moquaient de ces petits messieurs délicats, mais jamais ouvertement. Les Chiliens avaient de bonnes manières, paraissaient timides et faisaient montre d'une grande politesse et de galanterie, mais il suffisait de la moindre étincelle pour qu'ils s'enflamment de colère. Tao Chi'en tâchait de les éviter. Ces hommes ne cachaient pas leur mépris à son égard, et à l'égard de deux autres voyageurs noirs montés au Brésil, qui avaient payé leur billet normalement, mais qui étaient les seuls à ne pas disposer de couchette et à se voir interdire la table commune. Il préférait les cinq humbles Chiliennes, avec leur solide sens pratique, leur éternelle bonne humeur et leur vocation maternelle qui affleurait dans les moments graves.

Tao acheva sa journée comme un somnambule, l'esprit occupé par Eliza, sans avoir une minute de libre avant la nuit pour aller la voir. A la mi-matinée, les marins réussirent à pêcher un énorme requin, qui agonisa sur le pont en donnant de terribles coups de queue, mais personne n'osa s'approcher pour l'achever à coups de gourdin. En qualité de cuisinier, Tao Chi'en eut à surveiller les différentes étapes : écorcher la bête, la découper en morceaux, en cuisiner une partie et saler le reste. Pendant ce temps, les marins lavaient le sang sur le pont avec des brosses et les passagers célébraient l'horrible spectacle avec les dernières bouteilles de champagne, comme prélude au festin à venir. Il garda le cœur pour la soupe d'Eliza et les ailerons pour les faire sécher, car ils valaient une fortune sur le marché des aphrodisiaques. A mesure que les heures passaient, tout occupé au requin, il s'imaginait Eliza morte dans la cale du bateau. Il ressentit un bonheur tumultueux quand, enfin descendu pour la voir, il constata qu'elle vivait et semblait aller mieux. L'hémorragie avait cessé, le broc d'eau était vide et tout indiquait qu'elle avait eu des moments de lucidité durant cette longue journée. Il remercia brièvement Lin pour son aide. La jeune fille ouvrit les yeux avec difficulté, elle avait les lèvres sèches et le visage enflé à cause de la fièvre. Il l'aida à se redresser et lui donna une forte infusion de *tang-kuei* pour recomposer le sang. Quand il se fut assuré qu'elle gardait les aliments dans l'estomac, il lui donna quelques gorgées de lait frais, qu'elle but avidement. Requinquée, elle annonça qu'elle avait faim et redemanda du lait. Les vaches qui se trouvaient à bord, peu habituées à naviguer, produisaient peu, elles étaient décharnées et on parlait de les tuer. L'idée de boire du lait répugnait à Tao Chi'en, mais son ami Ebanizer Hobbs lui avait parlé de ses propriétés pour renouveler le sang perdu. Si Hobbs l'utilisait dans les régimes administrés aux blessés graves, il devait avoir le même effet dans ce cas, décida-t-il.

— Je vais mourir, Tao ?

— Pas encore, répondit-il en souriant et lui caressant la tête.

— Combien reste-t-il pour atteindre la Californie ?

— Beaucoup. N'y pense pas. Maintenant tu dois uriner.

— Non, s'il te plaît, se défendit-elle.

— Comment non ? Tu dois le faire !

— Devant toi ?

— Je suis un *zhong yi*. Tu ne dois pas avoir honte devant moi. J'ai vu tout ce qu'on peut voir de ton corps.

— Je ne peux pas bouger, je ne pourrai pas supporter le voyage, Tao, je préfère mourir... dit Eliza en sanglotant et s'appuyant sur lui pour s'asseoir sur le vase.

— Du courage, petite ! Lin dit que tu as beaucoup de *qi* et que tu n'es pas venue de si loin pour mourir en chemin.

— Qui ?

— Peu importe.

Ce soir-là, Tao Chi'en comprit qu'il ne pouvait pas s'en occuper seul, il avait besoin d'aide. Le lendemain, lorsque les femmes sortirent de leur cabine et s'installèrent en poupe, comme elles avaient l'habitude de le faire pour laver leur linge, natter leurs cheveux et coudre les plumes et les verroteries sur leurs robes de professionnelles, il fit un signe à Azucena Placeres. Pendant le voyage, aucune d'elles n'avait mis ses atours de prostituée, elles s'habillaient avec des robes sombres et des blouses sans ornements, enfilaient des savates, s'enveloppaient le soir dans leurs châles, portaient deux tresses dans le dos et ne mettaient aucun maquillage. On aurait dit un groupe de simples paysannes occupées à des tâches domestiques. La Chilienne lança un clin d'œil de joyeuse complicité à ses compagnes et le suivit dans la cuisine. Tao Chi'en lui tendit un grand morceau de chocolat, volé dans la réserve du capitaine et essaya de lui expliquer son problème, mais elle ne comprenait pas l'anglais et il commença à perdre patience. Azucena Placeres huma le chocolat et un sourire enfantin illumina son visage rond d'Indienne. Elle prit la main du cuisinier et la posa sur un de ses seins, montrant la cabine des femmes, inoccupée à cette heure, mais lui retira sa main, saisit la sienne et l'entraîna vers la trappe d'accès à la cale. Mi-étonnée, mi-curieuse, Azucena se défendit faiblement. Ne lui laissant pas le choix, il ouvrit la trappe et la poussa vers l'échelle, souriant toujours pour la rassurer. Ils restèrent un moment dans l'obscurité, le temps de mettre la main sur la lanterne accrochée à une poutre et de l'allumer. Azucena riait : enfin ce Chinois extravagant avait compris les termes de l'accord. Elle ne l'avait jamais fait avec un Asiatique et elle était très curieuse de savoir si son instrument ressemblait à celui des autres hommes. Mais le cuisinier, au lieu de profiter de la situation, l'entraîna par un bras en se frayant un chemin dans le labyrinthe de ballots et de caisses. Elle eut peur que l'homme fût fou et elle se mit à tirer pour se libérer, mais il ne la lâcha pas, l'obligeant à avancer jusqu'à ce que la lanterne éclairât le cagibi où gisait Eliza.

— Jésus, Marie, Joseph ! s'exclama Azucena en se signant, atterrée en la voyant.

— Dis-lui de nous aider, demanda Tao Chi'en à Eliza en anglais, la secouant pour qu'elle se réveille.

Eliza passa un bon quart d'heure à traduire, en balbutiant, les brèves instructions de Tao Chi'en, qui avait tiré la broche aux turquoises de la bourse contenant les bijoux, et la brandissait sous le nez d'Azucena toute tremblante. L'accord, lui dit-il, consistait à descendre deux fois par jour pour laver Eliza et lui donner à manger, à l'insu de tous. Si elle acceptait, la broche serait à elle à San Francisco, mais si elle disait un seul mot à quelqu'un, il l'égorgerait. L'homme avait tiré son couteau de la ceinture et le passait sous son nez, tandis que de l'autre main il caressait la broche, pour que le message fût bien clair.

— Tu as compris ?

— Dis à ce Chinois de malheur que je comprends et qu'il range ce couteau parce que, sans le vouloir, il va me tuer.

Pendant un temps, qui parut interminable, Eliza se débattit dans les délires de la fièvre, soignée par Tao Chi'en la nuit et par Azucena Placeres le jour. La femme profitait des premières heures de la matinée et de celles de la sieste, quand la plupart des passagers sommeillaient, pour s'éclipser subrepticement jusqu'à la cuisine où Tao lui remettait la clé. Au début, elle descendait dans la cale morte de peur, mais bientôt son bon naturel et la broche furent plus forts que la peur. Elle commençait par laver Eliza avec un linge enduit de savon, pour nettoyer la transpiration de l'agonie, puis elle l'obligeait à avaler les bouillies d'avoine au lait et les bouillons de poule avec du riz, assaisonnés avec du *tangkuei*, que préparait Tao Chi'en, lui donnait les herbes comme il le lui avait indiqué, et de sa propre initiative, elle lui faisait boire quotidiennement une infusion de bourrache. Elle avait une confiance aveugle dans ce remède pour nettoyer le ventre après une grossesse; de la bourrache et une image de la Vierge du Carmel étaient les deux choses que ses compagnes d'aventure et elle-même avaient mises d'office dans leurs malles, car sans ces protections, les chemins de la Californie pouvaient être très accidentés. La malade s'égara dans les régions de la mort jusqu'au matin où ils accostèrent dans le port de Guayaquil, quelques baraques à moitié dévorées par la végétation équatoriale exubérante, où de rares bateaux venaient mouiller, pour acheter des fruits tropicaux ou du café. Le capitaine Kratz avait promis de remettre des lettres à une famille de missionnaires hollandais. Il traînait cette correspondance depuis plus de six mois et il n'était pas homme à éluder ses responsabilités. La nuit précédente, dans une chaleur suffocante, Eliza transpira jusqu'à la dernière goutte, dormit en rêvant qu'elle grimpait nu-pieds sur le flanc fumant d'un volcan en éruption et se réveilla en nage, mais lucide et le front sec. Tous les passagers, y compris les femmes, et une bonne partie de l'équipage descendirent quelques heures pour se dégourdir les jambes, se baigner dans le fleuve et manger des fruits. Tao Chi'en resta sur le bateau car il voulait apprendre à Eliza à allumer et fumer la pipe qu'il gardait dans sa malle. Il se demandait comment il devait s'y prendre avec la jeune fille ; il aurait donné n'importe quoi pour entendre les conseils de son sage maître. Il comprenait la nécessité de la tranquilliser afin de l'aider à supporter sa prison de l'entrepôt, mais elle avait perdu beaucoup de sang et il craignait que la drogue ne contribue à liquéfier celui qui lui restait. Il prit la décision en hésitant, après avoir supplié Lin de surveiller de près le sommeil d'Eliza.

— De l'opium. Ça te fera dormir, et le temps passera plus vite.

— De l'opium ! Mais ça rend fou !

— Tu es folle de toute façon, tu n'as pas grand-chose à perdre, dit Tao en souriant.

— Tu veux me tuer, n'est-ce pas ?

— Bien sûr. Je n'y suis pas parvenu quand tu perdais ton sang et maintenant je le ferais avec de l'opium !

— Ah, Tao, ça me fait peur...

— L'opium pris en grande quantité est mauvais. A petite dose, ça soulage, et je vais t'en donner très peu.

La jeune fille ne sut pas ce qui était peu ou beaucoup. Tao Chi'en lui faisait boire ses potions – *os de dragon et coquille d'huître* – et rationnait son opium pour lui laisser quelques heures d'un miséricordieux demi-sommeil, sans qu'elle s'égare complètement dans un paradis sans retour. Elle passa les semaines suivantes à voler dans d'autres galaxies, loin de l'antre insalubre où son corps gisait prostré, et elle se réveillait lorsqu'on descendait lui donner à manger, la laver et l'obliger à faire quelques pas dans l'étroit labyrinthe de l'entrepôt. Elle ne sentait pas la torture des puces et des poux, pas plus que l'odeur nauséabonde qu'elle ne pouvait pas supporter au début, car les drogues altéraient son prodigieux odorat. Elle pénétrait dans ses rêves et en sortait sans aucun contrôle et ne s'en souvenait pas, mais Tao Chi'en avait raison : le temps passait rapidement. Azucena Placeres ne comprenait pas pourquoi Eliza voyageait dans de telles conditions. Aucune d'elles n'avait payé son billet, elles s'étaient embarquées après avoir signé un contrat avec le capitaine, lequel se ferait payer le prix du passage à San Francisco.

— Si la rumeur dit vrai, en un seul jour tu peux mettre dans tes poches cinq cents dollars. Les mineurs paient en or pur. Il y a des mois qu'ils n'ont pas vu de femmes, ils sont désespérés. Parle avec le capitaine et paie-le en arrivant, insistait-elle lorsque Eliza se redressait sur sa couche.

— Je ne suis pas des vôtres, répliquait Eliza, étourdie par le doux brouillard de la drogue.

Azucena Placeres profita d'un moment de lucidité pour faire confesser à Eliza une partie de son histoire. Aussitôt, l'idée d'aider une fugitive par amour s'empara de l'imagination de la femme et, dès lors, elle s'occupa de la malade avec un entrain redoublé. Elle ne se contentait plus de la nourrir et de la laver, elle restait auprès d'elle pour le seul plaisir de la voir dormir. Si Eliza était réveillée, elle lui racontait sa propre vie et lui apprenait à réciter le rosaire qui, selon elle, était le meilleur moyen de passer le temps sans réfléchir et de gagner, de surcroît, le paradis sans grand effort. Pour une personne de sa profession, expliqua-t-elle, c'était le meilleur moyen. Elle économisait rigoureusement une partie de ses revenus pour acheter des indulgences à l'Eglise, réduisant ainsi les jours de purgatoire qu'elle aurait à passer dans l'autre vie, calculant cependant qu'elles ne seraient jamais suffisantes pour racheter tous ses péchés. Des semaines passèrent ainsi sans qu'Eliza sache s'il faisait jour ou nuit. Elle avait la vague sensation d'avoir par moments une présence féminine à ses côtés, mais elle se rendormait et se réveillait avec la tête embrouillée, sans savoir si elle avait rêvé à Azucena Placeres ou si elle existait réellement, cette petite femme aux tresses noires, au nez court et aux pommettes hautes, qui était une sorte de version jeune de Mama Fresia.

Le temps rafraîchit un peu après avoir laissé Panama. Le capitaine avait interdit à quiconque de descendre à terre par crainte de contagion de la fièvre jaune, se limitant à envoyer deux marins dans un canot pour chercher de l'eau douce, car le peu qui restait était devenu insalubre. Ils passèrent le Mexique et quand l'*Emilia* pénétra dans les eaux du nord de la Californie, ils entraient dans la saison hivernale. La chaleur suffocante de la première partie du voyage se transforma en froid et en humidité. Des valises, surgirent toques en fourrure, bottes, gants et jupes en laine. De temps en temps, le brigantin croisait d'autres bateaux et ils se saluaient de loin, sans réduire leur vitesse. Lors de chaque service religieux, le capitaine remerciait le ciel pour les vents favorables, parce qu'il savait que certains navires avaient dû dévier leur route vers les côtes de Hawaï, ou au-delà, en quête de vent. Aux dauphins joueurs vinrent s'ajouter de grosses baleines solennelles, qui les accompagnaient sur de longues distances. A la tombée du jour, quand les reflets du coucher de soleil teintaient l'eau de rouge, les immenses cétacés s'aimaient dans un fracas d'écumes dorées, s'appelant les uns les autres avec de profonds barrissements sous-marins. Et parfois, dans le silence de la nuit, ils s'approchaient tellement du bateau qu'on pouvait entendre nettement le bruit lourd et mystérieux de leur présence. Les provisions fraîches étaient épuisées et les rations de nourriture séchée diminuaient. Pour toute distraction il y avait les jeux de cartes ou la pêche. Les voyageurs passaient des heures à discuter les détails des sociétés constituées pour l'aventure, certaines avec de stricts règlements militaires et même avec des uniformes, d'autres plus souples. A la base, toutes ces sociétés s'unissaient pour financer le voyage et l'équipement, pour travailler dans les mines, transporter l'or et ensuite se partager équitablement les bénéfices. Ils n'avaient aucune information concernant le terrain ou les distances. Une des sociétés stipulait que, tous les soirs, les membres devaient retourner au bateau, où ils pensaient vivre pendant des mois, et déposer l'or de la journée dans un coffre-fort. Le capitaine Katz leur expliqua que l'*Emilia* n'était pas un hôtel, qu'il pensait retourner en Europe dès que possible, et que les mines se trouvaient à des centaines de milles du port, mais ils ignorèrent ces propos. Ils voyageaient depuis cinquante-deux jours, la monotonie des eaux infinies jouait sur les nerfs et les bagarres éclataient au moindre prétexte. Lorsqu'un passager chilien fut sur le point de décharger son espingole sur un marin yankee qu'Azucena Placeres convoitait d'un peu trop près, le capitaine Vincent Katz confisqua les armes, même les lames de rasoir, avec la promesse de les rendre en arrivant à San Francisco. Le seul autorisé à manier le couteau était le cuisinier qui avait la tâche ingrate de tuer, l'un après l'autre, les animaux domestiques. Lorsque la dernière vache alla finir dans les marmites, Tao Chi'en improvisa une cérémonie pour obtenir le pardon des animaux sacrifiés et se laver du sang versé, puis il désinfecta le couteau en le passant plusieurs fois sur la flamme d'une torche.

Quand le navire pénétra dans les eaux californiennes, Tao Chi'en commença à supprimer progressivement les herbes tranquillisantes et l'opium d'Eliza, il se mit à l'alimenter correctement et l'obligea à faire de l'exercice pour qu'elle puisse quitter sa prison sur ses deux jambes. Azucena Placeres la savonnait avec beaucoup de patience et elle improvisa même un moyen de lui laver les cheveux avec des petites tasses d'eau, tout en lui racontant sa triste vie de prostituée et sa joie à l'idée de devenir riche en Californie, et de retourner au Chili transformée en dame, avec six malles de vêtements de reine et une dent en or. Tao Chi'en se demandait quel subterfuge il allait trouver pour débarquer Eliza, mais s'il avait réussi à la monter sur le bateau dans un sac, il pourrait utiliser le même moyen pour l'en descendre. Et une fois à terre, il ne serait plus responsable de la jeune fille. L'idée de se séparer définitivement d'elle lui produisait un mélange de formidable soulagement et d'incompréhensible anxiété.

A quelques lieues de sa destination finale, l'*Emilia* longea la côte du nord de la Californie. Selon Azucena Placeres, cette côte ressemblait tellement à celle du Chili qu'ils avaient sans doute navigué en rond, comme les langoustes, et ils se trouvaient de nouveau à Valparaiso. Des milliers de loups de mer et de phoques sautaient des rochers et tombaient lourdement dans l'eau, au milieu du vacarme assourdissant des mouettes et des pélicans. On ne voyait âme qui vive sur les falaises, pas trace d'une agglomération, et pas l'ombre de ces Indiens qui, disait-on, habitaient ces contrées superbes depuis des siècles. Ils atteignirent finalement les rochers escarpés qui annonçaient les abords de la Porte d'Or, la fameuse Golden Gate, seuil de la baie de San Francisco. Une épaisse brume enveloppa le bateau comme une couverture, la visibilité se réduisit considérablement et le capitaine donna l'ordre de jeter l'ancre par crainte d'échouage. Ils étaient tout près du but et l'impatience des passagers s'était transformée en pagaille générale. Tout le monde parlait en même temps, on se préparait à fouler la terre ferme et à dételer vers les mines et vers le trésor. La plupart des sociétés d'exploitation minière s'étaient défaites pendant les derniers jours, l'ennui du voyage avait converti en ennemis les anciens associés. On ne pensait qu'à soi-même, on se plongeait dans des rêves d'immenses richesses. Certains allèrent jusqu'à déclarer leur amour aux prostituées, prêts à demander au capitaine de les marier avant de débarquer, parce qu'ils avaient entendu dire que ce qui manquait le plus dans ces terres barbares, c'était les femmes. Une des Péruviennes accepta la proposition d'un Français qui avait passé tant de temps en mer qu'il ne se souvenait même plus de son nom, mais le capitaine Vincent Katz refusa de célébrer le mariage quand il apprit que l'homme avait une femme et quatre enfants à Avignon. Les autres repoussèrent fermement leurs prétendants, car elles avaient fait ce voyage pénible pour être libres et riches, dirent-elles, pas pour devenir les servantes sans solde du premier misérable qui les demandait en mariage.

L'enthousiasme des hommes immobiles, immergés dans la laiteuse irréalité du brouillard, retomba peu à peu à mesure que les heures passaient. Finalement, au deuxième jour, le ciel s'éclaircit subitement, ils purent lever l'ancre et se lancer toutes voiles déployées vers la dernière étape du long voyage. Passagers et membres de l'équipage montèrent sur le pont pour admirer l'étroite ouverture du Golden Gate, six milles de navigation poussés par le vent d'avril, sous un ciel diaphane. De chaque côté s'élevaient des collines couronnées de forêts, taillées comme une blessure par le travail sans fin des vagues ; derrière restait l'océan Pacifique et, en face, s'étendait la splendide baie tel un lac aux eaux argentées. Une salve d'exclamations salua la fin de la pénible traversée et le début de l'aventure de l'or pour ces hommes et ces femmes, ainsi que pour les vingt membres de l'équipage qui décidèrent, à cet instant même, d'abandonner le navire à son sort pour se lancer vers les mines. Les seuls à rester impassibles furent le capitaine Vincent Katz, qui demeura à son poste à côté du gouvernail, sans montrer la moindre émotion car l'or ne l'attirait pas, son seul souhait étant de retourner à Amsterdam à temps pour passer les fêtes de Noël en famille, et Eliza Sommers, dans le ventre du voilier, qui n'apprit que plusieurs heures plus tard qu'ils étaient arrivés.

La première chose qui étonna Tao Chi'en en entrant dans la baie ce fut la forêt de mâts sur sa droite. Il était impossible de les compter, mais il estima à plus d'une centaine les bateaux abandonnés en désordre de bataille. A terre, n'importe qui gagnait en un jour plus qu'un marin en un mois de navigation ; les hommes ne désertaient pas uniquement pour l'or, mais aussi avec l'intention de gagner de l'argent en chargeant des sacs, en fabriquant du pain ou en forgeant des outils. Certaines embarcations vides se louaient comme entrepôts ou comme hôtels improvisés, d'autres se détérioraient, se couvraient d'algues marines et de nids de mouettes. Jetant un second coup d'œil circulaire, Tao Chi'en vit que la ville s'étendait comme un éventail sur les flancs des collines. C'était un fouillis de tentes, de cabanes de lattes de bois et de carton, et de quelques constructions simples, mais de bonne facture, les premières dans cette cité naissante. Après avoir jeté l'ancre, ils virent arriver le premier canot, qui n'appartenait pas à la capitainerie du port, comme ils le supposaient, mais à un Chilien pressé de donner la bienvenue à ses compatriotes et de récupérer son courrier. C'était Feliciano Rodríguez de Santa Cruz, qui avait troqué son nom ronflant contre celui de Felix Cross, afin que les Yankees puissent le prononcer. Bien que plusieurs voyageurs fussent de ses amis personnels, personne ne le reconnut, car du gandin à redingote et moustache gominée qu'ils avaient vu pour la dernière fois à Valparaiso, il ne restait rien. Devant eux surgit un homme des cavernes hirsute, avec la peau tannée d'un Indien, des habits de montagnard, des bottes russes jusqu'à mi-mollet et deux pistolets à la ceinture, accompagné d'un Noir d'allure tout aussi sauvage, et armé lui aussi comme un bandit. C'était un esclave fugitif qui, en foulant le sol californien, était devenu un homme libre. Incapable de supporter les aléas de la misère, il avait préféré gagner sa vie comme tueur à gages. Lorsque Feliciano se présenta, on l'accueillit avec des cris d'enthousiasme et on l'emmena, pratiquement sans lui faire toucher le sol, jusqu'au pont supérieur, où les passagers en masse le pressèrent de questions. Leur seule préoccupation était de savoir si le minerai abondait comme on disait, ce à quoi il répondit qu'il y en avait beaucoup et il tira d'une bourse une substance jaune qui avait la consistance d'un caca aplati, annonçant que c'était une pépite d'un demi-kilo. Il était disposé à l'échanger, de la main à la main, contre tout l'alcool se trouvant à bord, mais la transaction ne put se faire car il ne restait que trois bouteilles, le reste ayant été consommé durant le voyage. La pépite avait été trouvée, dit-il, par les braves mineurs venus du Chili, qui maintenant travaillaient pour lui sur les berges du rio Americano. Une fois qu'ils eurent trinqué avec la dernière bouteille d'alcool et que le Chilien eut récupéré les lettres de sa femme, il leur donna des indications sur la façon de survivre dans cette région.

— Il y a encore quelques mois nous avions un code d'honneur, que même les pires bandits respectaient. On pouvait laisser l'or dans une tente sans surveillance, personne n'y touchait ; mais tout a changé maintenant. C'est la loi de la jungle, la seule idéologie est la cupidité. Ne vous séparez pas de vos armes et déplacez-vous deux par deux ou en groupe, nous sommes sur un territoire de hors-la-loi, expliqua-t-il.

Plusieurs canots avaient entouré le bateau. Les hommes qui les pilotaient proposaient à grands cris toutes sortes de transactions, ils achetaient n'importe quoi car, à terre, ils revendaient tout cinq fois plus cher. Les voyageurs naïfs allaient vite découvrir l'art de la spéculation. Dans l'après-midi, le capitaine du port fit son apparition, accompagné d'un agent des douanes ; derrière venaient deux canots chargés de Mexicains et de deux Chinois qui s'offrirent à transporter les marchandises jusqu'au quai. Ils demandaient un prix exorbitant, mais il n'y avait pas le choix. Le capitaine du port ne montra aucun désir d'examiner les passeports ou de vérifier l'identité des passagers.

— Papiers d'identité ? Inutile ! Vous êtes arrivés au paradis de la liberté. Ici, le papier timbré n'existe pas, annonça-t-il.

En revanche, il s'intéressa vivement aux femmes. Il se vantait d'être le premier à goûter toutes celles qui débarquaient à San Francisco, même si elles n'étaient pas aussi nombreuses qu'il l'aurait souhaité. Il raconta que les premières à faire leur apparition en ville, il y avait de cela plusieurs mois, avaient été reçues par la foule des hommes euphoriques, qui avaient fait la queue pendant des heures et payé avec de la poudre d'or, des pépites, des pièces de monnaie et même des lingots. Il s'agissait de deux courageuses jeunes filles yankees qui avaient fait le voyage depuis Boston, traversant l'isthme de Panama pour atteindre le Pacifique. Elles avaient proposé leurs services au plus offrant, gagnant en un jour ce qu'on gagnait normalement en un an. Depuis, il en était arrivé plus de cinq cents, presque toutes mexicaines, chiliennes et péruviennes, hormis quelques Américaines et Françaises, bien que leur nombre restât insignifiant comparé à l'invasion croissante des hommes jeunes et célibataires.

Azucena Placeres n'entendit pas les propos du Yankee parce que Tao Chi'en l'avait emmenée vers l'entrepôt dès qu'il avait appris la présence de l'agent des douanes. Il ne pourrait pas descendre la jeune fille dans un sac sur le dos d'un arrimeur, comme pour l'embarquement, parce que les ballots seraient sans doute contrôlés. Eliza sursauta en les voyant, ils étaient méconnaissables : lui portait un blouson et des pantalons tout propres, sa tresse serrée brillait comme si elle était huilée, son front était dégagé et il s'était rasé avec soin, jusqu'au dernier poil, tandis qu'Azucena Placeres avait troqué ses vêtements de paysanne contre une tenue de combat. Elle portait une robe bleue avec des plumes au corsage, les cheveux relevés, couronnés d'un chapeau, et du rouge sur les lèvres et les joues.

— Le voyage est fini et tu es encore vivante, petite, lui annonça-t-elle joyeusement.

Elle avait pensé prêter à Eliza une de ses superbes robes et la sortir du bateau comme si elle faisait partie du groupe, idée pas si incongrue car ce serait sans doute son unique travail sur la terre ferme, comme elle le lui expliqua.

— Je viens pour me marier avec mon fiancé, répliqua Eliza pour la centième fois.

— Il n'y a pas de fiancé qui vaille dans ce cas. Si pour manger il faut vendre son cul, on le vend. Tu ne peux pas t'arrêter à ces détails, ma petite.

Tao Chi'en les interrompit. Pendant deux mois il y avait eu

sept femmes à bord, il ne pouvait en descendre huit, dit-il. Il avait remarqué le groupe des Mexicains et des Chinois qui était monté pour décharger et qui attendait sur le pont les ordres du capitaine et de l'agent des douanes. Il demanda à Azucena de coiffer les longs cheveux d'Eliza en une natte comme la sienne, pendant qu'il allait chercher des vêtements à lui. Ils habillèrent la jeune fille avec des pantalons, un blouson retenu à la taille par une corde et un chapeau de paille à large bord. Pendant ces deux mois à patauger dans les méandres de l'enfer, Eliza avait perdu du poids, elle était décharnée et pâle comme du papier de riz. Avec les habits de Tao Chi'en, trop grands pour elle, on aurait dit un enfant chinois mal nourri et triste. Azucena Placeres la prit dans ses robustes bras de lavandière et lui administra un baiser ému sur le front. Elle s'était prise d'affection pour Eliza et, dans le fond, elle se réjouissait que celle-ci eût un fiancé qui l'attende, parce qu'elle ne pouvait l'imaginer soumise aux brutalités de la vie qu'elle-même devait supporter.

— On dirait un lézard, dit Azucena Placeres en riant.

— Et si on me découvre ?

— Que peut-il se passer ? Que Katz t'oblige à rembourser le billet. Tu peux le payer avec tes bijoux, ce n'est pas pour ça que tu les as ? dit la femme.

— Personne ne doit savoir que tu es ici. Ainsi le capitaine Sommers ne te cherchera pas en Californie, dit Tao Chi'en.

— S'il me retrouve, il me ramènera au Chili.

— Pourquoi ? De toute façon, tu es déjà déshonorée. Les riches ne supportent pas ça. Ta famille doit être bien contente que tu aies disparu, comme ça ils n'auront pas à te jeter à la rue.

— C'est tout ? En Chine, on te tuerait pour ce que tu as fait.

— Bon, Chinois, nous ne sommes pas dans ton pays. Ne fais pas peur à la petite. Tu peux sortir tranquillement, Eliza. Personne ne fera attention à toi. Ils seront tous à me regarder, assura Azucena Placeres, prenant congé dans un tourbillon de plumes bleues, la broche aux turquoises accrochée à son corsage.

Il en fut ainsi. Les cinq Chiliennes et les deux Péruviennes, dans leur tenue de combat la plus exubérante, furent l'attraction du jour. Elles descendirent dans les canots par des échelles de corde, précédées par sept marins chanceux, qui avaient joué le privilège de porter sur leur tête les fesses de ces femmes, au milieu d'un chœur de sifflets et d'applaudissements de centaines de curieux rassemblés sur le quai pour les accueillir. Personne ne fit attention aux Mexicains et aux Chinois qui, comme une rangée de fourmis, se passaient les ballots de main en main. Eliza occupa un des derniers canots à côté de Tao Chi'en qui annonça à ses compatriotes que le gamin était sourd-muet et un peu attardé, de sorte qu'il était inutile d'essayer de lui parler.

Argonautes

Tao Chi'en et Eliza Sommers posèrent pour la première fois le pied à San Francisco à deux heures de l'après-midi d'un mardi d'avril 1849. Des milliers d'aventuriers étaient déjà passés brièvement par là pour se rendre vers les gisements d'or. Un vent tenace rendait la marche difficile, mais la journée était claire et ils purent apprécier le panorama de la baie dans son extrême beauté. Tao Chi'en avait une allure extravagante avec sa mallette de médecin, dont il ne se séparait jamais, son sac dans le dos, son chapeau de paille et un *sarape* en laines multicolores acheté à un docker mexicain. Dans cette ville, cependant, l'allure importait peu. Eliza n'avait pas utilisé ses jambes depuis deux mois et celles-ci tremblaient, elle se sentait aussi malade sur la terre ferme qu'en mer, mais ses vêtements d'homme lui donnaient une liberté inconnue ; jamais elle ne s'était sentie aussi invisible. Une fois remise de l'impression de se sentir toute nue, elle profita de la brise qui s'engouffrait dans les manches de sa blouse et dans ses pantalons. Habituée à l'emprisonnement des jupons, elle respirait maintenant à pleins poumons. Elle avait du mal à porter la petite valise contenant les beaux habits que Miss Rose lui avait préparés avec les meilleures intentions. La voyant vaciller, Tao Chi'en la lui prit des mains et la mit sur son épaule. La capeline de Castille enroulée sous son bras pesait autant que la valise, mais elle ne pouvait s'en séparer, ce serait, pensa-t-elle, son bien le plus précieux pour se couvrir la nuit. Tête baissée, dissimulée sous son chapeau de paille, elle avançait en trébuchant dans l'effrayante anarchie du port. Le hameau de Yerba Buena, fondé par une expédition espagnole en 1769, comptait moins de cinq cents habitants, mais dès l'annonce de la découverte de l'or, les aventuriers commencèrent à affluer. Quelques mois plus tard, ce village innocent se réveilla avec le nom de San Francisco et sa réputation s'étendit jusqu'aux confins du monde. Ce n'était pas encore une véritable ville, seulement un gigantesque campement d'hommes de passage.

La fièvre de l'or n'avait laissé personne indifférent : ferronniers, charpentiers, maîtres d'école, médecins, soldats, fugitifs, prédicateurs, boulangers, révolutionnaires et fous inoffensifs de tous poils avaient abandonné leurs familles et leurs biens pour traverser la moitié de la planète et courir l'aventure. « Ils cherchent de l'or et, en chemin, perdent leur âme », avait répété à satiété le capitaine Katz lors des brefs offices religieux qu'il imposait le dimanche aux passagers et aux membres de l'équipage de l'*Emilia*, mais personne ne l'écoutait, aveuglés qu'ils étaient tous par l'illusion d'une richesse facile susceptible de changer leur vie. Pour la première fois dans l'histoire, on trouvait l'or par terre, sans propriétaire, gratis et en abondance, à la portée de tout individu disposé à le ramasser. Des plus lointaines côtes arrivaient les argonautes : Européens fuyant les guerres, les épidémies et les tyrannies ; Yankees ambitieux et courageux ; Noirs en quête de liberté ; individus originaires d'Oregon et de Russie habillés avec des peaux de bête, comme des Indiens ; des Mexicains, des Chiliens et des Péruviens ; des bandits australiens ; des paysans chinois affamés qui risquaient leur tête en violant l'interdiction impériale d'abandonner leur patrie. Dans les ruelles boueuses de San Francisco, toutes les races se mélangeaient.

Les rues principales, tracées comme d'amples demi-cercles dont les extrémités touchaient la plage, étaient coupées par d'autres lignes droites qui descendaient des collines abruptes et pleines de boue, au point que les mules elles-mêmes ne pouvaient les gravir. Un vent de tempête se mettait à souffler subitement, soulevant des tourbillons de poussière et de sable, mais il se calmait peu après et le ciel retrouvait sa limpidité. Il existait déjà quelques bâtiments solides et des dizaines en construction, certains étaient même annoncés comme de futurs hôtels de luxe. Le reste était un amas de logements provisoires, baraques, masures faites d'éléments en acier, en bois ou en carton, tentes de toile et auvents de paille. Les pluies de l'hiver précédent avaient transformé le quai en bourbier, les rares véhicules s'empêtraient dans la boue et il fallait mettre des planches pour traverser les fossés remplis de détritus, de milliers de bouteilles brisées et autres déchets. Il n'existait ni rigoles ni égouts et les puits étaient contaminés. Le choléra et la dysenterie entraînaient beaucoup de gens dans la mort, sauf parmi les Chinois qui avaient l'habitude de boire du thé, et parmi les Chiliens, qui avaient grandi avec l'eau infectée de leur pays et qui étaient, de ce fait, immunisés contre les bactéries mineures. La foule hétérogène et grouillante était prise d'une activité frénétique, jouant des coudes et trébuchant sur des matériaux de construction, des barils, des caisses, des ânes et des voitures à bras. Les portefaix chinois balançaient leurs charges aux extrémités d'une perche, sans se soucier de ceux qu'ils heurtaient en passant; les Mexicains, forts et patients, portaient sur leur dos l'équivalent de leur propre poids et montaient les collines en trottant; les Malaisiens et les Hawaïens profitaient du moindre prétexte pour se bagarrer; les Yankees rentraient à cheval dans les boutiques improvisées, malmenant ceux qui se trouvaient devant; les Californiens natifs de la région exhibaient fièrement leurs belles vestes brodées, leurs éperons d'argent et leurs pantalons ouverts sur les côtés avec double rangée de boutons en or, de la ceinture jusqu'aux bottes. Les cris des bagarres et des accidents venaient s'ajouter au vacarme des coups de marteau et de pic, des scies. Des coups de feu éclataient avec une terrifiante fréquence, mais personne ne paraissait se soucier d'un mort de plus ou de moins ; en revanche, le vol d'une boîte de clous attirait aussitôt un groupe de citoyens indignés, prêts à faire justice. La propriété avait beaucoup plus de valeur que la vie, tout vol supérieur à cent dollars se payait par la corde. Il y avait abondance de maisons de jeu, de bars et de saloons, décorés avec des reproductions de femmes nues, à défaut de femmes en chair et en os. Sous les tentes on vendait de tout, principalement de l'alcool et des armes, à des prix exorbitants parce que personne n'avait le temps de marchander. Les clients payaient presque toujours en or, sans attendre de récupérer la poudre qui restait collée à la balance. Tao Chi'en se dit que la célèbre *Gum San*, la Montagne dorée dont il avait tant entendu parler, était un enfer, et calcula que ses économies, vu les prix pratiqués, ne dureraient pas longtemps. La bourse de bijoux d'Eliza ne servirait à rien, car la seule monnaie acceptée était le métal pur.

Eliza se frayait un passage dans la multitude comme elle le pouvait, collée à Tao Chi'en et contente d'avoir des vêtements masculins, car on ne voyait de femmes nulle part. Les sept voyageuses de l'*Emilia* avaient été conduites, sur les épaules, dans l'un des saloons où elles allaient sans doute commencer à gagner les deux cent soixante-dix dollars du passage qu'elles devaient au capitaine Vincent Katz. Tao Chi'en avait vérifié auprès des dockers que la ville était bien divisée en secteurs, et que chaque nationalité en occupait une partie. On l'avertit de ne pas s'aventurer du côté des bandits australiens où ils pouvaient être attaqués uniquement pour le plaisir, puis on lui montra un endroit où s'entassaient des tentes et des masures où vivaient les Chinois. Ils s'y dirigèrent.

— Comment je vais retrouver Joaquín dans ce bourbier ? demanda Eliza, se sentant perdue et impuissante.

— S'il y a un quartier chinois, il doit y avoir un quartier chilien. Cherche-le.

— Je n'ai pas l'intention de me séparer de toi, Tao.

— Cette nuit je retourne sur le bateau, l'avertit-il.

— Pourquoi ? L'or ne t'intéresse pas ?

Tao Chi'en pressa le pas et elle ajusta le sien pour ne pas le perdre de vue. Ils arrivèrent dans le quartier chinois – *Little Canton*, comme on l'appelait –, quelques rues insalubres où il se sentit immédiatement chez lui parce que nul visage de *fan güey* n'était visible. L'air était imprégné des odeurs délicieuses de la nourriture de son pays et on entendait parler plusieurs dialectes, principalement le cantonais. Pour Eliza, en revanche, ce fut comme se déplacer sur une autre planète, elle ne comprenait pas un traître mot et avait l'impression que tout le monde était furieux, parce que tous gesticulaient en poussant des cris. Là non plus elle ne vit aucune femme, mais Tao lui montra des lucarnes grillagées derrière lesquelles se trouvaient quelques visages désespérés. Cela faisait deux mois qu'il n'avait pas été avec une femme et celles-là l'appelaient, mais il connaissait trop les ravages des maladies vénériennes pour courir le risque avec l'une de ces filles de bas étage. C'étaient de jeunes paysannes achetées pour trois fois rien et amenées des lointaines provinces chinoises. Il pensa à sa sœur, vendue par son père, et un haut-le-cœur le cassa en deux.

— Que t'arrive-t-il, Tao ?

— De mauvais souvenirs... Ces filles sont des esclaves.

— On ne dit pas qu'en Californie il n'y a plus d'esclaves ?

Ils entrèrent dans un restaurant, signalé par les traditionnels rubans jaunes. Il y avait une longue table pleine d'hommes qui, coude à coude, dévoraient à toute allure leur nourriture. Le bruit des baguettes contre les écuelles et la conversation à vive voix résonnaient comme de la musique à l'ouïe de Tao Chi'en. Ils attendirent debout en double file le moment de pouvoir s'asseoir. Il n'était pas question de choisir, il fallait se contenter de ce qui passait à portée de votre main. Il fallait de l'adresse pour attraper le plat au vol avant qu'un autre plus malin l'intercepte ; Tao Chi'en put en saisir un pour Eliza et un second pour lui. Elle examina avec méfiance un liquide verdâtre où flottaient des filaments pâles et des mollusques gélatineux. Elle se vantait de pouvoir tout reconnaître à l'odeur, mais cette chose ne lui sembla même pas comestible, on aurait dit de l'eau vaseuse avec des têtards. Ce plat offrait du moins l'avantage de ne pas exiger de baguettes, on pouvait le boire directement au bol. La faim fut plus forte que la méfiance et elle s'enhardit à goûter, tandis que dans son dos une rangée de clients impatients la pressaient à grands cris. La soupe lui parut délicieuse et elle en aurait volontiers pris un peu plus, mais Tao Chi'en ne lui en laissa pas le temps ; l'attrapant par un bras, il l'entraîna dehors. Elle le suivit d'abord dans les boutiques du quartier, car il voulait remplacer les produits médicinaux que contenait sa mallette, et parler avec les deux herboristes chinois qui opéraient en ville ; puis dans l'une des nombreuses baraques de jeu qu'il y avait à chaque coin de rue. C'était une construction en bois aux prétentions luxueuses et décorée de peintures de femmes voluptueuses à moitié nues. On pesait la poudre d'or pour l'échanger contre des pièces de monnaie, à seize dollars l'once, ou on déposait simplement la bourse sur la table. Américains, Français et Mexicains constituaient la majorité des clients, mais il y avait aussi des aventuriers venant de Hawaï, du Chili, d'Australie et de Russie. Les jeux les plus populaires étaient le *monte*, d'origine mexicaine, le lansquenet et le vingt-et-un. Comme les Chinois préféraient le *fan tan* et ne risquaient jamais de grosses sommes, ils n'étaient pas les bienvenus aux tables où l'on jouait gros. On ne voyait jouer aucun Noir, il y en avait cependant quelques-uns qui faisaient de la musique ou servaient aux tables. Plus tard, on leur dit que s'ils entraient dans un bar ou un tripot, ils avaient droit à un verre gratuit et ensuite ils devraient partir, sinon on les chasserait à coups de fusil. Il y avait trois femmes dans le salon, deux jeunes Mexicaines aux grands yeux pétillants, vêtues de blanc et fumant de petits cigares, l'un derrière l'autre, et une Française qui portait un corset serré, maquillée à outrance, plus très jeune et jolie. Elles allaient de table en table, incitant les clients à jouer et boire et, de temps en temps, elles disparaissaient au bras d'un client derrière un lourd rideau de brocart rouge. Tao Chi'en apprit qu'elles demandaient une once d'or pour tenir compagnie au bar pendant une heure, et quelques centaines de dollars pour passer la nuit entière avec un homme ; la Française était plus chère que les autres et n'allait pas avec des Chinois ou des Noirs.

Eliza, qui passait inaperçue dans son vêtement de garçon oriental, s'assit dans un coin, exténuée, tandis que lui discutait avec les uns et les autres, se renseignant sur l'or et sur la vie en Californie. Pour Tao Chi'en, protégé par le souvenir de Lin, la tentation des femmes était plus supportable que celle du jeu. Le bruit des fiches du *fan tan* et des dés sur les tables l'appelait avec une voix de sirène. La vue des cartes entre les mains des joueurs lui donnait des sueurs, mais il s'abstint, fortifié par la conviction que la chance l'abandonnerait pour toujours s'il brisait sa promesse. Des années plus tard, après de multiples aventures, Eliza lui demanda à quelle chance il faisait référence, et lui, sans y penser à deux fois, répondit : à celle d'être vivant et de l'avoir rencontrée. Cet après-midi-là, il apprit que les gisements aurifères se trouvaient sur les rivières Sacramento, Americano, San Joaquín et leurs centaines d'affluents, mais les cartes n'étaient pas fiables et les distances énormes. L'or d'extraction facile, en surface, commençait à se faire rare. Il arrivait que des mineurs chanceux tombent sur une pépite de la taille d'une chaussure, mais la majorité se contentait d'une poignée de poudre ramassée après des efforts démesurés. On parlait beaucoup de l'or, lui dit-on, mais peu des sacrifices consentis pour l'obtenir. Il fallait une once par jour pour obtenir un bénéfice, à condition d'être disposé à mener une vie de chien, car les prix étaient extravagants et l'or filait comme un rien. En revanche, les marchands et les prêteurs sur gages faisaient fortune, à l'image d'un de ses compatriotes qui, se consacrant à laver du linge, avait réussi en l'espace de quelques mois à se bâtir une maison en dur et envisageait de retourner en Chine pour acheter plusieurs épouses et faire des enfants mâles ; ou d'un autre qui prêtait de l'argent dans un tripot à dix pour cent de l'heure, c'est-à-dire à plus de quatre-vingt-sept mille pour cent l'an. On lui confirma les histoires fabuleuses de pépites énormes, de poudre en abondance mélangée au sable, de filons dans des pierres de quartz, de mules qui trébuchaient, faisant se détacher un pan de colline et laissant apparaître un trésor. Mais pour devenir riche, il fallait travailler et avoir de la chance. Et les Yankees manquaient de patience, ils ne savaient pas travailler en équipe, ils étaient désordonnés et cupides. Les Mexicains et les Chiliens s'y connaissaient en mines, mais ils étaient très dépensiers ; ceux originaires de l'Oregon et de Russie perdaient leur temps à se bagarrer et à boire. Les Chinois, en revanche, s'en tiraient malgré leurs modestes biens parce qu'ils étaient frugaux, ne se soûlaient pas et travaillaient comme des fourmis dix-huit heures par jour, sans prendre de repos ou se plaindre. Les *fan güey* s'indignaient du succès des Chinois, l'avertit-on, il fallait dissimuler, faire l'idiot, ne pas les provoquer, sinon il finirait comme les orgueilleux Mexicains. Oui, il existait bien un campement de Chiliens, l'informa-t-on ; il se trouvait un peu éloigné du centre-ville, sur la pointe de droite et s'appelait le Petit Chili, mais il était trop tard pour s'aventurer dans ces parages sans autre compagnie que son frère attardé.

— Moi je retourne sur le bateau, annonça Tao Chi'en à Eliza quand ils finirent par quitter le tripot.

— Je me sens mal, mes jambes ne me soutiennent plus.

— Tu as été très malade. Tu as besoin de manger et de te reposer.

— Je ne peux pas le faire seule, Tao. Je t'en prie, ne me laisse pas encore...

— J'ai un contrat, le capitaine me fera chercher.

— Et qui va obéir à cet ordre? Tous les bateaux ont été abandonnés. Il ne reste personne à bord. Le capitaine pourra s'égosiller, pas un de ses marins ne reviendra.

Qu'est-ce que je vais faire d'elle? se demanda Tao Chi'en à voix haute et en cantonais. Son engagement prenait fin à San Francisco, mais il ne se sentait pas le courage de l'abandonner à son sort dans ce lieu. Il était coincé, du moins jusqu'à ce qu'elle reprenne quelques forces et fasse la connaissance d'autres Chiliens, ou qu'elle retrouve son amoureux voyageur. Il se dit que la chose était faisable. San Francisco avait beau avoir l'air d'une ville confuse, pour les Chinois il n'y avait pas de secret, il pouvait bien attendre jusqu'au lendemain et l'accompagner au Petit Chili. La nuit était tombée, donnant à l'endroit un aspect fantasmagorique. Les logements étaient presque tous faits de toiles, et les lampes, à l'intérieur, les rendaient transparents et lumineux comme des diamants. Les torches et les brasiers dans les rues, et la musique des tripots, contribuaient à donner une impression d'irréalité. Cherchant un logement pour la nuit, Tao Chi'en tomba sur un grand hangar de quelque vingt-cinq mètres de long sur huit de large, fabriqué en planches et en plaques métalliques récupérées sur les bateaux échoués, et surmonté d'une pancarte portant le mot « hôtel ». A l'intérieur se trouvaient deux étages de couchettes, simples cadres en bois où l'on dormait recroquevillé, et un comptoir au fond où l'on vendait de l'alcool. Il n'y avait pas de fenêtres et le seul air que l'on pouvait respirer entrait par les fissures des parois en planches. Pour un dollar on achetait le droit de passer la nuit, et il fallait amener son linge. Les premiers arrivés occupaient les couchettes, les autres s'allongeaient à même le sol. Ils n'eurent pas droit à des couchettes, bien qu'il y en eût d'inoccupées, parce qu'ils étaient chinois. Ils s'étendirent par terre, le sac en guise d'oreiller, le *sarape* et la capeline de Castille comme uniques couvertures. L'endroit se remplit bientôt d'hommes de races et d'allures différentes qui s'allongeaient les uns à côté des autres en rangs serrés, tout habillés et les armes à la main. Les odeurs de crasse, de tabac et de sueur, ajoutées aux ronflements et aux éclats de voix de ceux qui se perdaient dans leurs rêves, rendaient le sommeil difficile, mais Eliza était tellement fatiguée qu'elle ne vit pas les heures passer. Elle se réveilla à l'aube, tremblante de froid, recroquevillée contre l'épaule de Tao Chi'en, et elle découvrit alors son odeur de mer. Sur le bateau, celle-ci se confondait avec l'eau immense qui les entourait, mais cette nuit elle sut que c'était l'odeur particulière du corps de cet homme. Elle ferma les yeux, se rapprocha un peu plus de lui et se rendormit aussitôt.

Le lendemain, ils partirent à la recherche du Petit Chili, qu'elle reconnut immédiatement parce que le drapeau chilien se balançait fièrement en haut d'un mât, et parce que la plupart des hommes portaient les typiques chapeaux *maulinos*, à forme conique. Le quartier s'étendait sur un périmètre coupé par une dizaine de rues, plein de gens, y compris des femmes et des enfants venus avec les hommes, tous occupés à un travail ou à un commerce. Les logements étaient des tentes, des huttes et des masures construites en bois, entourées par un aréopage d'outils et de déchets. Il y avait aussi des restaurants, des hôtels improvisés et des bordels. On estimait le nombre de Chiliens installés dans le quartier à environ deux mille, mais personne ne les avait comptés ; en réalité, ce n'était qu'un lieu de passage pour les nouveaux arrivés. Eliza se réjouit d'entendre la langue de son pays et de voir l'écriteau sur une tente en toile, en loques, qui annonçait *pequenes* et *chunchules*. Elle s'approcha et, dissimulant son accent chilien, demanda une portion des seconds. Tao Chi'en regarda cet étrange plat, servi sur un morceau de papier journal, à défaut d'assiette, sans savoir ce que cela pouvait bien être. Elle lui expliqua que c'étaient des tripes de porc frites dans de la graisse.

— Hier j'ai mangé ta soupe chinoise. Aujourd'hui, toi tu manges mes *chunchules* chiliens, lui ordonna-t-elle.

— Comment ça se fait que vous parliez espagnol, Chinois ? demanda aimablement le vendeur.

— Mon ami ne parle pas, et moi c'est parce que j'ai vécu au Pérou, répliqua Eliza.

— Et que cherchez-vous par ici ?

— Un Chilien, il s'appelle Joaquín Andieta.

— Pourquoi le cherchez-vous ?

— Nous avons un message pour lui. Vous le connaissez ?

— Par ici il est passé beaucoup de gens ces derniers mois. Personne ne reste longtemps, tous partent vite vers les gisements d'or. Certains reviennent, d'autres pas.

— Et Joaquín Andieta ?

— Je ne m'en souviens pas, mais je vais demander.

Eliza et Tao Chi'en s'assirent pour manger à l'ombre d'un pin. Vingt minutes plus tard, le commerçant revint accompagné d'un homme à l'allure d'un Indien du Nord, à jambes courtes et larges épaules, lequel dit que Joaquín Andieta avait pris la direction des gisements de Sacramento il y avait au moins deux mois, même si personne ne faisait attention au calendrier ni ne s'occupait des allées et venues des uns et des autres.

— Nous partons pour Sacramento, Tao, décida Eliza alors qu'ils s'éloignaient du Petit Chili.

— Tu ne peux pas encore voyager. Il faut que tu te reposes quelque temps.

— Je me reposerai là-bas, quand je l'aurai retrouvé.

— Je préfère retourner avec le capitaine Katz. La Californie n'est pas un endroit pour moi.

— Qu'est-ce qui t'arrive ? Tu as du sang de poulet dans les veines ? Sur le bateau il n'y a plus personne, à part ce capitaine avec sa Bible. Tout le monde cherche de l'or et toi tu penses continuer comme cuisinier pour un salaire de misère !

— Je ne crois pas à la fortune facile. Je rêve d'une vie tranquille.

— Bon, si ce n'est l'or, il y a bien une chose qui t'intéresse...

— Apprendre.

— Apprendre quoi ? Tu sais déjà beaucoup de choses.

— J'ai tout à apprendre !

— Alors tu es dans l'endroit idéal. Tu ne sais rien de ce pays. Ici on a besoin de médecins. Tu sais combien il y a d'hommes dans les mines ? Des milliers ! Et tous ont besoin d'un docteur. C'est la région des opportunités, Tao. Viens avec moi à Sacramento. Et si tu ne m'accompagnes pas, je n'irai pas bien loin...

Pour un prix assez modeste, étant donné les conditions vétustes de l'embarcation, Tao Chi'en et Eliza prirent la direction du nord, longeant la vaste baie de San Francisco. Le bateau était rempli de voyageurs chargés de leurs équipements compliqués de mineurs, dans cet espace réduit encombré de caisses, d'outils, de paniers et de sacs à provisions, de poudre et d'armes ; personne ne pouvait remuer. Le capitaine et son second étaient deux Yankees revêches, mais bons navigateurs et généreux avec les maigres provisions de bouche, et même avec leurs bouteilles d'alcool. Tao Chi'en négocia avec eux le passage d'Eliza et lui s'arrangea pour troquer le prix de son voyage contre ses services de marin. Les passagers, tous avec leurs pistolets à la ceinture, sans compter les couteaux et les rasoirs, s'adressèrent à peine la parole pendant la première journée, si ce n'est pour s'insulter pour un coup de coude ou un coup de pied, inévitables dans cet espace confiné. A l'aube du deuxième jour, après une longue nuit froide et humide passée non loin de la côte, à cause de l'impossibilité de naviguer dans le noir, chacun se sentait entouré d'ennemis. Les barbes, la saleté, la nourriture exécrable, les moustiques, le vent et le courant contraires, contribuaient à échauffer les esprits. Tao Chi'en, le seul à n'avoir ni but ni projet, était parfaitement serein, et quand il ne bataillait pas avec la voile, il admirait le panorama extraordinaire de la baie. Eliza, en revanche, était désespérée dans son rôle de garçon sourd-muet et idiot. Tao Chi'en la présenta brièvement comme un frère plus jeune et parvint à l'installer dans un coin plus ou moins protégé du vent, où elle demeura si tranquille et silencieuse que, bientôt, tout le monde oublia son existence. Sa capeline de Castille était trempée. Elle tremblait de froid et avait les jambes engourdies, mais l'idée de se rapprocher minute après minute de Joaquín Andieta lui donnait des forces. Elle se touchait la poitrine où dormaient ses lettres d'amour et se les récitait de mémoire, en silence. Au troisième jour, les passagers avaient perdu une bonne partie de leur agressivité et gisaient, légèrement ivres et passablement abattus, prostrés, dans leurs vêtements trempés.

La baie était en fait beaucoup plus vaste que ce qu'ils avaient supposé, les distances indiquées sur leurs incroyables cartes ne correspondaient en rien aux milles réels, et quand ils crurent arriver à bon port, il leur fallut encore traverser une seconde baie, celle de San Pablo. Sur les berges on apercevait des campements et quelques canots remplis de gens et de marchandises, et plus loin les forêts touffues. Mais le voyage ne finissait pas là non plus, il fallut emprunter un canal où le courant était fort et entrer dans une troisième baie, celle de Suisun, où la navigation devint encore plus lente et plus difficile, emprunter ensuite une rivière étroite et profonde qui les mena jusqu'à Sacramento. Là, ils se trouvaient finalement près de l'endroit où la première paillette d'or avait été trouvée. Ce morceau insignifiant, grand comme un ongle de femme, avait provoqué une invasion incontrôlable, changeant la physionomie de la Californie et l'âme de la nation américaine, comme l'écrirait quelques années plus tard Jacob Todd, devenu journaliste. « Les Etats-Unis furent fondés par des pèlerins, des pionniers et de modestes émigrants, qui avaient pour éthique le travail acharné et le courage devant l'adversité. L'or a mis en évidence ce qu'il y a de pire dans le caractère américain : la cupidité et la violence. »

Le capitaine de l'embarcation leur expliqua que la ville de Sacramento avait surgi du jour au lendemain au cours de l'année précédente. Le port était encombré d'embarcations les plus variées, il y avait des rues bien tracées, des maisons, des bâtiments en bois, des commerces, une église et bon nombre de tripots, de bars et de bordels. Cependant, on aurait dit une scène de naufrage car le sol était jonché de sacs, de selles, d'outils et de toutes sortes de déchets laissés par les mineurs pressés de gagner les gisements aurifères. De grands oiseaux noirs planaient au-dessus des ordures et les mouches étaient à leur affaire. Eliza calcula qu'en deux ou trois jours elle pouvait arpenter la ville, maison par maison : retrouver Joaquín Andieta ne devrait pas être très difficile. Les passagers du bateau, à nouveau pleins d'entrain et de bonne humeur à la vue du port, partageaient les dernières gorgées d'alcool, prenaient congé avec des tapes dans le dos et chantaient en chœur un refrain sur une certaine Susana, devant la stupeur de Tao Chi'en qui ne comprenait pas la raison de cette transformation subite. Il débarqua avec Eliza avant les autres parce qu'ils avaient très peu de bagages, puis ils se dirigèrent sans hésitation vers le quartier des Chinois, où ils trouvèrent à manger et un logement sous une tente en toile cirée. Eliza ne pouvait pas suivre les conversations en cantonais ; son seul désir était de retrouver son amoureux, mais Tao Chi'en lui rappela qu'elle devait garder le silence, et il la pria de rester calme et de prendre patience. Ce même soir, le *zhong yi* dut s'occuper de l'épaule déplacée d'un compatriote. Il lui remit l'os en place, ce qui lui valut immédiatement le respect du campement.

Le lendemain matin, ils partirent à la recherche de Joaquín Andieta. Leurs compagnons de voyage étaient déjà prêts à partir vers les gisements ; certains avaient obtenu des mules pour le transport de leur équipement, mais la plupart allaient à pied, laissant derrière eux une bonne partie de leurs affaires. Ils arpentèrent la ville de bas en haut sans trouver la moindre trace de celui qu'ils cherchaient, cependant quelques Chiliens crurent se souvenir d'un individu, répondant à ce nom, qui était passé par là un ou deux mois auparavant. On leur conseilla de remonter la rivière ; ils le trouveraient peut-être, tout était une question de chance. Un mois était une éternité. Personne ne faisait attention à ceux qui étaient encore là la veille, les noms ou le destin des autres importaient peu. L'unique obsession était l'or.

— Qu'allons-nous faire maintenant, Tao ?

— Travailler. Sans argent, on ne peut rien faire, répliqua-t-il, mettant sur son épaule des morceaux de toile qu'il avait trouvés parmi les restes abandonnés.

— Je ne peux pas attendre ! Je dois retrouver Joaquín ! Il me reste un peu d'argent.

— De l'argent chilien ? Il ne servira à rien.

— Et mes bijoux ? Ils doivent bien valoir...

— Garde-les, ici ils ne valent pas grand-chose. Il faut travailler pour acheter une mule. Mon père allait de village en village pour soigner les gens. Mon grand-père aussi. Je peux faire la même chose, mais ici les distances sont grandes. J'ai besoin d'une mule.

— Une mule ? Nous en avons déjà une : toi. Dieu ce que tu es têtu !

— Moins têtu que toi.

Ils ramassèrent du petit bois et quelques planches, se firent prêter des outils et montèrent un logement pourvu d'un toit fait de morceaux de toile. C'était une masure bancale, prête à s'écrouler au premier coup de vent, mais au moins étaient-ils protégés de la rosée et des pluies printanières. Les talents de Tao Chi'en avaient fait le tour du quartier et bientôt des patients chinois firent leur apparition, qui purent apprécier la science extraordinaire de ce *zhong yi*. Ils furent bientôt suivis par des Mexicains et des Chiliens, puis enfin par une poignée d'Américains et d'Européens. Apprenant que Tao Chi'en était aussi compétent que n'importe quel docteur blanc et demandait moins cher, beaucoup vainquirent leur répugnance à l'encontre des « célestes » et décidèrent d'essayer la science asiatique. Certains jours, Tao Chi'en était tellement occupé qu'il devait se faire aider par Eliza. Elle était fascinée par ses mains délicates et habiles qui prenaient les différents pouls aux bras et aux jambes, qui palpaient le corps des malades comme s'il les caressait, qui plantaient des aiguilles en des points mystérieux qu'il paraissait être seul à connaître. Quel âge avait cet homme ? Elle le lui demanda un jour et il répliqua qu'en comptant toutes ses réincarnations, il devait avoir entre sept et huit mille ans. A vue d'œil, Eliza calculait une trentaine d'années, même si à certains moments, quand il riait, il paraissait plus jeune qu'elle. Cependant, quand il se penchait sur un malade avec une concentration absolue, il avait l'ancienneté d'une tortue ; il était alors facile de croire qu'il avait plusieurs siècles sur le dos. Elle le regardait, admirative, lorsqu'il examinait l'urine de ses patients dans un verre et, à l'odeur et à la couleur, pouvait déterminer les maux occultes, ou quand il étudiait la pupille avec une lentille grossissante pour déduire ce qui, dans l'organisme, faisait défaut ou était en trop. Parfois, il se limitait à poser ses mains sur le ventre ou sur la tête du malade, fermait les yeux et donnait l'impression de se perdre dans un long rêve.

— Que faisais-tu ? lui demandait ensuite Eliza.

— Je sentais sa douleur et je lui transmettais de l'énergie. L'énergie négative engendre souffrances et maladies, l'énergie positive peut guérir.

— Et comment est cette énergie positive, Tao ?

— Elle est comme l'amour : chaude et lumineuse.

Extraire des balles et soigner des blessures occasionnées par des coups de couteau étaient des interventions de routine, et très vite Eliza n'eut plus peur du sang. Elle apprit à recoudre la chair humaine avec le même calme dont elle faisait preuve jadis lorsqu'elle brodait les draps de son trousseau. La pratique de la chirurgie apprise auprès d'Ebanizer Hobbs fut en fait d'une grande utilité à Tao Chi'en. Dans ces régions infectées de couleuvres venimeuses, beaucoup se faisaient piquer, qui arrivaient, enflés et complètement bleus, sur les épaules de leurs camarades. Les eaux contaminées répartissaient démocratiquement le choléra, contre lequel nul ne connaissait de remède, et d'autres maux aux symptômes inquiétants, mais pas toujours mortels. Tao Chi'en demandait peu, mais se faisait toujours payer d'avance, parce que, d'après son expérience, un homme qui a peur paie sans rechigner, alors qu'un homme soulagé se fait prier. Lors de ses transactions, son ancien précepteur lui apparaissait avec une expression de reproche, mais il la repoussait : « Je ne peux pas m'offrir le luxe d'être généreux dans de telles circonstances, maître », disait-il en bredouillant. Ses honoraires ne comprenaient pas l'anesthésie, celui qui désirait la consolation de drogues ou d'aiguilles en or devait payer en sus. Il faisait toutefois une exception pour les voleurs qui, après un jugement sommaire, devaient subir des coups de fouet ou l'ablation d'une oreille. Les mineurs se vantaient de leur justice expéditive, nul n'était disposé à financer la construction et la surveillance d'une prison.

— Pourquoi ne fais-tu pas payer les criminels ? lui demanda Eliza.

— Parce que je préfère qu'ils me soient redevables, répliqua-t-il.

Tao Chi'en semblait disposé à s'installer. Il n'en dit rien à son amie, mais il ne souhaitait pas bouger pour laisser le temps à Lin de le retrouver. Sa femme ne lui avait pas fait signe depuis plusieurs semaines. Eliza, en revanche, comptait les heures, désireuse de poursuivre le voyage, et à mesure que les jours passaient elle était assaillie par des sentiments contradictoires vis-à-vis de son compagnon d'aventures. Elle lui était reconnaissante de sa protection et de la façon dont il s'occupait d'elle, veillant à ce qu'elle se nourrisse correctement, la couvrant la nuit, lui administrant ses herbes et lui plantant ses aiguilles pour fortifier son *qi*, comme il disait, mais son calme l'irritait, calme qu'elle confondait avec un manque de courage. L'expression sereine et le sourire franc de Tao Chi'en la captivaient par moments et, à d'autres, la gênaient. Elle ne comprenait pas son indifférence totale devant l'éventualité de tenter sa chance dans les mines, alors que tous autour d'eux, surtout ses compatriotes, ne pensaient à rien d'autre.

— L'or ne t'intéresse pas non plus, répliqua-t-il imperturbable, quand elle le lui reprocha.

— Moi, je suis venue pour autre chose ! Pourquoi es-tu venu, toi ?

— Parce que j'étais marin. Je n'avais pas l'intention de rester avant que tu me le demandes.

— Tu n'es pas marin, tu es médecin.

— Ici je peux redevenir médecin, du moins pour un temps. Tu avais raison, il y a beaucoup à apprendre dans ce coin.

Voilà où il en était. Il entra en contact avec des indigènes pour approcher la médecine de leurs chamans. C'étaient de petits groupes d'Indiens vagabonds – couverts de peaux de coyote crasseuses et de loques européennes – qui, lors de la ruée vers l'or, avaient tout perdu. Ils allaient d'un côté et de l'autre avec leurs femmes fatiguées et leurs enfants affamés, lavaient de l'or dans les rivières avec leurs fins paniers en osier, mais dès qu'ils trouvaient un endroit propice, on les chassait à coups de fusil. Quand on les laissait en paix, ils reformaient leurs petits villages de huttes et de tentes et s'installaient pour un temps, jusqu'à ce qu'on les oblige de nouveau à partir. Ils sympathisèrent avec le Chinois, l'accueillant avec des marques de respect parce qu'ils le considéraient comme un *medecine man* – homme savant – et qu'ils aimaient faire partager leurs connaissances. Eliza et Tao Chi'en prenaient place avec eux dans un cercle, autour d'un trou rempli de pierres chaudes, où ils préparaient une bouillie de glands et grillaient certaines graines des bois, ainsi que des sauterelles qu'Eliza trouvait délicieuses. Ensuite ils fumaient, discutant dans un mélange d'anglais, de signes et des quelques mots de la langue locale qu'ils avaient apprise. Ces jours-là, des mineurs yankees disparurent mystérieusement et, bien que les corps ne furent pas retrouvés, leurs compagnons accusèrent les Indiens de les avoir assassinés et, en représailles, ils prirent d'assaut un village, firent quarante prisonniers parmi les femmes et les enfants et exécutèrent sept hommes, pour l'exemple.

— S'ils traitent de cette façon les Indiens, qui sont les maîtres de ces terres, ils sont sans doute encore plus cruels avec les Chinois, Tao. Tu dois te rendre invisible, comme moi, dit Eliza quand elle apprit le drame.

Mais Tao Chi'en n'avait pas le temps d'apprendre les astuces pour se rendre invisible, il était occupé à étudier les plantes. Il faisait de longues excursions pour ramasser des échantillons, afin de les comparer avec les plantes utilisées en Chine. Il louait deux chevaux ou marchait pendant des heures sous un soleil de plomb, amenant Eliza comme interprète, pour se rendre jusqu'aux haciendas des Mexicains qui avaient vécu pendant des générations dans cette région, et en connaissaient la nature. Ils avaient perdu la Californie lors de la guerre contre les Etats-Unis et ces grandes haciendas, qui employaient jadis des centaines de péons dans un système communautaire, commençaient à péricliter. Les traités entre les deux pays restèrent lettre morte. Au début, les Mexicains qui s'y connaissaient en mines, avaient appris aux nouveaux venus les procédés d'extraction de l'or, mais chaque jour il arrivait de nouveaux étrangers pour envahir le territoire qu'ils considéraient comme leur. Dans la pratique, les *gringos* les méprisaient, comme ils méprisaient les autres races. Une persécution inlassable contre les Hispaniques vit le jour, ils leur niaient le droit à exploiter les mines parce qu'ils n'étaient pas américains, mais ils acceptaient des Australiens et des aventuriers européens. Des milliers de péons sans travail tentaient leur chance dans les mines, mais quand le harcèlement des *gringos* devenait intolérable, ils émigraient vers le sud et devenaient malfaiteurs. Dans certaines maisons rustiques des familles qui étaient restées, Eliza pouvait passer un moment en compagnie des femmes, un luxe rare qui lui restituait, pour quelques instants, le calme bonheur des moments passés dans la cuisine de Mama Fresia. C'étaient les seules occasions où elle sortait de son mutisme obligé et qu'elle parlait dans sa langue. Ces mères fortes et généreuses, qui travaillaient coude à coude avec leurs hommes dans les tâches les plus lourdes, marquées par l'effort et les privations, étaient émues par ce gamin chinois à l'aspect si fragile, émerveillées de le voir parler espagnol comme elles. Elles lui révélaient volontiers les secrets de la nature pour soulager divers maux, utilisés pendant des siècles et, en passant, lui donnaient les recettes de leurs plats savoureux, qu'elle notait dans ses cahiers, certaine de pouvoir les utiliser tôt ou tard. Entre-temps, le *zhong yi* commanda à San Francisco des médicaments occidentaux que son ami Ebanizer Hobbs lui avait appris à utiliser à Hong Kong. Il nettoya aussi un lopin de terre qui jouxtait la cabane, le clôtura pour le défendre des cerfs et planta certaines herbes de base utiles à son métier.

— Mon Dieu, Tao ! Tu comptes rester ici jusqu'à voir pousser ces plantes rachitiques ? s'exclamait Eliza, exaspérée en voyant les tiges molles et les feuilles jaunes, sans obtenir d'autre réponse qu'un geste vague.

Elle sentait que chaque jour écoulé l'éloignait davantage de son destin, que Joaquín Andieta s'enfonçait irrémédiablement dans cette région inconnue, peut-être vers les montagnes, tandis qu'elle perdait son temps à Sacramento en se faisant passer pour le frère idiot d'un guérisseur chinois. Il lui arrivait d'affubler Tao Chi'en des pires épithètes, mais elle avait la prudence de le faire en espagnol, de la même façon que lui le faisait en cantonais quand il lui rendait la pareille. Ils avaient perfectionné l'art des signes pour communiquer devant les autres sans ouvrir la bouche et, à force de vivre ensemble, ils avaient fini par si bien se ressembler que nul ne doutait de leurs liens de parenté. Quand ils n'étaient pas occupés par un patient, ils sortaient arpenter le port et les magasins, se faisant des amis et se renseignant sur Joaquín Andieta. Eliza cuisinait et Tao Chi'en se fit très vite à ses plats, mais de temps en temps il s'échappait vers les restaurants chinois de la ville, où il pouvait se remplir la panse pour deux dollars, une affaire, vu qu'un oignon coûtait un dollar. Devant les autres, ils communiquaient par gestes, mais une fois seuls, ils parlaient en anglais. A part les insultes passagères en deux langues, ils passaient la majeure partie de leur temps à travailler côte à côte comme de bons camarades, et toutes les occasions étaient bonnes pour rire. Il était surpris de constater qu'il pouvait partager sa bonne humeur avec Eliza, malgré les écueils éventuels de la langue et les différences culturelles. Pourtant, c'étaient justement ces différences qui déclenchaient leurs fous rires : il avait du mal à croire qu'une femme puisse dire et faire de telles bêtises. Il l'observait avec curiosité et une incommensurable tendresse; il restait bouche bée d'admiration devant elle, lui attribuant le courage d'un guerrier, mais quand il la voyait faiblir, c'était une fillette qu'il fallait protéger. Elle avait pris un peu de poids et avait meilleure mine, mais elle était visiblement encore faible. Dès que le soleil se couchait, elle commençait à dodeliner de la tête, elle s'enveloppait alors dans sa couverture et s'endormait; lui se couchait à son côté. Ils s'habituèrent si bien à ces heures d'intimité, respirant à l'unisson, que leurs corps s'accordèrent tout seuls dans le sommeil, et si l'un se tournait, l'autre faisait de même, de sorte qu'ils ne se séparaient jamais. Parfois ils se réveillaient emmêlés dans les couvertures, enlacés. S'il se réveillait le premier, il profitait de ces instants qui lui ramenaient à la mémoire les heures heureuses passées auprès de Lin, sans bouger pour qu'elle ne perçoive pas son désir. Il ne se doutait pas qu'Eliza faisait la même chose, reconnaissante de cette présence masculine qui lui permettait d'imaginer ce qu'aurait été sa vie au côté de Joaquín Andieta, si elle avait eu plus de chance. Aucun des deux ne faisait jamais allusion à ce qui se passait durant la nuit, comme s'il s'agissait d'une existence parallèle dont ils n'avaient pas conscience. Une fois habillés, le charme secret de ces enlacements disparaissait complètement et ils redevenaient deux frères. En de rares occasions, Tao Chi'en partait seul pour de mystérieuses sorties nocturnes, il en revenait sans faire de bruit. Eliza n'avait pas besoin de demander quoi que ce fût, il lui suffisait de le flairer : il avait été avec une femme, elle pouvait même distinguer l'odeur douceâtre des Mexicaines. Elle restait terrée sous sa couverture, tremblante dans l'obscurité et attentive au moindre bruit autour d'elle, armée d'un couteau dans la main, apeurée, l'appelant en pensée. Eliza ne pouvait justifier ce désir de pleurer qui l'envahissait, comme si elle avait été trahie. Elle comprenait vaguement que les hommes pouvaient être différents des femmes ; pour sa part, elle ne ressentait aucunement le besoin de relations sexuelles. Les chastes enlacements nocturnes suffisaient à satisfaire son besoin de compagnie et de tendresse, mais quand elle pensait à son ancien amant, elle ne ressentait plus le désir éprouvé à l'époque de la pièce aux armoires. Eliza se demandait si, en elle, l'amour et le désir étaient la même chose et si, à défaut du premier, tout naturellement le second ne venait pas, ou si la longue maladie dans le bateau avait détruit quelque chose d'essentiel dans son corps. Un jour, elle s'enhardit à demander à Tao Chi'en si elle pourrait avoir à nouveau des enfants, car elle n'avait pas de règles depuis des mois. Il lui assura qu'une fois recouvrées ses forces et sa santé, tout reviendrait à la normale, c'était pour cela qu'il lui plantait ses aiguilles. Quand son ami se glissait silencieusement à son côté après ses escapades, elle feignait de dormir profondément, en fait elle restait éveillée pendant des heures, offusquée par l'odeur d'une autre femme entre eux. Depuis leur arrivée à San Francisco, elle avait retrouvé la réserve à laquelle Miss Rose l'avait habituée. Tao Chi'en l'avait vue nue pendant les semaines de la traversée en bateau et il la connaissait aussi bien au-dedans qu'au-dehors, mais il devina ses raisons, et ses questions se limitèrent à sa santé. Même quand il lui plantait les aiguilles, il prenait soin de ne pas choquer sa pudeur. Ils ne se déshabillaient pas en présence l'un de l'autre, et avaient un accord tacite pour respecter l'intimité du trou qui leur servait de latrines derrière la cabane, mais ils partageaient tout le reste, de l'argent jusqu'aux vêtements. Bien des années plus tard, relisant les notes dans son Journal correspondant à cette époque, Eliza se demanda avec étonnement pourquoi ils n'avaient pas voulu reconnaître l'attirance indéniable qu'ils ressentaient l'un pour l'autre, pourquoi ils se réfugiaient dans le sommeil pour avoir le prétexte de se toucher et pourquoi, pendant la journée, ils feignaient la froideur. Elle en conclut que l'amour avec une personne d'une autre race leur paraissait impossible, ils pensaient qu'il n'y avait pas de place pour un couple comme eux dans le monde.

— Tu ne pensais qu'à ton amant, lui dit Tao Chi'en, qui avait alors les cheveux gris.

— Et toi à Lin.

— En Chine on peut avoir plusieurs épouses, et Lin a toujours été tolérante.

— Mes grands pieds te répugnaient aussi, se moqua-t-elle.

— C'est vrai, répliqua-t-il avec le plus grand sérieux.

Juin vit s'abattre un été sans pitié, les moustiques se multiplièrent, les couleuvres sortirent de leurs trous pour se promener en toute impunité, et les plantes de Tao Chi'en poussèrent aussi robustes qu'en Chine. Les hordes d'argonautes continuaient à arriver, chaque fois plus nombreuses et rapprochées. Comme Sacramento était le port d'accès, il ne partageait pas le risque de dizaines d'autres agglomérations qui surgissaient comme des champignons aux abords des gisements aurifères, prospéraient rapidement et disparaissaient dès que le minerai d'accès facile s'épuisait. La ville grandissait à vue d'œil, de nouveaux magasins s'ouvraient et les terrains n'étaient plus gratuits, comme au début; ils se vendaient aussi cher qu'à San Francisco. Il existait une ébauche de gouvernement, et des assemblées se réunissaient avec une certaine fréquence pour prendre des décisions administratives. On vit apparaître des spéculateurs, des hommes de loi, des évangélistes, des joueurs professionnels, des bandits, des maquerelles avec leurs filles de joie et autres hérauts du progrès et de la civilisation. Des centaines d'hommes débordant d'espoir et d'ambition se dirigeaient vers les gisements, et d'autres, épuisés et malades, revenaient après des mois de dur labeur, bien décidés à jeter leur argent par les fenêtres. Le nombre de Chinois augmentait de jour en jour et, bientôt, deux bandes rivales firent leur apparition. Ces *tongs* étaient des clans fermés, leurs membres s'entraidaient comme des frères pour surmonter les difficultés de la vie quotidienne et celles liées au travail, mais ils favorisaient également la corruption et le crime. Parmi les nouveaux arrivés, il y avait un autre *zhong yi*, avec qui Tao Chi'en passait des heures de bonheur complet à comparer des traitements et à citer Confucius. Il lui rappelait Ebanizer Hobbs, parce qu'il ne se contentait pas des traitements traditionnels, il cherchait aussi des possibilités nouvelles.

— Nous devons étudier la médecine des *fan güey*, la nôtre n'est pas suffisante, lui disait-il, et son confrère était totalement d'accord, car plus il apprenait, plus il avait l'impression de ne rien savoir, et qu'il n'aurait jamais assez de temps pour combler ses lacunes.

Eliza organisa un négoce d'*empanadas* qu'elle vendait à prix d'or, d'abord aux Chiliens, ensuite aux Yankees, qui se mirent à les apprécier très vite. Elle commença à les confectionner avec de la viande de vache, quand elle pouvait en acheter aux Mexicains qui venaient avec leurs troupeaux depuis la région de Sonora, mais comme il y en avait rarement, elle essaya avec du cerf, du lièvre, de l'oie sauvage, de la tortue, du saumon et même de l'ours. Ses clients consommaient tout cela avec reconnaissance parce que l'alternative était les haricots noirs en boîte et le porc salé, l'invariable menu des mineurs. Personne n'avait le temps de chasser, de pêcher ou de cuisiner. On ne pouvait se procurer ni légumes ni fruits, et le lait était un luxe plus rare que le champagne ; cependant, il ne manquait pas de farine, de saindoux et de sucre, il y avait aussi des noix, du chocolat, certaines épices, des pêches et des prunes séchées. Elle faisait des tartes et des galettes avec le même succès que les *empanadas*, et aussi du pain dans un four en terre cuite qu'elle improvisa en s'inspirant de celui de Mama Fresia. Si elle trouvait des œufs et du lard, elle mettait une pancarte proposant le petit déjeuner, alors les hommes faisaient la queue pour s'installer en plein soleil devant une table branlante. Cette bonne cuisine, préparée par un Chinois sourd-muet, leur rappelait les dimanches en famille chez eux, très loin de là. L'abondant petit déjeuner, avec œufs au plat et lard, pain croustillant, tarte aux fruits et café à volonté, coûtait trois dollars. Certains clients, émus et reconnaissants parce qu'ils n'avaient pas goûté à quelque chose de semblable depuis des mois, déposaient un quatrième dollar dans le pot réservé aux pourboires. Un jour, au milieu de l'été, Eliza se présenta devant Tao Chi'en avec ses économies à la main.

— Avec ça nous pouvons acheter des chevaux et partir, lui annonça-t-elle.

— Où ça ?

— Chercher Joaquín.

— Le retrouver ne m'intéresse pas. Je reste.

— Tu ne veux pas connaître ce pays ? Ici il y a beaucoup de choses à voir et à apprendre, Tao. Pendant que je cherche Joaquín, toi tu peux acquérir ta fameuse sagesse.

— Mes plantes sont en train de pousser, et je n'aime pas aller comme ça à droite et à gauche.

— Bien. Moi je m'en vais.

— Seule tu n'iras pas loin.

— Nous verrons.

Cette nuit-là, ils dormirent chacun à l'extrémité de la

cabane, sans s'adresser la parole. Le lendemain, Eliza partit tôt pour acheter le nécessaire à son voyage, tâche difficile dans son personnage de muet; elle revint à quatre heures de l'après-midi avec un cheval mexicain, laid et à moitié pelé, mais robuste. Elle acheta aussi des bottes, deux chemises, de gros pantalons, des gants en cuir, un chapeau à large bord, une paire de sacs avec des aliments séchés, une assiette, un bol et une cuiller en laiton, un bon rasoir en acier, une gourde pour l'eau, un pistolet et un fusil qu'elle ne savait pas charger et dont elle savait encore moins se servir. Elle passa le reste de l'après-midi à s'occuper de ses affaires et à coudre ses bijoux et l'argent qui lui restait dans une bande en coton, la même qu'elle utilisait pour s'écraser les seins, et sous laquelle elle portait toujours sa liasse de lettres d'amour. Elle se résigna à laisser sa valise contenant les robes, les jupons et les bottines qu'elle conservait encore. Avec sa capeline de Castille elle improvisa une selle, comme elle l'avait vu faire tant de fois au Chili. Elle retira les vêtements de Tao Chi'en portés pendant des mois et essaya les nouveaux. Ensuite elle aiguisa sa lame sur une bande de cuir et se coupa les cheveux à hauteur de la nuque. Sa longue tresse noire tomba à terre comme un serpent mort. Elle se regarda dans un morceau de miroir cassé et fut satisfaite : avec le visage sale et les sourcils épaissis par un trait de charbon, le leurre serait parfait. Sur ce arriva Tao Chi'en, de retour d'une rencontre avec l'autre *zhong yi* et, l'espace d'un moment, il ne reconnut pas ce cow-boy armé qui avait envahi sa propriété.

— Demain je m'en vais, Tao. Merci pour tout, tu es plus qu'un ami, tu es mon frère. Tu me manqueras beaucoup...

Tao Chi'en ne répondit rien. A la tombée du jour, elle s'allongea tout habillée dans un coin et lui s'assit dehors, dans la brise estivale, pour compter les étoiles.

Le secret

Le soir où Eliza quitta Valparaiso cachée dans le ventre de l'*Emilia*, les trois Sommers dînèrent à l'Hôtel Anglais, invités par Paulina, l'épouse de Feliciano Rodríguez de Santa Cruz et rentrèrent tard chez eux à Cerro Alegre. Ils n'apprirent la disparition de la jeune fille qu'une semaine plus tard, car ils l'imaginaient dans l'hacienda d'Agustín del Valle, en compagnie de Mama Fresia.

Le lendemain, John Sommers signa son contrat comme capitaine du *Fortuna*, le superbe bateau à vapeur de Paulina. C'était un simple document comportant les termes de l'accord. Il leur avait suffi de se voir une fois pour entrer en confiance et ils n'avaient pas de temps à perdre en arguties légales, le désir d'atteindre la Californie était le seul but. Le Chili tout entier ne pensait qu'à ça, malgré les appels à la prudence publiés dans les journaux, et répétés dans des homélies apocalyptiques prêchées du haut des chaires d'église. Il fallut seulement quelques heures au capitaine pour constituer son équipage, car de longues files de postulants excités par la fièvre de l'or s'étiraient le long des quais. Beaucoup passaient la nuit à même le sol pour ne pas perdre leur tour. A la stupeur d'autres navigateurs, qui ne pouvaient connaître ses raisons, John Sommers refusa d'embarquer des passagers, de sorte que son bateau était pratiquement vide. Il ne donna aucune explication. Il avait un plan de flibustier visant à éviter que les marins désertent en arrivant à San Francisco, mais il se garda d'en révéler le contenu parce que, s'il l'avait fait, il n'en aurait pas retenu un seul. Il n'avertit pas non plus l'équipage qu'avant de gagner le Nord, ils iraient faire un tour insolite vers le Sud. Il attendait de se trouver en haute mer pour cela.

— Alors vous vous sentez capable de piloter mon bateau à vapeur et de contrôler l'équipage, n'est-ce pas, capitaine? lui demanda une fois encore Paulina en lui tendant le contrat pour la signature.

— Oui, madame, ne craignez rien. Je peux prendre la mer dans trois jours.

— Parfait. Vous savez ce dont on a besoin en Californie, capitaine? Des produits frais : fruits, légumes, œufs, bons fromages, charcuteries. C'est ce que nous allons vendre là-bas.

— Comment? Tout va arriver pourri...

— Nous allons les transporter dans de la glace, dit-elle imperturbable.

— Dans quoi?

— De la glace. Vous irez d'abord vers le sud chercher de la glace. Vous savez où se trouve la lagune de San Rafael?

— Près de Puerto Aisén.

— Je suis ravie de voir que vous connaissez ces contrées. On m'a dit qu'il y a un glacier bleu des plus beaux. Je veux que vous remplissiez le *Fortuna* avec des morceaux de glace. Qu'en pensez-vous?

— Excusez-moi, madame, je crois que c'est une folie.

— Parfaitement. C'est pour cela que personne n'en a eu l'idée. Emportez des tonnes de gros sel, une bonne provision de sacs et vous m'enveloppez des morceaux très gros. Ah! Je suppose qu'il faudra couvrir vos hommes pour qu'ils ne gèlent pas. Et pour finir, capitaine, faites-moi le plaisir de n'en rien dire à personne, pour que l'on ne nous vole pas l'idée.

En prenant congé, John Sommers était déconcerté. Il crut d'abord que cette femme avait perdu la raison, mais plus il y pensait, plus il prenait goût à cette aventure. D'autre part, il n'avait rien à perdre. Elle risquait de se ruiner ; lui, en revanche, touchait son salaire même si la glace fondait en chemin. Et si cette folie donnait des résultats, d'après le contrat il recevrait une prime conséquente. Une semaine plus tard, quand explosa la nouvelle de la disparition d'Eliza, il se dirigeait vers le glacier les chaudières crépitantes et il n'apprit l'événement qu'à son retour, quand il accosta à Valparaiso pour embarquer les marchandises préparées par Paulina. Celles-ci devaient être transportées dans un nid de neige préhistorique jusqu'en Californie, où son mari et son beau-frère les vendraient avec un gros bénéfice. Si tout se déroulait comme convenu, avec trois ou quatre voyages du *Fortuna*, elle aurait plus d'argent qu'elle n'en avait jamais rêvé. Elle avait calculé le temps que mettraient d'autres hommes d'affaires à copier son idée et lui faire concurrence. Quant à lui, il emportait également une bonne marchandise qu'il pensait vendre au plus offrant : des livres.

Ne voyant pas Eliza et sa nourrice revenir à la maison le jour convenu, Miss Rose envoya le cocher avec une note pour vérifier si la famille del Valle se trouvait toujours dans son hacienda, et si Eliza était en bonne santé. Une heure plus tard, la femme d'Agustín del Valle se présenta sur le seuil de la porte, très inquiète. Elle n'avait aucune nouvelle d'Eliza, dit-elle. La famille n'avait pas bougé de Valparaiso parce que son mari souffrait d'une crise de goutte. Elle n'avait pas vu Eliza depuis des mois. Miss Rose eut suffisamment de sang-froid pour dissimuler son étonnement : c'était une erreur, elle s'excusait, Eliza se trouvait chez une autre amie, elle avait confondu, elle la remerciait de s'être dérangée personnellement... Madame del Valle n'en crut rien, comme il fallait s'y attendre, et avant que Miss Rose n'ait le temps d'avertir son frère Jeremy au bureau, la fuite d'Eliza Sommers avait fait le tour de Valparaiso.

Le reste de la journée se passa pour Miss Rose en crises de

larmes, et pour Jeremy Sommers en conjectures. En fouillant dans la chambre d'Eliza, ils trouvèrent la lettre d'adieu et la relurent plusieurs fois pour y trouver une piste, en vain. Il leur fut impossible aussi de retrouver Mama Fresia pour l'interroger, et c'est alors qu'ils durent se rendre à l'évidence : cette femme avait travaillé dix-huit ans pour eux et ils ne connaissaient pas son nom de famille. Ils ne lui avaient jamais demandé d'où elle venait ou si elle avait de la famille. Mama Fresia, comme les autres serviteurs, appartenaient aux limbes imprécis des fantômes utiles.

— Valparaiso n'est pas Londres, Jeremy. Elles n'ont pas pu aller bien loin. Il faut partir à sa recherche.

— Tu vois le scandale lorsque nous commencerons à nous renseigner auprès de nos amis ?

— Peu importe ce que diront les gens ! La seule chose importante, c'est de retrouver Eliza vite, avant qu'elle fasse une bêtise.

— Franchement, Rose, si elle nous a abandonnés de cette façon, après tout ce que nous avons fait pour elle, c'est que la bêtise est déjà faite.

— Que veux-tu dire ? Quel genre de bêtise ? demanda Miss Rose atterrée.

— Un homme, Rose. C'est la seule raison pour laquelle une jeune fille peut commettre ce genre de folie. Tu sais cela mieux que quiconque. Avec qui Eliza peut-elle bien être ?

— Je n'en ai aucune idée.

Miss Rose en avait une idée très précise. Elle savait qui était le responsable de ce terrible malheur : ce type d'allure funèbre qui avait apporté les ballots chez eux quelques mois auparavant, l'employé de Jeremy. Elle ne connaissait pas son nom, mais elle allait se renseigner. Elle n'en dit rien à son frère cependant, parce qu'elle pensait qu'il était encore temps de tirer la jeune fille des pièges de l'amour contrarié. Elle se souvenait, avec une précision de notaire, de chaque détail de sa propre expérience avec le ténor viennois, l'impression ressentie alors était encore à fleur de peau. Elle ne l'aimait plus, certes, l'ayant arraché de son cœur depuis une éternité, mais il lui suffisait de murmurer son nom pour sentir une cloche carillonner dans sa poitrine. Karl Bretzner était la clé de son passé et de sa personnalité, sa fugace rencontre avec lui avait déterminé son destin et la femme qu'elle était devenue. Si elle devait retomber amoureuse comme jadis, elle referait la même chose, consciente cependant de la façon dont cette passion avait brisé sa vie. Eliza aurait peut-être plus de chance, et pourrait vivre son amour ; son amant était sans doute libre, sans enfants et sans femme trompée. Elle devait retrouver la jeune fille, affronter le maudit séducteur, les obliger à se marier, et ensuite présenter les faits tels quels à Jeremy qui, à la longue, finirait par les accepter. Cela ne serait pas aisé, étant donné la rigidité de son frère pour les questions d'honneur, mais si ce dernier lui avait pardonné, il pouvait pardonner à Eliza. Sa tâche consisterait à le persuader. Elle n'avait pas joué le rôle de mère pendant tant d'années pour se croiser les bras quand sa fille unique commettait une erreur, se dit-elle avec résolution.

Tandis que Jeremy Sommers s'enfermait dans un silence prudent et digne qui, malgré tout, ne le protégea pas des commérages qui allaient bon train, Miss Rose s'activa. Il lui fallut quelques jours pour découvrir l'identité de Joaquín Andieta et, horrifiée, elle apprit que ce n'était rien moins qu'un fugitif de la justice. Il était accusé d'avoir falsifié la comptabilité de la *Compagnie Britannique d'Import-Export* et d'avoir volé de la marchandise. Elle comprit toute la gravité de la situation : Jeremy n'accepterait jamais un tel individu dans sa famille. Pis encore, dès qu'il aurait mis le grappin sur son ancien employé, il l'enverrait aussitôt en prison, même s'il était le mari d'Eliza. A moins qu'elle ne trouve le moyen de le contraindre à retirer les charges pesant sur cette vermine et de laver son nom pour le bien de nous tous, marmonna Miss Rose, furieuse. Il lui fallait d'abord retrouver les amants, ensuite elle aviserait. Se gardant bien de parler de sa trouvaille, elle passa le reste de la semaine à faire des recherches à droite et à gauche, jusqu'au jour où, à la librairie Santos Tornero, on lui parla de la mère de Joaquín Andieta. Elle trouva son adresse en demandant tout simplement dans les églises; comme elle le supposait, les curés catholiques tenaient le registre de leurs paroissiens.

Le vendredi à midi, elle se présenta devant la femme. Miss Rose était gonflée de vanité, animée par une juste indignation et disposée à lui dire ses quatre vérités, mais à mesure qu'elle avançait dans les ruelles tortueuses de ce quartier où elle n'avait jamais mis les pieds, elle perdait de sa superbe. Elle regretta d'avoir choisi la robe qu'elle portait, ce chapeau trop orné et ces bottines blanches, elle se sentit ridicule. Elle frappa à la porte, confondue par un sentiment de honte, qui devint de la franche humilité en se retrouvant en face de la mère d'Andieta. Elle n'aurait jamais imaginé un tel désastre. C'était une petite femme de rien du tout, avec des yeux fiévreux et une expression triste. Elle lui apparut comme une vieille femme, mais en la regardant de plus près, Miss Rose constata que cette femme était encore jeune et avait été belle; elle était visiblement malade. Elle la reçut sans marquer de surprise, habituée aux femmes riches qui venaient lui commander des travaux de couture et de broderie. Elles se passaient le mot, et il n'y avait rien d'étrange à ce qu'une dame inconnue frappe à sa porte. Cette fois, il s'agissait d'une étrangère, elle pouvait le deviner à sa robe couleur papillon, une Chilienne n'aurait jamais osé s'habiller de la sorte. Elle la salua sans un sourire et l'invita à entrer.

— Asseyez-vous, je vous en prie, madame. Je vous écoute.

Miss Rose prit place sur le rebord d'une chaise et ne put articuler un mot. Tout ce qu'elle avait échafaudé dans son esprit s'envola en un éclair de totale compassion pour cette femme, pour Eliza et pour elle-même. Un torrent de larmes vint lui baigner le visage et le cœur. La mère de Joaquín Andieta, troublée, prit une de ses mains dans les siennes.

— Que vous arrive-t-il, madame ? Je peux vous aider ?

Et alors Miss Rose lui raconta précipitamment, dans son espagnol d'étrangère, que sa fille unique avait disparu depuis plus d'une semaine, elle était amoureuse de Joaquín, ils s'étaient connus quelques mois auparavant et, depuis lors, la jeune fille n'avait plus été la même, elle était folle d'amour, tout le monde pouvait s'en rendre compte, sauf elle qui, égoïste et distraite, ne s'en était pas préoccupée à temps, et maintenant il était trop tard parce que tous deux avaient pris la fuite, Eliza avait ruiné sa vie comme elle-même avait ruiné la sienne. Et Miss Rose continua à raconter une chose après l'autre sans pouvoir se retenir, au point qu'elle raconta à cette étrangère ce qu'elle n'avait jamais dit à personne, lui parla de Karl Bretzner et de leurs amours orphelines, et les vingt années passées depuis dans son cœur endormi et dans son ventre vide. Elle pleura tout son soûl les pertes silencieuses tout au long de sa vie, les colères rentrées par bonne éducation, les secrets chargés sur le dos comme des fers de prisonnier pour garder les apparences, et l'ardente jeunesse gâchée par simple malchance d'être née femme. Et quand finalement elle ne trouva plus la force de sangloter, elle resta assise là, sans comprendre ce qui venait de lui arriver, ni d'où venait ce soulagement diaphane qui commençait à l'envahir.

— Buvez un peu de thé, dit la mère de Joaquín Andieta après un très long silence, glissant une tasse ébréchée dans sa main.

— S'il vous plaît, je vous en conjure, dites-moi si Eliza et votre fils sont amants. Je ne suis pas folle, n'est-ce pas ? murmura Miss Rose.

— C'est possible, madame. Joaquín aussi était tout retourné, mais il ne m'a jamais dit le nom de la jeune fille.

— Aidez-moi, je dois retrouver Eliza...

— Je peux vous assurer qu'elle n'est pas avec Joaquín.

— Comment le savez-vous ?

— Vous ne dites pas que la petite a disparu seulement depuis une semaine ? Mon fils est parti en décembre.

— Il est parti ? Où donc ?

— Je ne sais pas.

— Je vous comprends, madame. A votre place, j'essaierais aussi de le protéger. Je sais que votre fils a des problèmes avec la justice. Je vous donne ma parole d'honneur que je l'aiderai, mon frère est le directeur de la *Compagnie Britannique* et il fera ce que je lui demanderai. Je ne dirai à personne où se trouve votre fils, je veux seulement parler avec Eliza.

— Votre fille et Joaquín ne sont pas ensemble, croyez-moi.

— Je sais qu'Eliza l'a suivi.

— Elle ne peut pas l'avoir suivi, madame. Mon fils est parti en Californie.

Le jour où le capitaine John Sommers revint à Valparaiso avec le *Fortuna* chargé de glace bleue, il trouva son frère et sa sœur qui l'attendaient sur le quai, comme toujours, mais il lui suffit de voir leurs visages pour comprendre qu'une chose très grave était arrivée. Rose était livide. A peine l'eut-elle embrassé que, ne pouvant se retenir, elle fondit en larmes.

— Eliza a disparu, l'informa Jeremy avec une telle rage qu'il avait du mal à s'exprimer.

Dès qu'ils se retrouvèrent seuls, Rose raconta à John ce qu'elle avait appris auprès de la mère de Joaquín Andieta. Durant ces journées interminables à attendre son frère favori et tâchant de recoller les morceaux, elle s'était convaincue que la jeune fille avait suivi son amant en Californie, car à sa place elle en aurait sans doute fait autant. Le lendemain, John Sommers passa la journée à faire des recherches dans le port, ainsi apprit-il qu'Eliza n'avait pris de billet pour aucun bateau et qu'elle ne figurait sur aucune liste de voyageurs. En revanche, les autorités avaient enregistré un certain Joaquín Andieta, embarqué en décembre. Il se dit que la jeune fille avait changé de nom pour brouiller les pistes et il fit le même parcours en donnant sa description détaillée, mais personne ne l'avait vue.

Une jeune fille, presque une fillette, voyageant seule ou accompagnée par une Indienne, aurait attiré immédiatement l'attention, lui assura-t-on. De plus, très peu de femmes se rendaient à San Francisco, il s'agissait toujours de femmes légères et, de temps en temps, de l'épouse d'un capitaine ou d'un commerçant.

— Elle ne peut avoir embarqué sans laisser de traces, Rose, conclut le capitaine après un récit détaillé de ses recherches.

— Et Andieta ?

— Sa mère ne t'a pas menti. Son nom apparaît sur une liste.

— Il s'est approprié certaines marchandises de la *Compagnie Britannique*. Je suis sûre qu'il l'a fait uniquement parce qu'il n'avait pas d'autre moyen de financer son voyage. Jeremy ne soupçonne pas que le voleur qu'il recherche est l'amoureux d'Eliza, et j'espère qu'il ne l'apprendra jamais.

— Tu n'es pas lasse de tant de secrets, Rose ?

— Que veux-tu que je fasse ? Ma vie est faite d'apparences, pas de vérités. Jeremy est comme une pierre, tu le connais aussi bien que moi. Qu'allons-nous faire pour la petite ?

— Je pars en Californie demain, le vapeur est déjà chargé. S'il est vrai qu'il y a très peu de femmes là-bas, il sera facile de la retrouver.

— Ce n'est pas suffisant, John !

— Tu as une meilleure idée ?

Ce soir-là, à l'heure du dîner, Miss Rose insista une fois encore sur la nécessité d'utiliser tous les moyens à leur portée pour retrouver la jeune fille. Jeremy, qui s'était maintenu à l'écart de la frénétique activité de sa sœur, sans donner un seul conseil ou exprimer un seul sentiment, excepté l'ennui de se voir mêlé à un scandale public, dit qu'Eliza ne méritait pas un tel remue-ménage.

— Ce climat d'hystérie est très désagréable. Je suggère que vous vous calmiez. Pourquoi la cherchez-vous ? Même si vous la retrouvez, elle ne remettra pas les pieds dans cette maison, annonça-t-il.

— Eliza ne signifie rien pour toi ? lui lança Miss Rose.

— Ce n'est pas le problème. Elle a commis une faute impardonnable et elle doit en payer les conséquences.

— Comme moi pendant presque vingt ans ?

Un silence glacé tomba dans la salle à manger. Ils n'avaient jamais évoqué ouvertement le passé, et Jeremy ne savait même pas si John était au courant de la liaison de sa sœur avec le ténor viennois, parce qu'il s'était bien gardé de le lui dire.

— Quelles conséquences, Rose ? Tu as été pardonnée et accueillie. Tu n'as rien à me reprocher.

— Pourquoi avoir été si généreux avec moi et ne pas l'être avec Eliza ?

— Parce que tu es ma sœur et que mon devoir est de te protéger.

— Eliza est comme ma fille, Jeremy !

— Mais elle ne l'est pas. Nous n'avons aucune obligation envers elle : Eliza ne fait pas partie de cette famille.

— Si, elle en fait partie ! cria Miss Rose.

— Suffit ! interrompit le capitaine en donnant un coup de poing sur la table qui fit danser les assiettes et les verres.

— Si, elle en fait partie, Jeremy. Eliza est ici dans sa famille, répéta Miss Rose en sanglotant, le visage entre les mains. C'est la fille de John...

Alors Jeremy écouta son frère et sa sœur raconter le secret qu'ils avaient gardé pendant seize ans. Cet homme peu bavard, tellement maître de lui qu'il paraissait imperméable à toute émotion, explosa pour la première fois, et tout ce qu'il avait tu pendant quarante-six ans de parfait flegme britannique jaillit comme un torrent, le noyant dans une marée de reproches, de rage et d'humiliation : car il faut voir comme j'ai été bête, mon Dieu, vivant sous le même toit dans un nid de mensonges sans me douter de rien, convaincu que mon frère et ma sœur étaient des gens comme il faut et que la confiance régnait entre nous, alors que tout n'était que bourdes, duperies, et qui sait combien d'autres choses que vous m'avez systématiquement cachées, mais ça c'est le comble, pourquoi diable ne me l'avez-vous pas dit, qu'ai-je fait pour que vous me traitiez comme un monstre, pour mériter qu'on me manipule de la sorte, que vous profitiez de ma générosité et que vous me méprisiez en même temps, parce que cette façon de me manœuvrer et de m'exclure n'est rien d'autre que du mépris, vous avez besoin de moi pour payer les factures, toute la vie il en a été ainsi, depuis que nous étions enfants, vous vous êtes toujours moqués dans mon dos...

Muets, sans trouver les mots pour se justifier, Rose et John supportèrent le déballage, et quand Jeremy ne sut plus quoi dire, il régna un long silence dans la salle à manger. Tous trois étaient exténués. Pour la première fois dans leur vie, ils s'affrontaient sans le masque des bonnes manières et de la politesse. Quelque chose de fondamental, qui les avait soutenus comme dans le fragile équilibre d'une table à trois pieds, semblait brisé à jamais. Cependant, à mesure qu'il retrouvait son souffle, les traits de Jeremy reprenaient l'expression impénétrable et arrogante de toujours ; simultanément, il remettait en place une mèche tombée sur son front et arrangeait sa cravate tordue. Alors Miss Rose se leva, s'approcha de la chaise et, par-derrière, posa une main sur son épaule, le seul geste intime qu'elle s'enhardit à effectuer, sentant sa poitrine souffrir de tendresse pour ce frère solitaire, cet homme silencieux et mélancolique qui avait été comme un père, et qu'elle ne s'était jamais donné la peine de regarder dans les yeux. A la vérité, elle ne savait rien de lui et, de sa vie, elle ne l'avait touché.

Seize ans auparavant, le matin du 15 mars 1832, Mama Fresia sortait dans le jardin et trébuchait sur une caisse ordinaire de savons de Marseille recouverte d'un papier journal. Intriguée, elle s'approcha pour voir ce que c'était et, soulevant le papier, elle découvrit un nouveau-né. Elle courut jusqu'à la maison en poussant des cris et, un instant plus tard, Miss Rose se penchait sur le bébé. Elle avait alors vingt ans, elle était fraîche et belle comme une pêche, portait une robe couleur topaze et le vent agitait ses cheveux, comme Eliza se la rappelait ou se l'imaginait. Les deux femmes soulevèrent la caisse et l'emmenèrent dans la petite salle de couture où elles retirèrent les papiers et en sortirent la fillette mal enveloppée dans un chandail en laine. Elle n'était pas restée longtemps dehors, en déduirent-elles, parce que, malgré le vent matinal, son corps était tiède et elle dormait d'un sommeil placide. Miss Rose demanda à l'Indienne d'aller chercher une couverture propre, des draps et des ciseaux pour improviser des langes. Quand Mama Fresia revint, le chandail avait disparu et le bébé nu criait dans les bras de Miss Rose.

— J'ai reconnu le chandail tout de suite. C'est moi-même qui l'avais tricoté pour John l'année précédente. Je l'ai caché parce que tu l'aurais reconnu, expliqua-t-elle à Jeremy.

— Qui est la mère d'Eliza, John ?

— Je ne me souviens pas de son nom...

— Tu ne sais pas comment elle s'appelle ! Combien de bâtards as-tu semés de par le monde ? s'exclama Jeremy.

— C'était une fille du port, une jeune Chilienne, je m'en souviens comme d'une fille très jolie. Je ne l'ai jamais revue et n'ai jamais su qu'elle était enceinte. Quand Rose m'a montré le chandail, quelques années plus tard, je me suis rappelé l'avoir prêté à cette jeune fille sur la plage parce qu'il faisait froid, ensuite j'ai oublié de le lui réclamer. Tu dois comprendre, Jeremy, c'est la vie des marins. Je ne suis pas un animal...

— Tu étais ivre.

— C'est possible. Quand j'ai compris qu'Eliza était ma fille, j'ai essayé de retrouver la mère, mais elle avait disparu. Elle est peut-être morte, je ne sais pas.

— Pour une raison ou pour une autre, cette femme a décidé que nous devions élever cette fillette, Jeremy, et jamais je n'ai regretté de l'avoir fait. Nous lui avons donné de l'affection, une vie agréable, une éducation. La mère ne pouvait peut-être rien lui donner, c'est pour cela qu'elle nous a amené Eliza enveloppée dans le chandail, pour que nous sachions qui était le père, ajouta Miss Rose.

— C'est tout? Un chandail? Cela ne prouve absolument rien! N'importe qui peut être le père. Cette femme s'est débarrassée de l'enfant avec beaucoup d'astuce.

— Je craignais ce genre de réaction, Jeremy. C'est justement pour ça que je ne t'en ai pas parlé à l'époque, répliqua sa sœur.

Trois semaines après avoir pris congé de Tao Chi'en, Eliza se trouvait en compagnie de cinq mineurs qui lavaient de l'or sur les berges du rio Americano. Elle n'avait pas voyagé seule. Le jour de son départ de Sacramento, elle avait rejoint un groupe de Chiliens qui partaient vers les gisements d'or. Ces derniers avaient acheté des montures, mais aucun ne s'y connaissait en animaux, et les Mexicains maquillaient habilement l'âge et les défauts des chevaux et des mules. C'étaient des bêtes pathétiques avec des plaques de pelade camouflées sous de la peinture, et droguées, tant et si bien qu'après quelques heures de marche, elles avaient perdu de leur force et traînaient la patte en boitant. Chaque cavalier transportait un chargement d'outils, d'armes et de vaisselle en laiton, et la triste caravane avançait à pas lents au milieu d'un vacarme d'objets métalliques. En chemin, ils se séparaient de ces objets au pied des croix qui parsemaient le paysage pour indiquer les morts. Eliza se présenta sous le nom d'Elías Andieta, arrivé depuis peu du Chili, envoyé par sa mère pour rechercher son frère Joaquín et prêt à arpenter la Californie du Nord et du Sud pour faire son devoir.

— Quel âge as-tu, gamin? lui demanda-t-on.

— Dix-huit ans.

— Tu en parais quatorze. Tu n'es pas un peu jeune pour chercher de l'or?

— J'ai dix-huit ans et je ne cherche pas d'or, je cherche mon frère Joaquín, répondit-elle.

Les Chiliens étaient jeunes, gais, et conservaient encore l'enthousiasme qui les avait poussés à quitter leur pays et à s'aventurer si loin, même s'ils commençaient à se rendre compte que les rues n'étaient pas pavées de trésors, comme on le leur avait raconté. Au début, Eliza ne leur montrait pas son visage et gardait son chapeau sur les yeux, mais elle constata très vite que les hommes se regardent peu les uns les autres. Ils se dirent une fois pour toutes qu'il s'agissait d'un garçon et ne s'étonnèrent pas des formes de son corps, de sa voix et de ses habitudes. Chacun étant occupé à ses affaires, ils n'avaient pas remarqué qu'elle n'urinait pas en même temps qu'eux, et quand ils tombaient sur une pièce d'eau pour se rafraîchir, si eux se déshabillaient, elle se baignait tout habillée, son chapeau sur la tête, disant qu'elle en profitait pour laver son linge. D'autre part, la propreté était de loin le moins important et, au bout de quelques jours, elle était aussi sale et transpirait autant que ses compagnons. Elle découvrit que la crasse réunit tout le monde dans la même abjection; son nez de fin limier pouvait à peine distinguer l'odeur de son corps de celles des autres. La grosse toile de ses pantalons lui râpait les jambes, elle n'avait pas l'habitude de chevaucher sur de longues distances et, au deuxième jour, elle avait du mal à faire un pas avec ses fesses à vif; mais les autres étaient également des citadins et souffraient tout autant qu'elle. Le temps sec et chaud, la soif, la fatigue et l'assaut permanent des moustiques lui ôtèrent bientôt l'envie de rire. Ils avançaient en silence, au son de leur vacarme métallique, découragés avant même de faire le premier pas. Ils explorèrent la région pendant des semaines afin de trouver un endroit propice où s'installer pour chercher de l'or, moments mis à profit par Eliza pour se renseigner sur Joaquín Andieta. Les indices recueillis ou les cartes mal tracées ne servaient pas à grand-chose, et quand ils tombaient sur une bonne laverie, ils trouvaient des centaines de mineurs arrivés avant eux. Chaque individu avait le droit de réclamer cent pieds carrés. Il marquait son terrain en travaillant tous les jours et laissait ses outils sur place quand il s'absentait, mais s'il partait pour plus de dix jours, un autre pouvait l'occuper et l'enregistrer à son nom. Les pires crimes, envahir le terrain d'autrui avant le délai et s'emparer de ses biens, se payaient par la corde ou le fouet, après un jugement sommaire où les mineurs faisaient office de juges, de jurés et de bourreaux. Partout ils croisèrent des groupes de Chiliens. Se reconnaissant à leurs vêtements et à leur accent, ils s'embrassaient avec émotion, partageaient le *mate*, l'eau-de-vie et le *charqui*, se racontaient en des récits colorés leurs mésaventures et chantaient des chansons nostalgiques sous les étoiles, mais le lendemain ils se séparaient, avec peu de temps pour les effusions. Eliza reconnut, à certain accent précieux et au genre des conversations, des petits messieurs de Santiago, gommeux semi-aristocrates qui, quelques mois auparavant, portaient redingote, bottes vernies, gants de chevreau et cheveux gominés. Dans les gisements, il était quasiment impossible de les différencier des individus les plus rustres, avec qui ils travaillaient d'égal à égal. Les simagrées et les préjugés de classe partaient en fumée au contact de la réalité brutale des mines, mais pas la haine raciale, qui au moindre prétexte explosait en bagarres. Les Chiliens, plus nombreux et entreprenants que d'autres membres de la communauté hispanique, s'attiraient la haine des *gringos*. Eliza apprit qu'à San Francisco, un groupe d'Australiens ivres avait attaqué le Petit Chili, déchaînant une bataille rangée. Dans les gisements aurifères œuvraient plusieurs compagnies chiliennes qui avaient fait venir des péons des campagnes, paysans qui depuis des générations subissaient le système féodal et qui travaillaient pour un salaire de misère. Ils ne s'étonnaient donc pas que l'or fût la propriété du patron et non de celui qui le trouvait. Aux yeux des Yankees, ce n'était ni plus ni moins que de l'esclavage. Les lois américaines favorisaient les individus : chaque propriété se réduisait à l'espace qu'un homme seul pouvait exploiter. Les compagnies chiliennes contournaient la loi en enregistrant les droits au nom de chacun des péons afin d'obtenir un terrain plus vaste.

Il y avait des Blancs de diverses nationalités portant des chemises en flanelle, des pantalons rentrés dans les bottes et une paire de revolvers ; des Chinois en vestes matelassées et culottes amples ; des Indiens en vestes militaires en piteux état et le derrière à l'air ; des Mexicains avec des habits en coton blanc et d'immenses chapeaux ; des Sud-Américains en ponchos courts et avec de larges ceinturons de cuir où ils mettaient le couteau, le tabac, la poudre et l'argent ; des voyageurs des îles Sandwich, pieds nus et portant des bandes de soie brillante. Tout ce monde, dans un mélange de couleurs, de cultures, de religions et de langues, avait une obsession commune. Eliza demandait à chacun s'il connaissait Joaquín Andieta et priait la personne de faire savoir que son frère Elías le cherchait. Plus elle pénétrait dans ce territoire, plus elle se rendait compte de son immensité et plus elle comprenait la difficulté de retrouver un jour son amant parmi les cinquante mille étrangers qui pullulaient de toutes parts.

Le groupe de Chiliens exténués décida finalement de s'installer. Ils étaient arrivés dans la vallée du rio Americano sous une chaleur de fournaise, avec seulement deux mules et le cheval d'Eliza, les autres bêtes ayant succombé en chemin. La terre était sèche et craquelée, sans autre végétation que des pins et des chênes, mais une rivière claire et torrentielle descendait en sautillant sur les pierres depuis les montagnes, traversant la vallée comme un ruban. De chaque côté de la rivière il y avait des rangées interminables d'hommes qui creusaient et remplissaient des bassines de terre fine, qu'ils tamisaient ensuite à l'aide d'un objet en forme de berceau. Ils travaillaient en plein soleil, les jambes dans l'eau glacée et les vêtements trempés ; ils dormaient à même le sol sans lâcher leurs armes, mangeaient du pain dur et de la viande salée, buvaient de l'eau contaminée par les centaines d'excavations en amont, et de l'alcool tellement frelaté que beaucoup se retrouvaient le foie en charpie ou sombraient dans la folie. Eliza assista à la mort de deux hommes en quelques jours. Les voyant se tortiller de douleur, transpirer une écume cholérique, elle rendit grâce à la science de Tao Chi'en qui lui interdisait de boire de l'eau non bouillie. Même si elle avait très soif, elle attendait jusqu'au soir, lorsqu'ils installaient leur campement, pour se préparer du thé ou du *mate*. De temps en temps, des cris de joie éclataient : quelqu'un avait trouvé une pépite d'or. La majorité, cependant, se contentait de séparer quelques grammes précieux parmi des tonnes de terre inutile. Quelques mois auparavant, on pouvait encore voir l'or briller dans l'eau limpide, mais maintenant la nature était sens dessus dessous à cause de la cupidité humaine. Le paysage était défiguré par des collines de terre et de pierres, des trous énormes, des cours d'eau et des affluents détournés de leur lit, formant d'innombrables mares, par des milliers de troncs amputés où jadis il y avait une forêt. Pour parvenir jusqu'au métal, il fallait la détermination d'un titan.

Eliza ne voulait pas rester, mais elle était épuisée et se sentait incapable de continuer à chevaucher seule à la dérive. Ses compagnons occupèrent une parcelle à l'extrémité de la rangée de mineurs, assez loin du petit village qui commençait à surgir à cet endroit, avec sa taverne et son magasin où l'on trouvait les produits de première nécessité. Leurs voisins étaient trois hommes originaires de l'Oregon qui travaillaient et s'enivraient avec une persévérance incroyable, et qui ne perdirent pas leur temps à saluer les nouveaux arrivés. Au contraire, ils leur firent aussitôt savoir qu'ils ne reconnaissaient pas le droit aux *crasseux* d'exploiter le sol américain. Un des Chiliens les affronta en avançant l'argument qu'eux non plus n'avaient aucun droit sur cette terre, qui appartenait aux Indiens, et la bagarre aurait éclaté si les autres n'étaient intervenus pour calmer les esprits. Il y avait un bruit ininterrompu de pelles, de pics, d'eau, de pierres qui roulaient, de malédictions, mais le ciel était limpide et l'air sentait la feuille de laurier. Les Chiliens se laissèrent glisser à terre, morts de fatigue, tandis que le faux Elías Andieta faisait un feu pour préparer du café et donnait à boire à son cheval. Par pitié, elle en donna aussi aux pauvres mules, même si elles ne lui appartenaient pas, et les soulagea de leurs charges pour leur permettre de souffler. Voyant que la fatigue lui brouillait la vue et qu'elle contrôlait difficilement le tremblement de ses genoux, Eliza comprit que Tao Chi'en avait raison quand il lui parlait de la nécessité de récupérer des forces avant de se lancer dans une telle aventure. Elle pensa à la petite maison de planches et de toiles à Sacramento où, à cette heure, il devait méditer ou écrire, avec pinceau et encre de Chine, de sa belle calligraphie. Elle sourit, étonnée que sa nostalgie ne la renvoyât pas vers la paisible petite salle de couture de Miss Rose ou vers la tiède cuisine de Mama Fresia. Comme j'ai changé, soupira-t-elle, en regardant ses mains brûlées par le soleil inclément et pleines d'ampoules.

Le lendemain, ses camarades l'envoyèrent au magasin acheter l'indispensable pour survivre et un de ces berceaux servant à tamiser la terre, parce qu'ils constatèrent que cet instrument était beaucoup plus efficace que leurs simples batées. La seule rue du village, si on pouvait appeler ainsi cet amas informe, était un bourbier parsemé de déchets. Le magasin, une cabane faite de troncs et de planches, était le noyau de la vie sociale dans cette communauté d'hommes solitaires. On y vendait un peu de tout, on servait de l'alcool en gros et de la nourriture. Le soir, quand les mineurs venaient boire un verre, un violoniste mettait de l'ambiance en jouant des mélodies, alors quelques hommes accrochaient un mouchoir à leur ceinture, signalant ainsi qu'ils tenaient le rôle de la femme, tandis que les autres les faisaient danser. Il n'y avait aucune femme à plusieurs milles à la ronde, mais de temps en temps passait un wagon tiré par des mules et chargé de prostituées. Ils les attendaient avec anxiété et les récompensaient généreusement. Le propriétaire du magasin était un mormon loquace et de bonne composition, qui avait trois épouses dans l'Utah et faisait crédit à quiconque se convertissait à sa foi. Il prônait l'abstinence et, tout en vendant de l'alcool, prêchait contre le vice de la boisson. Il avait entendu parler d'un certain Joaquín et le nom de famille lui paraissait être Andieta, dit-il à Eliza quand elle l'interrogea, mais ce Joaquín était passé par là il y avait longtemps et il ne pouvait dire quelle direction il avait prise. Il s'en souvenait parce que le garçon avait été mêlé à une bagarre entre Américains et Espagnols à propos d'une parcelle. Chiliens ? Peut-être, il savait seulement qu'il parlait l'espagnol, il aurait pu être mexicain, dit-il, pour lui tous les *crasseux* se ressemblaient.

— Et finalement, que s'est-il passé ?

— Les Américains se sont approprié le terrain et les autres ont dû partir. Que pouvait-il se passer d'autre ? Joaquín et un autre homme sont restés ici dans le magasin deux ou trois jours. J'avais mis des couvertures là, dans un coin, et je les ai laissés se reposer jusqu'à ce qu'ils reprennent des forces, car ils étaient mal fichus. Ils n'étaient pas méchants. Je me souviens de ton frère, c'était un garçon avec des cheveux noirs et de grands yeux, assez beau.

— C'est lui, dit Eliza, le cœur battant à tout rompre.

TROISIÈME PARTIE

1850-1853

Eldorado

Ils amenèrent l'ours, deux hommes de chaque côté tirant sur les grosses cordes, au milieu d'une foule excitée. Ils le traînèrent jusqu'au centre de l'arène et l'attachèrent par une patte à un poteau, avec une chaîne de vingt pieds, puis il leur fallut quinze minutes pour le détacher, tandis qu'il lançait des coups de griffes et mordait avec une colère de fin du monde. Il pesait plus de six cents kilos, avait la peau d'un brun sombre, un œil mort, des plaques sans poils et des cicatrices d'anciennes bagarres sur le flanc, mais il était encore jeune. Une bave écumeuse couvrait sa mâchoire aux énormes dents jaunes. Dressé sur ses pattes arrière, il donnait des coups inutiles avec ses griffes préhistoriques et regardait la foule de son œil valide, tirant désespérément sur sa chaîne.

C'était un hameau surgi en quelques mois du néant, construit par des transfuges en un rien de temps, sans ambition de durer. A défaut d'une arène pour taureaux, comme il y en avait dans tous les villages mexicains de Californie, ils disposaient d'un ample cercle dégagé qui servait à dompter les chevaux et enfermer les mules, renforcé de planches et pourvu de galeries en bois pour accueillir le public. Cet après-midi de novembre, le ciel d'acier était menaçant, mais il ne faisait pas froid et la terre était sèche. Derrière la palissade, des centaines de spectateurs répondaient à chaque rugissement de l'animal par un chœur de moqueries. Les seules femmes, une demi-douzaine de jeunes Mexicaines vêtues de robes blanches brodées et fumant leurs éternels petits cigares, avaient autant de succès que l'ours. Les hommes les saluaient en criant des *olé*, tandis que les bouteilles d'alcool et les bourses d'or des paris circulaient de main en main. Les joueurs, en tenue de ville, portant gilets fantaisie, larges cravates et chapeaux haut de forme, se distinguaient de la masse populaire et échevelée. Trois musiciens jouaient sur leurs violons les airs à la mode, et à peine eurent-ils attaqué, avec brio, *O Susana*, l'hymne des mineurs, que deux comédiens barbus, habillés en femmes, sautèrent dans l'arène et firent un tour olympique entre obscénités et jeux de main, soulevant leurs jupes pour montrer des jambes velues et des caleçons à volants. Le public les encouragea avec une généreuse pluie de pièces de monnaie, et un crépitement d'applaudissements et d'éclats de rire. Quand ils se retirèrent, un solennel coup de cornet et un roulement de tambour annoncèrent le début du combat, suivis par un hurlement de la foule électrisée.

Perdue dans la masse, Eliza suivait le spectacle avec fascination et horreur. Elle avait parié le peu d'argent qui lui restait, espérant le faire fructifier dans les prochaines minutes. Au troisième coup de cornet, on souleva une lourde porte en bois et un jeune taureau, noir et brillant, entra en soufflant. L'espace d'un instant, il régna un silence émerveillé dans les galeries, puis un *olé!* hurlé accueillit l'animal. Le taureau s'immobilisa, déconcerté, la tête en l'air, couronnée de longues cornes non limées, les yeux alertes calculant les distances, les pattes avant raclant le sable, jusqu'à ce qu'un grognement de l'ours capte son attention. Son adversaire l'avait vu et il creusait à toute allure un trou, à quelques pas du poteau, où il se recroquevilla puis s'aplatit contre le sol. Aux hurlements du public, le taureau baissa la tête, tendit ses muscles et s'élança en soulevant un nuage de sable, fou de colère, respirant fort, rejetant de la vapeur par le nez et de la bave par la gueule.

L'ours l'attendait. Il reçut le premier coup de cornes dans le flanc, qui ouvrit une blessure sanguinolente dans sa peau épaisse, mais qui ne le déplaça pas d'un pouce. Le taureau fit le tour de l'arène au trot, confondu, tandis que la foule l'encourageait par des insultes, puis il chargea à nouveau, essayant de soulever l'ours avec ses cornes, mais celui-ci resta allongé et accueillit le châtiment sans réagir. Alors, estimant le moment propice, l'ours donna un coup de patte bien placé et lui déchira le nez. Perdant des flots de sang, accablé de douleur et ne sachant plus où il était, le taureau commença à attaquer à coups de cornes, blessant son adversaire à plusieurs reprises, sans parvenir à le faire sortir de son trou. Soudain, l'ours se leva et, le saisissant par le cou dans une étreinte terrible, il lui planta ses crocs dans la nuque. Durant de longues minutes ils dansèrent ensemble dans le cercle délimité par la chaîne, tandis que le sang inondait le sol et que dans les galeries retentissait le hurlement des hommes. Parvenant finalement à se dégager, le taureau s'éloigna de quelques pas, vacillant, les pattes molles, sa peau de brillante obsidienne teintée de rouge, puis ses genoux fléchirent et il s'effondra en avant. Alors une immense clameur accueillit la victoire de l'ours. Deux cavaliers entrèrent dans l'arène, tirèrent un coup de fusil entre les deux yeux du vaincu, l'attachèrent par les pattes arrière et l'emportèrent à la traîne. Eliza se fraya un passage vers la sortie, écœurée. Elle avait perdu ses derniers quarante dollars.

Durant les mois d'été et d'automne 1849, Eliza chevaucha le long de la Veine Mère du sud vers le nord, de Mariposa jusqu'à Downieville et, au retour, suivant la piste chaque fois plus confuse de Joaquín Andieta sur des collines abruptes, depuis le lit des rivières jusqu'aux flancs de la sierra Nevada. Quand elle se renseignait au début, rares étaient ceux qui se souvenaient d'une personne correspondant à ce nom et à cette description, mais vers la fin de l'année sa silhouette commença à prendre des contours réels et cela donnait à la jeune fille la force de poursuivre ses recherches. Elle avait fait courir le bruit que son frère Elías le recherchait et, à plusieurs occasions durant ces mois, l'écho lui renvoya sa propre voix. Plus d'une fois, posant des questions sur Joaquín, elle était reconnue comme son frère avant même qu'elle ait eu le temps de se présenter. Dans cette région sauvage, le courrier parvenait à San Francisco avec des mois de retard, et les journaux mettaient des semaines, mais les informations de bouche à oreille fonctionnaient toujours bien. Comment Joaquín pouvait-il ignorer qu'on le recherchait ? N'ayant pas de frère, il devait se demander qui était cet Elías, et s'il avait une pointe d'intuition, il pourrait associer ce nom avec le sien, pensait-elle. Mais s'il ne soupçonnait rien, du moins éprouverait-il la curiosité de savoir qui était celui qui se faisait passer pour un de ses parents. La nuit, elle avait du mal à trouver le sommeil, perdue dans ses conjectures et avec l'idée tenace que le silence de son amant ne pouvait s'expliquer que par sa mort, ou parce qu'il ne voulait pas être retrouvé. Et s'il la fuyait réellement, comme l'avait insinué Tao Chi'en ? Elle passait ses journées à cheval et dormait à même le sol, n'importe où, avec sa capeline de Castille pour toute couverture et ses bottes en guise d'oreiller, sans se déshabiller. La saleté et la transpiration ne la gênaient plus, elle mangeait quand elle pouvait, les seules précautions qu'elle prenait étaient de faire bouillir l'eau avant de la boire et de ne pas regarder les *gringos* dans les yeux.

Il y avait à l'époque plus de cent mille argonautes et il continuait d'en arriver. Répartis tout au long de la Veine Mère, ils étaient responsables de ce que le monde tournait à l'envers, les montagnes se déplaçaient, les cours d'eau étaient déviés, les forêts détruites, les rochers pulvérisés, des tonnes de sable déplacées et des trous gigantesques creusés. Aux endroits où gisait l'or, le paysage idyllique, qui était resté immuable depuis l'origine des temps, était devenu un cauchemar lunaire. Eliza menait une vie exténuante, mais elle avait récupéré ses forces et oublié sa peur. Ses règles réapparurent à un moment fort mal choisi, car il était difficile de se cacher au milieu d'une compagnie masculine ; elle s'en réjouit cependant, en effet c'était le signe que son corps était enfin guéri. « Tes aiguilles d'acupuncture m'ont été utiles, Tao. J'espère pouvoir avoir des enfants dans l'avenir », écrivit-elle à son ami, certaine qu'il comprendrait sans rien devoir ajouter. Elle ne se séparait jamais de ses armes, bien qu'elle ne sût pas les utiliser, et elle espérait ne pas se trouver dans la nécessité de le faire. Une seule fois elle avait tiré en l'air pour faire fuir des enfants indiens, qui s'étaient approchés de trop près et lui paraissaient menaçants, mais si elle avait dû les affronter, elle s'en serait très mal tirée car elle était incapable de toucher un âne à cinq pas. Elle n'avait pas fait de progrès au tir, mais affiné encore son talent de se rendre invisible. Elle pouvait entrer dans un village sans attirer l'attention, se mêlant aux groupes de Latino-Américains, où un garçon avec cette allure passait inaperçu. Eliza apprit à imiter les accents péruvien et mexicain à la perfection, ainsi pouvait-elle se confondre avec les uns et les autres quand elle cherchait l'hospitalité. Elle changea aussi son anglais britannique par l'américain et adopta certains gros mots indispensables pour se faire accepter par les *gringos*. Si elle parlait comme eux, ils la respectaient. L'important était de ne pas donner d'explication, d'en dire le moins possible, de ne rien demander, de travailler pour se nourrir, de supporter les provocations et de ne pas se séparer de la petite Bible qu'elle avait achetée à Sonora. Même les hommes les plus rustres ressentaient une vénération superstitieuse pour ce livre. Ils s'étonnaient de voir ce garçon imberbe avec une voix de femme lire les Saintes Ecritures le soir, mais ils ne se moquaient pas ouvertement ; certains devenaient ses protecteurs, prêts à se battre avec le premier qui se risquerait à la provocation. Chez ces hommes solitaires et brutaux, qui étaient partis en quête de fortune comme des héros mythiques de l'ancienne Grèce, qui se voyaient réduits à l'essentiel, souvent malades, se livrant à la violence et à l'alcool, il y avait un désir inavoué de tendresse et d'ordre Les chansons romantiques leur tiraient des larmes, ils étaient capables de payer n'importe quel prix pour une part de tarte aux pommes qui leur offrait un instant de consolation et leur permettait de lutter contre la nostalgie de leur foyer. Ils faisaient de longs détours pour passer devant une maison où il y avait un enfant, et ils restaient là à le contempler en silence, comme s'il s'agissait d'un prodige.

« Ne crains rien, Tao, je ne voyage pas seule, ce serait une folie », écrivait Eliza à son ami. « Il faut se déplacer en groupes importants, être bien armés et alertes car, durant les derniers mois, les bandes de hors-la-loi se sont multipliées. Les Indiens sont plutôt pacifiques, bien qu'ils aient un aspect terrifiant, mais quand ils voient un cavalier sans défense, ils peuvent le dépouiller de ses biens les plus précieux : cheval, armes et bottes. Je me mêle à d'autres voyageurs : commerçants qui vont de village en village avec leur marchandise, mineurs à la recherche de nouveaux gisements, familles de fermiers, chasseurs, entrepreneurs et agents de propriétés, qui commencent à envahir la Californie, joueurs, bandits, avocats et autres canailles, qui sont généralement les compagnons de voyage les plus agréables et généreux. Il y a aussi des prédicateurs sur ces chemins, ils sont toujours jeunes et ont l'air de fous illuminés. Imagine la foi qu'il faut avoir pour faire trois mille milles à travers des prairies vierges dans le seul but de combattre les vices d'autrui. Ils quittent leur village pleins de force et de passion, décidés à apporter la parole du Christ dans ces contrées perdues, sans se préoccuper des obstacles et des difficultés du chemin, parce que Dieu marche à leur côté. Ils appellent les mineurs " adorateurs du veau d'or ". Il faut que tu lises la Bible, Tao, ou jamais tu ne comprendras les chrétiens. Ces pasteurs ne s'inquiètent pas des vicissitudes matérielles, mais beaucoup finissent le cœur brisé, impuissants devant la force asservissante de la cupidité. Il est réconfortant de les voir à leur arrivée, encore innocents, et c'est triste de les croiser quand ils sont abandonnés de Dieu, se déplaçant péniblement d'un campement à l'autre, avec un soleil assassin sur la tête et assoiffés, prêchant sur des places et des tavernes, devant un public indifférent qui les écoute sans se découvrir et qui, cinq minutes plus tard, va se soûler avec des femmes de mauvaise vie. J'ai fait la connaissance d'un groupe d'artistes itinérants, Tao ; c'étaient de pauvres diables qui s'arrêtaient dans chaque village pour amuser les populations avec des pantomimes, des chansons piquantes et des comédies idiotes. Je les ai suivis pendant plusieurs semaines et ils m'ont engagée dans leur spectacle. Quand nous trouvions un piano, je jouais, sinon j'étais la jeune dame de la compagnie et tout le monde s'émerveillait de la façon dont je jouais mon rôle de femme. J'ai dû les abandonner parce que la confusion commençait à me rendre folle, je ne savais plus si j'étais une femme habillée en homme, un homme habillé en femme ou une aberration de la nature. »

Eliza se lia d'amitié avec le postier et, quand elle pouvait, elle chevauchait avec lui, parce qu'il se déplaçait vite et avait des contacts ; si quelqu'un pouvait retrouver Joaquín Andieta, ce serait lui, pensait-elle. L'homme apportait le courrier aux mineurs et repartait avec les sacs d'or à garder dans les banques. C'était un de ces nombreux visionnaires devenus riches grâce à la fièvre de l'or, sans avoir jamais tenu une pelle ou un pic. Il demandait deux dollars et demi pour porter une lettre à San Francisco et, profitant de l'anxiété des mineurs en attente des nouvelles de chez eux, il demandait une once d'or pour remettre les lettres qui leur étaient destinées. Il gagnait une fortune dans cette affaire et avait autant de clients qu'il voulait, et personne ne discutait les prix, car il n'existait pas d'alternative. Personne ne pouvait abandonner la mine pour aller chercher la correspondance ou déposer ses avoirs à cent milles de là. Eliza recherchait aussi la compagnie de Charley, un petit homme qui connaissait des tas d'histoires et qui entrait en compétition avec les muletiers mexicains qui s'occupaient du transport des marchandises. Il ne craignait personne, pas même le diable, mais il appréciait toujours la société, parce qu'il avait besoin d'oreilles pour ses histoires. Plus elle l'observait, plus Eliza était sûre qu'il s'agissait d'une femme habillée en homme, comme elle. Charley avait la peau tannée par le soleil, chiquait, jurait comme un charretier et ne se séparait jamais de ses pistolets ni de ses gants, mais une fois Eliza avait réussi à voir ses mains qui étaient petites et blanches, comme celles d'une jeune fille.

Eliza se prit de passion pour la liberté. Elle avait vécu entre quatre murs chez les Sommers, dans une ambiance immuable, où le temps tournait en rond et où la ligne d'horizon était à peine visible à travers des fenêtres surchargées. Elle avait grandi dans le carcan inattaquable des bonnes manières et des conventions, entraînée depuis toujours à faire plaisir et à servir, limitée au corset, aux routines, aux règles sociales et à la peur. La peur avait été sa compagne : peur de Dieu et de son imprévisible justice, de l'autorité, de ses parents adoptifs, peur de la maladie et des médisances, de l'inconnu et de la différence, de sortir du cocon familial et d'affronter les dangers extérieurs ; peur de sa propre fragilité féminine, du déshonneur et de la vérité. Sa vie avait été douce, faite d'omissions, de silences courtois, de secrets bien gardés, d'ordre et de discipline. Elle avait aspiré à la vertu, mais doutait à présent du sens de ce mot. En se donnant à Joaquín Andieta dans la pièce aux armoires, elle avait commis une faute irréparable aux yeux du monde ; aux siens, l'amour justifiait tout. Elle ignorait ce qu'elle avait gagné ou perdu dans cette passion. Elle avait quitté le Chili avec l'intention de retrouver son amant et de devenir son esclave pour la vie, croyant apaiser ainsi sa soif de soumission et son désir caché de possession, mais elle ne se sentait plus capable de renoncer à ces ailes nouvelles qui commençaient à lui pousser. Eliza ne regrettait rien de ce qu'elle avait partagé avec son amant, et n'avait pas honte du brasier qui l'avait enflammée. Elle sentait, au contraire, que cela l'avait rendue forte, à l'improviste, cela lui avait donné l'arrogance nécessaire pour prendre des décisions et en payer les conséquences. Aujourd'hui, elle n'avait plus d'explications à donner à personne. Si elle avait commis des erreurs, elle avait été largement punie avec la perte de sa famille, la torture de se voir enterrée dans la cale du bateau, l'enfant mort et l'incertitude absolue du futur. Enceinte, elle s'était sentie piégée et avait écrit dans son Journal qu'elle avait perdu le droit au bonheur. Pourtant, ces derniers temps, chevauchant à travers le paysage doré de la Californie, elle s'était sentie voler comme un condor. Réveillée un matin par le hennissement de son cheval et par la lumière de l'aube sur son visage, Eliza se vit entourée par de hautains séquoias qui, tels des gardiens centenaires, auraient veillé sur son sommeil, par de suaves collines et, au loin, par de hautes cimes rougeâtres. Elle fut alors envahie d'un bonheur jamais ressenti auparavant. Elle n'avait plus cette sensation de panique toujours tapie au creux de son estomac, comme une souris prête à la mordre. Les craintes s'étaient évanouies, diluées dans la grandiose immensité de ce territoire. A force d'affronter les risques, elle prenait de l'assurance : elle n'avait plus peur de la peur. « Je suis en train de trouver de nouvelles forces en moi, que j'ai peut-être toujours eues, mais que je ne connaissais pas parce que, jusqu'à ce jour, je n'avais pas eu besoin de les mettre en avant. Je ne sais pas à quel détour de chemin la personne que j'étais jadis s'est perdue, Tao. Maintenant, je suis un de ces innombrables aventuriers dispersés sur les berges des cours d'eau translucides, et sur les flancs de ces montagnes éternelles. Ce sont des hommes orgueilleux, avec le ciel au-dessus de leur chapeau, qui ne plient devant personne parce qu'ils sont en train d'inventer l'égalité. Et moi je veux être des leurs. Certains se déplacent victorieux, avec un sac d'or sur le dos, et d'autres, vaincus, ne chargent que leurs désillusions et leurs dettes, mais tous se sentent maîtres de leur destin, de la terre qu'ils foulent, du futur, de leur dignité propre et irrévocable. Depuis que je les connais, il m'est impossible de redevenir la jeune fille que Miss Rose aurait voulu que je sois. Je comprends enfin Joaquín, qui volait quelques heures précieuses de notre amour pour me parler de liberté. De sorte que c'était cela... C'était cette euphorie, cette lumière, ce bonheur aussi intense que les rares moments d'amour partagé dont je peux me souvenir. Tu me manques, Tao. Je n'ai personne à qui parler de ce que je vois, de ce que je ressens. Je n'ai pas un seul ami dans cette solitude, et dans mon rôle d'homme, je fais très attention à ce que je dis. Je fronce les sourcils pour qu'on me croie bien viril. Quelle barbe d'être un homme, mais c'est encore plus la barbe d'être une femme. »

Errant d'un côté et de l'autre, Eliza parvint à connaître ces terres accidentées comme si elle y était née, pouvant se repérer et calculer les distances, faisant la différence entre les serpents venimeux et inoffensifs, entre les groupes hostiles et amicaux, devinant le temps à la forme des nuages et l'heure à l'angle formé par son ombre. Se trouvant devant un ours, elle savait quoi faire, et comment s'approcher d'une cabane isolée pour ne pas être accueillie à coups de fusil. Parfois elle croisait des hommes jeunes récemment arrivés qui traînaient des machines compliquées vers les sommets, lesquelles restaient abandonnées parce que inutilisables; elle croisait aussi des groupes d'hommes épuisés qui descendaient des collines après des mois de travail infructueux. Elle ne pouvait oublier ce cadavre picoré par les oiseaux, pendu à un chêne, avec un écriteau portant un avertissement... Dans sa pérégrination elle vit des Américains, des Européens, des Canaques, des Mexicains, des Chiliens, des Péruviens, et aussi de longues files de Chinois silencieux sous les ordres d'un contremaître qui, étant de la même race, les traitait comme des esclaves et les payait une misère. Ils avaient un sac dans le dos et des bottes à la main parce que, ayant toujours porté des espadrilles, ils n'en supportaient pas le poids. C'étaient des gens économes qui vivaient avec trois fois rien et dépensaient le moins possible, achetaient des bottes grandes parce qu'ils supposaient qu'elles avaient plus de valeur, et étaient déconcertés en apprenant qu'elles coûtaient le même prix que les petites. Eliza affina son instinct pour éluder les dangers. Elle apprit à vivre au jour le jour sans faire de projets, comme le lui avait conseillé Tao Chi'en. Elle y pensait souvent et lui écrivait régulièrement, mais elle ne pouvait lui envoyer ses lettres que dans les villages ayant une liaison postale avec Sacramento. C'était comme lancer des bouteilles à la mer parce qu'elle ignorait s'il vivait toujours dans cette ville, la seule adresse qu'elle possédait était celle du restaurant chinois. Si les lettres arrivaient jusque-là, elles devaient lui être remises.

Elle lui racontait les paysages magnifiques, la chaleur et la soif, les collines aux courbes voluptueuses, les chênes puissants et les pins sveltes, les cours d'eau glacés, si limpides qu'on pouvait voir l'or briller au fond de leur lit, les oies sauvages qui cacardaient dans le ciel, les cerfs et les grands ours, la vie rude des mineurs et le mirage de la fortune facile. Elle lui disait ce que tous deux savaient : qu'il était inutile de gaspiller sa vie à poursuivre de la poussière jaune. Et elle devinait la réponse de Tao : qu'il était aussi insensé de la gaspiller à poursuivre un amour illusoire. Mais elle continuait sa progression parce qu'elle ne pouvait pas s'arrêter. L'image de Joaquín Andieta commençait à s'évaporer, sa bonne mémoire ne parvenait plus à préciser clairement les traits de l'amant, elle devait relire ses lettres d'amour pour s'assurer qu'il avait réellement existé, qu'ils s'étaient aimés et que les nuits dans la pièce aux armoires n'étaient pas le fruit de son imagination. Ainsi prolongeait-elle le doux tourment de l'amour solitaire. Elle décrivait à Tao Chi'en les gens qu'elle rencontrait en chemin, les masses d'émigrants mexicains installés à Sonora, seul village où des enfants couraient dans les rues, les humbles femmes qui l'accueillaient dans leurs maisons de pisé, sans se douter qu'elle était une des leurs, les milliers de jeunes Américains qui étaient arrivés dans cette région de gisements cet automne, après avoir traversé le continent par terre depuis la côte Atlantique. On estimait à quarante mille les nouveaux venus, tous disposés à faire fortune en un rien de temps et à retourner triomphants chez eux. On les appelait « ceux de 49 », désignation qui devint populaire et qui fut aussi adoptée par les hommes arrivés avant et après cette date. A l'est, des villages entiers se retrouvèrent sans hommes, habités seulement par des femmes, des enfants et des prisonniers.

« Je vois très peu de femmes dans les mines, certaines ont cependant suffisamment de courage pour suivre leur mari dans cette vie de chien. Les enfants meurent d'épidémies ou d'accidents, elles les enterrent, les pleurent et continuent à travailler du lever au coucher du soleil pour empêcher que la barbarie ne détruise tout vestige de décence. Elles relèvent leurs jupes et entrent dans l'eau pour chercher l'or, mais certaines comprennent que laver le linge des autres ou confectionner et vendre des biscuits est plus rentable ; elles gagnent ainsi en une semaine ce que leurs compagnons dans les gisements gagnent en un mois, en se brisant l'échine. Un homme célibataire paie volontiers dix fois sa valeur un pain qui a été pétri par des mains de femme. Si moi je vends la même chose habillée en Elías Andieta, on m'en donnera quelques centimes à peine, Tao. Les hommes sont capables de marcher plusieurs milles pour voir une femme de près. Une jeune fille prenant le soleil en face d'une taverne verra, en l'espace de quelques minutes, des petites bourses d'or se multiplier sur ses genoux, présents de ces hommes ébahis devant la vision évocatrice d'une jupe. Et les prix continuent à grimper, les mineurs sont de jour en jour plus pauvres et les commerçants de plus en plus riches. Un jour de désespoir j'ai payé un dollar pour un œuf, que j'ai mangé tout cru avec une rasade de brandy, du sel et du poivre, comme me l'avait appris Mama Fresia : remède infaillible contre le désespoir. J'ai fait la connaissance d'un garçon géorgien, un pauvre lunatique, mais on me dit qu'il n'a pas toujours été comme ça. Au début de l'année, il a trouvé un filon d'or et a pu en tirer, en grattant la roche avec une cuiller, neuf mille dollars, qu'il a perdus en une soirée au *monte*. Ah, Tao, tu ne peux pas savoir l'envie que j'ai de prendre un bain, de préparer un thé et de m'asseoir à ton côté pour discuter. J'aimerais passer des vêtements propres et mettre les boucles d'oreilles que m'a offertes Miss Rose, pour que tu me voies jolie une fois, et que tu ne penses pas que je suis une virago. Je suis en train de noter dans mon Journal tout ce qui m'arrive, ainsi je pourrai tout te raconter en détail quand nous nous retrouverons, parce que je suis sûre d'une chose, c'est que nous nous reverrons un jour. Je pense à Miss Rose et je me dis qu'elle doit être très fâchée contre moi, mais je ne peux pas lui écrire avant d'avoir retrouvé Joaquín ; en attendant, personne ne doit savoir où je me trouve. Si Miss Rose avait une idée des choses que j'ai vues et que j'ai entendues, elle en mourrait. C'est la terre du péché, dirait Mr. Sommers, ici il n'y a ni morale ni lois, tout n'est que vices – le jeu, la boisson et les bordels ; pour moi, ce pays est une feuille blanche, ici je peux écrire ma nouvelle vie, devenir qui je veux, personne ne me connaît à part toi, personne ne connaît mon passé, je peux renaître. Ici, il n'y a ni maîtres ni serviteurs, seulement des gens qui travaillent. J'ai vu d'anciens esclaves qui ont réuni assez d'argent pour financer des journaux, des écoles et des églises pour ceux de leur race, ils combattent l'esclavage depuis la Californie. J'en ai connu un qui a racheté la liberté de sa mère. La pauvre femme est arrivée malade et prématurément vieillie, mais maintenant elle gagne ce qu'elle veut en vendant des plats cuisinés, elle a acheté un ranch et va à l'église le dimanche en habits de soie, dans une voiture tirée par quatre chevaux. Tu sais que beaucoup de marins noirs ont déserté les bateaux, non seulement pour l'or, mais parce que ici ils trouvent une forme unique de liberté ? Je me souviens des esclaves chinoises que tu m'as montrées à San Francisco, derrière les barreaux, je ne peux pas les oublier, elles me poursuivent comme des âmes en peine. Dans ces contrées, les prostituées aussi ont une vie dure, certaines se suicident. Les hommes attendent des heures pour aller saluer respectueusement la nouvelle maquerelle, mais ils traitent mal les filles des saloons. Tu sais comment ils les appellent ? Colombes souillées. Les Indiens aussi se suicident, Tao. On les chasse de partout, ils errent affamés et désespérés. Personne ne leur donne d'emploi, on les accuse d'être des vagabonds et on les envoie aux travaux forcés. Certains officiers municipaux paient cinq dollars par Indien mort, on les tue par divertissement et parfois on leur arrache le cuir chevelu. On voit des *gringos* collectionner ces trophées et les exhiber, pendus à leur monture. Tu seras content d'apprendre que des Chinois sont partis vivre avec les Indiens. Ils s'en vont loin, dans les forêts du Nord, où on peut encore chasser. Il reste très peu de buffles dans les prairies, dit-on. »

Eliza était sortie du combat entre l'ours et le taureau sans argent et affamée, elle n'avait rien mangé depuis la veille et décida que jamais plus elle ne miserait ses économies avec l'estomac vide. Ayant tout vendu, elle passa quelques jours sans savoir comment survivre, puis partit chercher du travail et découvrit que gagner sa vie était plus facile qu'elle ne l'imaginait, en tout cas préférable au souci de trouver quelqu'un pour payer les factures. Sans un homme pour la protéger et l'entretenir, une femme est perdue, lui avait sèchement dit Miss Rose, mais elle découvrit qu'il n'en était pas toujours ainsi. Dans son rôle d'Elías Andieta, Eliza trouvait des emplois dont elle pouvait aussi bien s'acquitter en habits de femme. S'employer comme péon ou cow-boy était impossible, elle ne savait pas manier un outil ou un lasso, et elle n'avait pas suffisamment de force pour soulever une pelle ou plaquer un veau à terre, mais il existait d'autres emplois à sa portée. Ce jour-là, elle se décida pour la plume, comme elle l'avait si souvent fait auparavant. L'idée de rédiger des lettres avait été un bon conseil de son ami le postier. Quand elle ne pouvait pas le faire dans une taverne, elle tendait sa capeline de Castille au centre d'une place, y posait un encrier et du papier, puis elle annonçait son office à la cantonade. Beaucoup de mineurs ne savaient ni lire ni signer de leur nom, ils n'avaient pas écrit une seule lettre dans leur vie, mais tous attendaient le courrier avec une impatience émouvante ; c'était le seul contact avec leur famille lointaine. Les vapeurs de la *Pacific Mail* accostaient à San Francisco toutes les deux semaines avec les sacs de courrier. Dès qu'il surgissait à l'horizon, les gens couraient se mettre en file devant le bureau de la poste. Les employés passaient dix à douze heures à trier le contenu des sacs, mais les gens attendaient sans protester la journée entière. Pour parvenir jusqu'aux mines, la correspondance mettait encore plusieurs semaines. Eliza offrait ses services en anglais et en espagnol, lisait les lettres et y répondait. Quand le client ne trouvait que deux phrases laconiques pour dire qu'il était encore en vie et qu'il saluait les siens, elle l'interrogeait patiemment et ajoutait un récit plus fleuri, afin de remplir au moins une page. Elle demandait deux dollars par lettre, quelle que fût sa longueur, mais si elle y ajoutait des phrases sentimentales que l'homme n'aurait jamais trouvées, un joli pourboire venait la récompenser. Certains lui amenaient les lettres pour se les faire lire, et elle, elle les embellissait un peu, pour offrir au malheureux la consolation de quelques paroles d'affection. Les femmes, fatiguées d'attendre à l'autre bout du continent, n'écrivaient généralement que des lamentations, des reproches ou une litanie de conseils chrétiens, sans penser que leurs hommes étaient malades de solitude. Un certain lundi triste, le shérif vint la chercher pour qu'elle transcrive les dernières paroles d'un prisonnier, condamné à mort, un jeune homme du Wisconsin accusé d'avoir volé un cheval. Imperturbable, malgré ses dix-neuf ans, il dicta à Eliza : « Chère maman, j'espère que cette lettre vous trouvera en bonne santé, et dites à Bob et James qu'on va me pendre aujourd'hui. Je vous salue. Theodore. » Eliza voulut adoucir un peu le message pour éviter une syncope à la pauvre mère, mais le shérif dit qu'il n'y avait pas de temps pour les simagrées. Quelques minutes plus tard, d'honnêtes citoyens conduisirent le prisonnier au centre du village, l'installèrent sur un cheval avec une corde autour du cou, fixèrent l'autre extrémité à la branche d'un chêne, puis ils donnèrent un coup sur la croupe de l'animal et Theodore resta pendu sans autre cérémonie. Ce n'était pas le premier qu'Eliza voyait. Au moins ce châtiment était rapide, mais si l'accusé était d'une autre race, il était généralement fouetté avant l'exécution, et même si Eliza partait loin, les cris du condamné et le tapage des spectateurs la poursuivaient pendant des semaines.

Ce jour-là, elle se disposait à demander la permission d'installer ses petites affaires d'écrivain public dans la taverne, lorsqu'un remue-ménage attira son attention. Tandis que le public quittait l'arène du combat entre le taureau et l'ours, par l'unique rue du village entraient quelques wagons tirés par des mules et précédés par un petit Indien qui frappait sur son tambour. Ce n'étaient pas des véhicules courants : les toiles étaient peintes, des toits pendaient des franges, des pompons et des lampes chinoises. Les mules étaient décorées comme des bêtes de cirque et accompagnées d'un effroyable concert de sonnailles en cuivre. Assise sur le siège de la première carriole se trouvait une grosse femme aux seins proéminents, habillée en homme et une pipe de boucanier entre les dents. Le second wagon était conduit par un type énorme, couvert de peaux de loup râpées, la tête rasée, des boucles aux oreilles et armé comme pour aller à la guerre. Chaque wagon tirait une remorque où voyageait le reste de la compagnie, quatre jeunes filles, attifées d'habits en velours défraîchi et de brocarts mités, lançant des baisers à la foule interloquée. La stupeur ne dura qu'un instant, car on reconnut les roulottes et une salve de cris et de coups de feu tirés en l'air illumina le soir. Jusque-là, les colombes souillées avaient régné sans partage, mais la situation avait changé quand, dans les nouveaux villages, s'étaient installées les premières familles ; à la suite, les prédicateurs étaient venus secouer les consciences à coups de menaces de condamnation éternelle. A défaut de temples, ils organisaient des services religieux dans les saloons où le vice fleurissait. On suspendait pour une heure la vente d'alcool, on rangeait les jeux de cartes et on retournait les tableaux représentant des scènes lascives, tandis que les hommes écoutaient les admonestations du pasteur sur leurs sacrilèges et leurs excès. Penchées au balcon du deuxième étage, les filles résistaient philosophiquement à l'averse, avec la consolation qu'une heure plus tard, tout reviendrait à la normale. Pourvu que l'affaire tourne, peu importait si ceux qui les payaient pour forniquer leur reprochaient ensuite de se faire payer, comme si le vice n'était pas du côté des hommes, mais de celui des tentatrices. Ainsi s'établissait une frontière claire entre les femmes décentes et les autres. Fatiguées de soudoyer les autorités et de supporter les humiliations, certaines partaient ailleurs avec leurs malles, où tôt ou tard le cycle se répétait. L'idée d'un service itinérant offrait l'avantage d'éluder l'assaut des épouses et des hommes d'Église; de plus, l'horizon s'étendait aux territoires les plus lointains, où l'on demandait le double du prix. Le négoce prospérait dans un bon climat, mais ils étaient aux portes de l'hiver et bientôt la neige se mettrait à tomber, les chemins deviendraient alors impraticables. C'était un des derniers voyages de la caravane.

Les wagons parcoururent la rue, suivis par une procession d'hommes enhardis par l'alcool et le combat dans l'arène, et s'immobilisèrent à la sortie du village. Eliza s'y dirigea également pour voir de près la nouveauté. Les clients susceptibles de faire appel à ses services épistolaires allaient se faire rares, se dit-elle, il lui faudrait trouver une autre façon de gagner son dîner. Profitant de ce que le ciel était clair, plusieurs volontaires s'offrirent pour détacher les mules et descendre un piano en piteux état, qu'ils installèrent sur l'herbe sous les ordres de la maquerelle, que tout le monde connaissait sous le joli nom de Joe Brisetout. En un rien de temps un bout de terrain fut dégagé, on y installa des tables, et surgirent, comme par enchantement, des bouteilles de rhum et des piles de cartes postales de femmes nues. Et aussi deux caisses de livres en édition bon marché, annoncés comme « romans d'alcôve avec les scènes les plus chaudes de France ». Ils se vendaient à dix dollars, un prix exceptionnel parce qu'on pouvait s'exciter autant de fois qu'on le voulait et les prêter aux amis, c'était beaucoup plus rentable qu'une femme en chair et en os, expliquait la Brisetout, et pour preuve elle lut un passage que le public écouta dans un silence religieux, comme s'il s'agissait d'une révélation prophétique. Un chœur de rires et de plaisanteries accueillit la fin de la lecture et, en l'espace de quelques minutes, il ne resta pas un seul livre dans les caisses. Entre-temps, la nuit était tombée et il fallut éclairer la fête avec des torches. La maquerelle annonça le prix exorbitant des bouteilles de rhum, mais danser avec une des filles coûtait quatre fois moins cher. Quelqu'un sait jouer de ce maudit piano? demanda-t-elle. Alors Eliza, qui sentait son estomac gargouiller, avança sans y penser à deux fois et prit place devant l'instrument désaccordé, en invoquant Miss Rose. Elle n'avait pas joué depuis dix mois et ne possédait pas une bonne oreille, mais elle s'en sortit grâce à l'entraînement d'années avec la baguette métallique dans le dos et les coups sur les mains du professeur belge. Elle attaqua une de ces chansons coquines que Miss Rose et son frère, le capitaine, chantaient avant que le destin ne fasse des siennes et que ce monde-là se retrouve cul par-dessus tête. Elle fut étonnée de voir que sa piètre exécution était bien accueillie. En moins de dix minutes, un rustique violon surgit pour l'accompagner, le bal s'anima et les hommes se disputèrent les quatre femmes, pour aller sautiller et virevolter sur la piste improvisée. L'ogre vêtu de peaux enleva le chapeau d'Eliza et le posa sur le piano avec un geste si résolu que personne n'osa l'ignorer : bientôt il se remplit de pièces de monnaie.

Un des wagons avait plusieurs fonctions, dont celle de chambre pour la matrone et son fils adoptif, l'enfant au tambour. Dans l'autre voyageaient, comprimées, les femmes ; les deux remorques servaient d'alcôves. Toutes deux étaient tapissées de tissus multicolores, contenaient un lit à baldaquin avec une moustiquaire, un miroir au cadre doré, un lavabo et une cuvette pour la vaisselle, des tapis persans délavés et un peu mités mais faisant encore bon effet, et des bougeoirs pour l'éclairage. Cette décoration théâtrale attirait les clients, dissimulait la poussière des chemins et le ravage du temps. Pendant que deux femmes dansaient au rythme de la musique, les autres conduisaient à toute allure leur affaire dans les roulottes. La maquerelle, avec ses doigts de fée pour les jeux de cartes, avait toujours un œil sur les tables de jeu et s'acquittait de son obligation d'empocher d'avance le service de ses colombes, de vendre son rhum et d'animer la soirée, la pipe toujours entre les dents. Eliza joua les airs qu'elle connaissait de mémoire et, quand elle eut épuisé son répertoire, elle recommença depuis le début, sans que personne remarque quoi que ce soit, jusqu'à ce que la fatigue lui brouille la vue. La voyant vaciller, le colosse annonça une pause, ramassa l'argent du chapeau et le fourra dans les poches de la pianiste, puis, la saisissant par un bras, il l'entraîna pratiquement en la faisant voler jusqu'au premier wagon, où il lui mit un verre de rhum dans la main. Elle le refusa d'un geste fatigué : boire à jeun, c'était un coup sur la nuque. Il alla alors fouiller dans le désordre de caisses et de boîtes, en tira un pain et des morceaux d'oignon, qu'elle attaqua en tremblant. Quand elle eut tout dévoré, elle leva les yeux et se trouva devant le type aux peaux qui l'observait de son incroyable hauteur. Un sourire innocent éclairait son visage, avec les dents les plus blanches et droites du monde.

— Tu as un visage de femme, lui dit-il, et elle sursauta.

— Je m'appelle Elías Andieta, répliqua-t-elle, mettant la main sur son pistolet, comme si elle voulait défendre son nom masculin en tirant des coups de feu.

— Moi je suis Babalu, le Mauvais.

— Il existe un Babalu bon ?

— Il existait.

— Que lui est-il arrivé ?

— Il m'a trouvé. D'où es-tu, gamin ?

— Du Chili. Je recherche mon frère. Vous n'avez pas entendu parler de Joaquín Andieta ?

— Je n'ai entendu parler de personne. Mais si ton frère a les couilles bien à leur place, tôt ou tard il viendra nous voir. Tout le monde connaît les filles de Joe Brisetout.

Affaires

Le capitaine John Sommers jeta l'ancre du *Fortuna* dans la baie de San Francisco, suffisamment loin de la côte pour ôter aux bravaches toute envie de se lancer à l'eau et nager jusqu'à la berge. Il avait averti l'équipage que l'eau froide et les courants les expédieraient dans l'autre monde en moins de vingt minutes, si les requins ne l'avaient déjà fait avant. C'était son second voyage avec la glace et il se sentait plus sûr de lui. Avant d'entrer par l'étroit canal du Golden Gate, il fit ouvrir plusieurs tonneaux de rhum, les distribua généreusement aux marins et, quand ils furent ivres, il tira deux gros pistolets et les obligea à se coucher à plat ventre. Le commandant en second les enchaîna avec des ceps aux pieds, sous le regard déconcerté des passagers embarqués à Valparaiso, qui observaient la scène du pont supérieur en se demandant ce que cela pouvait bien signifier. Entre-temps, les frères Rodríguez de Santa Cruz avaient envoyé une flottille de canots pour transporter à terre les passagers et la précieuse cargaison du vapeur. L'équipage serait libéré au moment de manœuvrer pour prendre le chemin du retour, et aurait alors droit à une nouvelle tournée d'alcool et à une prime en véritables pièces d'or et d'argent, correspondant au double de son salaire. Cela ne compensait pas leur frustration de ne pouvoir s'enfoncer dans les terres en direction des mines d'or, comme tous ou presque en avaient eu l'intention, mais au moins cela leur servait-il de consolation. Il avait utilisé le même procédé lors de son premier voyage, avec d'excellents résultats. Il se vantait de piloter l'un des rares bateaux de marchandises à ne pas avoir été désertés à cause de la folie de l'or. Personne n'osait braver ce pirate anglais, fils de sa putain de mère et de Francis Drake, comme on l'appelait, car on le savait fort capable de décharger ses espingoles dans la poitrine du premier qui lèverait le petit doigt.

Sur les quais de San Francisco, les produits envoyés de Valparaiso par Paulina s'empilèrent : œufs et fromages frais, légumes et fruits de l'été chilien, beurre, cidre, poissons et fruits de mer, cochonnailles de la meilleure qualité, viande de bœuf et toutes sortes d'oiseaux farcis, assaisonnés et prêts à être cuisinés. Paulina avait chargé les religieuses de confectionner des gâteaux coloniaux au blanc-manger et des mille-feuilles, ainsi que les plats les plus populaires de la cuisine autochtone qui voyageaient congelés dans les chambres de neige bleue. Le premier chargement avait été liquidé en moins de trois jours, avec des bénéfices tellement énormes que les frères avaient délaissé leurs autres affaires pour consacrer leurs efforts au prodige de la glace. Les morceaux de glace fondaient lentement pendant le trajet, mais il en restait encore beaucoup et, au retour, le capitaine pensait les vendre au prix coûtant à Panama. Il avait été impossible de passer sous silence le fantastique succès du premier voyage, et la nouvelle que des Chiliens naviguaient avec des morceaux de glacier à bord d'un bateau s'était répandue comme une traînée de poudre. Il se forma bientôt des sociétés pour faire la même chose avec des icebergs de l'Alaska, mais on ne put trouver ni les hommes d'équipage ni les produits frais capables de concurrencer ceux venant du Chili, et Paulina put poursuivre son intense négoce sans rivaux, tout en faisant l'acquisition d'un second vapeur pour agrandir son entreprise.

Les caisses de livres érotiques du capitaine Sommers se

vendirent aussi en un clin d'œil, sous le sceau du secret et sans passer par les frères Rodríguez de Santa Cruz. Le capitaine devait éviter à tout prix que s'élèvent les voix de la vertu, comme cela était arrivé dans d'autres villes. La censure les avait confisqués pour immoralité et ils avaient fini dans les bûchers dressés sur les places publiques. En Europe, ils circulaient secrètement dans des éditions de luxe parmi les personnes en vue et les collectionneurs, cependant les plus gros bénéfices venaient des éditions populaires. Imprimés en Angleterre, ils étaient vendus clandestinement pour quelques centimes ; en Californie, le capitaine en obtenait cinquante fois leur valeur. Voyant l'engouement des gens pour ce genre de littérature, il eut l'idée d'y incorporer des illustrations car la majorité des mineurs ne pouvait lire autre chose que les titres de journaux. Les nouvelles éditions étaient imprimées à Londres avec des dessins vulgaires, mais explicites, ce qui importait en fin de compte.

Ce même soir, John Sommers, installé dans le salon du meilleur hôtel de San Francisco, dînait avec les frères Rodríguez de Santa Cruz, qui en quelques mois avaient retrouvé leur allure de gentlemen. Il ne restait rien des hirsutes cavernicoles qui s'évertuaient à chercher de l'or quelques mois auparavant. La fortune était à portée de main, dans des transactions limpides qu'ils pouvaient effectuer dans les fauteuils moelleux de l'hôtel, un whisky à la main, comme des gens civilisés et non comme des rustres, disaient-ils. Aux cinq mineurs chiliens amenés par eux à la fin 1848, étaient venus s'ajouter quatre-vingts paysans, gens humbles et soumis, qui ne connaissaient rien aux mines mais qui apprenaient rapidement, obéissaient aux ordres et ne se révoltaient pas. Les frères les faisaient travailler sur les berges du rio Americano, sous les ordres de contremaîtres loyaux, tandis qu'eux se consacraient au transport et au commerce. Ils achetèrent des embarcations pour effectuer la traversée de San Francisco à Sacramento et deux cents mules pour l'acheminement des marchandises vers les gisements d'or, qu'ils vendaient directement sans passer par les magasins. L'esclave fugitif qui faisait jadis office de garde du corps se révéla être un as des chiffres et, maintenant, c'était lui qui menait la comptabilité, habillé lui aussi comme un monsieur, verre et cigare à la main, malgré les protestations des *gringos* qui avaient du mal à accepter sa couleur de peau, mais qui étaient bien obligés de négocier avec lui.

— Votre épouse vous fait dire que dans le prochain voyage du *Fortuna* elle viendra avec les enfants, les domestiques et le chien. Elle vous demande de réfléchir à l'endroit où vous pourriez vous installer, car elle n'a pas l'intention de vivre à l'hôtel, dit le capitaine à Feliciano Rodríguez de Santa Cruz.

— C'est une idée complètement folle ! L'explosion de l'or se terminera tout d'un coup et cette ville redeviendra le hameau qu'elle était il y a deux ans. Certains signes annoncent déjà une diminution du minerai, c'en est fini des pépites grosses comme des cailloux ! Et quand tout cela aura cessé, qui se souciera de la Californie ?

— Lorsque je suis venu pour la première fois, ça ressemblait à un campement de réfugiés, mais San Francisco est devenue une véritable ville. Franchement, je ne crois pas qu'elle disparaisse du jour au lendemain, c'est la porte de l'Ouest vers le Pacifique.

— C'est ce que dit Paulina dans sa lettre.

— Suis le conseil de ta femme, Feliciano, tu sais qu'elle possède un œil de lynx, l'interrompit son frère.

— De toute façon, on ne pourra pas l'arrêter. Dans le prochain voyage, elle m'accompagnera. N'oublions pas qu'elle est la patronne du *Fortuna*, dit en souriant le capitaine.

On leur apporta des huîtres fraîches du Pacifique, un des rares luxes gastronomiques de San Francisco, des tourterelles farcies aux amandes et des poires confites du chargement de Paulina, que l'hôtel avait aussitôt achetées. Le vin venait également du Chili, et le champagne de France. La nouvelle de l'arrivée des Chiliens avec la glace s'était répandue, et tous les restaurants et les hôtels de la ville s'étaient remplis de clients, prêts à se régaler avec les bons produits frais avant qu'ils ne s'épuisent. Comme ils allumaient leur cigare pour accompagner le café et le brandy, John Sommers sentit une main si puissante se poser sur son épaule qu'il faillit laisser tomber son verre. En se retournant, il se trouva en face de Jacob Todd qu'il n'avait pas vu depuis plus de trois ans, quand il l'avait laissé en Angleterre, pauvre et humilié. C'était la dernière personne qu'il s'attendait à voir, et il lui fallut un moment avant de le reconnaître, parce que le faux missionnaire de jadis était devenu une caricature de Yankee. Il avait maigri et perdu des cheveux, deux larges favoris encadraient son visage. Il portait un costume à carreaux quelque peu étroit pour son gabarit, des bottes en peau de couleuvre et un incroyable chapeau blanc de Virginie. De plus, crayons, carnets et coupures de journaux dépassaient des quatre poches de sa veste. Ils s'embrassèrent comme de vieux camarades. Jacob Todd se trouvait à San Francisco depuis cinq mois et écrivait des articles sur la fièvre de l'or, régulièrement publiés en Angleterre, mais aussi à Boston et New York. Il était venu grâce à l'intervention généreuse de Feliciano Rodríguez de Santa Cruz qui n'avait pas oublié le service qu'il devait à l'Anglais. En bon Chilien, il n'oubliait jamais une faveur – pas plus qu'une offense – et, ayant appris ses difficultés en Angleterre, il lui avait envoyé de l'argent, un billet et un mot lui expliquant que la Californie était un endroit situé à l'autre bout du monde. En 1845, Jacob Todd avait quitté le bateau du capitaine John Sommers la santé retrouvée et débordant d'énergie, prêt à oublier l'incident pénible de Valparaiso et souhaitant se consacrer, corps et âme, à l'implantation dans son pays de la communauté utopique dont il avait tellement rêvé. Son gros carnet, jauni par l'usage et l'air marin, était saturé de notes. Tout, jusqu'au moindre détail, avait été étudié et planifié, il était sûr que beaucoup de jeunes – les vieux n'étaient pas concernés – abandonneraient leurs pénibles existences pour rejoindre la confrérie idéale des hommes et des femmes libres, régie par un système d'égalité absolue, sans autorités, sans police ni religion. Les candidats potentiels pour cette expérience furent beaucoup plus têtus que prévu, mais après quelques mois, il pouvait compter sur deux ou trois individus disposés à tenter l'expérience. Il ne manquait qu'un mécène pour financer le coûteux projet, il fallait aussi un terrain vaste, parce que la communauté voulait vivre loin des aberrations du monde, et celle-ci devait subvenir à tous leurs besoins. Todd avait pris langue avec un lord un peu dérangé qui possédait une immense propriété en Irlande, mais la rumeur du scandale de Valparaiso le rattrapa à Londres, le traquant comme un chien tenace sans lui laisser de répit. Là aussi les portes se fermèrent, il perdit ses amis et ses disciples, le noble fut répudié et le rêve utopique s'en fut au diable. Une fois de plus, Jacob Todd essaya de trouver une consolation dans l'alcool, et il replongea dans le bourbier des mauvais souvenirs. Il vivait comme un pauvre diable dans une pension minable quand lui parvint le message salvateur de son ami. Il n'eut aucune hésitation. Il changea de nom et s'embarqua pour les Etats-Unis, bien disposé à se forger un nouveau et flambant destin. Son unique souhait était de mettre une croix sur la honte qui le tenaillait, puis vivre dans l'anonymat jusqu'à ce que surgisse l'opportunité d'exhumer son idyllique projet. La première chose était de trouver un emploi ; ses rentes avaient fondu, il était bel et bien fini le temps glorieux de l'oisiveté. En arrivant à New York, il se présenta dans quelques journaux pour offrir ses services de correspondant en Californie, puis il gagna l'Ouest par l'isthme de Panama, parce qu'il n'eut pas le courage de le faire par le détroit de Magellan et remettre les pieds à Valparaiso, où sa honte était intacte, et où la belle Miss Rose entendrait prononcer son nom souillé. En Californie, son ami Feliciano Rodríguez de Santa Cruz l'aida à s'installer et à trouver un emploi dans le journal le plus ancien de San Francisco. Jacob Todd, devenu Jacob Freemont, se mit à travailler pour la première fois de sa vie, découvrant avec étonnement que cela lui plaisait. Il arpentait la région en écrivant sur tout ce qui attirait son attention, y compris le massacre des Indiens, les immigrants venant des quatre coins de la planète, la spéculation effrénée des marchands, la justice expéditive des mineurs et le vice généralisé. Un de ses reportages faillit lui coûter la vie. Il avait décrit avec des euphémismes, mais dans un langage parfaitement clair, la façon dont fonctionnaient certains tripots, avec les dés marqués, les cartes huilées, l'alcool frelaté, les drogues, la prostitution et la pratique de faire boire les femmes jusqu'à l'inconscience, afin de vendre pour un dollar, à tout homme souhaitant participer à la diversion, le droit de les violer. « Tout cela sous la protection des autorités qui devraient combattre de tels vices », concluait-il. Les gangsters, le chef de la police et les hommes politiques lui tombèrent dessus, si bien qu'il dut prendre le large pour deux ou trois mois, et attendre que les esprits se calment. Malgré ce faux pas, ses articles paraissaient régulièrement et les lecteurs commençaient à respecter sa plume. Comme il le dit à son ami John Sommers : cherchant l'anonymat, il avait fini par trouver la célébrité.

A la fin du dîner, Jacob Freemont invita ses amis au spectacle du jour : une Chinoise que l'on pouvait observer mais pas toucher. Elle s'appelait Ah Toy et avait embarqué sur un clipper avec son mari, un commerçant d'un âge canonique qui avait eu le bon goût de mourir en haute mer, lui rendant ainsi sa liberté. Elle n'avait pas perdu son temps en lamentations de veuve, et pour passer agréablement le reste de la traversée, elle était devenue la maîtresse du capitaine, lequel fut généreux avec elle. En débarquant à San Francisco, fringante et riche, elle remarqua les regards lascifs qui la suivaient et eut la brillante idée d'en tirer bénéfice. Elle loua deux chambres, perça plusieurs trous dans la cloison de séparation et, pour une once d'or, elle vendait le privilège de se faire admirer. C'est avec une humeur joyeuse que les amis suivirent Jacob Freemont;

quelques dollars en sous-main leur permirent d'éviter la file et d'entrer parmi les premiers. On les conduisit dans une pièce étroite, saturée de fumée de tabac où s'entassaient une douzaine d'hommes, le nez collé au mur. Ils se penchèrent sur les trous incommodes, se sentant comme des écoliers ridicules, et virent dans l'autre pièce une belle jeune femme vêtue d'un kimono en soie, ouvert de chaque côté de la taille jusqu'aux pieds. Elle était nue dessous. Les spectateurs rugissaient à chaque langoureux mouvement qui révélait une partie délicate de son corps. John Sommers et les frères Rodríguez de Santa Cruz se tordaient de rire, ne pouvant croire que le besoin de femmes pût être à ce point pressant. Ils se séparèrent là, le capitaine et le journaliste s'en furent prendre un dernier verre. Après avoir écouté le récit des voyages et des aventures de Jacob, le capitaine décida de se confier à lui.

— Vous vous souvenez d'Eliza, la fillette qui vivait avec mon frère et ma sœur à Valparaiso ?

— Parfaitement.

— Elle s'est échappée de la maison il y a bientôt un an et j'ai de bonnes raisons de penser qu'elle se trouve en Californie. J'ai essayé de la retrouver, mais personne n'a entendu parler d'elle, ou de quelqu'un correspondant à sa description.

— Les seules femmes qui sont venues ici sans famille sont des prostituées.

— Je ne sais pas comment elle est venue, si tant est qu'elle l'ait fait. La seule certitude, c'est qu'elle est partie à la recherche de son amoureux, un jeune Chilien qui s'appelle Joaquín Andieta...

— Joaquín Andieta ! Je le connais, j'étais son ami au Chili.

— C'est un fugitif de la justice. Il est accusé de vol.

— Je n'en crois rien. Andieta était un jeune homme très noble. Il était tellement orgueilleux et avait un tel sens de l'honneur ! Il n'était pas d'un abord facile. Et vous dites qu'Eliza et lui sont amoureux ?

— Je sais qu'il s'est embarqué pour la Californie en

décembre 1848. Deux mois plus tard, la petite a disparu. Ma sœur croit qu'elle est venue pour suivre Andieta, mais je me demande bien comment elle s'y est prise pour ne laisser aucune trace. Comme vous allez dans les campements et les villages du Nord, peut-être trouverez-vous un indice...

— Je ferai mon possible, capitaine.

— Mon frère, ma sœur et moi-même nous vous en serons éternellement reconnaissants, Jacob.

Eliza Sommers intégra la caravane de Joe Brisetout pour jouer du piano; avec la maquerelle elles se partageaient l'argent à parts égales. Elle acheta un répertoire de chansons américaines et un autre de chansons latino-américaines pour animer les soirées et jouer aux heures oisives, qui étaient nombreuses. Elle apprenait à lire au petit Indien, aidait aux multiples tâches quotidiennes, et cuisinait. Comme le disaient les membres de la troupe : ils n'avaient jamais si bien mangé. Avec la viande séchée, les haricots noirs et l'incontournable lard, elle préparait de savoureux plats élaborés dans l'enthousiasme du moment. Elle achetait des condiments mexicains et les ajoutait aux recettes chiliennes de Mama Fresia, avec d'excellents résultats. Elle confectionnait des tartes sans autres ingrédients que du saindoux, de la farine et des fruits en conserve, mais si elle trouvait des œufs et du lait, son inspiration s'élevait à des hauteurs gastronomiques célestes. Babalu le Mauvais n'était pas d'avis que les hommes cuisinent, cependant étant le premier à dévorer les plats succulents du jeune pianiste, il décida de ravaler ses commentaires sarcastiques. Habitué à monter la garde pendant la nuit, le géant dormait comme un loir pendant une partie de la journée, mais à peine l'odeur des casseroles atteignait-elle ses narines de dragon qu'il se réveillait en sursaut et s'installait à l'affût près de la cuisine. Il avait un appétit insatiable et aucune bourse ne pouvait rassasier son énorme panse. Avant l'arrivée du petit Chilien, comme ils appelaient le faux Elías Andieta, son repas se composait de l'animal qu'il parvenait à tuer. Après l'avoir coupé en deux, il l'assaisonnait d'une poignée de gros sel et le posait sur les braises jusqu'à ce qu'il soit carbonisé. Il pouvait ainsi avaler un cerf en deux jours. Au contact de la cuisine du pianiste, son goût s'affina. Il partait à la chasse tous les jours, choisissait les proies les plus délicates et les lui donnait nettoyées et écorchées.

Sur les chemins, Eliza prenait la tête de la caravane montée sur son robuste canasson qui, malgré sa triste allure, était en fait aussi noble qu'un pur-sang alezan, son fusil inutile en travers de la monture et l'enfant au tambour sur la croupe. Elle se sentait tellement à l'aise dans ses habits d'homme qu'elle se demandait si un jour elle pourrait s'habiller à nouveau en femme. Eliza était sûre d'une chose : elle ne mettrait jamais plus de corset, même pour le jour de son mariage avec Joaquín Andieta. Quand ils atteignaient un cours d'eau, les femmes en profitaient pour remplir les jarres, laver leur linge et se baigner. C'étaient les moments les plus difficiles pour elle car il lui fallait inventer chaque fois un nouveau prétexte pour se laver en éloignant les témoins.

Joe Brisetout était une plantureuse Hollandaise de Pennsylvanie qui avait trouvé son destin dans les grands espaces de l'Ouest. Elle possédait un talent d'illusionniste qu'elle exerçait à l'aide de cartes à jouer et de dés ; le jeu truqué la passionnait. Elle avait gagné sa vie en faisant des paris, jusqu'à ce que l'idée lui vienne de monter l'affaire des filles le long de la Veine Mère « pour chercher de l'or », comme elle appelait cette manière de pratiquer le travail de la mine. Elle était persuadée que le jeune pianiste était homosexuel et lui vouait, pour cela même, une affection au moins aussi grande qu'au petit Indien. Elle interdisait aux filles de s'en moquer ou à Babalu de lui donner des surnoms : ce n'était pas la faute du pauvre garçon d'être né sans poils au menton et avec cette allure de gringalet, de même qu'elle n'y pouvait rien si elle-même était née homme dans un corps de femme. Cette plaisanterie était une invention de Dieu pour emmerder le monde. Elle avait acheté l'enfant pour trente dollars à des hommes de troupe yankees qui avaient exterminé le reste de la tribu. Il avait alors quatre ou cinq ans, c'était un squelette avec la panse pleine de vers. Mais en l'espace de quelques mois, après l'avoir nourri de force et avoir dominé ses colères pour l'empêcher de détruire tout ce qu'il trouvait à portée de main, ou se donner des coups de tête contre les roues des wagons, l'enfant grandit d'un empan et sa vraie nature de guerrier apparut alors : il était stoïque, hermétique et patient. Elle l'appela Tom-Sans-Tribu, pour qu'il n'oublie pas son devoir de vengeance. « Le nom est inséparable de l'être », disaient les Indiens, et Joe y croyait dur comme fer, ce qui l'avait incitée à inventer son propre nom.

Les colombes souillées de la caravane étaient deux sœurs du Missouri qui avaient fait un long voyage à travers le continent, et perdu leur famille en chemin; Esther, une jeune fille de dix-huit ans, avait fui son père, un fanatique religieux qui la battait; et une jolie Mexicaine, de père *gringo* et de mère indienne, qui passait pour être blanche et avait appris quatre phrases de français pour abuser les distraits car, selon le mythe populaire, les Françaises étaient les plus expertes. Dans une telle société d'aventuriers et d'escrocs, il y avait aussi une aristocratie raciale : les Blancs acceptaient les métis couleur cannelle, mais méprisaient tout mélange avec les Noirs. Les quatre femmes remerciaient le destin de leur avoir permis de rencontrer Joe Brisetout. Esther était la seule à ne pas avoir eu d'expérience antérieure, les autres avaient travaillé à San Francisco et connaissaient la mauvaise vie, mais pas dans des salons huppés. Elles avaient eu affaire avec les coups, les maladies, les drogues et la méchanceté des maquereaux; elles avaient attrapé une quantité d'infections, supporté des remèdes brutaux et tellement d'avortements qu'elles en étaient restées stériles. Loin de s'en plaindre, ces femmes considéraient cela comme une bénédiction. Joe les avait tirées de ce monde d'infamies en les emmenant loin de là. Ensuite, elle leur avait fait subir le long martyre de l'abstinence, afin de les éloigner de l'opium et de l'alcool. En retour, les femmes la payèrent avec une loyauté toute filiale, car elle les traitait en plus avec équité et ne les volait pas. La terrible présence de Babalu dissuadait les clients violents et les ivrognes odieux, elles mangeaient à leur faim, et les wagons itinérants leur semblaient un bon choix pour leur santé et leurs états d'âme. Dans ces immensités de collines et de forêts, elles se sentaient libres. Rien n'était facile ou romantique dans leur vie, mais elles avaient économisé un peu d'argent et pouvaient s'en aller, si elles le souhaitaient. Elles n'en faisaient rien parce que ce petit groupe humain était, pour ces femmes, ce qui ressemblait le plus à une famille.

Les filles de Joe Brisetout étaient convaincues, elles aussi, que le jeune Elías Andieta, avec ses manières et sa voix aiguë, était pédéraste. Cela leur donnait une certaine tranquillité au moment de se déshabiller, se laver et parler devant Eliza, comme si elle était des leurs. Elles l'acceptèrent si naturellement qu'Eliza en oubliait son rôle d'homme, cependant Babalu ne manquait pas de le lui rappeler. Il s'était fixé comme tâche de convertir ce pusillanime en un homme et il l'observait de près, le corrigeant quand il s'asseyait en croisant les jambes ou agitait ses cheveux dans un mouvement très peu viril. Il lui montra comment nettoyer et graisser ses armes, mais il perdit patience en voulant lui apprendre à tirer : chaque fois qu'il appuyait sur la détente, son élève fermait les yeux. Peu impressionné par la Bible d'Elías Andieta, il le soupçonnait au contraire de l'utiliser pour justifier ses niaiseries, et il pensait que si le garçon n'avait pas l'intention de devenir un maudit prédicateur, pourquoi diable lisait-il ces bêtises, il ferait mieux de se consacrer aux livres cochons, cela lui donnerait peut-être des idées d'homme. Babalu signait avec beaucoup de difficultés et lisait péniblement, mais il aurait préféré mourir que de l'admettre. Il disait qu'il y voyait mal et ne distinguait pas bien les caractères, et pourtant il pouvait tuer un lièvre d'une balle entre les deux yeux à cent mètres. Il demandait souvent au petit Chilien de lui lire à haute voix les vieux journaux et les livres érotiques de la Brisetout, pas tant pour les parties cochonnes que pour le romanesque, qui l'émouvait toujours. Il s'agissait invariablement des amours enflammées entre un membre de la noblesse européenne et une plébéienne, ou parfois l'inverse : une dame aristocratique s'entichait d'un homme rustique, mais honnête et orgueilleux. Dans ces récits, les femmes étaient toujours belles et les galants d'une ardeur insatiable. La toile de fond était une suite de bacchanales, mais à la différence d'autres romans pornographiques à trois sous que l'on trouvait aussi par là, ceux-ci avaient un argument. Eliza lisait à haute voix sans manifester de surprise, comme si elle était revenue des pires vices, tandis que Babalu et trois des colombes écoutaient bouche bée. Esther ne participait pas aux sessions parce que, pour elle, le péché était plus grand de décrire ces choses que de les faire. Eliza sentait ses oreilles rougir, mais elle devait bien reconnaître que ces cochonneries étaient écrites avec une élégance inattendue : certaines phrases lui rappelaient le style impeccable de Miss Rose. Joe Brisetout, que la passion charnelle, sous quelque forme que ce fût, n'intéressait pas et que ces lectures ennuyaient, veillait à ce qu'aucun mot ne vienne blesser les oreilles innocentes de Tom-Sans-Tribu. Je l'élève pour qu'il devienne un chef indien, pas pour en faire un souteneur de putains, disait-elle, et dans son désir d'en faire un vrai homme, elle interdisait au petit de l'appeler grand-mère.

— Je ne suis la grand-mère de personne, nom de Dieu ! Je suis la Brisetout, tu m'as comprise, petit morveux ?

— Oui, grand-mère.

Babalu le Mauvais, un ex-condamné de Chicago, avait traversé à pied le continent bien avant la ruée vers l'or. Il parlait des langues indiennes et avait tout fait pour gagner sa vie, de phénomène dans un cirque ambulant, où il soulevait un cheval au-dessus de sa tête ou tirait avec les dents un wagon rempli de sable, à arrimeur sur les quais de San Francisco. C'est là que la Brisetout l'avait découvert et qu'il avait intégré la caravane. Il pouvait abattre le travail de plusieurs hommes et avec lui, les filles étaient bien protégées. Ensemble, ils pouvaient mettre en fuite tous les adversaires possibles et imaginables, comme ils l'avaient démontré plus d'une fois.

— Tu dois être fort, sinon on te démolira, petit Chilien, conseillait-il à Eliza. Ne crois pas que j'ai toujours été comme tu me vois. Avant j'étais comme toi, rachitique et un peu mollasson, mais j'ai commencé à soulever des poids et regarde ces muscles. Maintenant personne n'ose m'affronter.

— Babalu, toi tu mesures plus de deux mètres et tu es lourd comme une vache. Je ne serai jamais comme toi !

— La taille n'a rien à voir, petit. Ce qui compte, c'est les couilles. J'ai toujours été grand, mais on se moquait de moi.

— Qui se moquait de toi ?

— Tout le monde, même ma mère, Dieu ait son âme. Je vais te dire quelque chose que personne ne sait...

— Oui ?

— Tu te souviens de Babalu le Bon ? C'était moi avant. Mais depuis vingt ans je suis Babalu le Mauvais, et ça me va beaucoup mieux.

Colombes souillées

En décembre, l'hiver descendit subitement jusqu'aux flancs de la montagne, et des milliers de mineurs durent abandonner leurs biens pour se replier sur les villages et attendre le printemps. La neige recouvrit d'un pieux manteau les vastes terrains troués par ces fourmis cupides, et l'or qui restait encore retrouva son repos dans le silence de la nature. Joe Brisetout mena sa caravane vers l'un des petits villages qui avaient surgi le long de la Veine Mère, où elle loua une baraque pour passer l'hiver. Elle vendit les mules, acheta une grande bassine en bois pour prendre des bains, une cuisinière, deux poêles, des pièces d'étoffes ordinaires et des bottes russes pour sa troupe, indispensables avec cette pluie et ce froid. Elle demanda à tout le monde de nettoyer la baraque et de confectionner des rideaux de séparation, installa les lits à baldaquin, les miroirs dorés et le piano. Elle partit aussitôt en visite de politesse dans les tavernes, le magasin et la forge, centres de la vie sociale. En guise de journal, le village possédait une feuille de chou imprimée sur une machine vétuste qui avait traversé le continent, dont Joe se servit pour annoncer discrètement son négoce. Outre les filles, elle offrait des bouteilles du meilleur rhum de Cuba et de la Jamaïque, comme elle l'appelait, même si en réalité il s'agissait d'un tord-boyaux capable de vous retourner le cœur et l'âme, des livres « chauds » et deux tables de jeu. Les clients ne se firent pas attendre longtemps. Il existait un autre bordel, mais la nouveauté était toujours bienvenue. La tenancière de l'autre établissement déclara une guerre sournoise à base de calomnies contre sa rivale, mais elle évita d'affronter directement le formidable duo formé par la Brisetout et Babalu le Mauvais. Dans la baraque, on forniquait derrière les rideaux, on dansait au rythme du piano et on jouait des sommes considérables sous la surveillance de la patronne qui n'acceptait ni les bagarres ni d'autres tricheries que les siennes sous son toit. Eliza vit des hommes perdre en deux nuits les bénéfices de mois d'efforts titanesques, et pleurer dans le giron des filles qui avaient contribué à les plumer.

Très vite, les mineurs se prirent d'affection pour Joe. Malgré son allure de corsaire, la femme avait un cœur de mère et, cet hiver-là, les circonstances le mirent à l'épreuve. Une épidémie de dysenterie se déclara, qui toucha la moitié de l'agglomération et tua plusieurs personnes. Dès qu'elle apprenait qu'un homme était aux portes de la mort dans une cabane lointaine, Joe se faisait prêter deux chevaux chez le forgeron et partait avec Babalu porter secours au malheureux. Ils se faisaient souvent accompagner par le forgeron, un quaker imposant qui désapprouvait le négoce de la maquerelle, mais qui était toujours disposé à aider son prochain. Joe préparait à manger au malade, le nettoyait, lavait son linge et le consolait en lui relisant pour la centième fois les lettres de sa lointaine famille, tandis que Babalu et le forgeron dégageaient la neige, allaient chercher de l'eau, coupaient du bois qu'ils empilaient à côté du poêle. Si l'homme allait très mal, Joe l'enveloppait dans des couvertures, le mettait comme un sac en travers de sa monture et l'emmenait chez elle, où les filles s'occupaient de lui avec des vocations d'infirmières, ravies de l'opportunité de se sentir vertueuses. Elles ne pouvaient pas faire grand-chose, à part obliger les patients à boire des litres de thé sucré pour qu'ils ne se dessèchent pas complètement, les maintenir propres, bien couverts et au calme, avec l'espoir que la colique ne les vide pas entièrement et que la fièvre ne les fasse pas délirer. Certains mouraient et les autres mettaient des semaines à refaire surface. Joe était la seule à affronter l'hiver pour gagner les cabanes les plus isolées, ainsi découvrit-elle des corps transformés en statues de cristal. Tous n'étaient pas victimes de la maladie, parfois l'individu ne supportant plus les maux d'estomac, la solitude et le délire s'était tiré une balle dans la bouche. A deux occasions, Joe dut fermer boutique parce que sa baraque était jonchée de nattes et que ses colombes passaient tout leur temps à s'occuper des patients. Le shérif du village tremblait quand elle apparaissait avec sa pipe hollandaise et sa voix puissante et décidée de prophète pour exiger de l'aide. On ne pouvait la lui refuser. Les mêmes hommes qui avaient fait la mauvaise réputation du village se mirent à son service sans rechigner. Il n'y avait rien qui ressemblait à un hôpital, l'unique médecin était débordé, et c'était donc à elle que revenait, tout naturellement, la tâche de trouver les solutions en cas d'urgence. Les chanceux qu'elle parvenait à sauver devenaient ses dévots débiteurs, ainsi tissa-t-elle cet hiver-là le réseau de contacts qui devrait lui venir en aide lors de l'incendie.

Le forgeron s'appelait James Morton, c'était un des rares exemples d'homme bon. Il ressentait un amour véritable pour l'humanité tout entière, même pour ses ennemis idéologiques qui, selon lui, se fourvoyaient par ignorance et non par méchanceté viscérale. Incapable d'une vilenie, il ne pouvait la concevoir chez son prochain, il préférait croire que la perversité des autres était une déviation de caractère, guérissable par la lumière de la pitié et par l'affection. Il venait d'une longue lignée de quakers de l'Ohio, où il avait collaboré avec ses frères dans une chaîne clandestine de solidarité avec les esclaves fugitifs, pour les cacher et les conduire jusqu'aux Etats libres et au Canada. Leurs activités ayant éveillé la colère des esclavagistes, un groupe d'individus fondit sur la ferme une nuit et y mit le feu, tandis que la famille observait sans rien faire, fidèle à sa foi de ne pas prendre les armes contre ses semblables. Les Morton durent abandonner leurs terres. Ils se dispersèrent, mais maintenaient des contacts étroits entre eux grâce à leur appartenance au réseau humanitaire des abolitionnistes. Pour James, chercher de l'or n'était pas un moyen digne de gagner sa vie, parce que cela ne produisait rien et n'offrait aucun service. La richesse avilit l'âme, complique l'existence et engendre le malheur, soutenait-il. De plus, l'or était un métal blanc, inutile à la fabrication des outils ; il ne pouvait comprendre la fascination qu'il exerçait sur les autres. Grand, musclé, une barbe fournie couleur noisette, des yeux bleus et de gros bras marqués de multiples brûlures, il était l'incarnation du dieu Vulcain illuminé par l'éclat de sa forge. Dans le village il n'y avait que trois quakers, tous voués au travail et à la famille, toujours satisfaits de leur sort, les seuls à ne pas jurer. Ils prônaient l'abstinence et évitaient les bordels. Ils se réunissaient régulièrement pour pratiquer leur culte sans se faire remarquer, prêchant par l'exemple, tout en attendant avec impatience l'arrivée d'un groupe d'amis qui devait venir de l'Est pour agrandir leur communauté. Morton fréquentait la baraque de la Brisetout afin d'aider les victimes de l'épidémie, et c'est là qu'il fit la connaissance d'Esther. Il allait lui rendre visite et la payait pour le service complet, mais il s'asseyait à son côté pour discuter. Il ne pouvait pas comprendre pourquoi elle avait choisi ce genre de vie.

— Entre les coups de mon père et ça, je préfère mille fois la vie que je mène aujourd'hui.

— Pourquoi te battait-il ?

— Il m'accusait d'inciter à la luxure et au péché. Il croyait qu'Adam serait toujours au Paradis si Eve ne l'avait pas tenté. Il avait peut-être raison, tu vois comment je gagne ma vie...

— Il y a d'autres emplois, Esther.

— Celui-ci n'est pas si mauvais, James. Je ferme les yeux et je ne pense à rien. C'est une histoire de quelques minutes, et elles passent vite.

Malgré les vicissitudes de sa profession, la jeune fille conservait la fraîcheur de ses vingt ans ; un certain charme, discret et silencieux, se dégageait de son comportement, si différent de celui de ses compagnes. Rondelette, le visage placide comme la tête d'une vache et des mains fermes de paysanne, elle n'avait rien d'une coquette. Comparée aux autres colombes, elle était la moins gracieuse, mais sa peau était lumineuse et son regard doux. Le forgeron ne sut à quel moment il commença à rêver d'elle, à la voir dans les étincelles de la forge, dans la lumière du métal brûlant et dans le ciel clair. Jusqu'au jour où il ne put continuer à ignorer cette matière cotonneuse qui enveloppait son cœur et menaçait de l'étouffer. Il ne pouvait lui arriver pire malheur que de tomber amoureux d'une femme légère, il serait impossible de justifier cela aux yeux de Dieu et de sa communauté. Décidé à vaincre cette tentation par la transpiration, il s'enfermait dans la forge pour travailler comme un forcené. Certaines nuits, on entendait les terribles coups de marteau jusqu'à l'aube.

Dès qu'elle eut une adresse fixe, Eliza écrivit à Tao Chi'en au restaurant chinois de Sacramento pour lui donner son nouveau nom – Elías Andieta – et lui demander des conseils pour lutter contre la dysenterie, car l'unique remède qu'elle connaissait contre la contagion consistait en un morceau de viande attaché sur le nombril avec une bande de laine rouge, comme le faisait Mama Fresia au Chili, mais cela ne donnait pas les résultats escomptés. Elle regrettait douloureusement son absence. Parfois elle se réveillait enlacée à Tom-Sans-Tribu s'imaginant, dans la confusion du réveil, que c'était Tao Chi'en, mais l'odeur de fumée de l'enfant la ramenait à la réalité. Personne n'avait la fraîche odeur de mer de son ami. La distance qui les séparait était courte en milles, mais l'inclémence du temps rendait la route difficile et dangereuse. Elle voulut accompagner le postier pour continuer à chercher Joaquín Andieta, comme elle l'avait fait à d'autres occasions, mais les semaines passèrent à attendre en vain le bon moment. L'hiver n'était pas le seul obstacle à ses projets. A cette époque, la tension était devenue explosive entre les mineurs yankees et les Chiliens au sud de la Veine Mère. Les *gringos*, excédés par la présence des étrangers, s'unirent pour les expulser, mais ces derniers résistèrent, d'abord avec les armes, puis devant le juge qui reconnut leurs droits. Loin d'intimider les agresseurs, l'ordre du juge ne fit que les exciter davantage; plusieurs Chiliens finirent pendus ou précipités par-dessus une falaise, et les survivants durent prendre la fuite. En réponse, des bandes d'assaut se constituèrent, entre autres parmi les Mexicains. Eliza comprit qu'elle ne pouvait pas prendre de tels risques, avec son déguisement de garçon latino-américain elle pouvait se voir accusée de n'importe quel crime.

A la fin de l'année 1850 s'abattit une des pires gelées que l'on vit jamais dans ces contrées. Personne n'osait mettre le nez dehors, le village paraissait mort et pendant plus de dix jours, pas un seul client ne vint à la baraque. Il faisait tellement froid qu'au petit matin ils trouvaient l'eau gelée dans les cuvettes, malgré les poêles toujours allumés. Certaines nuits, il leur fallut entrer le cheval dans la maison pour qu'il ne subisse pas le sort d'autres animaux qui se réveillaient pris dans des blocs de glace. Les femmes dormaient à deux par lit et elle-même dormait avec l'enfant, pour qui elle s'était prise d'une affection jalouse et féroce, qu'il lui rendait avec une constance silencieuse. La seule personne du groupe qui pouvait faire concurrence à Eliza quant à l'affection pour le petit, c'était la Brisetout. « Un jour j'aurai un fils fort et courageux comme Tom-Sans-Tribu, mais beaucoup plus gai. Cet enfant ne rit jamais », racontait-elle à Tao Chi'en dans ses lettres. Babalu le Mauvais ne savait pas dormir la nuit et passait de longues heures dans l'obscurité à se promener d'une extrémité à l'autre de la baraque avec ses bottes russes, ses peaux mitées et une couverture sur les épaules. Ayant cessé de se raser la tête, un court duvet de loup, semblable à celui de sa veste, se mit à pousser. Esther lui avait tricoté un bonnet en laine jaune canari qui lui recouvrait les oreilles et lui donnait un air de monstrueux bébé. C'est lui qui entendit de faibles coups frappés à la porte ce petit matin, qu'il parvint à distinguer au milieu du raffut de la tempête. Il entrouvrit la porte, son gros pistolet à la main, et se trouva devant une forme étendue dans la neige. Effrayé, il avertit Joe et, à eux deux, luttant contre le vent pour qu'il n'arrache pas la porte d'un coup, ils réussirent à le traîner à l'intérieur. C'était un homme à moitié gelé.

Ranimer le visiteur ne fut pas chose facile. Tandis que Babalu le frictionnait et essayait de lui introduire du brandy dans la bouche, Joe réveillait les femmes, qui attisèrent le feu dans les poêles et mirent à chauffer de l'eau pour remplir la baignoire. Elles l'y plongèrent jusqu'à ce qu'il reprenne peu à peu vie et perde sa couleur bleue, et puisse articuler quelques mots. Il avait le nez, les pieds et les mains brûlés par le froid. C'était un paysan de l'Etat mexicain de Sonora venu, comme des milliers de ses compatriotes, chercher de l'or en Californie, raconta-t-il. Il s'appelait Jack, nom *gringo* qui ne devait pas être le sien, mais personne dans cette maison n'utilisait son vrai nom. Pendant les heures qui suivirent, il s'approcha plusieurs fois du seuil sans retour, et quand on croyait qu'on ne pouvait plus rien pour lui, il revenait de l'autre monde et avalait quelques gorgées d'alcool. Vers huit heures, la tempête s'apaisa finalement et Joe dit à Babalu d'aller chercher le docteur. Entendant cela, le Mexicain, qui était resté immobile et respirait par saccades, comme un poisson, ouvrit les yeux et lança un *non!* strident qui effraya tout le monde. Personne ne devait savoir qu'il était là, exigea-t-il avec une telle férocité que nul n'osa le contredire. Il était inutile de demander des explications : il avait visiblement des problèmes avec la justice, et ce village équipé d'une potence sur la place était le dernier endroit au monde où un fugitif eût souhaité chercher asile. Seule la violence de la tempête avait pu l'obliger à venir jusque-là. Eliza ne dit rien, mais pour elle la réaction de l'homme ne fut pas une surprise : il transpirait la méchanceté.

Au bout de trois jours, Jack avait récupéré un peu de ses forces, mais l'extrémité de son nez tomba et deux doigts d'une main commencèrent à se gangrener. On ne put davantage le convaincre de la nécessité de voir un médecin; il préférait pourrir à petit feu que mourir pendu, dit-il. Joe Brisetout réunit sa troupe à l'autre extrémité de la baraque et ils délibérèrent à voix basse : il fallait lui couper les doigts. Tous les regards se tournèrent vers Babalu le Mauvais.

— Moi? Pas question!

— Babalu, enfant de salaud, fais pas le pédé! s'exclama Joe furieuse.

— Fais-le toi-même, Joe, moi je ne suis pas bon pour ça.

— Si tu peux équarrir un cerf, tu peux bien faire ça. Que sont deux misérables doigts?

— Un animal c'est une chose, et une personne, c'en est une autre bien différente.

— Je n'en crois pas mes oreilles! Ce grand fils de putain, avec votre permission, les filles, ne peut pas me rendre cette faveur insignifiante! Après tout ce que j'ai fait pour toi, misérable!

— Je suis désolé, Joe. Je n'ai jamais fait de mal à un être humain...

— Mais qu'est-ce que tu racontes! Tu n'es pas un assassin, peut-être? Tu n'as pas fait de la prison?

— Pour avoir volé du bétail, confessa le géant sur le point de pleurer d'humiliation.

— Je le ferai moi, l'interrompit Eliza, toute pâle, mais d'une voix ferme.

Ils la regardèrent, l'air incrédule. Même Tom-Sans-Tribu se croyait plus capable de réaliser l'opération que le délicat petit Chilien.

— J'ai besoin d'un couteau très coupant, d'un marteau, d'une aiguille, de fil et de linges propres.

Babalu s'assit par terre la tête entre les mains, horrifié, tandis que les femmes préparaient le nécessaire dans un respectueux silence. Eliza passa en mémoire ce qu'elle avait appris auprès de Tao Chi'en, à l'époque où ils extrayaient des balles et recousaient des blessures à Sacramento. Si elle avait pu le faire sans sourciller jadis, elle pouvait très bien répéter l'opération maintenant, décida-t-elle. Le plus important, selon son ami, était d'éviter les hémorragies et les infections. Elle ne l'avait pas vu pratiquer d'amputations, mais quand il soignait les pauvres malheureux qui arrivaient sans oreilles, il disait que sous d'autres latitudes, pour le même délit on coupait les mains et les pieds. « La hache du bourreau est rapide, mais elle ne laisse pas de peau pour recouvrir le moignon de l'os », avait dit Tao Chi'en. Il lui avait expliqué les leçons d'Ebanizer Hobbs, qui avait l'habitude des blessés de guerre, et lui avait appris comment s'y prendre. Heureusement, ce sont seulement des doigts, en conclut Eliza.

La Brisetout satura le patient d'alcool jusqu'à le laisser inconscient, tandis qu'Eliza désinfectait le couteau en le chauffant au rouge. Elle fit asseoir Jack sur une chaise, lui trempa la main dans une bassine remplie de whisky et la posa sur le rebord de la table avec les doigts morts séparés. Elle murmura les prières magiques de Mama Fresia et, une fois prête, elle fit signe aux femmes de maintenir le patient. Elle appuya le couteau sur les doigts et donna un coup de marteau précis, enfonçant la lame qui coupa proprement les os et resta plantée dans la table. Jack poussa un hurlement du fond de ses entrailles. Mais il était tellement imbibé d'alcool qu'il ne se rendit pas compte qu'elle le recousait et qu'Esther le bandait. Le supplice avait duré à peine quelques minutes. Eliza resta les yeux cloués sur les doigts amputés en essayant de dominer des haut-le-cœur, tandis que les femmes couchaient Jack sur une des nattes. Babalu le Mauvais, qui était resté le plus loin possible du spectacle, s'approcha timidement, avec son bonnet de bébé à la main.

— Tu es un vrai homme, petit Chilien, murmura-t-il, admiratif.

En mars, Eliza eut silencieusement dix-huit ans. Elle espérait que tôt ou tard son Joaquín apparaîtrait sur le pas de la porte, comme le ferait tout homme à cent milles à la ronde, selon Babalu. Jack, le Mexicain, se remit en quelques jours et s'éclipsa de nuit sans prendre congé de personne, avant que ses doigts eussent cicatrisé. C'était un type sinistre et tous se réjouirent de son départ. Peu bavard, il était toujours énervé et sur ses gardes, prêt à attaquer au moindre soupçon d'une provocation imaginaire. Il ne manifesta aucune reconnaissance pour les faveurs reçues, au contraire; lorsqu'il se réveilla de son état comateux et apprit qu'on lui avait amputé les doigts qui lui servaient à actionner la détente, il se lança dans une litanie d'injures et de menaces, jurant que le fils de chien qui lui avait abîmé la main le paierait de sa vie. Alors Babalu finit par perdre patience. Il le saisit comme un pantin, le souleva à sa hauteur, le regarda fixement dans les yeux et lui dit, avec la voix douce qu'il utilisait quand il était sur le point d'exploser :

— C'est moi : Babalu le Mauvais. Y a un problème?

Dès que la fièvre baissa, Jack voulut se payer du bon temps avec les colombes, mais elles le repoussèrent en chœur : elles n'avaient aucunement l'intention de lui donner quoi que ce fût gratuitement, et il avait les poches vides, comme elles avaient pu le constater en le déshabillant pour le mettre dans la baignoire, la nuit qu'il était arrivé gelé. Joe Brisetout prit la peine de lui expliquer que si on ne lui avait pas coupé les doigts, il aurait perdu le bras ou la vie, et qu'il devait remercier le ciel d'être tombé sous son toit. Eliza interdisait à Tom-Sans-Tribu de s'approcher de l'individu, elle-même le faisait uniquement pour lui tendre une assiette et changer ses bandages, parce que l'odeur de méchanceté la gênait comme une présence tangible. Babalu ne le supportait pas et, tant qu'il resta à la maison, il s'abstint de lui adresser la parole. Il considérait ces femmes comme ses sœurs et il devenait terrible quand Jack distillait ses commentaires obscènes. Même dans les cas extrêmes, il ne lui serait jamais venu à l'idée d'utiliser les services professionnels de ses compagnes, c'était pour lui comme commettre un inceste. Quand la nature réclamait, il allait chez la concurrence, et il avait conseillé au petit Chilien d'en faire autant, dans le cas improbable où il serait guéri de ses mauvais penchants.

Tendant une assiette à Jack, Eliza s'enhardit finalement à le questionner sur Joaquín Andieta.

— Murieta ? fit-il, avec méfiance.

— Andieta.

— Je ne le connais pas.

— Il s'agit peut-être du même, suggéra Eliza.

— Qu'est-ce que tu lui veux ?

— C'est mon frère. Je suis venu du Chili pour le retrouver.

— Comment est ton frère ?

— Pas très grand, cheveux et yeux noirs, la peau blanche, comme moi, mais nous ne nous ressemblons pas. Il est mince, musclé, courageux et passionné. Quand il parle, tout le monde se tait.

— Joaquín Murieta est comme ça, mais il n'est pas chilien, il est mexicain.

— Tu es sûr ?

— Je ne suis sûr de rien, mais si je vois Murieta, je lui dirai que tu le cherches.

Le lendemain soir, il s'en fut et on n'eut plus aucune nouvelle de lui, mais deux semaines plus tard, ils trouvèrent devant la porte de la baraque un sac contenant deux livres de café. Peu après, Eliza l'ouvrit pour préparer le petit déjeuner et vit que ce n'était pas du café, mais de la poudre d'or. Selon Joe Brisetout, cela pouvait venir de n'importe quel mineur malade qu'elles avaient soigné pendant cette période, mais Eliza eut le pressentiment que celui-ci avait été déposé par

Jack comme une forme de paiement. Cet homme ne voulait rien devoir à personne. Le dimanche, ils apprirent que le shérif organisait une battue avec la police montée pour rechercher l'assassin d'un mineur : on l'avait trouvé dans sa cabane, où il passait l'hiver seul, avec neuf coups de poignard dans la poitrine et les yeux crevés. Il n'y avait plus trace de son or et, vu la brutalité du crime, on accusa les Indiens. Ne voulant pas se voir mêlée à des histoires, Joe Brisetout enterra les deux livres d'or sous un chêne et donna ordre à sa troupe de ne rien dire et de ne pas mentionner, même en plaisantant, le Mexicain aux doigts coupés, ni le sac de café. Les deux mois suivants, les gardes tuèrent une demi-douzaine d'Indiens, puis oublièrent l'affaire parce qu'ils avaient d'autres problèmes plus urgents sur les bras, et quand le chef de la tribu vint dignement demander des explications, on le tua aussi. Les Indiens, les Chinois, les Noirs ou les mulâtres ne pouvaient témoigner dans un jugement contre un Blanc. James Morton et les trois autres quakers du village furent les seuls à oser affronter la foule prête au lynchage. Ils se plantèrent en cercle autour du condamné, sans armes, récitant de mémoire les passages de la Bible qui évoquaient l'interdiction de tuer un semblable, mais la foule les écarta rudement.

Personne n'était au courant de l'anniversaire d'Eliza et celui-ci ne fut donc pas célébré; nonobstant, cette nuit du 15 mars fut mémorable pour elle et pour les autres. Les clients avaient repris le chemin de la baraque, les colombes étaient toujours occupées, le petit Chilien tapait sur son piano avec un enthousiasme non feint et Joe faisait des comptes optimistes. L'hiver n'avait pas été si mauvais, après tout, le pire de l'épidémie était passé et plus aucun malade n'était allongé sur les nattes. Cette nuit-là, il y avait une douzaine de mineurs qui buvaient consciencieusement, alors que dehors le vent arrachait violemment les branches des pins. Vers onze heures, l'enfer commença. Personne ne put s'expliquer comment l'incendie s'était déclaré, mais Joe soupçonna toujours l'autre tenancière. Les éléments en bois prirent feu comme des pétards et, en un instant les rideaux, châles en soie, le linge, tout se mit à brûler. Tous purent s'enfuir sans dommage, certains eurent même le temps de jeter une couverture sur leurs épaules, et Eliza saisit au vol la boîte en fer qui contenait ses précieuses lettres. Les flammes et la fumée encerclèrent rapidement la cabane et en moins de dix minutes, elle brûlait comme une torche, tandis que les femmes, à moitié nues, à côté de leurs clients un peu éméchés, observaient le spectacle, totalement impuissantes. Alors Eliza jeta un regard circulaire pour compter les personnes présentes et constata, horrifiée, qu'il manquait Tom-Sans-Tribu. Le petit dormait dans le lit qu'ils partageaient. Elle arracha à la volée une couverture des épaules d'Esther, s'en couvrit la tête et courut en traversant d'un saut la mince cloison en bois qui brûlait, suivie par Babalu, qui essayait de la retenir à grands cris, sans comprendre la raison de son geste. Elle trouva le garçon debout au milieu de la fumée, les yeux apeurés, mais parfaitement serein. Elle lui jeta la couverture et essaya de le prendre dans ses bras, mais il était très lourd et un accès de toux la brisa en deux. Elle tomba à genoux en poussant Tom pour qu'il coure vers la sortie, mais celui-ci ne bougea pas et tous deux auraient été réduits en cendres si Babalu n'était apparu à cet instant. Il les prit chacun sous un bras, comme deux paquets, et ressortit en courant au milieu des ovations de l'assistance rassemblée dehors.

— Gamin de malheur! Qu'est-ce que tu faisais là-dedans! reprochait Joe au petit Indien, tout en l'enlaçant, l'embrassant et lui donnant des claques pour le faire respirer.

La baraque se trouvant isolée, l'incendie épargna le village, comme le fit remarquer plus tard le shérif, qui avait l'expérience des incendies parce qu'ils éclataient avec une fréquence anormale dans ce coin. Apercevant la forte lueur, une dizaine de volontaires accoururent derrière le forgeron pour combattre les flammes, mais il était trop tard. Ils purent seulement sauver le cheval d'Eliza, dont personne ne s'était souvenu dans la confusion des premières minutes et qui était encore attaché dans son hangar, fou de terreur. Joe Brisetout perdit cette nuit-là tout ce qu'elle possédait au monde et, pour la première fois, on la vit fléchir. L'enfant dans les bras, elle assista à la destruction sans pouvoir contenir ses larmes, et quand il ne resta plus que des tisons fumants, elle plongea son visage dans l'énorme poitrine de Babalu, dont les cils et les sourcils avaient brûlé. Voyant ainsi faiblir cette matrone, qu'elles croyaient invulnérable, les quatre femmes en chœur fondirent en larmes, formant une grappe de jupons, de chevelures ébouriffées et de chairs frissonnantes. Cependant le réseau de solidarité commença à fonctionner avant même que les flammes se fussent éteintes et, en moins d'une heure, il y avait un logement disponible pour tout le monde dans plusieurs maisons du village, et l'un des mineurs, que Joe avait sauvé de la dysenterie, improvisa une collecte. Le petit Chilien, Babalu et l'enfant – les trois hommes de la troupe – passèrent la nuit dans la forge. James Morton installa deux matelas avec de grosses couvertures contre la forge toujours chaude et offrit un copieux petit déjeuner à ses hôtes, préparé avec soin par l'épouse du prédicateur qui, le dimanche, dénonçait d'une voix tonitruante l'exercice effronté du vice, comme il appelait l'activité dans les bordels.

— Ce n'est pas le moment de faire des manières, ces pauvres âmes tremblent de froid, dit l'épouse du révérend en se présentant dans la forge avec un ragoût de lièvre, une jarre de chocolat et des biscuits à la cannelle.

Cette même femme arpenta le village pour demander des vêtements destinés aux colombes qui étaient toujours en jupons, et la réponse des autres femmes fut généreuse. Elles évitaient de passer devant le local de l'autre tenancière, mais elles avaient dû entrer en relation avec Joe Brisetout pendant l'épidémie et elles la respectaient. C'est ainsi que, pendant un bon moment, les quatre filles furent habillées en femmes modestes, couvertes de la tête aux pieds, en attendant de pouvoir remplacer leurs accoutrements voyants. La nuit de l'incendie, l'épouse du pasteur voulut emmener Tom-Sans-Tribu chez elle, mais l'enfant s'accrocha au cou de Babalu et il fut totalement impossible de l'en arracher. Le géant avait passé des heures sans dormir, avec le petit Chilien recroquevillé dans un bras et l'enfant dans l'autre, plutôt scandalisé par les regards surpris du forgeron.

— N'allez pas imaginer des choses, l'ami. Je ne suis pas pédéraste, bafouilla-t-il indigné, sans lâcher les deux dormeurs.

La collecte des mineurs et le sac de café enterré sous le chêne servirent à loger les sinistrés dans une maison si commode et si décente que Joe Brisetout pensa renoncer à sa compagnie itinérante pour s'y installer. Tandis que d'autres villages disparaissaient quand les mineurs se déplaçaient vers d'autres laveries, celui-là grandissait, s'affirmait, et on envisageait même de changer son nom par un autre plus digne. Quand l'hiver serait fini, de nouvelles vagues d'aventuriers recommenceraient à monter vers les versants de la montagne et l'autre tenancière se préparait. Joe Brisetout ne comptait plus que sur trois filles, car il semblait évident que le forgeron pensait lui ravir Esther; le moment venu elle aviserait. Elle avait gagné une certaine considération avec ses œuvres charitables et ne voulait pas la perdre : pour la première fois dans sa vie agitée, elle se sentait acceptée au sein d'une communauté. C'était beaucoup plus que ce qu'elle avait jamais eu chez les Hollandais de Pennsylvanie, et à son âge, l'idée de prendre racine n'était pas idiote. Apprenant ses projets, Eliza décida que si Joaquín Andieta – ou Murieta – n'apparaissait pas au printemps, il lui faudrait prendre congé de ses amis et continuer à le chercher.

Désillusions

A la fin de l'automne, Tao Chi'en reçut la dernière lettre d'Eliza qui était passée de main en main pendant plusieurs mois, suivant sa trace jusqu'à San Francisco. Il avait quitté Sacramento en avril. L'hiver dans cette ville lui avait semblé interminable, seules les lettres d'Eliza, qui lui arrivaient de façon sporadique, le retenaient, et l'espoir que l'esprit de Lin le retrouve, ainsi que son amitié pour l'autre *zhong yi*. S'étant procuré des livres de médecine occidentale, il s'attelait avec un réel plaisir au travail patient de les traduire mot à mot à son ami, ainsi assimilaient-ils en même temps ces connaissances si différentes des leurs. Ils apprirent qu'en Occident on savait peu de choses des plantes fondamentales, de la prévention des maladies ou du *qi*, l'énergie du corps n'était mentionnée dans aucun de ces textes ; mais les Occidentaux étaient beaucoup plus avancés dans d'autres domaines. Il passait des journées entières avec son ami à comparer et à discuter, mais l'étude n'était pas une consolation suffisante. L'isolement et la solitude lui pesaient tellement qu'il abandonna sa masure de planches et son jardin aux plantes médicinales, et s'en alla vivre dans un hôtel pour Chinois, où au moins il entendait parler sa langue et mangeait à son goût. Bien que ses clients fussent très pauvres et qu'il les soignât souvent gratuitement, il avait économisé quelque argent. Si Eliza revenait, ils s'installeraient dans une vraie maison, pensait-il, mais tant qu'il était seul, l'hôtel lui suffisait. L'autre *zhong yi* pensait se procurer une jeune épouse en Chine et s'installer définitivement aux Etats-Unis parce que, en dépit de sa condition d'étranger, il y vivrait mieux que dans son pays. Tao Chi'en le mit en garde contre la vanité des *lys dorés*, spécialement en Amérique, où l'on marchait beaucoup et où les *fan güey* se moquaient des femmes aux pieds de poupée. « Demandez à l'agent de vous faire venir une épouse souriante et en bonne santé, tout le reste est sans importance », lui conseilla-t-il en pensant au bref passage sur terre de son inoubliable Lin, et se disant qu'il aurait été cent fois plus heureux si elle avait eu les pieds et les poumons solides d'Eliza. Sa femme s'était égarée, elle ne savait pas se repérer sur ces terres étrangères. Il l'invoquait à ses heures de méditation et dans ses poésies, mais elle ne revint plus, pas même dans ses rêves. La dernière fois qu'il s'était trouvé en sa présence, c'était dans la cale du bateau, quand elle avait surgi, avec sa robe en soie verte et ses pivoines dans les cheveux, pour lui demander de sauver Eliza, mais cela s'était passé à la hauteur du Pérou et, depuis lors, tant d'eau, de terre et de temps étaient passés que Lin devait errer en pleine confusion. Il imaginait le doux esprit en train de le chercher dans ce vaste continent inconnu, sans pouvoir le situer. Sur la suggestion du *zhong yi*, il fit exécuter son portrait par un artiste récemment arrivé de Shanghai, un vrai génie du tatouage et du dessin, qui suivit ses instructions à la lettre, mais le résultat ne rendait pas justice à la transparente beauté de Lin. Tao Chi'en monta un petit autel autour du tableau, en face duquel il prenait place pour l'invoquer. Il ne comprenait pas pourquoi la solitude, qu'il considérait jadis comme une bénédiction et un luxe, lui devenait maintenant intolérable. L'inconvénient majeur de ses années de marin avait été le manque d'un espace privé où trouver le calme et le silence, mais maintenant qu'il avait tout cela, il recherchait la compagnie. Cependant, l'idée de faire venir une fiancée lui paraissait incongrue. Une fois déjà, les esprits de ses ancêtres lui avaient trouvé une épouse parfaite, mais derrière cette bonne fortune apparente se cachait une malédiction occulte. Il connaissait l'amour partagé et plus jamais le temps de l'innocence ne reviendrait : le temps où une femme avec des petits pieds et un bon caractère lui semblait une chose suffisante. Il se croyait condamné à vivre du souvenir de Lin, car aucune autre femme ne pourrait occuper sa place dignement. Il ne souhaitait pas la présence d'une servante ou d'une concubine. Le besoin d'avoir des enfants, qui honoreraient sa mémoire et s'occuperaient de sa tombe, ne lui servait pas même de stimulant. Il tâcha de l'expliquer à son ami, mais s'emmêlant dans ses phrases, il ne put trouver les mots pour exprimer ce tourment. La femme est une créature nécessaire pour le travail, la maternité et le plaisir, mais aucun homme cultivé et intelligent n'aurait la prétention de s'en faire une compagne, lui avait dit son ami, l'unique fois où ce dernier lui avait confié ses sentiments. En Chine, il suffisait de regarder autour de soi pour comprendre ce raisonnement, mais en Amérique les relations entre mari et femme semblaient différentes. Tout d'abord, personne n'avait de concubine, du moins ouvertement. Les rares familles de *fan güey* que Tao Chi'en avait connues dans ces contrées d'hommes seuls lui paraissaient impénétrables. Il avait du mal à s'imaginer comment ils vivaient dans l'intimité car, apparemment, les maris considéraient leurs femmes comme des égales. C'était un mystère qu'il eût aimé explorer, comme tant d'autres dans ce pays extraordinaire.

Les premières lettres d'Eliza arrivèrent au restaurant et, comme la communauté chinoise connaissait Tao Chi'en, elles lui furent remises sans tarder. Ces longues lettres, pleines de détails, étaient sa meilleure compagnie. En pensant à Eliza, il était surpris de sa propre nostalgie, parce qu'il n'aurait jamais imaginé que l'amitié avec une femme fût possible, et encore moins avec une femme d'une autre culture. Il l'avait presque toujours vue habillée en homme, mais il la trouvait tout à fait féminine et s'étonnait de voir que tous acceptaient son allure sans poser de questions. « Les hommes ne regardent pas les autres hommes et les femmes croient que je suis un garçon efféminé », lui avait-elle écrit dans une lettre. Pour lui, en revanche, c'était la jeune fille habillée en blanc à qui il avait enlevé son corset dans une cabane de pêcheur à Valparaiso, la malade qui s'était livrée sans retenue à ses soins dans la cale du bateau, le corps tiède collé au sien les nuits glacées sous un toit de toile, chantonnant gaiement tout en cuisinant, et l'expression grave de son visage quand elle l'aidait à soigner les blessés. Il ne la voyait plus comme une jeune fille, mais comme une femme, malgré son ossature de rien du tout et son visage enfantin. Il constatait combien elle avait changé en se coupant les cheveux et regrettait de n'avoir pas conservé sa tresse, idée qui lui était venue alors, mais qu'il avait chassée comme une forme honteuse de sentimentalisme. Au moins pourrait-il l'avoir maintenant dans ses mains pour invoquer la présence de cette singulière amie. Lorsqu'il pratiquait la méditation, il ne manquait jamais de lui envoyer de l'énergie protectrice, pour l'aider à survivre à toutes les morts et à tous les malheurs possibles qu'il tâchait de ne pas formuler, parce qu'il savait que celui qui se complaît à penser au mal finit par le provoquer. Parfois, il rêvait à elle et se réveillait en nage, alors il tentait sa chance avec les baguettes du I Chin, afin de voir l'invisible. Dans ses messages ambigus, Eliza apparaissait toujours en marche vers la montagne, cela le rassurait un peu.

En septembre 1850, il participa à une bruyante célébration patriotique, quand la Californie devint un nouvel Etat de l'Union. La nation américaine s'étendait maintenant sur tout le continent, de l'Atlantique au Pacifique. A cette époque, la fièvre de l'or se transformait en une immense désillusion collective et Tao pouvait voir ces masses de mineurs affaiblis et pauvres, attendant leur tour d'embarquer pour retourner chez eux. Les journaux estimaient à plus de quatre-vingt-dix mille ceux qui repartaient. Les marins ne désertaient plus, au contraire, les bateaux n'étaient pas suffisants pour emmener tous les candidats au départ. Un mineur sur cinq était mort, noyé dans les cours d'eau, de maladie ou de froid; beaucoup mouraient assassinés ou se logeaient une balle dans la tête. Les étrangers continuaient à arriver, embarqués des mois auparavant, mais l'or n'était plus à la portée du premier audacieux muni d'une batée, d'une pelle et d'une paire de bottes. L'époque des héros solitaires était révolue, l'heure était aux puissantes compagnies pourvues de machines capables de découper les montagnes grâce à des jets d'eau. Les mineurs travaillaient pour un salaire, et les seuls à s'enrichir étaient les entrepreneurs, aussi avides de fortune facile que les aventuriers de 49, mais beaucoup plus futés, comme ce tailleur juif dénommé Levy qui fabriquait des pantalons en grosse toile à double couture et rivets métalliques, uniforme obligé des travailleurs. Tandis que beaucoup partaient, les Chinois, eux, continuaient à arriver comme des fourmis silencieuses. Tao Chi'en traduisait souvent les journaux en anglais pour son ami, le *zhong yi*, qui appréciait tout particulièrement les articles d'un certain Jacob Freemont, parce qu'ils correspondaient à ses propres opinions :

« Des milliers d'argonautes retournent chez eux, la queue entre les jambes, car ils n'ont pas trouvé la Toison d'Or, leur Odyssée s'est transformée en tragédie; beaucoup d'autres, même pauvres, restent parce qu'ils ne peuvent plus vivre ailleurs. Deux années dans ces régions sauvages et superbes vous transforment un homme. Les dangers, l'aventure, le bien-être et la force de vie que l'on peut ressentir en Californie ne se trouvent nulle part ailleurs. L'or a fait son travail : il a attiré les hommes qui sont en train de conquérir ce territoire pour le transformer en Terre Promise. C'est irrévocable... », écrivait Freemont.

Pour Tao Chi'en, cependant, ils vivaient dans un paradis de gens cupides, matérialistes et impatients dont l'obsession était de s'enrichir le plus rapidement possible. Il n'y avait aucune nourriture pour l'esprit; en revanche, la violence et l'ignorance prospéraient. De ces deux maux dérivaient tous les autres, il en était convaincu. Il avait vu beaucoup de choses en vingt-sept ans de vie et ne pensait pas être un intolérant, mais il était choqué par la débâcle des coutumes et l'impunité du crime. Un tel endroit était destiné à succomber dans le gouffre de ses propres vices, maintenait-il. Il avait perdu l'espoir de trouver en Amérique la paix tant espérée, ce n'était définitivement pas l'endroit idéal pour quelqu'un qui aspirait à la sagesse. Pourquoi donc ce pays l'attirait-il ainsi? Tao devait éviter qu'il l'ensorcelle, comme cela arrivait avec tous ceux qui y posaient le pied. Son souhait était de retourner à Hong Kong ou de rendre visite à son ami Ebanizer Hobbs en Angleterre pour étudier et travailler à son côté. Durant les années écoulées depuis son rapt sur le *Liberty*, il avait écrit plusieurs lettres au médecin anglais, mais naviguant, il n'avait jamais eu de réponse. Jusqu'à ce jour de février 1849, à Valparaiso, où le capitaine John Sommers lui remit une lettre de lui. Son ami lui racontait qu'à Londres, il se consacrait à la chirurgie, bien que sa véritable vocation fût toujours les maladies mentales, un champ nouveau à peine exploré par le milieu scientifique.

A *Dai Fao*, la « grande ville », comme les Chinois appelaient San Francisco, il pensait travailler un certain temps, puis s'embarquer pour la Chine, si Ebanizer Hobbs ne répondait pas rapidement à sa dernière lettre. Il fut étonné de voir combien San Francisco avait changé en l'espace d'une année. A la place du campement bruyant de masures et de tentes qu'il avait connu, il vit une ville avec des rues bien tracées et des bâtiments de plusieurs étages, organisée et prospère, où de toutes parts s'élevaient de nouveaux logements. Un monstrueux incendie avait ravagé plusieurs pâtés de maisons trois mois auparavant. On voyait encore des restes de bâtiments calcinés, mais les braises étaient encore chaudes que déjà, un marteau à la main, tous s'attelaient à la reconstruction. Il y avait des hôtels de luxe avec vérandas et balcons, des casinos, des bars et des restaurants, des voitures élégantes et une foule cosmopolite, mal fagotée et de mauvaise mine, au-dessus de laquelle surnageaient les chapeaux hauts de forme de quelques rares dandys. Le reste était composé de types barbus et boueux, à l'allure de truands, mais personne n'était ce qu'il paraissait, l'arrimeur du quai pouvait être un aristocrate latino-américain et le cocher un avocat de New York. En discutant quelques minutes avec un de ces types patibulaires, on pouvait découvrir un homme bien élevé et fin, qui au moindre prétexte vous sortait une lettre de sa femme cent fois tripotée, l'exhibant les larmes aux yeux. Le contraire arrivait aussi : l'individu tiré à quatre épingles cachait un malfrat sous son costume bien coupé. Il ne remarqua aucune école sur son chemin vers le centre ; en revanche, il vit des enfants qui travaillaient comme des adultes à creuser des trous, transporter des briques, conduire des mules et cirer des chaussures. Mais dès que le vent du large soufflait, ils couraient jouer avec leurs cerfs-volants. Par la suite il apprit qu'ils étaient pour la plupart orphelins, errant dans les rues en bandes, chapardant de la nourriture pour survivre. Les femmes étaient encore peu nombreuses et, quand l'une d'elles mettait un pied dans la rue, le trafic s'arrêtait pour la laisser passer. Au pied de la colline Telegraph, où se trouvait un phare planté de drapeaux indiquant la provenance des bateaux qui pénétraient dans la baie, s'étendait un quartier de plusieurs rues où les femmes abondaient : c'était le quartier chaud, contrôlé par les escrocs australiens, tasmaniens et néo-zélandais. Tao Chi'en en avait entendu parler et il savait que ce n'était pas un endroit où un Chinois pouvait s'aventurer seul après le coucher du soleil. En jetant un coup d'œil sur les magasins, il vit qu'on y vendait les mêmes produits qu'à Londres. Tout arrivait par mer, même les cargaisons de chats pour combattre les rats, qui se vendaient un à un, comme des articles de luxe. La forêt de mâts des bateaux abandonnés dans la baie était réduite à un dixième, car beaucoup avaient été coulés en vue d'un remblai, base de futures constructions, ou étaient devenus des hôtels, des entrepôts, des prisons, et même un asile de fous, où allaient mourir les malheureux qui s'égaraient dans les délires irrémédiables de l'alcool. C'était devenu indispensable ; avant cela, on attachait les fous aux arbres.

Tao Chi'en gagna le quartier chinois et constata que les rumeurs étaient fondées : ses compatriotes avaient construit une vraie ville au cœur de San Francisco, où l'on parlait le mandarin et le cantonais. Les réclames étaient écrites en chinois et les Chinois étaient partout : l'illusion de se trouver dans l'Empire Céleste était parfaite. Il s'installa dans un bon hôtel et se disposa à pratiquer son office de médecin le temps qu'il faudrait pour amasser une certaine somme d'argent, car il avait un long voyage devant lui. Une chose advint cependant, qui devait perturber ses plans et le retenir dans cette ville. « Mon karma n'était pas de trouver la paix dans un monastère de montagne, comme je l'ai rêvé parfois, mais de mener une guerre sans fin et sans merci », conclut-il plusieurs années plus tard, lorsqu'il put jeter un regard sur son passé et voir avec netteté les chemins parcourus, et ceux qui restaient à parcourir. Quelques mois plus tard, il reçut la dernière lettre d'Eliza dans une enveloppe extrêmement froissée.

Paulina Rodríguez de Santa Cruz descendit du *Fortuna* comme une impératrice, entourée de sa suite et suivie de ses quatre-vingt-treize malles. Le troisième voyage du capitaine John Sommers avec la glace avait été un véritable calvaire pour lui, le reste des passagers et l'équipage. Paulina avait fait savoir à tout le monde que le bateau lui appartenait et, pour le prouver, elle contredisait le capitaine et donnait des ordres arbitraires aux marins. Ils n'eurent même pas la consolation de la voir malade, parce que son estomac d'éléphant supporta la navigation sans autre conséquence qu'un appétit redoublé. Ses enfants se perdaient souvent dans les recoins du bateau, les gouvernantes ne les quittaient pourtant pas des yeux, et quand cela arrivait, les alarmes de bord retentissaient et il fallait stopper le bateau parce que la mère désespérée criait qu'ils étaient tombés à l'eau. Le capitaine essayait de lui expliquer, avec le plus de délicatesse possible, que dans ce cas il fallait se résigner, que le Pacifique les aurait engloutis, mais elle faisait mettre des canots de sauvetage à la mer. Les enfants réapparaissaient tôt ou tard et, après quelques heures de tragédie, ils pouvaient poursuivre le voyage. En revanche, son antipathique chien de manchon glissa un jour et tomba dans l'océan devant plusieurs témoins qui ne dirent mot. Sur le quai de San Francisco l'attendaient son mari et son beau-frère, ainsi qu'une file de voitures et de charrettes pour le transport de la famille et des malles. La nouvelle résidence construite à son intention, une élégante demeure victorienne, était arrivée dans des caisses d'Angleterre, en pièces numérotées, avec un plan pour la monter. Ils avaient également importé le papier mural, les meubles, la harpe, le piano, les lampes et même les figurines en porcelaine et quelques tableaux bucoliques destinés à la décoration. Tout cela ne fut pas du goût de Paulina. Comparée à sa maison en marbre du Chili, on aurait dit une maison de poupée qui menaçait de s'effondrer si l'on s'appuyait contre le mur, mais pour le moment il fallait s'en contenter. Il lui suffit de jeter un coup d'œil sur la ville effervescente pour évaluer les possibilités qui s'y cachaient.

— Nous allons nous installer ici, Feliciano. Les premiers arrivés deviennent des aristocrates après quelques années.

— Tu as déjà cela au Chili, voyons.

— Moi oui, mais pas toi. Crois-moi, ce sera la ville la plus importante du Pacifique.

— Composée de canailles et de putains !

— Exactement. Ce sont les personnes les plus désireuses de respectabilité. Il n'y aura personne de plus respectable que la famille Cross. Dommage que les *gringos* ne puissent pas prononcer ton vrai nom. Cross est un nom de fabricant de fromages. Mais enfin, je suppose qu'on ne peut pas tout avoir...

Le capitaine John Sommers se dirigea vers le meilleur restaurant de la ville, bien disposé à manger et boire pour oublier les cinq semaines passées auprès de cette femme. Il amenait plusieurs caisses contenant les nouvelles éditions illustrées de livres érotiques. Le succès des livres précédents avait été formidable et il espérait que sa sœur Rose retrouverait l'envie d'écrire. Depuis la disparition d'Eliza, elle s'était enfoncée dans la tristesse et n'avait plus repris sa plume. Son humeur à lui aussi avait changé. Je commence à me faire vieux, nom de Dieu, disait-il, lorsqu'il se surprenait à des nostalgies inutiles. Il n'avait pas eu le temps de profiter de sa fille, de l'emmener en Angleterre, comme il en avait eu le souhait ; il n'avait jamais eu le temps de lui dire non plus qu'il était son père. Il était fatigué des mensonges et des mystères. Le négoce des livres était un autre des secrets familiaux. Quinze ans auparavant, quand sa sœur lui avait confessé qu'en cachette de Jeremy, elle écrivait des histoires impudiques pour ne pas mourir d'ennui, il eut l'idée de les publier à Londres, où le marché de l'érotisme avait progressé, en même temps que la prostitution et les clubs de flagellants, à mesure que s'imposait la très rigide morale victorienne. Dans une lointaine province du Chili, assise devant un coquet secrétaire de bois clair, sans autre source d'inspiration que les souvenirs mille fois amplifiés et perfectionnés d'un unique amour, sa sœur produisait un roman après l'autre, tous écrits par « une dame anonyme ». Qui aurait cru que ces ardentes histoires, certaines avec une touche évocatrice du Marquis de Sade, classiques dans leur facture, étaient écrites par une femme ? Sa tâche à lui était de porter les manuscrits à l'éditeur, de surveiller les comptes, de toucher les dividendes et de déposer l'argent dans une banque de Londres au nom de sa sœur. C'était une façon de payer le service qu'elle lui avait rendu en s'occupant de sa fille, et en ne disant rien. Eliza... Il ne se souvenait pas de sa mère, pourtant elle avait dû hériter de ses traits physiques ; de lui, elle tenait sans doute le goût de l'aventure. Où pouvait-elle bien être ? Avec qui ? Rose répétait qu'elle était partie en Californie derrière son amant, mais plus le temps passait, moins il y croyait. Son ami Jacob Todd – Freemont maintenant –, qui avait fait de la recherche d'Eliza une affaire personnelle, assurait qu'elle n'avait jamais posé le pied à San Francisco.

Freemont retrouva le capitaine pour dîner, puis il l'invita à un spectacle frivole dans un café dansant du quartier chaud. Il lui raconta que Ah Toy, la Chinoise, qu'ils avaient aperçue à travers les trous du mur, possédait maintenant une chaîne de bordels et un « salon » très élégant, où l'on trouvait les plus belles filles orientales, certaines à peine âgées de onze ans, entraînées pour satisfaire tous les caprices. Ce n'était pas là qu'ils iraient, mais voir les danseuses d'un harem turc, dit-il. Peu après, ils fumaient et buvaient dans un bâtiment de deux étages, meublé de lourdes tables de marbre, décoré de bronzes et de tableaux de nymphes mythologiques poursuivies par des faunes. Des femmes de races différentes s'occupaient de la clientèle, de l'alcool et des tables de jeu, sous l'œil vigilant de quelques maquereaux armés et habillés de façon voyante. De chaque côté du salon principal, dans des cabinets privés, on pariait fort. Là se réunissaient les tigres du jeu qui risquaient des milliards en une nuit : des politiciens, juges, commerçants, avocats et criminels, tous nivelés par la même passion. Le spectacle oriental fut un fiasco pour le capitaine qui avait vu l'authentique danse du ventre à Istanbul, ces jeunes filles maladroites, se dit-il, appartenaient certainement à la dernière fournée de prostituées arrivées de Chicago. La clientèle, composée dans sa majorité de pauvres mineurs incapables de situer la Turquie sur une carte, délirait d'enthousiasme devant ces odalisques à peine couvertes de jupettes en perles. Pour se désennuyer, le capitaine se dirigea vers une table de jeu où une femme distribuait, avec une incroyable adresse, les cartes pour le *monte*. Une autre s'approcha et lui saisit le bras en lui soufflant une invitation à l'oreille. Il se retourna pour la regarder. C'était une Sud-Américaine rondouillette et quelconque, mais avec une expression de franche gaieté. Il allait la renvoyer, parce qu'il avait l'intention de passer le reste de la soirée dans l'un des salons coûteux où il se rendait à chacune de ses visites à San Francisco, lorsque ses yeux se fixèrent sur son corsage. Entre les deux seins elle portait une broche en or sertie de turquoises.

— Où tu as pris ça ! cria-t-il en la saisissant par les épaules de deux mains de fer.

— C'est à moi ! Je l'ai achetée, balbutia-t-elle atterrée.

— Où ? fit-il en continuant à la secouer, jusqu'à ce que l'un des tueurs s'approche.

— Vous avez un problème, mister ? dit l'homme, menaçant.

Le capitaine fit signe qu'il voulait la femme et il l'emmena pratiquement au vol dans l'un des cabinets du deuxième étage. Il tira le rideau et d'une gifle l'envoya rouler sur le lit.

— Tu vas me dire où tu as pris cette broche ou je te brise toutes les dents, c'est bien compris ?

— Je ne l'ai pas volée, monsieur, je le jure. On me l'a donnée !

— Qui te l'a donnée ?

— Vous n'allez pas me croire si je vous dis...

— Qui !

— Une jeune fille, il y a longtemps, sur un bateau...

Et Azucena Placeres n'eut d'autre choix que de raconter à cet énergumène que la broche lui avait été donnée par un cuisinier chinois, en échange de quoi elle avait dû s'occuper d'une pauvre fille qui se mourait à la suite d'un avortement dans la cale d'un bateau, au milieu de l'océan Pacifique. A mesure qu'elle parlait, la colère du capitaine se transformait en horreur.

— Que lui est-il arrivé ? demanda John Sommers, la tête entre les mains, anéanti.

— Je ne sais pas, monsieur.

— Je t'en conjure, dis-moi ce qui lui est arrivé, supplia-t-il, posant sur sa jupe une liasse de billets.

— Qui êtes-vous ?

— Je suis son père.

— Elle est morte en perdant son sang et nous avons jeté son corps dans la mer. Je vous le jure, répondit Azucena Placeres sans hésiter, car elle pensa que si cette malheureuse avait traversé la moitié du monde cachée dans un trou comme un chien, ce serait une impardonnable vilenie de sa part de lancer son père sur ses traces.

Eliza passa l'été dans le village car, entre une chose et une autre, elle était toujours occupée. Babalu le Mauvais fut le premier à avoir une attaque fulgurante de dysenterie, qui provoqua la panique parce que l'on supposait l'épidémie contrôlée. Depuis des mois, aucun cas n'avait été signalé, à part le décès d'un enfant de deux ans, le premier qui naissait et mourait dans ce lieu de passage pour arrivistes et aventuriers. L'enfant mit un sceau d'authenticité au village, qui n'était plus un campement fantôme avec un gibet comme unique droit à figurer sur les cartes, il possédait maintenant un cimetière chrétien et la petite tombe d'un être dont la vie s'était déroulée là même. Tant que la baraque avait fait office d'hôpital, ils furent miraculeusement épargnés par la maladie parce que Joe ne croyait pas à la contagion, elle disait que tout était une question de chance : le monde est plein de maladies contagieuses, certains les attrapent, les autres pas. De ce fait, elle ne prenait aucune précaution, elle s'offrait le luxe d'ignorer les avertissements judicieux du médecin et, à contrecœur, elle faisait bouillir l'eau avant de la boire. En déménageant dans une vraie maison, tout le monde se sentit en sécurité ; s'ils n'avaient pas été atteints jusque-là, il y avait encore moins de risque maintenant. Peu après Babalu, ce fut le tour de la Brisetout, des filles du Missouri et de la belle Mexicaine. Tous avaient une diarrhée répugnante, des températures extrêmement élevées et des frissons incontrôlables qui, dans le cas de Babalu, faisaient trembler la maison. C'est alors que se présenta James Morton, en habits du dimanche, pour demander officiellement la main d'Esther.

— Ah, mon petit, tu n'aurais pas pu choisir plus mauvais moment, soupira la Brisetout, mais trop malade pour refuser, elle donna son consentement entre deux lamentations.

Esther distribua ses affaires entre ses compagnes parce qu'elle ne voulait rien emporter dans sa nouvelle vie, et se maria le jour même sans formalités, escortée par Tom-Sans-Tribu et Eliza, les seuls encore sains de la compagnie. Une double rangée de ses anciens clients se forma de chaque côté de la rue au passage du couple, on tira des coups de feu en l'air, on lança des cris de joie. Elle s'installa dans la forge, décidée à en faire son foyer et à oublier le passé, mais elle tenait à rendre visite quotidiennement à Joe, apportant des plats chauds et du linge propre pour les malades. C'est sur Eliza et Tom-Sans-Tribu que retomba la tâche ingrate de s'occuper des autres occupants de la maison. Le docteur du village, un jeune de Philadelphie qui clamait depuis des mois que l'eau était contaminée avec les déchets des mineurs en amont, et que personne n'écoutait, déclara le périmètre de Joe en quarantaine. Les finances s'en allèrent à vau-l'eau et s'ils ne souffrirent pas de la faim, ce fut grâce à Esther et aux dons anonymes qui apparaissaient mystérieusement sur le seuil de la porte : un sac de haricots noirs, quelques livres de sucre, du tabac, des petits sacs de poudre d'or, quelques dollars en argent. Pour aider ses amis, Eliza fit appel à ce qu'elle avait appris auprès de Mama Fresia dans son enfance, et de Tao Chi'en à Sacramento. Finalement, l'un après l'autre, ils recouvrèrent la santé, même s'ils restèrent hésitants et vacillants pendant un certain temps. Babalu le Mauvais souffrit plus que les autres, son gros corps de cyclope n'étant pas habitué à la maladie. Il maigrit, ses chairs devinrent flasques et ses tatouages se déformèrent.

A cette époque, le journal local donna une brève information concernant un bandit chilien ou mexicain, on n'était pas sûr, appelé Joaquín Murieta, qui commençait à acquérir une certaine renommée dans la région de la Veine Mère. Il régnait alors une grande violence sur le territoire de l'or. Déçus quand ils comprirent que la fortune facile, tel un miracle de pacotille, n'avait touché qu'un petit nombre, les Américains se mirent à accuser les étrangers de cupidité, et de vouloir s'enrichir sans contribuer à la prospérité du pays. L'alcool les excitait et l'impunité, dont ils bénéficiaient au moment d'appliquer des châtiments comme bon leur semblait, leur procurait une sensation irréelle de pouvoir. On ne condamnait jamais un Yankee pour des crimes commis contre d'autres races, pis encore, souvent un bandit blanc pouvait choisir son propre juré. L'hostilité raciale se transforma en haine aveugle. Les Mexicains n'admettaient pas la perte de leur territoire à l'issue de la guerre, et n'acceptaient pas de se voir expulsés de leurs ranchs ou de leurs mines. Les Chinois supportaient en silence les abus, ils ne partaient pas et continuaient à exploiter l'or avec des bénéfices minimes, mais avec une telle ténacité que, gramme à gramme, ils amassaient d'énormes richesses. Des centaines de milliers de Chiliens et de Péruviens, qui avaient été les premiers à arriver au moment de la fièvre de l'or, décidèrent de retourner chez eux : poursuivre leurs rêves dans de telles conditions était inutile. En cette année 1850, l'assemblée législative de la Californie créa un impôt sur la mine pour protéger les Blancs. Noirs et Indiens étaient exclus des règlements, à moins qu'ils ne travaillent comme esclaves, et les étrangers devaient payer vingt dollars et renouveler le registre de leurs biens tous les mois, ce qui était impossible dans la pratique. Ils ne pouvaient abandonner les gisements pendant des semaines pour gagner les villes afin de se conformer à la loi. S'ils ne le faisaient pas, le shérif occupait la mine et la donnait à un Américain. Ceux qui étaient chargés de faire appliquer ces mesures étaient désignés par le gouverneur et ils tiraient leur salaire de l'impôt et des amendes, méthode parfaite pour stimuler la corruption. La loi ne s'appliquait qu'à l'encontre des étrangers à la peau sombre, bien que les Mexicains eussent droit à la citoyenneté américaine, d'après le traité qui avait mis fin à la guerre en 1848. Un autre décret finit de les achever : la propriété de leur ranch, où ils avaient vécu pendant des générations, devait être ratifiée par un tribunal de San Francisco. La procédure durait des années et coûtait une fortune; de plus, les juges et les gendarmes étaient souvent ceux qui avaient fait main basse sur les terres. Voyant que la justice ne les défendait pas, certains s'en éloignèrent et devinrent de parfaits malfaiteurs. Ceux qui se contentaient auparavant de voler du bétail se mirent à attaquer des mineurs et des voyageurs solitaires. Certaines bandes se rendirent célèbres par leur cruauté. Non seulement ils volaient leurs victimes, mais ils s'amusaient aussi à les torturer avant de les assassiner. On parlait d'un bandit particulièrement sanguinaire auquel on attribuait, entre autres délits, la mort épouvantable de deux jeunes Américains. On trouva leurs corps attachés à un arbre : ils avaient été utilisés comme cibles pour le lancer du couteau. On leur avait également coupé la langue, crevé les yeux et arraché la peau, avant de les abandonner vivants pour qu'ils meurent lentement. Le criminel était connu sous le nom de Jack Trois-Doigts qui était, disait-on, le bras droit de Joaquín Murieta.

Cependant, tout n'était pas que sauvagerie, les villes se développaient et de nouveaux villages surgissaient, des familles s'installaient. On voyait naître des journaux, des compagnies théâtrales et des orchestres; on construisait des banques, des écoles, des églises et des temples; on traçait des chemins et améliorait les communications. Il existait un service de diligences et le courrier était distribué avec régularité. Les femmes arrivant peu à peu, on voyait fleurir une société avec des aspirations d'ordre et de morale. Ce n'était plus la débâcle d'hommes seuls et de prostituées du début, on essayait d'instaurer des lois et de revenir à la civilisation, oubliée dans la folie de l'or facile. Le village fut baptisé d'un nom attrayant lors d'une cérémonie solennelle, avec orchestre et défilé, à laquelle assista Joe Brisetout habillée en femme, pour la première fois, et suivie par toute la compagnie. Les épouses fraîchement arrivées faisaient la grimace en voyant les « maquillées », mais comme Joe et ses filles avaient sauvé la vie de nombre d'hommes durant l'épidémie, elles fermaient les yeux sur leurs activités. En revanche, contre l'autre bordel elles déclenchèrent une guerre inutile puisqu'il y avait toujours une femme pour neuf hommes. A la fin de l'année, James Morton souhaita la bienvenue à cinq familles de quakers qui avaient traversé le continent dans des wagons tirés par des bœufs. Ils ne venaient pas pour l'or, mais attirés par l'immensité de ces terres vierges.

Eliza ne savait plus quelle piste suivre. Joaquín Andieta s'était égaré dans la confusion de cette époque et, à sa place, commençait à se profiler un bandit qui lui ressemblait physiquement et qui possédait un nom voisin, mais pour elle, il était impossible de le rapprocher du noble jeune homme qu'elle aimait. L'auteur des lettres passionnées qu'elle conservait comme son unique trésor ne pouvait être le même auquel on attribuait des crimes si féroces. L'homme de ses amours ne s'était jamais associé à un monstre comme Jack Trois-Doigts, croyait-elle, mais sa certitude s'évanouissait la nuit, quand Joaquín lui apparaissait sous mille masques différents, porteur de messages contradictoires. Elle se réveillait en tremblant, traquée par les spectres délirants de ses cauchemars. Et elle ne pouvait pas entrer dans ses rêves et en sortir à volonté, comme le lui avait enseigné Mama Fresia, ni déchiffrer les visions et les symboles qui trottaient dans sa tête, dans un concert de pierres roulées par la rivière. Elle écrivait sans relâche dans son Journal, avec l'espoir qu'ainsi les images acquerraient un sens. Elle relisait les lettres d'amour mot à mot, y cherchant des signes, mais le résultat était une confusion encore plus grande. Ces lettres étaient la seule preuve de l'existence de son amant et elle s'y raccrochait pour ne pas perdre complètement la tête. La tentation de plonger dans l'apathie, comme échappatoire au tourment de cette recherche sans fin, était devenue irrésistible. Elle doutait de tout : des étreintes dans la pièce aux armoires, des mois passés dans la cale du bateau, de l'enfant qu'elle avait perdu avec son sang.

Les problèmes économiques, consécutifs au mariage d'Esther avec le forgeron, qui priva d'un seul coup la compagnie d'un quart de ses revenus, et aux semaines non productives pendant lesquelles les autres membres étaient restés prostrés par la dysenterie, furent tels que Joe faillit perdre sa petite maison. Mais la seule idée de voir ses colombes travailler pour la concurrence lui donnait des forces pour continuer à lutter contre l'adversité. Elles avaient vécu l'enfer et elle ne pouvait pas les plonger à nouveau dans cette vie car, bien malgré elle, Joe s'était prise d'affection pour ces filles. Elle s'était toujours considérée comme une erreur de Dieu, un homme introduit de force dans un corps de femme, et, pour cette raison, elle ne comprenait pas cette espèce d'instinct maternel qui avait surgi à un moment tout à fait inopportun. Elle s'occupait de Tom-Sans-Tribu jalousement, mais répétait à qui voulait l'entendre qu'elle le faisait « comme un sergent ». Foin des câlineries, ce n'était pas dans son caractère, de plus l'enfant devait être fort comme ses aïeux. Les cajoleries ne faisaient que ramollir la virilité, disait-elle à Eliza quand elle trouvait cette dernière avec le petit dans les bras en train de lui raconter des contes chiliens. Cette tendresse nouvelle pour ses colombes était un sérieux inconvénient et, le pire, c'était que, s'en rendant compte, celles-ci commençaient à l'appeler « mère ». Ce mot la révulsait, elle le leur avait interdit, mais elles faisaient la sourde oreille. « Nous avons des rapports commerciaux, nom de Dieu. Je ne peux pas être plus claire : tant que vous travaillerez, vous aurez des revenus, un toit, nourriture et protection, mais le jour où vous tomberez malades, deviendrez flasques, aurez des rides et des cheveux blancs, adieu ! Rien de plus facile que de vous remplacer, le monde est plein de filles légères », marmonnait-elle. Et alors, subitement, ce sentiment doucereux se mêlait à son existence, ce qu'aucune maquerelle saine d'esprit ne pouvait se permettre. « Tout cela t'arrive pour avoir été trop bonne », se moquait Babalu le Mauvais. Et c'était vrai, tandis qu'elle avait passé un temps précieux à soigner des malades, dont elle ne connaissait pas même le nom, l'autre maquerelle du village avait interdit l'accès de son local aux hommes contagieux. Joe était de plus en plus pauvre, alors que l'autre avait grossi, s'était fait teindre en blond et avait un amant russe de dix ans plus jeune qu'elle, avec des muscles d'athlète et un diamant incrusté dans une dent. Elle avait agrandi son affaire et, les fins de semaine, on pouvait voir les mineurs s'aligner devant sa porte, l'argent dans une main et le chapeau dans l'autre, car nulle femme, si bas qu'elle fût tombée, ne tolérait qu'un homme restât couvert. Il n'y avait définitivement aucun avenir dans cette profession, maintenait Joe : la loi ne les protégeait pas, Dieu les avait oubliées, et devant elles, il n'y avait que vieillesse, pauvreté et solitude. L'idée de laver du linge, confectionner et vendre des tartes, en conservant néanmoins les tables de jeu et les livres cochons, lui passa par la tête, mais les filles n'étaient pas disposées à gagner leur vie avec des tâches si rudes et si mal payées.

— C'est un métier de merde, les filles. Mariez-vous, étudiez pour devenir institutrices, faites quelque chose de vos vies et ne venez plus me casser les pieds ! soupirait-elle tristement.

Babalu le Mauvais, lui aussi, était fatigué de jouer les maquereaux et les gardes du corps. La vie sédentaire l'ennuyait et la Brisetout avait tellement changé que continuer à travailler à ses côtés n'avait plus aucun sens. Si elle avait perdu son enthousiasme pour la profession, que lui restait-il ? Dans les moments de désespoir, il reprenait confiance auprès du petit Chilien. Ils passaient leur temps à faire des projets fantastiques en vue de s'émanciper : ils allaient monter un spectacle ambulant, parlaient d'acheter un ours, de l'entraîner à la boxe et d'aller de village en village pour lancer des défis aux courageux, afin de les inciter à se battre à coups de poing avec l'animal. Babalu recherchait l'aventure, et Eliza se disait que c'était un bon prétexte pour ne pas suivre seule les traces de Joaquín Andieta. En dehors de cuisiner et jouer du piano, il n'y avait guère d'occupations chez la Brisetout, l'oisiveté la mettait elle aussi de mauvaise humeur. Elle souhaitait retrouver la liberté immense des chemins, mais s'étant prise d'affection pour ces gens, l'idée de se séparer de Tom-Sans-Tribu lui brisait le cœur. L'enfant lisait couramment maintenant et écrivait avec application parce que Eliza l'avait convaincu que, plus tard, il devrait embrasser la carrière d'avocat pour défendre les droits des Indiens, au lieu de venger les morts à coups de fusil, comme le voulait Joe. « Comme ça tu seras un guerrier beaucoup plus puissant et les *gringos* auront peur de toi », lui disait-elle. Il ne riait toujours pas, mais à deux ou trois reprises, s'installant à son côté pour qu'elle lui gratte la tête, l'ombre d'un sourire s'était dessinée sur son visage d'Indien en colère.

Tao Chi'en se présenta chez Joe Brisetout à trois heures de l'après-midi d'un mercredi de décembre. Tom-Sans-Tribu ouvrit la porte, le fit passer dans le salon, inoccupé à cette heure, et s'en fut appeler les colombes. Peu après, la belle Mexicaine entra dans la cuisine où le petit Chilien pétrissait la pâte pour le pain et lui annonça qu'un Chinois demandait à voir Elías Andieta. Mais elle était tellement concentrée sur son travail et sur ses rêves de la nuit passée, où se confondaient tables de jeu et yeux crevés, qu'elle ne prêta pas attention à ses paroles.

— Je te dis qu'il y a un Chinois qui t'attend, répéta la Mexicaine et alors Eliza sentit son cœur exploser dans sa poitrine.

— Tao ! cria-t-elle en sortant comme une flèche.

Mais en entrant dans le salon, elle se trouva devant un homme si différent de son souvenir qu'elle mit quelques secondes à reconnaître son ami. Il n'avait plus sa tresse, ses cheveux étaient courts, gominés et coiffés en arrière, il portait des lunettes rondes à monture métallique, un costume sombre à veste croisée, un gilet à trois boutons et des pantalons fuseaux. Il tenait dans un bras un manteau et un parapluie, et dans l'autre, un chapeau haut de forme.

— Mon Dieu, Tao ! Que t'est-il arrivé ?

— En Amérique il faut s'habiller comme les Américains, dit-il en souriant.

A San Francisco, il avait été attaqué par trois voyous et avant qu'il ait eu le temps de tirer son couteau de sa ceinture, ils l'avaient assommé d'un coup sur la tête pour le seul plaisir de s'amuser aux dépens d'un « céleste ». En revenant à lui, il s'était retrouvé dans une impasse, barbouillé d'immondices, sa tresse mutilée autour du cou. Il avait alors pris la décision de garder les cheveux courts et de s'habiller comme les *fan güey*. Sa nouvelle allure détonnait dans la foule du quartier chinois, mais il constata qu'il était bien mieux accepté au-dehors et que les portes qui jadis lui étaient fermées s'ouvraient maintenant. C'était sans doute le seul Chinois habillé de la sorte en ville. La tresse était considérée comme sacrée et la décision de la couper prouvait son désir de ne plus retourner en Chine, et de s'installer définitivement en Amérique, une impardonnable trahison envers l'empereur, la patrie et les ancêtres. Cependant, ses habits et sa coiffure avaient quelque chose de magique, car cela montrait qu'il avait accès au monde des Américains. Eliza gardait les yeux rivés sur lui : c'était un inconnu avec qui il lui faudrait renouer des liens en recommençant à zéro. Tao Chi'en s'inclina plusieurs fois selon son habitude ; pour sa part, elle n'osa pas obéir à son impulsion de l'étreindre qui lui brûlait la peau. Elle avait dormi contre lui bien des fois, mais jamais ils ne s'étaient touchés sans l'excuse du sommeil.

— Je crois que tu me plaisais davantage quand tu étais chinois de haut en bas, Tao. Maintenant je ne te reconnais plus. Laisse-moi te sentir, lui demanda-t-elle.

Il ne bougea pas, troublé, tandis qu'elle le flairait comme un chien sa proie, reconnaissant finalement le léger parfum de mer, la même odeur réconfortante du passé. La coupe de cheveux et les vêtements sévères le vieillissaient, il avait perdu cet air de spontanéité juvénile d'antan. Il avait maigri et paraissait plus grand, les pommettes ressortaient sur son visage lisse. Eliza observa sa bouche avec plaisir, elle se souvenait très bien de son sourire contagieux et de ses dents parfaites, mais pas de la forme voluptueuse de ses lèvres. Notant une expression sombre dans son regard, elle se dit que cela venait des lunettes.

— Quel plaisir de te voir, Tao !

Et ses yeux se remplirent de larmes.

— Je n'ai pas pu venir avant, je n'avais pas ton adresse.

— Maintenant tu me plais aussi. Tu ressembles à un croque-mort, mais un beau.

— C'est ce que je fais pour le moment, croque-mort, fit-il en souriant. Quand j'ai appris que tu vivais dans ce coin, je me suis dit que les pronostics d'Azucena Placeres s'étaient révélés exacts. Celle-ci disait que tôt ou tard tu finirais comme elle.

— Comme je te l'ai expliqué dans ma lettre, je gagne ma vie en jouant du piano.

— Incroyable !

— Pourquoi ? Tu ne m'as jamais entendue, je ne joue pas si mal. Et si j'ai pu passer pour un Chinois sourd-muet, je peux aussi bien passer pour un pianiste chilien.

Tao Chi'en éclata de rire, surpris, car c'était la première fois qu'il se sentait heureux depuis des mois.

— Tu as retrouvé ton amoureux ?

— Non. Je ne sais plus où le chercher.

— Il vaut peut-être mieux que tu ne le retrouves pas. Viens avec moi à San Francisco.

— Je n'ai rien à faire à San Francisco...

— Et ici ? L'hiver vient de commencer, dans deux semaines les chemins seront impraticables et ce village se trouvera isolé.

— C'est très ennuyeux d'être ton petit frère idiot, Tao.

— Il y a beaucoup de choses à faire à San Francisco, tu verras, et tu ne seras plus obligée de t'habiller en homme, on voit des femmes partout maintenant.

— Et tes projets de retourner en Chine ?

— Retardés. Je ne peux pas partir encore.

Sing song girls

L'été 1851, Jacob Freemont décida d'interviewer Joaquín Murieta. Les bandits et les incendies étaient les deux sujets à la mode en Californie, ils maintenaient les gens en état d'excitation et la presse avait de quoi s'occuper. Les crimes fleurissaient et la corruption de la police, composée dans sa majorité de malfaiteurs plus soucieux de protéger leurs compagnons que la population, était bien connue. Après un nouvel incendie très violent, qui détruisit une bonne partie de San Francisco, un Comité de Vigiles fut créé ; composé de citoyens en colère, il obéissait aux ordres de l'ineffable Sam Brannan, le mormon qui en 1848 avait répandu la nouvelle de la découverte de l'or. Les compagnies de pompiers couraient en tirant les voitures à eau avec des cordes, en haut et en bas des collines, mais avant d'avoir atteint le bâtiment en feu, le vent avait poussé les flammes vers un autre bâtiment. Le feu s'était déclaré après la visite effectuée par des *lévriers* australiens dans le magasin d'un commerçant qui avait refusé leur protection contre paiement : ils avaient arrosé le local de kérosène et jeté une torche. Voyant l'indifférence des autorités, le Comité avait décidé d'agir de son côté. Les journaux titraient alors : « COMBIEN DE CRIMES ONT ÉTÉ COMMIS DANS CETTE VILLE EN UNE ANNÉE ? ET QUI A ÉTÉ PENDU OU CHÂTIÉ POUR DE TELS ACTES ? PERSONNE ! COMBIEN D'HOMMES

ONT ÉTÉ TUÉS PAR BALLE OU POIGNARDÉS, ASSOMMÉS OU FRAPPÉS SANS QUE LES AUTEURS SOIENT CONDAMNÉS ? NOUS DÉSAPPROUVONS LE LYNCHAGE, MAIS QUI PEUT DIRE CE QUE FERA LA POPULATION INDIGNÉE POUR SE PROTÉGER ? » Lynchage, telle fut justement la solution de la population. Les Vigiles se mirent aussitôt au travail et pendirent le premier suspect. Les membres du Comité augmentaient de jour en jour et agissaient avec tant d'enthousiasme et de frénésie que, pour la première fois, les hors-la-loi se gardèrent d'agir en plein jour. Dans ce climat de violence et de vengeance, le personnage de Joaquín Murieta était en passe de devenir un symbole. Jacob Freemont se chargeait d'attiser le feu de sa célébrité ; ses articles à sensation avaient créé un héros pour les Hispano-Américains et un démon pour les Yankees. Il lui attribuait une bande nombreuse et le talent d'un génie militaire, il disait que le bandit pratiquait une guerre d'escarmouches contre laquelle les autorités étaient impuissantes. Il attaquait avec astuce et rapidité, tombant sur ses victimes comme une malédiction et disparaissant aussitôt sans laisser de traces, pour resurgir peu après, à cent milles de là, dans une autre action si audacieuse qu'on ne pouvait se l'expliquer que par un tour de magie. Pour Freemont, il existait plusieurs individus et non un seul, mais il se gardait bien de le dire pour ne pas détruire la légende. En revanche, il fut inspiré en l'appelant « le Robin des Bois de la Californie », ce qui engendra aussitôt une controverse d'ordre racial. Pour les Yankees, Murieta incarnait ce qu'il y avait de plus détestable chez les *crasseux* ; les Mexicains le cachaient, supposait-on, lui donnaient des armes et l'approvisionnaient, car il volait les Yankees pour aider ceux de sa race. A l'issue de la guerre, ils avaient perdu les territoires du Texas, de l'Arizona, du Nouveau-Mexique, du Nevada, de l'Utah, la moitié du Colorado et la Californie. Pour eux, tout attentat contre les *gringos* était un acte de patriotisme. Le gouverneur avait mis en garde le journal contre le danger de transformer un criminel en héros, mais son nom avait déjà enflammé l'imagination des lecteurs. Freemont recevait des lettres par dizaines, celle d'une jeune fille de Washington, par exemple, prête à traverser la moitié de la planète pour épouser le bandit. Les gens l'arrêtaient dans la rue pour lui demander des détails sur le célèbre Joaquín Murieta. Sans l'avoir jamais vu, le journaliste le décrivait comme un jeune homme d'allure virile, ayant les traits d'un noble espagnol et le courage d'un torero. Il était tombé par hasard sur une mine plus productive que beaucoup d'autres le long de la Veine Mère. Il décida d'interviewer ledit Joaquín, si ce dernier existait vraiment, pour écrire sa biographie, et si c'était une légende, le sujet pouvait faire l'objet d'un roman. Son travail comme auteur consisterait à écrire ce roman sur un ton héroïque pour satisfaire le petit peuple. La Californie avait besoin de mythes et de légendes propres, affirmait Freemont, c'était un Etat nouveau pour les Américains, dont le souhait était d'effacer d'un coup de plume l'histoire antérieure des Indiens, des Mexicains et des premiers Californiens. Pour ce territoire aux espaces infinis et aux hommes solitaires, terre ouverte à la conquête et à la violation, quel meilleur héros qu'un bandit ? Il mit l'indispensable dans une valise, emporta une bonne provision de cahiers et de crayons et s'en fut à la recherche de son personnage. Il ignora les risques. Avec cette double arrogance de l'Anglais et du journaliste, il se croyait prémuni contre le mal. D'autre part, on voyageait désormais avec une certaine commodité, il existait des chemins et des services réguliers de diligences reliant les villages où il pensait mener ses recherches. Ce n'était pas comme avant, lorsqu'il avait commencé son travail de reporter, quand il se déplaçait à dos de mule et se frayait un chemin dans l'incertitude des collines et des forêts, sans autre guide que des cartes fantaisistes avec lesquelles on pouvait tourner en rond indéfiniment. En chemin, il put constater les changements intervenus dans la région. Ils étaient rares à s'être enrichis avec l'or, mais grâce aux aventuriers arrivés par centaines de milliers, la Californie se civilisait. « Sans la fièvre de l'or, la conquête de l'Ouest aurait été retardée de deux siècles », nota le journaliste dans son cahier.

Les sujets ne manquaient pas, comme l'histoire de ce jeune mineur, un garçon de dix-huit ans, qui après avoir vécu dans l'indigence pendant une longue année, avait réussi à amasser dix mille dollars dont il avait besoin pour retourner en Oklahoma et acheter une ferme à ses parents. Comme il descendait vers Sacramento sur les flancs de la sierra Nevada par une journée radieuse, avec le sac de son trésor dans le dos, il fut surpris par un groupe de Mexicains ou de Chiliens sans foi ni loi. On n'était pas sûr de leur nationalité, on savait seulement que ces individus parlaient espagnol parce qu'ils avaient eu l'audace de laisser une pancarte dans cette langue, sur laquelle, tracé au couteau sur un morceau de bois, on pouvait lire : MORT AUX YANKEES. Ils ne s'étaient pas contentés de le frapper et de le voler, ils l'avaient attaché nu à un arbre et badigeonné de miel. Deux jours plus tard, quand il fut découvert par une patrouille, il délirait. Les moustiques lui avaient dévoré la peau.

Freemont mit son talent de journaliste morbide à l'épreuve en relatant la fin tragique de Josefa, une belle Mexicaine employée dans un salon de danse. Il entra dans le village de Downieville le Jour de l'Indépendance et se retrouva en pleine célébration, menée par un candidat au siège de sénateur; l'alcool coulait à flots. Un mineur ivre s'était introduit de force dans la chambre de Josefa, laquelle l'avait repoussé en lui plantant son couteau de montagne en plein cœur. Quand arriva Jacob Freemont, son corps gisait sur une table, recouvert d'un drapeau américain, et une foule de deux mille fanatiques excités par la haine raciale exigeait la corde pour Josefa. Impassible, la femme fumait son petit cigare comme si les cris ne la concernaient pas, vêtue de sa blouse blanche tachée de sang, dévisageant les hommes avec un profond mépris, consciente du mélange détonnant d'agression et de désir sexuel qu'elle provoquait chez eux. Un médecin s'enhardit à parler en sa faveur, expliquant qu'elle avait agi en état de légitime défense et qu'en la mettant à mort, ils tueraient aussi l'enfant qu'elle portait dans son ventre, mais la foule le fit taire en le menaçant de pendaison. Trois docteurs terrorisés furent dépêchés de force pour examiner Josefa et tous trois confirmèrent qu'elle n'était pas enceinte, au vu de quoi le tribunal improvisé se réunit pendant quelques minutes et la condamna. « Tuer ces *crasseux* à coups de feu n'est pas correct, ils doivent faire l'objet d'un jugement juste et être pendus avec toute la majesté de la loi », dit l'un des membres du jury. Freemont n'avait pas eu l'occasion de voir un lynchage de près et il put décrire avec des phrases exaltées comment, à quatre heures de l'après-midi, on avait voulu traîner Josefa vers le pont, où le rituel de l'exécution était prêt, et comment elle avait fièrement repoussé ses gardes et gagné toute seule le gibet. La belle était montée sans se faire aider, avait attaché ses jupes autour de ses chevilles, mis la corde autour de son cou, remonté ses tresses noires et pris congé d'un vaillant « adieu messieurs ! » qui laissa le journaliste perplexe et les autres tout honteux. « Josefa n'est pas morte parce qu'elle était coupable, mais parce qu'elle était mexicaine. C'est la première fois qu'on lynche une femme en Californie. Quel gâchis, alors qu'elles sont si peu nombreuses ! » écrivit Freemont dans son article.

Suivant les traces de Joaquín Murieta, il découvrit de vrais villages, avec école, bibliothèque, église et cimetière ; d'autres sans autre signe culturel qu'un bordel et une prison. Partout il y avait des saloons, qui étaient le centre de la vie sociale. C'était là que s'installait Jacob Freemont pour faire ses recherches, ainsi reconstruisit-il peu à peu, à l'aide de quelques vérités et beaucoup de mensonges, la trajectoire – ou la légende – de Joaquín Murieta. Les taverniers le dépeignaient comme un Espagnol maudit, habillé de cuir et de velours noir, avec de grands éperons en argent et un poignard à la ceinture, monté sur l'alezan le plus majestueux jamais vu. Ils disaient qu'il entrait sans être inquiété, dans un concert d'éperons, accompagné de sa troupe de bandits, posait ses dollars en argent sur le comptoir et commandait une tournée pour tous les clients. Nul n'osait refuser le verre, même les hommes les plus courageux buvaient en silence sous le regard incendiaire de l'individu. Pour les gardes mobiles, en revanche, le personnage n'avait rien d'extraordinaire, c'était un vulgaire assassin capable des pires atrocités, qui avait réussi à échapper à la justice grâce à la protection des *crasseux*. Les Chiliens croyaient qu'il était un des leurs, né dans un lieu appelé Quillota. Selon eux, il était loyal avec ses amis et n'oubliait jamais de rendre un service par un autre, de sorte qu'il était de bonne politique de l'aider. Les Mexicains juraient qu'il était originaire de l'Etat de Sonora, que c'était un jeune homme bien élevé, d'une ancienne famille noble, devenu malfaiteur par vengeance. Les joueurs le considéraient comme un expert au *monte*, mais ils l'évitaient parce qu'il avait une chance folle aux cartes et un poignard alerte qui, à la moindre provocation, surgissait dans sa main. Les prostituées blanches mouraient de curiosité, car on murmurait que ce jeune homme, beau et généreux, possédait une verge de mulet infatigable. Les filles hispano-américaines, elles, ne l'attendaient pas : Joaquín Murieta leur donnait des pourboires immérités, car il n'utilisait jamais leurs services, il demeurait fidèle à sa fiancée, disait-on. On le décrivait de taille moyenne, cheveux noirs et yeux brillants comme des tisons, adoré par sa bande, irréductible devant l'adversité, féroce avec ses ennemis et gentil avec les femmes. D'autres soutenaient qu'il avait l'allure grossière d'un criminel-né, et une cicatrice effrayante en travers du visage : il n'avait rien d'un beau gosse, d'un gentleman ou d'un homme élégant. Jacob Freemont sélectionna les opinions qui s'ajustaient le mieux à l'image qu'il se faisait du bandit et ainsi le transcrivit-il dans ses articles, toujours avec suffisamment d'ambiguïté pour se rétracter au cas où il tomberait un jour, nez à nez, sur son protagoniste. Il arpenta la région de haut en bas pendant les quatre mois d'été sans le trouver nulle part, mais avec les différentes versions, il construisit une fantastique et héroïque biographie. Ne voulant pas se considérer vaincu, dans ses articles il inventait de brèves réunions à des heures indues, dans des grottes de montagne et des clairières. De toute façon, qui allait le contredire ? Des hommes masqués le conduisaient à cheval, les yeux bandés, il ne pouvait les identifier mais ils parlaient espagnol, disait-il. La même fervente éloquence dont il faisait preuve quelques années auparavant au Chili pour décrire des Indiens Patagons en Terre de Feu, où il n'avait jamais mis les pieds, lui servait maintenant pour tirer de sa manche un bandit imaginaire. Il se prit d'affection pour son personnage et finit par se convaincre qu'il le connaissait, que les rencontres clandestines dans les grottes étaient bel et bien réelles, et que le fugitif en personne l'avait chargé d'écrire ses prouesses, parce qu'il se considérait le vengeur des Espagnols opprimés, et quelqu'un devait assumer la tâche de lui donner, à lui ainsi qu'à sa cause, la place correspondante dans l'histoire naissante de la Californie. Il y avait peu de journalisme là-dedans, mais suffisamment de littérature pour le roman que Jacob Freemont avait l'intention d'écrire le prochain hiver.

En arrivant à San Francisco, un an auparavant, Tao Chi'en avait noué tous les contacts nécessaires pour exercer son métier de *zhong yi* durant quelques mois. Il avait un peu d'argent, mais pensait en tripler rapidement la somme. A Sacramento, la communauté chinoise comptait quelque sept cents hommes et neuf ou dix prostituées ; à San Francisco, il y avait des milliers de clients potentiels. De plus, il y avait tellement de bateaux qui traversaient l'océan que certains envoyaient laver leurs chemises à Hawaï ou en Chine, car il n'y avait pas d'eau courante en ville. Cela lui permettait de commander facilement ses herbes et ses remèdes à Canton. Il ne serait pas aussi isolé qu'à Sacramento, plusieurs médecins chinois exerçaient, avec qui il pourrait partager patients et connaissances. Il ne pensait pas ouvrir un cabinet, parce que son intention était d'économiser, mais il pouvait s'associer avec un autre *zhong yi* ayant pignon sur rue. Une fois installé dans un hôtel, il s'en fut arpenter le quartier, qui s'était étendu dans toutes les directions comme une pieuvre. Maintenant c'était une ville avec des bâtiments en dur, des hôtels, des restaurants, des buanderies, des fumeries d'opium, des bordels, des marchés et des fabriques. Là où jadis on ne proposait que des articles de pacotille, s'élevaient des magasins où l'on vendait antiquités orientales, porcelaines, émaux, bijoux, soiries et objets en ivoire. Y venaient les riches commerçants, pas seulement chinois, mais aussi américains, qui achetaient pour revendre dans d'autres villes. La marchandise y était exhibée dans un désordre bigarré, cependant les meilleurs articles, dignes des amateurs et des collectionneurs, n'étaient pas exposés mais remisés dans l'arrière-boutique et réservés aux seuls clients sérieux. Dans certains locaux, des pièces aveugles servaient de tripots où se réunissaient des joueurs chevronnés. Sur ces tables réservées, loin de la curiosité du public et des autorités, on misait des sommes extravagantes, on traitait des affaires louches, on exerçait son pouvoir. Le gouvernement américain n'avait aucun contrôle sur les Chinois, qui vivaient dans leur propre monde, avec leur langue, leurs coutumes et leurs lois ancestrales. Les « célestes » étaient partout indésirables, les *gringos* les considéraient comme les plus abjects parmi les étrangers malvenus qui envahissaient la Californie, ils ne leur pardonnaient pas leur prospérité. Ils les exploitaient de toutes les façons possibles, les agressaient dans la rue, les volaient, brûlaient leurs magasins et leurs maisons, les assassinaient impunément, mais rien ne faisait peur aux Chinois. Cinq *tongs* se partageaient la population. Tout Chinois qui arrivait intégrait une de ces confréries, seul moyen d'être protégé, de trouver du travail et de s'assurer qu'après sa mort, son corps serait rapatrié en Chine. Tao Chi'en, qui n'avait jamais voulu s'associer à un *tong*, dut s'y résoudre et il choisit le plus important, où s'affiliaient la majorité des Cantonais. Mis aussitôt en contact avec d'autres *zhong yi*, on lui révéla les règles du jeu. Avant tout, silence et loyauté : ce qui se passait dans le quartier restait confiné dans ses rues. Pas question de recourir à la police, même dans les cas extrêmes ; les conflits se réglaient au sein de la communauté, les *tongs* étaient là pour ça. L'ennemi commun était toujours la communauté des *fan güey*. Tao Chi'en se retrouva à nouveau prisonnier des coutumes, des hiérarchies et des restrictions qu'il avait connues à Canton. Deux jours après, tout le monde connaissait son nom et les clients commencèrent à affluer, en si grand nombre qu'il ne pouvait tous les accueillir. Il n'avait pas besoin de chercher un associé, décida-t-il alors, il pouvait ouvrir son propre cabinet et gagner de l'argent plus rapidement qu'il ne l'avait imaginé. Il loua deux pièces dans les combles d'un restaurant, une pour vivre, l'autre pour travailler, accrocha une pancarte à la fenêtre et engagea un jeune assistant pour faire l'annonce de ses services et accueillir les patients. Il décida d'utiliser le système du docteur Ebanizer Hobbs pour suivre les malades. Jusqu'alors, il faisait confiance à sa mémoire et à son intuition, mais vu le nombre croissant des clients, il dut mettre en place un fichier pour noter le traitement de chacun d'eux.

Un après-midi, au début de l'automne, son assistant lui tendit une adresse notée sur un bout de papier, où il devait se présenter au plus vite. Il s'occupa des derniers patients de la journée et s'en fut. Le bâtiment en bois, de deux étages, décoré de dragons et de lanternes en papier, se trouvait en plein centre du quartier. Il reconnut tout de suite un bordel. De chaque côté il y avait des petites fenêtres grillagées, derrière lesquelles se trouvaient des visages enfantins qui s'exprimaient en cantonais : « Entrez et faites ce qui vous plaira avec une fille chinoise très jolie. » Et elles répétaient dans un anglais impossible, pour les visiteurs blancs et les marins de toutes les races : « deux pour regarder, quatre pour toucher, six pour le faire », tout en exhibant des petites poitrines de rien du tout et sollicitant les passants avec des gestes obscènes qui, venant de ces enfants, avaient un air de pantomime tragique. Tao Chi'en les avait souvent vues, car il passait quotidiennement dans cette rue, et les miaulements des *sing song girls* le poursuivaient : ils lui faisaient penser à sa sœur. Qu'était-elle devenue? Elle aurait vingt-trois ans, dans le cas improbable où elle serait encore en vie, pensait-il. Les prostituées les plus pauvres parmi les pauvres commençaient très jeunes et atteignaient rarement les dix-huit ans; à vingt ans, si elles avaient la malchance de survivre, c'étaient des vieilles. Le souvenir de cette sœur perdue l'empêchait de recourir aux établissements chinois; si le désir le tenaillait, il allait voir les filles d'autres races. La porte s'ouvrit sur une vieille femme sinistre, les cheveux noircis et les sourcils peints avec deux traits de charbon, qui le salua en cantonais. Après avoir vérifié qu'ils appartenaient au même *tong*, elle le fit entrer. Le long d'un couloir qui sentait mauvais, il vit les cagibis des filles. Certaines étaient attachées au lit avec des chaînes passées aux chevilles. Dans la pénombre du couloir, il croisa deux hommes qui sortaient en remontant leur pantalon. La femme l'entraîna dans un labyrinthe de passages et d'escaliers, ils traversèrent tout le pâté de maisons et descendirent quelques marches pourries et se retrouvèrent dans le noir. Elle lui fit signe d'attendre et, pendant un moment qui lui sembla interminable, il attendit dans ce trou sombre, écoutant en sourdine le bruit de la rue proche. Il entendit un léger cri et sentit quelque chose lui frôler la cheville; en lui donnant un coup de pied, il eut la sensation de frapper un animal, sans doute un rat. La vieille revint avec une bougie et le guida à travers des couloirs tortueux jusqu'à une porte fermée par un cadenas. Elle tira une clé de sa poche et força sur la porte. Levant la bougie, elle éclaira une pièce aveugle, où pour tout mobilier il y avait une couche faite de planches à quelques centimètres du sol. Une odeur fétide leur sautant au visage, ils durent se couvrir le nez et la bouche pour entrer. Sur la couche se trouvaient un petit corps recroquevillé, un bol vide et une lampe à huile éteinte.

— Auscultez-la, ordonna la femme.

Tao Chi'en retourna le corps et constata qu'il était rigide. C'était une fillette d'environ treize ans, avec deux plaques rouges sur les pommettes, les bras et les jambes pleines de cicatrices. Pour tout vêtement elle portait une chemise légère. Elle avait la peau sur les os, mais elle n'était pas morte de faim ou de maladie.

— Poison, détermina-t-il sans hésiter.

— Sans blague ! dit la femme en riant, comme si elle venait d'entendre une chose extrêmement amusante.

Tao Chi'en dut signer un papier déclarant que la mort était due à des causes naturelles. La vieille sortit dans le couloir, donna quelques coups sur un petit gong et bientôt surgit un homme. Après avoir mis le cadavre dans un sac, il l'emporta sur son épaule sans dire un mot, tandis que la maquerelle mettait vingt dollars dans la main du *zhong yi*. Puis elle l'entraîna dans d'autres labyrinthes et le laissa finalement devant une porte. Tao Chi'en se retrouva dans une rue inconnue et mit un certain temps pour retrouver son chemin.

Le lendemain, il retourna à la même adresse. Elles se trouvaient à nouveau là les fillettes, avec leur visage grimé et leurs yeux déments, hélant les clients en deux langues. Dix ans auparavant, à Canton, il avait commencé sa pratique de la médecine avec des prostituées, il les avait utilisées comme chair d'emprunt et d'expérimentation pour les aiguilles en or de son maître d'acupuncture, mais jamais il n'avait songé à leur âme. Il les considérait comme un des malheurs inévitables de l'univers, une des nombreuses erreurs de la Création, êtres ignominieux qui souffraient pour expier les fautes de vies antérieures et laver leur karma. Il avait pitié d'elles, mais il n'avait jamais songé que leur sort pût être différent. Elles attendaient le malheur dans leurs cagibis, sans choix possible, comme les poules le faisaient dans leurs cages sur le marché, c'était leur destin. Tel était le désordre du monde. Il avait arpenté cette rue des milliers de fois sans prêter attention aux petites fenêtres, aux visages derrière les barreaux, aux mains qui pendaient au-dehors. Il avait une notion vague de leur condition d'esclaves, mais en Chine les femmes l'étaient toutes plus ou moins, les plus chanceuses l'étaient de leur père, de leur mari ou leur amant, les autres de patrons qu'elles servaient du lever au coucher du soleil; beaucoup étaient comme ces filles. Ce matin-là, cependant, il ne les vit pas avec la même indifférence car quelque chose avait changé en lui.

La nuit précédente, il n'avait pas essayé de dormir. En sortant du bordel, il s'était dirigé vers les bains publics, où il était resté un long moment pour se débarrasser de l'énergie négative de ses malades et du terrible chagrin qui le tenaillait. Une fois chez lui, il avait renvoyé son assistant et préparé du thé au jasmin pour se purifier. Il n'avait pas mangé depuis plusieurs heures, mais ce n'était pas le moment de le faire. Il s'était déshabillé, avait allumé de l'encens et une bougie, s'était agenouillé, le front contre le sol, et avait récité une prière pour l'âme de la fillette morte. Puis il s'était assis pour méditer pendant quelques heures dans une totale immobilité, jusqu'à échapper au brouhaha de la rue et aux odeurs du restaurant, pour s'immerger dans le vide et le silence de son esprit. Il ne sut combien de temps il resta ainsi à appeler Lin sans relâche, jusqu'à ce que le délicat fantôme l'entende dans la mystérieuse immensité qu'il habitait, et trouve peu à peu le chemin, s'approchant avec la légèreté d'un soupir, d'abord quasi imperceptible, puis de plus en plus présent. Tao finit par sentir nettement sa présence. Il ne perçut pas la présence de Lin dans les murs de la chambre, mais dans sa poitrine, installée au centre même de son cœur paisible. Tao Chi'en n'ouvrit pas les yeux et ne bougea pas. Pendant des heures il demeura dans la même position, séparé de son corps, flottant dans un espace lumineux en parfaite communication avec elle. A l'aube, une fois que tous deux furent assurés qu'ils ne se perdraient plus de vue, Lin prit congé avec douceur. Alors surgit le maître d'acupuncture, souriant et ironique, comme dans ses meilleures années, avant d'être atteint par les affres de la sénilité ; il resta auprès de lui, l'accompagnant et répondant à ses questions. Puis le soleil apparut, réveilla le quartier, et l'assistant frappa quelques coups discrets.

— Fermez le cabinet. Je ne recevrai pas de patients aujourd'hui, j'ai autre chose à faire, lui annonça-t-il.

Ce jour-là, les recherches de Tao Chi'en changèrent le cours de son destin. Les filles derrière les barreaux venaient de Chine, ramassées dans la rue ou vendues par leurs propres parents avec la promesse qu'elles se marieraient sur la Montagne Dorée. Les agents les sélectionnaient parmi les plus fortes et les meilleur marché, non parmi les plus belles, sauf s'il s'agissait de commandes spéciales de clients riches, qui en faisaient l'acquisition comme concubines. Ah Toy, la femme maligne qui avait inventé le spectacle des trous dans le mur, était devenue la plus grande importatrice de chair fraîche de la ville. Pour sa chaîne d'établissements, elle achetait des filles pubères, car il était plus facile de les dompter et, de toute façon, elles ne duraient pas longtemps. Ah Toy était devenue célèbre et très riche, ses coffres étaient pleins et elle venait d'acheter un palais en Chine pour se retirer quand elle serait vieille. Elle était fière d'être la maquerelle orientale la plus en vue, non seulement parmi les Chinois, mais aussi parmi les Américains influents. Elle entraînait ses filles à soutirer des informations afin de connaître les secrets des uns et des autres, les manœuvres politiques et les travers des hommes au pouvoir. Quand elle ne parvenait pas à ses fins par la corruption, elle avait recours au chantage. Nul n'osait se mesurer à elle car tous, jusqu'au gouverneur, avaient un toit en verre. Les cargaisons d'esclaves débarquaient sur les quais de San Francisco impunément et en plein jour. Elle n'était pas la seule trafiquante, cependant, le vice était une des affaires les plus rentables et les plus sûres de Californie, autant que les mines d'or. Les frais étaient minimes, les filles coûtaient peu cher et voyageaient à fond de cale, dans de grandes caisses capitonnées. Ainsi survivaient-elles pendant des semaines, sans savoir où elles allaient ni pourquoi, revoyant la lumière du jour seulement lorsque leur tour était venu de recevoir des instructions concernant leur métier. Durant la traversée, les marins se chargeaient de les entraîner, et en débarquant à San Francisco, elles avaient perdu toute trace d'innocence. Certaines mouraient de dysenterie, de choléra ou de déshydratation ; d'autres réussissaient à sauter par-dessus bord quand on les montait sur le pont pour les laver à l'eau de mer. Ne parlant pas anglais, ne connaissant pas le nouveau pays, n'ayant personne à qui s'adresser, les rescapées restaient prisonnières. Les agents de l'immigration recevaient des pots-de-vin, fermaient les yeux sur la condition physique des filles et apposaient un cachet sur les faux papiers d'adoption ou de mariage, sans les lire. Sur le quai, elles étaient prises en charge par une ancienne prostituée, dont le métier avait laissé une pierre noire à la place du cœur. Elle les conduisait en les aiguillonnant avec une baguette, comme du bétail, en pleine ville, à la vue de tous. A peine avaient-elles franchi le seuil du quartier chinois qu'elles disparaissaient pour toujours dans le labyrinthe souterrain de chambres obscures, de faux couloirs, d'escaliers tordus, de portes dissimulées et de doubles parois où les policiers ne s'aventuraient jamais, car tout ce qui se passait là-dedans était l'« affaire des jaunes », une race de pervertis qu'il valait mieux éviter, disaient-ils.

Dans une immense pièce en sous-sol, appelée ironiquement « Salon de la Reine », les filles affrontaient leur sort. On les laissait se reposer une nuit, on les baignait, leur donnait à manger et parfois on les obligeait à avaler un verre d'alcool pour les étourdir un peu. Pour la vente aux enchères, on les amenait nues dans une pièce où s'entassaient les acheteurs de tous poils, qui les tâtaient, inspectaient leurs dents, mettaient les doigts où ils voulaient avant de faire une offre. Certaines étaient achetées pour les bordels de grande catégorie ou pour les harems des riches. Les plus fortes allaient finir généralement entre les mains des fabricants, des mineurs ou des paysans chinois pour qui elles travailleraient jusqu'à la fin de leur brève vie; la plupart restaient dans les cellules du quartier chinois. Les vieilles leur enseignaient le métier : elles devaient apprendre à distinguer l'or du bronze pour éviter les abus lors du paiement, à attirer les clients et à leur complaire sans se plaindre, quelque humiliantes ou douloureuses que fussent leurs exigences. Afin de donner à la transaction un air de légalité, elles signaient un contrat qu'elles ne pouvaient pas lire, se vendant pour cinq ans, mais tout était calculé pour qu'elles ne puissent jamais recouvrer leur liberté. Pour chaque jour de maladie, deux semaines étaient rajoutées à leur temps de service, et si elles essayaient de s'échapper, elles devenaient esclaves pour toujours. Elles vivaient recluses dans des pièces aveugles, séparées les unes des autres par un épais rideau, travaillant comme des galériens jusqu'à la mort. C'est là que se dirigea Tao Chi'en ce matin-là, accompagné par les esprits de Lin et de son maître d'acupuncture. Une adolescente vêtue d'une simple blouse l'entraîna par la main derrière le rideau, où se trouvait une paillasse immonde. Elle allongea la main et lui dit de payer d'abord. Elle prit les six dollars, s'allongea sur le dos et écarta les jambes, les yeux fixés au plafond. La fille avait les pupilles mortes et respirait avec difficulté; il comprit qu'elle était droguée. Il s'assit à son côté, tira sur sa chemise et voulut lui caresser la tête, mais elle poussa un cri et se recroquevilla en montrant les dents, prête à mordre. Tao Chi'en s'écarta, lui parla longuement en cantonais, sans la toucher, jusqu'à ce que la litanie de sa voix finisse par la calmer. Il avait observé en même temps les meurtrissures fraîches sur son corps. Puis elle commença à répondre à ses questions avec plus de gestes que de mots, comme si elle avait perdu l'usage de la parole, et ainsi apprit-il certains détails sur sa captivité. La fille fut incapable de lui dire depuis combien de temps elle se trouvait en ce lieu, ce calcul lui paraissant un exercice inutile, mais il n'était sans doute pas très long parce qu'elle se souvenait de sa famille en Chine avec une précision douloureuse.

Quand Tao Chi'en vit que les minutes de son tour derrière le rideau étaient écoulées, il se retira. A la porte se trouvait la même vieille qui lui avait ouvert la veille au soir, mais elle fit mine de ne pas le reconnaître. De là il s'en fut poser quelques questions dans les tavernes, les salles de jeu, les fumeries d'opium et, pour finir, il alla rendre visite aux autres médecins du quartier, afin de rassembler les pièces de ce puzzle. Lorsque les petites *sing song girls* étaient trop malades pour continuer à faire leur travail, on les conduisait à l'« hôpital », comme on appelait les pièces secrètes où il s'était rendu la veille, et là on leur laissait un verre d'eau, un peu de riz et une lampe à huile pour un petit nombre d'heures. La porte s'ouvrait à nouveau quelques jours plus tard, lorsqu'on entrait pour constater la mort. Si on les trouvait vivantes, on se chargeait de les expédier : aucune ne revoyait la lumière du jour. On avait fait appel à Tao Chi'en parce que le *zhong yi* de service était absent.

L'idée d'aider les jeunes filles ne venait pas de lui, dirait-il quelques mois plus tard à Eliza, mais de Lin et de son maître d'acupuncture.

— La Californie est un Etat libre, Tao, il n'y a pas d'esclaves. Va voir les autorités américaines.

— La liberté ne peut toucher tout le monde. Les Américains sont aveugles et sourds, Eliza. Ces filles sont invisibles, comme les fous, les mendiants et les chiens.

— Et les Chinois aussi s'en moquent ?

— Certains, comme moi, non. Mais personne n'est disposé à risquer sa vie en s'opposant aux organisations criminelles. La majorité considère que si pendant des siècles cela a été pratiqué en Chine, il n'y a aucune raison de critiquer ce qui se passe ici.

— Que ces gens sont cruels !

— Ce n'est pas de la cruauté. Simplement la vie humaine n'a pas de valeur dans mon pays. Il y a une forte population et il naît beaucoup plus d'enfants qu'on ne peut en nourrir.

— Mais pour toi, ces filles ne sont pas des objets méprisables, Tao...

— Non. Lin et toi m'avez beaucoup appris sur les femmes.

— Que vas-tu faire ?

— J'aurais dû t'écouter quand tu me disais de chercher de l'or, tu te souviens ? Si j'étais riche, je les rachèterais.

— Mais tu ne l'es pas. De plus, tout l'or de la Californie ne suffirait pas à les racheter toutes. Il faut interdire ce trafic.

— C'est impossible, mais si tu m'aides je peux en sauver quelques-unes...

Il lui raconta que durant les derniers mois il était parvenu à faire sortir onze filles, mais deux seulement avaient survécu. Sa méthode était risquée et peu efficace, mais aucune autre ne lui venait à l'esprit. Il offrait ses services pour s'occuper de ces filles gratuitement quand elles étaient malades ou enceintes, en échange de quoi on lui cédait les filles agonisantes. Il soudoyait les maquerelles pour qu'elles l'appellent quand une *sing song girl* devait être envoyée à l'« hôpital » ; se présentant alors avec son assistant, ils mettaient la moribonde sur un brancard et l'emportaient. « Pour expérimentation », expliquait Tao Chi'en, mais on lui posait rarement des questions. La fille ne valait plus rien et l'extravagante perversion de ce docteur les soulageait du souci de s'en débarrasser. La transaction était au bénéfice des deux parties. Avant d'emmener la malade, Tao Chi'en remettait un certificat de décès et exigeait qu'on lui rende le contrat de service signé par la fille, pour éviter les réclamations. Dans neuf cas, aucun soin n'avait pu soulager les filles et son rôle avait simplement consisté à les assister pendant les dernières heures, mais deux d'entre elles avaient survécu.

— Qu'en as-tu fait ? demanda Eliza.

— Les filles sont chez moi. Elles sont encore faibles et l'une semble à moitié folle, mais elles guériront. Mon assistant est resté auprès d'elles pendant que je venais te chercher.

— Je vois.

— Je ne peux pas les garder plus longtemps enfermées.

— Nous pourrions peut-être les renvoyer dans leur famille en Chine...

— Non ! Elles retrouveraient l'esclavage. Dans ce pays-ci, elles peuvent être sauvées, mais je ne sais pas comment.

— Si les autorités ne leur viennent pas en aide, les personnes bienveillantes s'en chargeront. Nous ferons appel aux églises et aux missionnaires.

— Je ne crois pas que les chrétiens s'intéressent à ces petites Chinoises.

— Tu fais bien peu confiance au cœur humain, Tao !

Laissant son ami prendre un thé avec la Brisetout, Eliza enveloppa un pain à peine sorti du four et s'en fut voir le forgeron. Elle trouva James Morton le torse nu, un tablier en cuir et un linge autour de la tête, transpirant devant la forge. A l'intérieur il faisait une chaleur insupportable ; ça sentait la fumée et le métal chaud. C'était un hangar en bois avec un sol en terre et une porte à deux battants, qui restait ouverte durant les heures de travail, été comme hiver. En face se trouvait un grand comptoir pour accueillir la clientèle et, derrière, la forge. Des murs et des poutres du plafond pendaient instruments et outils de travail, ainsi que des objets métalliques fabriqués par Morton. Dans la partie arrière, un escalier menait à l'étage qui faisait office de chambre, protégé des regards indiscrets par un rideau d'osnabourg ciré. En bas, le mobilier consistait en une bassine pour les bains, une table et deux chaises. L'unique décoration se réduisait à un drapeau américain sur le mur et trois fleurs sylvestres dans un verre, posé sur la table. Esther repassait une montagne de linge en promenant un énorme ventre et transpirant à grosses gouttes, mais elle soulevait les lourds fers à charbon en chantonnant. L'amour et sa grossesse l'avaient embellie et un air de paix l'illuminait comme un halo. Elle lavait du linge pour les autres, travail aussi pénible que celui de son mari avec l'enclume et le marteau. Trois fois la semaine, elle se rendait à la rivière et passait une bonne partie de la journée à genoux à savonner et frotter. S'il faisait soleil, elle séchait le linge sur les pierres, mais le plus souvent elle revenait avec le tout mouillé, venait alors le travail d'amidonnage et de repassage. James Morton n'avait pas réussi à lui faire changer d'avis, elle ne voulait pas que son bébé naisse dans cet endroit et elle économisait sou à sou pour déménager dans une maison du village.

— Petit Chilien ! s'exclama-t-elle en accueillant Eliza d'une forte accolade. Il y a longtemps que tu ne viens plus me voir.

— Que tu es belle, Esther ! En fait je viens voir James, dit-elle en lui tendant le pain.

L'homme lâcha ses instruments, épongea sa transpiration avec un chiffon et entraîna Eliza dans la cour, où Esther les rejoignit avec trois verres de limonade. La soirée était fraîche et le ciel nuageux, mais l'hiver ne s'annonçait pas encore. L'air sentait la paille fraîchement coupée et la terre humide.

Joaquín

Durant l'hiver 1852 les habitants du nord de la Californie mangèrent des pêches, des abricots, du raisin, du maïs tendre, des pastèques et des melons, tandis qu'à New York, à Washington, à Boston et dans d'autres villes américaines importantes, les gens se résignaient à la pénurie propre à cette saison. Les bateaux de Paulina apportaient du Chili les délices estivaux de l'hémisphère Sud, qui arrivaient intacts sur leur lit de glace bleue. Ce négoce devenait beaucoup plus rentable que l'or de son mari et de son beau-frère, même si plus personne ne payait trois dollars pour une pêche, ou dix pour une douzaine d'œufs. Les travailleurs chiliens amenés par les frères Rodríguez de Santa Cruz sur les gisements d'or avaient été décimés par les *gringos*. Ces derniers s'étaient emparés de leur production de plusieurs mois, avaient pendu les contremaîtres, fouetté certains et coupé les oreilles de quelques autres, puis expulsé le reste des chercheurs d'or. Cette histoire parut dans les journaux, mais les détails hallucinants furent racontés par un enfant de huit ans, fils d'un des contremaîtres qui assista au supplice et à la mort de son père. Les bateaux de Paulina transportaient aussi des compagnies de théâtre de Londres, d'opéra de Milan et de zarzuelas de Madrid, qui, après une courte halte à Valparaiso, poursuivaient leur périple vers le Nord. Les billets étaient vendus des mois à l'avance et, les jours de spectacle, la meilleure société de San Francisco, exhibant ses habits de gala, se retrouvait dans les théâtres, où elle devait s'asseoir coude à coude avec les rustres mineurs en tenue de travail. Les bateaux ne retournaient pas à vide : ils emportaient au Chili de la farine américaine et des voyageurs guéris de la fantaisie de l'or, qui rentraient aussi pauvres qu'ils étaient arrivés.

A San Francisco, on ne voyait pas de vieux; la population était jeune, forte, bruyante et en bonne santé. L'or avait attiré une légion de jeunes aventuriers, mais la fièvre passée, comme l'avait prédit Paulina, la ville n'était pas redevenue un hameau. Au contraire, elle croissait avec des aspirations au raffinement et à la culture. Paulina était à son aise dans cette ambiance, elle aimait la franchise, la liberté et l'ostentation de cette société naissante, diamétralement opposée à l'hypocrisie du Chili. Elle pensait avec délectation à la colère de son père s'il avait dû s'asseoir à la table d'un parvenu corrompu, devenu juge, et d'une Française à la morale douteuse, attifée comme une impératrice. Elle avait grandi derrière les larges murs en pisé et les fenêtres grillagées de la maison paternelle, tournée vers le passé, attentive à l'opinion d'autrui et aux châtiments divins. En Californie, le passé ne comptait pas plus que les scrupules, l'excentricité était bienvenue et la faute inexistante, si on en occultait la cause. Elle écrivait des lettres à ses sœurs, sans grand espoir de les voir épargnées par la censure de leur père, pour leur raconter ce pays extraordinaire, où l'on pouvait inventer une nouvelle vie, devenir millionnaire ou mendiant en un clin d'œil. C'était le pays des opportunités, ouvert et généreux. Par la Golden Gate entraient des masses d'êtres qui fuyaient la misère ou la violence, prêts à faire une croix sur le passé et à se lancer dans le travail. Ce n'était pas facile, mais leurs descendants seraient américains. Le merveilleux de ce pays, c'était que tous croyaient que leurs enfants vivraient mieux. « L'agriculture, bien plus que l'or, est le véritable trésor de la Californie. On voit à perte de vue des champs cultivés, tout pousse facilement sur ce sol béni. San Francisco est devenue une ville formidable, mais n'a pas perdu son caractère de poste frontière qui, moi, m'enchante. Elle est toujours un berceau de libres penseurs, de visionnaires, de héros et de canailles. Les gens viennent des quatre coins du monde, dans la rue on entend parler cent langues, on hume la nourriture de cinq continents, on voit toutes les races », écrivait-elle. Ce n'était plus un campement d'hommes célibataires, les femmes étaient arrivées et, avec elles, la société avait changé. Elles étaient aussi indomptables que les aventuriers venus chercher de l'or; pour traverser le continent dans des wagons tirés par des bœufs, il fallait un caractère fort et ces pionnières le possédaient. Rien à voir avec les chichiteuses comme sa mère et ses sœurs; là, c'étaient les amazones comme elle qui prévalaient. Jour après jour elles montraient leur tempérament, se mesurant inlassablement et avec ténacité aux plus courageux. Nul ne les qualifiait de sexe faible, les hommes les respectaient comme leurs égales. Elles travaillaient à des tâches interdites ailleurs à leur sexe : chercheuses d'or, cow-boys, meneuses de mules, elles pourchassaient les bandits pour la prime, avaient la charge de tripots, de restaurants, de buanderies et d'hôtels. « Ici, les femmes peuvent être propriétaires de leurs terres, acheter et vendre un bien, divorcer si ça leur chante. Feliciano devrait faire très attention, parce qu'à la première incartade, je l'abandonne à sa pauvreté », se moquait Paulina dans ses lettres. Et elle ajoutait que la Californie avait le meilleur du pire : rats, puces, armes et vices.

« On vient dans l'Ouest pour fuir son passé et recommencer à zéro, mais nos obsessions nous poursuivent, comme le vent », écrivait Jacob Freemont dans le journal. Il en était un bon exemple car changer de nom ne lui avait pas servi à grand-chose, ni devenir reporter et s'habiller comme un yankee : il était toujours le même. L'escroquerie des missions à Valparaiso était du passé, mais maintenant qu'il en forgeait une nouvelle, il se sentait, comme jadis, dévoré par sa création, laquelle venait se rajouter irrévocablement à ses propres faiblesses. Ses articles sur Joaquín Murieta étaient devenus l'obsession de la presse. Tous les jours de nouveaux témoignages venaient confirmer ses articles. Des dizaines d'individus affirmaient l'avoir vu et le personnage qu'ils décrivaient ressemblait à celui de son invention. Freemont n'était plus sûr de rien. Il aurait souhaité ne jamais avoir écrit ces histoires et, par moments, il était tenté de se rétracter publiquement, de confesser ses mensonges et disparaître, avant que toute l'affaire n'éclate et ne lui retombe dessus comme un raz de marée, à l'image de ce qui lui était arrivé au Chili. Mais il n'en avait pas le courage. Le prestige lui était monté à la tête, il se sentait grisé par la célébrité.

L'histoire que Jacob Freemont avait élaborée peu à peu possédait toutes les caractéristiques d'un roman-fleuve. Elle racontait que Joaquín Murieta avait été un jeune homme noble et droit, qu'il travaillait honnêtement dans les mines d'or de Stanislau en compagnie de sa fiancée. Mis au fait de sa prospérité, quelques Américains l'avaient attaqué, frappé, et après lui avoir volé son or, ils avaient violé sa fiancée sous ses yeux. Il n'était resté au couple d'autre issue que la fuite et ils étaient partis vers le Nord, loin des laveries d'or. Ils s'étaient installés comme fermiers pour cultiver un idyllique lopin de terre, entouré de bois et traversé par un ruisseau limpide, disait Freemont, mais là aussi la paix avait été de courte durée, parce que les Yankees étaient revenus pour s'accaparer leurs biens et il leur fallut chercher un autre moyen de subsistance. Peu après, Joaquín Murieta surgit à Calaveras transformé en joueur de *monte*, tandis que sa fiancée préparait la fête de mariage chez ses parents à Sonora. Cependant, il était écrit que le jeune homme n'aurait de paix nulle part. Accusé d'avoir volé un cheval, sans autre forme de procès quelques *gringos* l'avaient attaché à un arbre et fouetté de façon barbare au milieu de la place. L'affront public fut plus que le jeune homme orgueilleux n'en pouvait supporter, son sang ne fit qu'un tour. Peu après on trouva un Yankee découpé en morceaux, comme un poulet prêt à cuire ; une fois les restes rassemblés, on reconnut l'un des hommes qui avaient fouetté Murieta. Les semaines suivantes, l'un après l'autre, tous les participants tombèrent, torturés et assassinés, chacun d'une manière inédite. Comme le disait Jacob Freemont dans ses articles : on n'avait jamais vu tant de cruauté sur ces terres où les gens étaient si cruels de nature. Pendant les deux années suivantes, on vit le nom du bandit partout. Sa bande volait du bétail et des chevaux, attaquait des diligences, agressait des mineurs dans les laveries d'or et des voyageurs sur les chemins, bravait les gardes mobiles, tuait tous les Américains solitaires et narguait impunément la justice. On attribuait à Murieta toutes les horreurs et tous les crimes restés impunis de la Californie. Le terrain se prêtait à la dissimulation, le poisson et le gibier abondaient dans les forêts immenses, les collines et les ravins ; il y avait de hauts pâturages où un cavalier pouvait chevaucher pendant des heures sans laisser de trace, des grottes profondes pour se cacher, des passages secrets dans les montagnes pour égarer les poursuivants. Les chasseurs de têtes qui partaient à la recherche des malfaiteurs revenaient bredouilles, ou périssaient en chemin. Jacob Freemont racontait tout cela, mêlé à sa rhétorique, et personne ne songeait à exiger des dates, des noms de personnes ou de lieux.

Eliza Sommers travaillait depuis deux ans à San Francisco avec Tao Chi'en. Durant ce laps de temps, elle s'en fut à deux reprises, pendant l'été, à la recherche de Joaquín Andieta, utilisant la méthode rodée antérieurement : elle se joignait a d'autres voyageurs. La première fois, elle partit avec l'idée de voyager jusqu'à le retrouver, ou jusqu'au début de l'hiver, mais elle revint au bout de quatre mois, exténuée et malade. L'été 1852 elle repartit, mais après avoir parcouru le même trajet et rendu visite à Joe Brisetout, installée définitivement dans son rôle de grand-mère de Tom-Sans-Tribu, ainsi qu'à James et Esther, qui attendaient leur deuxième enfant, elle revint cinq semaines plus tard, ne pouvant supporter l'angoisse de se sentir loin de Tao Chi'en. Ils se trouvaient bien dans leur routine, proches dans leur travail et en esprit, comme un vieux couple. Elle collectionnait tout ce qui se publiait sur Joaquín Murieta et le mémorisait, comme elle le faisait dans son enfance avec les poésies de Miss Rose, cependant elle préférait ignorer les références à la fiancée du bandit. « On a inventé cette fille pour vendre des journaux, tu sais comme les lecteurs sont fascinés par le romanesque », expliquait-elle à Tao Chi'en. Sur une carte qui tombait en morceaux, elle suivait les pas de Murieta avec la détermination d'un navigateur, mais les informations étaient vagues et contradictoires, les routes se croisaient comme la toile d'une araignée folle, sans mener nulle part. Au début, elle avait repoussé l'éventualité que son Joaquín pût être celui des attaques terrifiantes, mais bientôt elle vit que le personnage correspondait parfaitement au jeune homme de ses souvenirs. Lui aussi se révoltait contre les abus et avait l'obsession d'aider les plus démunis. Ce n'était peut-être pas Joaquín Murieta qui torturait ses victimes, mais ses acolytes, comme ce Jack Trois-Doigts, que l'on pensait capable des pires atrocités.

Eliza continuait à s'habiller en homme afin de passer inaperçue, ce qui était fort utile dans sa mission insensée auprès des *sing song girls,* à laquelle Tao Chi'en l'avait associée. Cela faisait trois ans et demi qu'elle ne mettait plus de robe. N'ayant aucune nouvelle de Miss Rose, de Mama Fresia ou de son oncle John, elle avait l'impression de poursuivre, depuis mille ans, une chimère chaque fois plus improbable. L'époque des étreintes furtives avec son amant était loin derrière, elle n'était plus sûre de ses sentiments, et ignorait si elle continuait à l'attendre par amour ou par orgueil. Parfois elle passait des semaines sans se souvenir de lui, toute à son travail, puis soudain la mémoire lui donnait un coup de griffe et la laissait pantelante. Eliza regardait alors autour d'elle, déconcertée, sans se situer dans ce monde où elle avait atterri. Que faisait-elle en pantalon et entourée de Chinois ? Elle devait faire un effort pour sortir de cette confusion et se dire que l'intransigeance de l'amour était responsable de tout. Sa mission ne consistait nullement à seconder Tao Chi'en, pensait-elle, mais à rechercher Joaquín, elle était venue de très loin pour cela et elle y parviendrait, même si c'était juste pour lui dire en face qu'il était un maudit fuyard, et qu'il avait gâché sa jeunesse. Voilà pourquoi elle était partie à trois reprises. Pourtant elle n'avait plus la volonté de recommencer. Il lui arrivait de se planter d'un air résolu devant Tao Chi'en pour lui annoncer sa détermination de poursuivre sa pérégrination, mais les mots s'emmêlaient comme du sable dans sa bouche. Elle ne pouvait plus abandonner cet étrange compagnon que le sort lui avait donné.

— Qu'est-ce que tu feras si tu le retrouves ? lui avait demandé un jour Tao Chi'en.

— En le voyant, je saurai si je l'aime encore.

— Et si tu ne le retrouves jamais ?

— Je vivrai dans le doute, je suppose.

Eliza avait noté quelques cheveux blancs prématurés sur les tempes de son ami. Parfois, la tentation d'enfoncer les doigts dans ses cheveux épais et sombres, ou le nez dans son cou pour sentir de près son léger parfum d'océan, devenait insupportable. Mais n'ayant plus l'excuse de dormir par terre, enroulés dans une couverture, les opportunités de se toucher avaient disparu. Tao travaillait et étudiait trop. Il devait être bien fatigué, se disait-elle, cela ne l'empêchait pas d'être toujours bien mis et de garder son calme même aux moments les plus critiques. Tao vacillait seulement quand il revenait d'une vente aux enchères, tenant par le bras une fille terrorisée. Il l'examinait pour voir dans quel état elle se trouvait et la lui remettait avec les instructions d'usage, puis il allait s'enfermer pendant des heures. « Il est avec Lin », concluait Eliza, et une douleur inexplicable la transperçait dans un coin caché de son cœur. Il était effectivement avec elle. Dans le silence de la méditation, Tao Chi'en tâchait de retrouver l'équilibre perdu et d'éloigner de lui la tentation de la haine et de la colère. Il se dépouillait peu à peu de ses souvenirs, de ses désirs et de ses pensées, jusqu'à ce que son corps se dissolve dans le néant. Il cessait d'exister pour un moment, et réapparaissait transformé en aigle, volant très haut sans effort, soutenu par un air froid et limpide qui l'élevait au-dessus des plus hautes montagnes. De là, il pouvait voir de vastes prairies, des forêts à perte de vue et des fleuves argentés. Il atteignait alors l'harmonie parfaite et entrait en résonance avec le ciel et la terre, tel un instrument subtil. Il flottait dans des nuages laiteux à l'aide de ses superbes ailes déployées et, tout à coup, il la sentait auprès de lui. Lin se matérialisait à son côté : un autre aigle splendide suspendu dans le ciel infini.

— Où est ta gaieté, Tao ? lui demandait-elle.

— Le monde est rempli de souffrance, Lin.

— La souffrance a un but spirituel.

— Cette douleur-là est inutile.

— Souviens-toi que le sage est toujours gai parce qu'il accepte la réalité.

— Et la méchanceté, il faut l'accepter aussi ?

— Le seul antidote est l'amour. A propos, quand vas-tu te remarier ?

— Je suis marié avec toi.

— Je suis un fantôme, je ne pourrai pas te rendre visite toute ta vie, Tao. C'est un effort énorme de venir chaque fois que tu m'appelles, je n'appartiens plus à ton monde. Marie-toi ou tu deviendras un vieillard avant l'heure. De plus, si tu ne pratiques pas les deux cent vingt-deux positions de l'amour, tu les oublieras, se moquait-elle avec son inoubliable rire cristallin.

Les ventes aux enchères étaient bien pires que ses visites à l'« hôpital ». Il y avait si peu d'espoir de sauver les filles agonisantes qu'un succès était pour lui un cadeau miraculeux. En revanche, il savait que, pour chaque fille achetée lors de la vente, il en restait des dizaines livrées à l'infamie. Il se torturait en imaginant combien il pourrait en acheter s'il était riche, alors Eliza lui rappelait toutes celles qu'il parvenait à sauver. Ils étaient unis par un délicat tissu d'affinités et de secrets partagés, mais séparés aussi par des obsessions. Si le fantôme de Joaquín Andieta s'éloignait lentement, celui de Lin était perceptible comme la brise ou le bruit des vagues sur la plage. Il suffisait à Tao Chi'en de l'invoquer pour qu'elle apparaisse, toujours souriante, comme lorsqu'elle était en vie. Cependant, loin d'être une rivale pour Eliza, elle était devenue son alliée, même si la jeune fille ne le savait pas. Lin fut la première à comprendre que cette amitié ressemblait à de l'amour et, quand son mari lui renvoya l'argument que, ni en Chine ni au Chili ni ailleurs, il n'y avait de place pour ce genre de couple, elle se mit à rire.

— Ne dis pas de bêtises, le monde est vaste et la vie est longue. Tout est une question d'audace.

— Tu ne peux pas t'imaginer ce qu'est le racisme, Lin, tu as toujours vécu parmi les tiens. Ici, tout le monde se fiche de savoir ce que je fais ou ce que je sais; pour les Américains, je ne suis qu'un sale Chinois païen et Eliza, une *crasseuse*. A Chinatown, je suis un renégat sans tresse et habillé comme un Yankee. Je ne suis ni d'un côté ni de l'autre.

— Le racisme n'est pas une nouveauté, en Chine toi et moi nous pensions que les *fan güey* étaient tous des sauvages.

— Ici on ne respecte que l'argent et, visiblement, je n'en aurai jamais suffisamment.

— Tu te trompes. On respecte aussi celui qui sait se faire respecter. Regarde-les dans les yeux.

— Si je suis ton conseil, je me retrouverai avec une balle dans la tête.

— Cela vaut la peine d'essayer. Tu te plains trop souvent, Tao, je ne te reconnais plus. Où est l'homme courageux que j'aime?

Tao Chi'en devait admettre qu'il se sentait lié à Eliza par une infinité de liens ténus, faciles à couper un à un, mais tellement entrelacés qu'ils formaient un ensemble à toute épreuve. Ils se connaissaient depuis peu d'années, mais ils pouvaient déjà regarder en arrière et voir le long chemin semé d'obstacles parcouru ensemble. Les similitudes avaient peu à peu effacé les différences de race. « Tu as un visage de jolie Chinoise », lui avait-il dit dans un moment de distraction. « Tu as un visage de beau Chilien », avait-elle répondu sur-le-champ. Ils formaient un étrange couple dans le quartier : un Chinois grand et élégant, accompagné d'un insignifiant garçon espagnol. En dehors de Chinatown, cependant, ils passaient pratiquement inaperçus dans la foule bigarrée de San Francisco.

— Tu ne peux pas attendre cet homme toute ta vie, Eliza. C'est une folie aussi grande que celle de la fièvre de l'or. Tu devrais te donner un délai, lui dit Tao un jour.

— Et qu'est-ce que je ferai de ma vie une fois le délai passé ?

— Tu pourras retourner dans ton pays.

— Au Chili, une femme comme moi est pire qu'une de tes *sing song girls*. Tu retournerais en Chine, toi ?

— C'était mon seul but, mais l'Amérique commence à me plaire. Là-bas, je redeviendrais le Quatrième Fils ; ici, je me sens plus à l'aise.

— Moi aussi. Si je ne retrouve pas Joaquín, je reste et j'ouvre un restaurant. J'ai ce qu'il faut pour cela : une bonne mémoire pour les recettes, de l'affection pour les ingrédients, le sens du goût et du doigté, un instinct pour les assaisonnements...

— Et de la modestie, fit Tao Chi'en en riant.

— Pourquoi serais-je modeste avec le talent que j'ai ? De plus, je possède un flair de chien. Ce bon nez doit bien me servir à quelque chose : il suffit que je sente un plat pour savoir ce qu'il contient et le refaire en mieux.

— La cuisine chinoise ne te réussit pas...

— Vous mangez des choses si curieuses, Tao ! Ce serait un restaurant français, le meilleur de la ville.

— Je te propose un marché, Eliza. Si dans un an tu ne retrouves pas Joaquín, tu m'épouses, dit Tao Chi'en, et ils rirent.

Après cette conversation, quelque chose changea entre eux. Se trouvant seuls, ils se sentaient mal à l'aise, et à contrecœur ils commencèrent à s'éviter. Le désir de la suivre quand elle se retirait dans sa chambre torturait souvent Tao Chi'en, mais un mélange de timidité et de respect le retenait. Tant qu'elle serait attachée au souvenir de son ancien amant, il ne devait pas l'approcher, calculait-il, mais il ne pouvait pas non plus continuer indéfiniment cet exercice d'équilibre sur une corde raide. Il l'imaginait dans son lit, comptant les heures dans le silence de la nuit, elle aussi éperdue d'amour, pas pour lui, pour un autre. Il connaissait si bien son corps qu'il pouvait le dessiner avec tous les détails, jusqu'au grain de beauté le plus secret, bien qu'il ne l'eût pas revue nue depuis les soins prodigués sur le bateau. Si elle tombait malade, il aurait un prétexte pour la toucher, se disait-il, mais ensuite il se sentait honteux d'avoir eu une telle pensée. Le rire spontané et la discrète tendresse qui jaillissaient jadis entre eux à chaque instant furent remplacés par une tension exacerbée. Si d'aventure ils se frôlaient, ils s'écartaient l'un de l'autre, troublés. Ils étaient conscients de la présence ou de l'absence de l'autre ; l'air semblait chargé de présages et d'anticipations. Au lieu de s'asseoir pour lire ou écrire en une douce complicité, ils prenaient congé dès que le travail était terminé dans la salle de consultation. Tao Chi'en partait rendre visite à certains malades prostrés dans leur lit, retrouvait d'autres *zhong yi* pour discuter diagnostics et traitements, ou il allait s'enfermer et étudier des textes de médecine occidentale. Il avait l'ambition d'obtenir un permis lui permettant d'exercer la médecine légalement en Californie, projet qu'il ne partageait qu'avec Eliza, les esprits de Lin et de son maître d'acupuncture. En Chine, un *zhong yi* commençait comme apprenti puis il continuait seul, raison pour laquelle la médecine restait immuable pendant des siècles, utilisant toujours les mêmes méthodes et les mêmes remèdes. La différence entre un bon praticien et un médiocre résidait dans le fait que le premier possédait de l'intuition pour le diagnostic, ainsi que le don de soulager la douleur avec ses mains. Les médecins occidentaux, cependant, faisaient des études très exigeantes, gardaient le contact entre eux et se tenaient au courant des nouveautés, disposaient de laboratoires et de morgues pour effectuer leurs expériences et, de plus, ils se soumettaient à la concurrence. La science le fascinait, mais son enthousiasme ne trouvait aucun écho dans sa communauté, tout attachée aux traditions. Attentif aux avancées récentes, il achetait tous les livres et toutes les revues s'y rapportant qui lui tombaient sous la main. Il avait une telle curiosité pour tout ce qui était moderne qu'il écrivit sur le mur le précepte de son vénérable maître : « La connaissance sans sagesse n'est pas d'une grande utilité, et il n'est pas de sagesse sans spiritualité. » Tout n'est pas science, se répétait-il, pour ne pas l'oublier. Toujours est-il qu'il avait besoin de la nationalité américaine, très difficile à obtenir pour quelqu'un de sa race. C'était pourtant le seul moyen de pouvoir rester dans ce pays sans vivre comme un marginal, et il lui fallait un diplôme, ainsi pourrait-il faire beaucoup de bien, pensait-il. Les *fan güey* ne connaissaient rien à l'acupuncture, ni aux herbes utilisées en Asie depuis des siècles. On le considérait, lui, comme une sorte de guérisseur sorcier. Le mépris pour les autres races était tel que les propriétaires d'esclaves, dans les plantations du Sud, appelaient un vétérinaire quand un Noir tombait malade. Leur opinion sur les Chinois n'était pas différente, mais il existait quelques docteurs visionnaires qui avaient voyagé ou lu des ouvrages sur d'autres cultures, et qui s'intéressaient aux techniques et aux mille drogues de la pharmacopée orientale. Il restait en contact avec Ebanizer Hobbs en Angleterre et, dans leurs lettres, ils se lamentaient de la distance qui les séparait. « Venez à Londres, docteur Chi'en, et faites une démonstration d'acupuncture devant la *Royal Medical Society*, vous les laisserez bouche bée, je vous assure », lui écrivait Hobbs. Comme il disait, en combinant leurs connaissances ils pourraient ressusciter les morts.

Un couple insolite

Les gelées hivernales tuèrent de pneumonie plusieurs *sing song girls* dans le quartier chinois, Tao Chi'en ne put les sauver. A deux reprises on fit appel à lui lorsqu'elles étaient en vie, il les avait emmenées, mais elles étaient mortes dans ses bras, délirant de fièvre quelques heures plus tard. A l'époque, les discrets tentacules de sa compassion s'étendaient tout au long de l'Amérique du Nord, de San Francisco jusqu'à New York, du Rio Grande jusqu'au Canada, mais cet énorme effort n'était qu'un grain de sable dans cet océan de malheur. Dans sa pratique de la médecine, il s'en sortait bien et ce qu'il parvenait à économiser, ou qu'il obtenait charitablement de certains clients riches, il le destinait à acheter les filles les plus jeunes lors des ventes aux enchères. Dans ce sous-monde, on le connaissait : il avait une réputation de dégénéré. On n'avait jamais vu ressortir vivante aucune fille dont il faisait l'acquisition « pour ses expériences », comme il disait, mais on se désintéressait de ce qui se passait derrière sa porte. Comme *zhong yi,* il était le meilleur, et tant qu'il ne faisait pas de scandale et limitait son activité à ces filles, que l'on considérait de toute façon comme des animaux, on lui fichait la paix. Lorsqu'on posait des questions empreintes de curiosité à son loyal assistant, le seul à pouvoir fournir une réponse, ce dernier se contentait d'expliquer que les connaissances extraordinaires de son patron, si utiles pour ses patients, étaient la conséquence de ses mystérieuses expériences. Tao Chi'en avait déménagé dans une maison confortable, entre deux bâtiments à la limite de Chinatown, à quelques rues de la place de l'Union, où se trouvait sa clinique, et où il vendait ses remèdes et cachait les filles jusqu'à ce qu'elles puissent voyager. Eliza avait appris des rudiments de chinois qui lui permettaient de communiquer à un niveau primaire, elle improvisait le reste avec des pantomimes, des dessins et quelques mots d'anglais. L'effort en valait la peine, c'était beaucoup mieux que de se faire passer pour le frère sourd-muet du docteur. Elle ne pouvait ni lire ni écrire le chinois, mais elle reconnaissait les préparations à l'odeur et, pour plus de sécurité, elle marquait les flacons avec un code de son invention. Il y avait toujours un bon nombre de patients qui attendaient leur tour pour les aiguilles en or, les herbes miraculeuses et la voix apaisante de Tao Chi'en. Beaucoup se demandaient si cet homme sage et affable pouvait être le même qui collectionnait les cadavres et les concubines enfants, mais comme on ne savait pas au juste en quoi consistaient ses vices, la communauté le respectait. Il n'avait pas d'amis, c'est vrai, mais pas d'ennemis non plus. Son nom passait les frontières de Chinatown et certains docteurs américains venaient le consulter lorsque leurs connaissances se révélaient inefficaces, toujours avec grande prudence, car ç'aurait été une humiliation publique d'admettre qu'un « céleste » eût quelque chose à leur apprendre. Ainsi put-il s'occuper de certains personnages en vue de la ville et rencontrer la célèbre Ah Toy.

Apprenant qu'il avait soigné l'épouse d'un juge, la femme le fit appeler. Elle avait une sonnerie de castagnettes dans les poumons qui, par moments, menaçait de l'asphyxier. La première impulsion de Tao Chi'en fut de refuser, mais la curiosité de la voir de près et de vérifier par lui-même la légende qui l'entourait le gagna. A ses yeux, c'était une vipère, son ennemie personnelle. Sachant ce que Ah Toy signifiait pour lui, Eliza mit dans sa mallette une dose d'arsenic suffisante pour tuer une paire de bœufs.

— Au cas où... expliqua-t-elle.

— Au cas où quoi ?

— Imagine qu'elle soit très malade. Tu ne voudras pas la voir souffrir, n'est-ce pas ? Parfois il faut aider à mourir...

Tao Chi'en rit volontiers, mais il ne retira pas le flacon de sa mallette. Ah Toy le reçut dans l'un de ses « pensionnats » de luxe, où les clients payaient mille dollars la séance, mais en repartaient toujours satisfaits. De plus, elle avait pris l'habitude de dire : « Si vous ressentez le besoin de demander le prix, cet endroit n'est pas pour vous. » Une domestique noire en uniforme amidonné lui ouvrit la porte et le conduisit à travers plusieurs salons où déambulaient de belles jeunes filles vêtues de soie. Comparées à leurs sœurs moins chanceuses, elles vivaient comme des princesses, mangeaient trois fois par jour et se baignaient quotidiennement. La maison, un véritable musée d'antiquités orientales et de nouveautés américaines, sentait le tabac, le parfum rance et la poussière. Il était trois heures de l'après-midi, mais les gros rideaux restaient tirés ; dans ces pièces, la brise fraîche n'entrait jamais. Ah Toy le reçut dans un petit cabinet encombré de meubles et de cages à oiseaux. Elle était en fait plus petite, plus jeune et plus belle qu'il ne l'avait imaginée. Elle était maquillée avec soin, mais ne portait pas de bijoux, elle était habillée avec simplicité et n'avait pas d'ongles longs, marque de richesse et d'oisiveté. Il fixa ses pieds minuscules engoncés dans des espadrilles blanches. Elle avait un regard pénétrant et dur, mais parlait d'une voix caressante qui lui rappela celle de Lin. Maudite soit-elle, soupira Tao Chi'en, vaincu dès les premiers mots. Il l'examina, impassible, sans montrer de répugnance ou de trouble, sans savoir que lui dire, car lui reprocher son trafic n'était pas seulement inutile, mais dangereux, car cela pouvait attirer l'attention sur ses propres activités. Il lui prescrivit du *mahuang* contre son asthme et d'autres remèdes pour refroidir son foie, l'avertissant sèchement que, tant qu'elle vivrait enfermée derrière ces rideaux à fumer du tabac et de l'opium, ses poumons continueraient à se plaindre. La tentation de lui laisser le poison, avec la recommandation d'en prendre une petite cuiller tous les jours, le caressa comme un papillon nocturne et il frémit, confondu devant cet instant de doute car, jusqu'alors, il pensait que sa colère ne serait jamais assez intense pour tuer quelqu'un. Il sortit rapidement, certain que la femme, au vu de ses manières rudes, ne ferait plus appel à lui.

— Alors ? demanda Eliza en le voyant revenir.

— Rien.

— Comment rien ! Elle n'a même pas une petite tuberculose ? Elle ne va pas mourir ?

— Nous mourrons tous. Et elle, mourra de vieillesse. Elle est forte comme un buffle.

— Ainsi sont les mauvaises gens.

De son côté, Eliza savait que, se trouvant à la croisée des chemins, la direction qu'elle prendrait déterminerait le reste de sa vie. Tao Chi'en avait raison : elle devait se fixer un délai. Elle ne pouvait plus ignorer le fait qu'elle était tombée amoureuse de l'amour et se trouvait attrapée dans l'ouragan d'une passion de légende, sans aucune prise sur la réalité. Elle essayait de se souvenir des sentiments qui l'avaient poussée à s'embarquer dans cette terrible aventure, mais n'y parvenait pas. La femme qu'elle était devenue avait peu de chose à voir avec la fillette excitée d'antan. Valparaiso et la pièce aux armoires appartenaient à une autre époque, à un monde qui disparaissait peu à peu dans le brouillard. Eliza ne cessait de se demander pour quelle raison elle avait tellement souhaité appartenir corps et âme à Joaquín Andieta, alors qu'en vérité, jamais elle ne s'était sentie véritablement heureuse dans ses bras. La seule explication était qu'il avait été son premier amour. Quand il était apparu pour décharger les ballots chez elle, Eliza était prête, le reste avait été une question d'instinct. Elle avait simplement obéi à un appel puissant et ancestral, mais cela remontait à une éternité, à mille lieues de là. Qui était-elle alors et qu'avait-elle vu chez lui, elle ne pouvait le dire, mais elle savait que son cœur maintenant prenait une autre voie. D'un côté, elle était fatiguée de le rechercher, préférant au fond ne pas le trouver, de l'autre, elle ne pouvait continuer à s'étourdir dans le doute. Il lui fallait conclure cette étape pour recommencer un nouvel amour.

A la fin novembre, ne supportant plus l'angoisse, et sans rien dire à Tao Chi'en, elle se rendit au journal pour s'entretenir avec le célèbre Jacob Freemont. On la fit entrer dans la salle de rédaction, où plusieurs journalistes travaillaient à leur table, entourés d'un désordre effrayant. On lui indiqua un petit bureau derrière une porte vitrée où elle se dirigea. Elle resta debout devant la table, attendant que ce *gringo* aux favoris roux lève les yeux de ses papiers. C'était un individu de taille moyenne, à la peau tachetée et au doux parfum de bougie. Il écrivait de la main gauche, le front appuyé sur la droite, dissimulant son visage, mais sous son parfum de cire d'abeille, elle perçut une odeur connue qui lui fit se souvenir d'une chose lointaine et imprécise de son enfance. Elle se pencha légèrement sur lui, le flairant subrepticement, au moment même où le journaliste relevait la tête. Surpris, ils se regardèrent à une distance incommode, puis se rejetèrent en arrière. Elle le reconnut à son odeur, malgré les années, ses lunettes, ses favoris et ses vêtements de Yankee. C'était l'éternel prétendant de Miss Rose, le même Anglais qui venait ponctuellement aux soirées du mercredi à Valparaiso. Paralysée, elle ne put s'enfuir.

— Que puis-je faire pour toi, mon garçon ? demanda Jacob Todd en retirant ses lunettes pour les essuyer avec son mouchoir.

La petite tirade qu'Eliza avait préparée se volatilisa. Elle resta la bouche ouverte et le chapeau à la main, persuadée que si elle l'avait reconnu, lui aussi la reconnaîtrait. Mais l'homme chaussa soigneusement ses lunettes et répéta sa question sans la regarder.

— C'est au sujet de Joaquín Murieta... balbutia-t-elle d'une voix plus aiguë que d'habitude.

— Tu as des informations sur le bandit? demanda aussitôt le journaliste, l'air intéressé.

— Non, non... Au contraire, je viens vous demander de ses nouvelles. Il faut que je le voie.

— Ton visage me dit quelque chose, petit... Nous nous connaissons?

— Je ne crois pas, monsieur.

— Tu es chilien?

— Oui.

— J'ai vécu au Chili il y a quelques années. Beau pays. Pourquoi veux-tu voir Murieta?

— C'est très important.

— Je crains de ne pouvoir t'aider. Personne ne sait où il se trouve.

— Mais vous avez parlé avec lui!

— Seulement quand Murieta m'appelle. Il se met en contact avec moi quand il veut qu'une de ses prouesses paraisse dans le journal. Il n'a rien d'un modeste, il aime la célébrité.

— En quelle langue vous vous parlez?

— Mon espagnol est meilleur que son anglais.

— Dites-moi, monsieur, il a l'accent chilien ou mexicain?

— Je ne saurais le dire. Je te répète, mon garçon, que je ne peux pas t'aider, répliqua le journaliste en se levant pour mettre fin à cet interrogatoire qui commençait à le mettre mal à l'aise.

Eliza prit congé brièvement et lui resta pensif, l'air perplexe en la voyant s'éloigner dans le vacarme de la salle de rédaction. Ce jeune garçon ne lui était pas inconnu, mais il n'arrivait pas à le situer. Quelques minutes plus tard, lorsque son visiteur fut parti, il se souvint du service que le capitaine John Sommers lui avait demandé, et l'image de la petite Eliza passa avec fugacité dans son esprit. Il fit alors la relation entre le nom du bandit et celui de Joaquín Andieta et il comprit pourquoi elle le cherchait. Il étouffa un cri et sortit en courant, mais dans la rue la jeune fille avait disparu.

Le travail le plus important de Tao Chi'en et d'Eliza Sommers commençait la nuit. Dans l'obscurité ils s'occupaient des corps des malheureuses qu'ils n'avaient pas pu sauver, et emmenaient les autres à l'extrémité de la ville, chez leurs amis quakers. L'une après l'autre, les fillettes sortaient de l'enfer pour se lancer à l'aveuglette dans une aventure sans retour. Elles perdaient tout espoir de retourner en Chine ou de retrouver leur famille, certaines ne reparlaient plus leur langue et ne revoyaient plus aucun visage de leur race, elles devaient apprendre un métier et travailler durement pour le restant de leurs jours, mais tout était un paradis comparé à leur vie passée. Celles que Tao parvenait à acheter s'adaptaient plus facilement. Elles avaient voyagé dans des caisses et subi la lascivité et la brutalité des marins, mais elles n'étaient pas encore totalement brisées et gardaient quelque espoir de salut. Les autres, sauvées in extremis de la mort à l'« hôpital », ne pouvaient oublier la peur qui, telle une maladie sanguine, les consumerait de l'intérieur jusqu'au dernier jour. Tao Chi'en espérait qu'avec le temps elles apprendraient au moins à sourire, parfois. Après avoir récupéré leurs forces et compris qu'elles n'auraient plus à se soumettre à un homme par obligation, mais seraient toujours des fugitives, on les conduisait chez leurs amis abolitionnistes, qui faisaient partie de l'*underground railroad*, comme on appelait l'organisation clandestine qui se consacrait à aider les esclaves évadés, à laquelle appartenaient également le forgeron James Morton et ses frères. Ils accueillaient les réfugiés venant des Etats esclavagistes et les aidaient à s'installer en Californie. Mais dans ce cas, ils devaient opérer en sens contraire, sortant les petites chinoises de Californie pour les emmener loin des trafiquants et des bandes criminelles, leur chercher un foyer et un moyen de subsistance. Les quakers en assumaient les risques avec une ferveur religieuse : pour eux, il s'agissait d'innocentes souillées par la méchanceté humaine, que Dieu avait placées sur leur chemin pour les mettre à l'épreuve. Ils les accueillaient avec une telle passion qu'elles réagissaient parfois avec violence ou terreur; elles ne savaient pas recevoir de l'affection, mais la patience de ces bonnes gens venait peu à peu à bout de leur résistance. Ils leur enseignaient quelques phrases indispensables d'anglais, leur donnaient une idée des coutumes américaines, leur montraient une carte pour qu'elles puissent se situer, et tâchaient de leur apprendre un métier, en attendant que Babalu le Mauvais vienne les chercher.

Le géant avait finalement trouvé une bonne façon d'utiliser ses talents : c'était un voyageur infatigable qui ne dormait pas la nuit et aimait l'aventure. En le voyant surgir, les *sing song girls*, épouvantées, couraient se cacher et il fallait beaucoup de persuasion de la part de leur protecteur pour les apaiser. Babalu avait appris une chanson en chinois et trois tours d'acrobate, qu'il utilisait pour les amadouer et atténuer la frayeur de la première rencontre, mais il n'aurait renoncé pour rien au monde à ses peaux de loup, à son crâne rasé, à ses anneaux de flibustier, à son armement formidable. Il restait deux ou trois jours, le temps de convaincre ses protégées qu'il n'était pas un diable et n'avait pas l'intention de les dévorer, après quoi il les emmenait de nuit. Les distances étaient bien calculées pour arriver à l'aube dans un refuge, où ils se reposaient durant la journée. Ils se déplaçaient à cheval. Une voiture aurait été inutile, parce qu'une bonne partie du trajet se faisait à travers champs, afin d'éviter les chemins. Il avait constaté qu'il était beaucoup plus sûr de voyager dans l'obscurité, si l'on savait se repérer, parce que les ours, les couleuvres, les hors-la-loi et les Indiens dormaient, comme tout le monde. Babalu les laissait saines et sauves entre les mains d'autres membres du vaste réseau de la liberté. Elles terminaient dans des fermes en Oregon, des buanderies au Canada, des ateliers d'artisanat au Mexique ; d'autres étaient employées dans des familles, et certaines se mariaient. Tao Chi'en recevait de temps à autre des nouvelles par l'intermédiaire de James Morton, qui suivait la piste de chaque fugitif sauvé par son organisation. Il leur arrivait de recevoir une enveloppe venant d'une lointaine contrée et, l'ouvrant, ils trouvaient un bout de papier avec un nom griffonné, quelques fleurs séchées ou un dessin, alors ils se félicitaient de ce qu'une nouvelle *sing song girl* eût été sauvée.

Parfois, Eliza partageait sa chambre, pour quelques jours, avec une fille qui venait d'être sauvée, mais elle ne révélait pas davantage sa condition de femme, que seul Tao connaissait. Elle disposait de la meilleure pièce de la maison, au fond du logement de son ami. C'était une vaste pièce avec deux fenêtres donnant sur une petite cour intérieure, où ils cultivaient des plantes médicinales pour son métier, et des herbes aromatiques pour la cuisine. Il leur arrivait de songer à déménager dans une maison plus grande entourée d'un vrai jardin, non seulement à des fins pratiques, mais aussi pour le plaisir de la vue et de la mémoire, un endroit où pousseraient les plus belles plantes de Chine et du Chili ; il y aurait une tonnelle où prendre le thé l'après-midi et admirer le lever du soleil sur la baie. Tao Chi'en avait remarqué chez Eliza un désir de transformer la maison en un vrai foyer, il voyait le soin avec lequel elle nettoyait et mettait de l'ordre, sa patience pour disposer de discrets bouquets de fleurs fraîches dans chaque pièce. Il n'avait jamais eu, par le passé, l'occasion d'apprécier de tels raffinements. Il avait grandi dans une pauvreté totale, dans la maison du maître d'acupuncture il manquait la main d'une femme pour en faire un foyer, et Lin était si fragile qu'elle n'avait pas la force de s'occuper des tâches domestiques. En revanche, Eliza avait l'instinct de l'oiseau pour faire son nid. Elle dépensait, pour arranger la maison, une partie de ce qu'elle gagnait en jouant du piano deux soirs par semaine dans un saloon, et en vendant des *empanadas* et des tartes dans le quartier chilien. Ainsi avait-elle pu acheter des rideaux, une nappe damassée, des ustensiles de cuisine, des assiettes et des verres en porcelaine. Selon elle, les bonnes manières apprises durant son enfance étaient essentielles, elle faisait du seul repas qu'ils partageaient une cérémonie, présentait les plats avec délicatesse et rougissait de satisfaction quand il la félicitait. Les problèmes quotidiens semblaient se résoudre tout seuls, comme si pendant la nuit des esprits généreux nettoyaient le cabinet, mettaient les dossiers à jour, entraient discrètement dans la chambre de Tao Chi'en pour laver son linge, recoudre ses boutons, brosser ses vêtements et changer l'eau des roses sur sa table.

— Ne me pourris pas d'attentions, Eliza.

— Tu disais que les Chinois attendent d'être servis par les femmes.

— En Chine, oui, mais moi je n'ai jamais eu cette chance... Tu me donnes de mauvaises habitudes.

— C'est bien de cela qu'il s'agit. Miss Rose disait que pour dominer un homme, il faut l'habituer à vivre bien, et quand il se comporte mal, le châtiment consiste à supprimer les attentions.

— Miss Rose n'est-elle pas restée vieille fille ?

— Par décision propre, non par manque d'opportunités.

— Je n'ai pas l'intention de mal me conduire, mais à l'avenir, comment pourrais-je vivre seul ?

— Tu ne vivras jamais seul. Tu n'es pas tout à fait laid, et il y aura toujours une femme aux grands pieds et à mauvais caractère prête à t'épouser, répliqua-t-elle, et lui éclata d'un rire joyeux.

Tao avait acheté des meubles délicats pour la chambre d'Eliza, la seule de la maison décorée avec un certain luxe. Se promenant ensemble dans Chinatown, elle avait souvent admiré le style des meubles traditionnels chinois. « Ils sont très beaux, mais lourds. L'erreur est d'en mettre trop », avait-il dit. Il lui offrit un lit et une armoire en bois sombre marquetée, puis elle-même choisit une table, des chaises et un paravent en bambou. Elle ne voulut pas d'un couvre-lit en soie, comme on les utilisait en Chine, mais en choisit un de style européen, en lin blanc brodé, et de grands oreillers de la même étoffe.

— Tu es sûr de vouloir faire ces frais, Tao ?

— Tu penses aux *sing song girls*...

— Oui.

— Tu as dit toi-même que tout l'or de la Californie ne suffirait pas à les acheter toutes. Ne t'en fais pas, nous en avons assez.

Eliza rendait la pareille de mille façons subtiles : discrétion pour respecter son silence et ses heures d'étude, bonne volonté pour le seconder dans son cabinet, courage au moment de sauver les filles. Cependant, pour Tao Chi'en le meilleur cadeau était l'invincible optimisme de son amie, qui l'obligeait à réagir quand les ombres menaçaient de le dévorer totalement. « Si tu es triste, tu perds des forces et tu ne peux aider personne. Allons faire un tour, j'ai besoin de sentir la forêt. Chinatown sent la sauce de soja. » Et il l'emmenait en voiture dans les environs. Ils passaient la journée au grand air, en courant comme des gamins. Ces nuits-là, il dormait comme un bienheureux et se réveillait plein de vigueur et de gaieté.

Le capitaine John Sommers mouilla dans le port de Valparaiso le 15 mars 1853, épuisé par le voyage et par les exigences de sa patronne, dont le dernier caprice consistait à remorquer derrière le bateau, depuis le sud du Chili, un morceau de glacier grand comme un baleinier. Elle avait dans l'idée de fabriquer et de vendre des sorbets et des glaces, car le prix des légumes et des fruits avait beaucoup chuté depuis que l'agriculture avait commencé à prospérer en Californie. L'or avait attiré un quart de million d'immigrants en quatre ans, mais la belle époque avait vécu. Nonobstant, Paulina Rodríguez de Santa Cruz ne pensait plus quitter San Francisco. Elle avait adopté dans son cœur fier cette ville de parvenus héroïques, où les classes sociales n'existaient plus. Elle supervisait en personne la construction de ses futurs appartements, une demeure située au sommet d'une colline avec vue imprenable sur la baie, mais elle attendait son quatrième enfant et voulait l'avoir à Valparaiso, où sa mère et ses sœurs le cajoleraient jusqu'au vice. Son père avait eu une apoplexie fort opportune, qui l'avait laissé à demi paralysé, avec le cerveau ramolli. L'invalidité n'avait pas modifié le caractère d'Agustín del Valle mais lui avait insufflé la peur de la mort et, naturellement, de l'enfer. Partir dans l'autre monde avec une masse de péchés mortels sur le dos n'était pas une bonne idée, lui avait répété à satiété son parent, l'évêque. Il ne restait rien du coureur de jupons et de l'homme emporté, non par repentir, mais parce que son corps affaibli ne suivait plus. Il assistait quotidiennement à la messe dans la chapelle de sa maison et supportait stoïquement la lecture des Evangiles et les interminables rosaires récités par sa femme. Rien de tout cela, cependant, n'adoucit ses rapports avec ses paysans et ses employés. Il continuait à traiter sa famille et le reste du monde comme un despote, mais une partie de sa conversion fut un soudain et inexplicable amour pour Paulina, la fille absente. Il oublia qu'il l'avait répudiée après qu'elle se fut échappée d'un couvent, pour épouser ce fils de juifs, dont il ne pouvait se rappeler le nom de famille, inconnu dans son milieu. Il lui écrivit en l'appelant sa favorite, l'héritière qui possédait le même caractère et la même vision des affaires que lui, la suppliant de revenir à la maison, parce que son pauvre père souhaitait l'embrasser avant de mourir. C'est vrai que le vieux va très mal ? demanda Paulina, pleine d'espoir, dans une lettre adressée à ses sœurs. Mais il n'allait pas si mal et vivrait sans doute encore bien des années, rendant la vie impossible autour de son fauteuil de paralysé. Toujours est-il que, durant ce voyage, le capitaine Sommers fut bien obligé d'emmener sa patronne et sa progéniture mal élevée, les servantes irrémédiablement malades, le chargement de malles, deux vaches pour le lait des enfants et trois chiens de manchon avec des rubans aux oreilles, comme ceux des courtisanes françaises, en remplacement du chien noyé en haute mer lors du premier voyage. La traversée fut interminable pour le capitaine, et il songeait avec horreur que dans peu de temps il lui faudrait ramener Paulina, et tout son cirque, à San Francisco. Pour la première fois de sa longue vie de navigateur, il songea à se retirer pour passer, sur la terre ferme, le temps qui lui restait à vivre. Son frère Jeremy l'attendait sur le quai. Il le conduisit à la maison, s'excusant de l'absence de Rose qui avait la migraine.

— Comme tu sais, elle est toujours malade pour l'anniversaire d'Eliza. Elle ne s'est pas remise de la mort de la petite, expliqua-t-il.

— Je veux justement vous parler de cette histoire, répliqua le capitaine.

Miss Rose sut combien elle aimait Eliza le jour où elle disparut, sentant alors que la certitude de son amour maternel arrivait trop tard. Elle s'accusait pour les années durant lesquelles elle l'avait aimée à demi, avec une affection arbitraire et chaotique : elle oubliait son existence, trop occupée à ses frivolités, puis s'en souvenant tout à coup, constatait que la petite avait passé la semaine dans la cour avec les poules. Eliza avait été un peu comme la fille qu'elle n'aurait jamais ; pendant presque dix-sept ans elle avait été son amie, sa compagne de jeux, la seule personne au monde à pouvoir la toucher. Miss Rose sentait son corps meurtri de pure et simple solitude. Elle regrettait les bains avec la fillette, quand elles clapotaient heureuses dans l'eau parfumée de feuilles de menthe et de romarin. Elle pensait aux petites mains habiles d'Eliza lui lavant les cheveux, lui massant la nuque, lui nettoyant les ongles avec une peau de chamois, l'aidant à se coiffer. Le soir, elle attendait, attentive aux pas de la fillette qui lui apportait son petit verre de liqueur anisée. Elle aurait voulu sentir une fois encore son baiser de bonne nuit sur le front. Miss Rose n'écrivait plus. Elle avait mis fin définitivement aux soirées musicales qui constituaient jadis le noyau de sa vie sociale. Oubliant aussi sa coquetterie, elle se résignait à vieillir sans grâce, « à mon âge, tout ce que l'on attend d'une femme, c'est qu'elle garde sa dignité et sente bon », disait-elle. Aucune robe nouvelle ne sortit de ses mains pendant ces années-là, elle mettait toujours les mêmes vêtements et ne se rendait même pas compte qu'ils étaient passés de mode. La petite salle de couture était abandonnée, et même sa collection de bonnets et de chapeaux languissait dans des boîtes, parce qu'elle avait opté pour le châle noir des Chiliennes quand elle sortait. Elle passait ses journées à relire les classiques et à jouer des pièces mélancoliques au piano. Elle s'ennuyait avec méthode et détermination, comme si c'était un châtiment. L'absence d'Eliza devint un bon prétexte pour porter le deuil de ses peines et de ses quarante ans de vie perdue, surtout par manque d'amour. Elle ressentait cela comme une épine sous l'ongle, une douleur constante et sourde. Elle se repentait de l'avoir élevée dans le mensonge, ne pouvant comprendre pourquoi elle avait inventé cette histoire du panier aux draps de batiste, l'improbable histoire du vison et des pièces en or, alors que la vérité aurait été beaucoup plus réconfortante. Eliza avait le droit de savoir que son oncle John adoré était en réalité son père, que Jeremy était son oncle et elle sa tante, qu'elle appartenait à la famille Sommers et n'était pas une orpheline recueillie par charité. Elle se rappelait avec horreur le jour où elle l'avait traînée jusqu'à l'orphelinat pour lui faire peur. Quel âge avait-elle alors ? Huit ou dix ans, une enfant. Si elle pouvait tout recommencer, elle serait une mère très différente... Tout d'abord, la sachant amoureuse, elle l'aurait soutenue, au lieu de lui déclarer la guerre ; maintenant, Eliza serait vivante, soupirait-elle, c'était sa faute si elle avait trouvé la mort en prenant la fuite. Elle aurait dû se souvenir de sa propre expérience et comprendre que, dans sa famille, les femmes étaient la proie de leur premier amour. Le plus triste était de n'avoir personne avec qui parler d'elle, car Mama Fresia aussi avait disparu, et son frère Jeremy serrait les lèvres et quittait la pièce quand elle prononçait son nom. Son humeur sombre contaminait tout son entourage. Depuis quatre ans, la maison avait un air dense de mausolée. Elle avait perdu l'appétit et ne se nourrissait plus que de thé et de biscuits anglais. Elle n'avait pas pu trouver de cuisinière correcte, il est vrai qu'elle n'avait pas mis beaucoup d'entrain dans ses recherches. La propreté et l'ordre la laissaient indifférente. Il manquait des fleurs dans les pots et la moitié des plantes du jardin languissaient par manque de soins. Quatre hivers durant, les rideaux fleuris de l'été décorèrent le salon sans que nul se donne la peine de les changer en fin de saison.

Jeremy ne faisait aucun reproche à sa sœur, il mangeait tout ce qu'on lui mettait sous le nez, il ne disait rien lorsque ses chemises étaient mal repassées et ses costumes pas brossés. Il avait lu que les femmes célibataires souffraient généralement de dangereuses perturbations. En Angleterre, on avait trouvé un remède miraculeux contre l'hystérie, qui consistait à cautériser avec des fers rouges certains points, mais ces nouveautés n'étaient pas arrivées au Chili, où l'on utilisait encore de l'eau bénite contre de tels maux. Ce n'en était pas moins une affaire délicate, difficile à évoquer devant Rose. Il ne savait pas comment la consoler, l'habitude de discrétion et de silence qui régnait entre eux était très ancienne. Il pensait lui faire plaisir avec des cadeaux de contrebande achetés sur certains bateaux, mais, ne connaissant rien aux femmes, il revenait avec des objets horribles qui disparaissaient très vite au fond des armoires. Il ne soupçonnait pas combien de fois sa sœur s'était approchée de lui, lorsqu'il fumait sa pipe dans son fauteuil, prête à tomber à ses pieds, à poser sa tête sur ses genoux et pleurer tout son soûl. Au dernier moment, elle reculait, effrayée, parce que, entre eux, toute parole d'affection avait une résonance ironique ou de sentimentalisme impardonnable. Droite et triste, Rose gardait les apparences par discipline, avec la sensation que seul son corset la soutenait et qu'elle tomberait en morceaux si jamais elle l'enlevait. De son entrain et ses espiègleries, il ne restait rien ; rien non plus de ses opinions audacieuses, de ses attitudes de rébellion ou de son impertinente curiosité. Elle était devenue ce qu'elle redoutait par-dessus tout : une vieille fille victorienne. « C'est le changement, à cet âge les femmes perdent leur équilibre », dit l'apothicaire allemand en lui donnant de la valériane pour les nerfs et de l'huile de foie de morue contre le teint pâle.

Le capitaine John Sommers fit venir son frère et sa sœur dans la bibliothèque pour leur apprendre la nouvelle.

— Vous vous souvenez de Jacob Todd ?

— Le type qui nous a escroqués avec cette histoire de missions en Terre de Feu ? demanda Jeremy Sommers.

— Lui-même.

— Il était amoureux de Rose, si je me souviens bien, sourit Jeremy, se disant qu'au moins ils avaient évité d'avoir ce menteur pour beau-frère.

— Il a changé de nom. Maintenant il s'appelle Jacob Freemont, il est devenu journaliste à San Francisco.

— Fichtre ! Ainsi c'est vrai qu'aux Etats-Unis n'importe quel truand peut recommencer à zéro.

— Jacob Todd a suffisamment payé pour ses fautes. Qu'un pays offre une deuxième chance aux individus, cela me semble magnifique.

— Et l'honneur ne compte pas ?

— L'honneur n'est pas tout, Jeremy.

— Il existe autre chose ?

— Que nous importe Jacob Todd ? Je suppose que tu ne nous as pas réunis pour nous parler de lui, John, balbutia Rose derrière son mouchoir parfumé à la vanille.

— J'ai rencontré Jacob Todd, Freemont plutôt, avant d'embarquer. Il m'a affirmé avoir vu Eliza à San Francisco.

Miss Rose crut qu'elle allait s'évanouir pour la première fois de sa vie. Elle sentit son cœur battre à tout rompre, ses tempes sur le point d'exploser et une bouffée de sang lui monter au visage. Suffoquée, elle ne put articuler une seule parole.

— On ne peut pas croire cet homme-là ! Tu ne nous as pas dit qu'une femme avait juré avoir connu Eliza à bord d'un bateau, en 1849, et que tu étais persuadé qu'elle était morte ? dit Jeremy Sommers en se promenant à grandes enjambées dans la bibliothèque.

— C'est vrai, mais c'était une prostituée et elle avait la broche aux turquoises que j'avais offerte à Eliza. Elle a pu la voler et mentir pour se protéger. Quelle raison aurait eue Jacob Freemont de me tromper ?

— Aucune, si ce n'est qu'il est fabulateur par nature.

— Suffit, s'il vous plaît, supplia Rose, faisant un effort colossal pour se faire entendre. La seule chose qui importe, c'est qu'on ait vu Eliza, qu'elle n'est pas morte, que nous pouvons la retrouver.

— Ne te fais pas d'illusions, va. Tu ne vois pas que c'est une histoire à dormir debout ? Le coup sera terrible lorsque tu apprendras que c'est une fausse nouvelle, la prévint Jeremy.

John leur donna les détails de la rencontre entre Jacob Freemont et Eliza, sans omettre que la jeune fille était habillée en homme, et si à l'aise dans ses vêtements que le journaliste ne douta pas un seul instant qu'il s'agissait d'un garçon. Il ajouta qu'ils étaient allés ensemble dans le quartier chilien pour recueillir des informations, mais nul ne connaissait le nom qu'elle utilisait et il leur fut impossible d'obtenir son adresse. Il expliqua qu'Eliza était sans doute allée en Californie pour rejoindre son amoureux, mais quelque chose avait mal tourné et ils ne s'étaient pas retrouvés, car le but de sa visite à Jacob Freemont était de se renseigner sur un bandit armé dont le nom ressemblait à celui de son amoureux.

— Ce doit être lui. Joaquín Andieta est un voleur. Il est parti du Chili en fuyant la justice, marmonna Jeremy Sommers.

Il avait été impossible de lui cacher l'identité de l'amoureux d'Eliza. Miss Rose dut également lui avouer qu'elle rendait régulièrement visite à la mère de Joaquín Andieta pour prendre des nouvelles, et que la malheureuse femme, de plus en plus pauvre et malade, était convaincue que son fils était mort. Il n'y avait d'autre explication à son long silence, disait-elle. Elle avait reçu une lettre de Californie, datée de février 1849, une semaine après son arrivée, dans laquelle il lui annonçait son intention de partir vers les gisements d'or et lui renouvelait sa promesse de lui écrire tous les quinze jours. Puis plus rien : il avait disparu sans laisser de traces.

— Vous ne trouvez pas curieux que Jacob Todd reconnaisse Eliza en dehors de son contexte et habillée en homme ? demanda Jeremy Sommers. Quand il l'a rencontrée, c'était une gamine. Cela fait combien d'années ? Au moins six ou sept ans. Comment pouvait-il imaginer qu'Eliza se trouvait en Californie ? Tout cela est absurde.

— Il y a trois ans, je lui ai raconté ce qui était arrivé et il m'a promis de faire des recherches. Je la lui ai décrite en détail, Jeremy. De plus, Eliza n'a pas beaucoup changé de visage ; quand elle est partie, c'était encore une enfant. Jacob Freemont l'a cherchée pendant un certain temps, jusqu'à ce que je lui apprenne sa mort. Maintenant il m'a promis de reprendre ses recherches, il pense même engager un détective. J'espère vous rapporter des nouvelles plus concrètes lors de mon prochain voyage.

— Pourquoi n'oublions-nous pas cette affaire une fois pour toutes ? soupira Jeremy.

— Parce qu'il s'agit de ma fille, nom de Dieu ! s'exclama le capitaine.

— Moi j'irai en Californie chercher Eliza ! l'interrompit Miss Rose, en se levant.

— Toi tu n'iras nulle part ! s'exclama son frère aîné.

Mais elle avait déjà quitté la pièce. La nouvelle fut une injection de sang nouveau pour Miss Rose. Elle avait la certitude absolue qu'elle retrouverait sa fille adoptive et, pour la première fois en quatre ans, resurgissait une raison de continuer à vivre. Elle découvrit avec admiration que ses anciennes forces étaient intactes, seulement repliées dans un lieu secret de son cœur, prêtes à la servir comme elles l'avaient servie jadis. Sa migraine disparut comme par enchantement, elle transpirait et ses pommettes étaient rouges d'euphorie lorsqu'elle appela les femmes de service et leur demanda de l'accompagner dans la pièce aux armoires chercher des valises.

En mai 1853, Eliza lut dans le journal que Joaquín Murieta et son acolyte, Jack Trois-Doigts, avaient attaqué un campement de six Chinois pacifiques. Après les avoir attachés avec leurs tresses et égorgés, ils avaient laissé les têtes pendues à un arbre, comme une grappe de melons. Les chemins étaient la proie des bandits, personne n'était en sûreté dans cette région, il fallait se déplacer par groupes nombreux et bien armés. Ils assassinaient des mineurs américains, des aventuriers français, des joueurs juifs et des voyageurs de n'importe quelle race, mais, d'une façon générale, ils n'attaquaient ni les Indiens ni les Mexicains, les *gringos* s'en chargeaient. Les gens terrorisés fermaient leurs portes et leurs fenêtres à double tour, les hommes ouvraient l'œil avec des fusils chargés à portée de main et les femmes se cachaient, parce que aucune ne voulait tomber entre les mains de Jack Trois-Doigts. En revanche, Murieta ne maltraitait jamais une femme, disait-on, et, plusieurs fois, il avait empêché une jeune fille d'être violée par les scélérats de sa bande. Les auberges refusaient d'accueillir des étrangers par crainte que l'un d'eux fût Murieta. Personne ne l'avait jamais vu de ses propres yeux et les descriptions se contredisaient, même si les articles de Freemont avaient fini par créer une image romantique du bandit que la plupart des lecteurs acceptaient comme authentique. Le premier groupe de volontaires prêts à faire la chasse à la bande se constitua à Jackson. Bientôt on vit apparaître des compagnies de vengeurs dans chaque village, et commença alors une chasse à l'homme sans précédent. Quiconque parlait espagnol était la proie des soupçons. En quelques semaines, il y eut plus de lynchages expéditifs que durant les quatre années écoulées. Il suffisait de parler espagnol pour devenir un ennemi public et se mettre à dos les shérifs et les gardes mobiles. La bande de Murieta, fuyant un jour une troupe de soldats américains qui était sur ses talons, dévia légèrement sa route pour attaquer un campement de Chinois. Les soldats furent ridiculisés car, arrivant quelques secondes plus tard sur les lieux, ils trouvèrent plusieurs hommes morts et d'autres en train d'agoniser. On disait que Joaquín Murieta s'en prenait aux Asiatiques parce qu'ils se défendaient rarement, même s'ils étaient armés ; les « célestes » en avaient tellement peur que son seul nom provoquait chez eux des mouvements de panique. Cependant, selon la rumeur, le bandit était en train de monter une armée et, avec la complicité des riches propriétaires terriens mexicains de la région, il pensait déclencher une révolte, soulever la population hispanique, massacrer les Américains et rendre la Californie au Mexique ou la transformer en république indépendante.

Attentif à la clameur populaire, le gouverneur signa un décret autorisant le capitaine Harry Love, et un groupe de vingt volontaires, à partir sur les traces de Joaquín Murieta pour une durée de trois mois. Il fut assigné un salaire de cent cinquante dollars par mois à chacun des hommes, ce qui n'était pas beaucoup, étant donné qu'ils devaient prendre en charge leur monture, leurs armes et leurs provisions. En moins d'une semaine pourtant, la compagnie était prête à se mettre en chemin. Une récompense de mille dollars était offerte pour la tête de Joaquín Murieta. Comme le signala Jacob Freemont dans le journal, on condamnait un homme à mort sans connaître son identité, sans avoir prouvé ses crimes, et sans l'avoir jugé ; la mission du capitaine Love équivalait à un lynchage. Eliza ressentit un mélange de terreur et de soulagement qu'elle ne sut s'expliquer. Elle ne souhaitait pas que ces hommes tuent Joaquín, mais peut-être étaient-ils les seuls capables de le retrouver. Fatiguée de tâtonner dans l'obscurité, elle ne souhaitait plus que sortir de son incertitude. De toute façon, il était peu probable que le capitaine Love réussisse là où tant d'autres avaient échoué : Joaquín Murieta semblait invincible. On disait que seule une balle en argent pouvait le tuer, car on avait vidé deux chargeurs sur lui à bout portant et il continuait à galoper dans la région de Calaveras.

— Si cet animal est ton amoureux, il vaut mieux que tu ne le retrouves jamais, dit Tao Chi'en quand elle lui montra les coupures de journaux collectionnées pendant plus d'un an.

— Je ne crois pas que c'est lui...

— Comment le sais-tu ?

En rêve, elle voyait son ancien amant portant ses vêtements usés et ses chemises rapiécées, mais propres et bien repassés, comme à l'époque de leurs amours à Valparaiso. Il surgissait avec un air tragique, le regard intense, avec son odeur de savon et de transpiration fraîche, il prenait ses mains sous les siennes comme jadis et lui parlait avec flamme de la démocratie. Parfois ils étaient étendus sur le tas de rideaux dans la pièce aux armoires, côte à côte, sans se toucher, tout habillés, alors qu'autour d'eux craquaient les bois fouettés par le vent marin. Et chaque fois, dans chacun de ses rêves, Joaquín avait une étoile lumineuse sur le front.

— Et que cela signifie-t-il ? voulut savoir Tao Chi'en.

— Aucun homme mauvais n'a d'étoile sur le front.

— Ce n'est qu'un rêve, Eliza.

— Pas un seul rêve, Tao, mais plusieurs...

— Alors ce n'est pas l'homme que tu recherches.

— Peut-être, mais je n'ai pas perdu mon temps, répliqua-t-elle, sans donner d'autre explication.

Pour la première fois en quatre ans, elle reprenait conscience de son corps, relégué dans un endroit insignifiant depuis la minute où Joaquín Andieta lui avait dit adieu au Chili, ce funeste 22 décembre 1848. Dans son obsession de retrouver cet homme, elle avait renoncé à tout, même à sa féminité. Elle craignait d'avoir perdu en chemin sa condition de femme pour devenir une curieuse entité asexuée. Parfois, chevauchant à travers les collines et les bois, exposée à l'inclémence des vents, elle se rappelait les conseils de Miss Rose qui se lavait avec du lait et jamais n'acceptait un rayon de soleil sur sa peau de porcelaine ; mais elle ne pouvait s'arrêter à de telles considérations. Elle supportait l'effort et le châtiment parce qu'elle n'avait pas d'alternative. Elle considérait son corps, ainsi que ses pensées, sa mémoire ou son odorat, comme une partie inséparable de son être. Auparavant, Eliza ne comprenait pas à quoi Miss Rose faisait référence lorsque cette dernière parlait de l'âme, car elle ne parvenait pas à la différencier de l'unité qu'elle était. Maintenant, elle commençait à percevoir sa nature : l'âme était la partie immuable d'elle-même. Le corps, en revanche, était cet animal redoutable qui, après des années à hiberner, se réveillait indompté et plein d'exigences. Il venait lui rappeler l'ardeur du désir qu'elle était parvenue à savourer brièvement dans la pièce aux armoires. Depuis lors, elle n'avait pas ressenti une véritable urgence de l'amour ou du plaisir physique, comme si cette partie d'elle-même était restée profondément endormie. Elle lui attribua la douleur d'avoir été abandonnée par son amant, la panique de se voir enceinte, sa promenade à travers les labyrinthes de la mort dans le bateau, le traumatisme de l'avortement. Elle avait été tellement triturée que la terreur de se retrouver dans la même situation avait été plus forte que l'élan de la jeunesse. Elle estimait que, pour l'amour, le prix à payer était trop élevé, et qu'il était préférable d'en faire l'impasse, mais quelque chose avait chaviré en son for intérieur durant les dernières années vécues près de Tao Chi'en. Soudain, l'amour ainsi que le désir lui semblaient inévitables. La nécessité de s'habiller en homme commençait à lui peser comme une charge. Elle se rappelait la petite salle de couture où Miss Rose devait, en ce moment même, confectionner une de ses jolies robes, et une bouffée de nostalgie pour ces délicats après-midi de son enfance s'emparait d'elle, au souvenir du thé à cinq heures servi dans les tasses que Miss Rose avait héritées de sa mère, des sorties pour acheter des frivolités de contrebande sur les bateaux. Et qu'en était-il de Mama Fresia ? Elle la voyait grogner dans la cuisine, grosse et tiède, sentant le thym, toujours une grande cuiller dans la main et une marmite fumante sur le réchaud, telle une sorcière affable. Elle regrettait terriblement cette absence de complicité féminine d'antan ; un désir puissant de se sentir à nouveau femme s'emparait d'elle. Dans sa chambre, il n'y avait pas un seul grand miroir pour observer ce petit bout de femme qui luttait pour s'imposer. Elle voulait se voir nue. Parfois, elle se réveillait à l'aube, fiévreuse à cause de ses rêves impétueux où, à l'image de Joaquín Andieta avec son étoile sur le front, venaient se superposer d'autres visions surgies des livres érotiques qu'elle lisait jadis à haute voix aux colombes de la Brisetout. Elle faisait alors cela avec une indifférence notoire, parce que ces descriptions ne lui évoquaient rien, mais maintenant elles venaient la hanter dans ses rêves comme des spectres lubriques. Seule dans ses beaux appartements aux meubles chinois, elle profitait de la lumière de l'aube qui filtrait faiblement à travers les fenêtres pour se consacrer à l'exploration détaillée d'elle-même. Elle retirait son pyjama, regardait avec curiosité les parties de son corps qu'elle parvenait à voir, et parcourait à tâtons les autres, comme à l'époque où elle découvrait l'amour. Eliza constatait qu'elle avait peu changé. Elle était très maigre, mais paraissait aussi plus forte. Ses mains étaient tannées par le soleil et le travail, mais le reste était clair et lisse comme elle se le rappelait. Elle se réjouissait de voir, après tant d'années aplatis sous une bande, les mêmes seins qu'avant, petits et fermes, avec des mamelons comme des pois chiches. Libérant ses cheveux, qu'elle n'avait pas coupés depuis quatre mois, elle se les peignait en une queue de cheval serrée, fermait les yeux et agitait la tête avec plaisir devant le poids et la consistance d'animal vivant de sa chevelure. Elle était surprise de voir cette jeune fille inconnue, avec des cuisses et des hanches rebondies, avec une taille fine et des poils frisés et rêches au pubis, si différents des cheveux lisses et élastiques de la tête. Elle levait un bras pour mesurer son extension, apprécier sa forme, voir de loin ses ongles ; avec l'autre main elle palpait son flanc, le relief des côtes, la cavité de l'aisselle, le contour du bras. Elle s'arrêtait aux points les plus sensibles du poignet et du coude, se demandant si Tao sentirait les mêmes chatouilles aux mêmes endroits. Elle tâtait son cou, dessinait ses oreilles, l'arrondi de ses sourcils, la ligne de ses lèvres ; parcourait du doigt l'intérieur de sa bouche et ensuite le portait aux mamelons qui se dressaient au contact de la salive chaude. Elle passait avec fermeté les mains sur ses fesses pour apprendre leur forme, puis avec légèreté, pour sentir sa peau tendue. Elle s'asseyait sur son lit et se palpait des pieds jusqu'aux aisselles, surprise de l'imperceptible toison dorée qui était apparue sur ses jambes. Elle écartait les cuisses et touchait la mystérieuse cicatrice de son sexe, douce et humide ; cherchait la tête du clitoris, centre même de ses désirs et de ses confusions, et dans le frôlement, surgissait sur-le-champ l'image inattendue de Tao Chi'en. Ce n'était pas Joaquín Andieta, dont elle pouvait à peine se remémorer le visage, mais son fidèle ami qui venait nourrir ses fébriles fantaisies, avec un mélange irrésistible d'ardentes étreintes, de suave tendresse et de rires partagés. Puis elle respirait ses mains, émerveillée de ce puissant arôme de sel et de fruit mûr qui émanait de son corps.

Trois jours après que le gouverneur eut mis à prix la tête de Joaquín Murieta, le vapeur *Northener* mouilla dans le port de

San Francisco avec, à son bord, deux cent soixante-quinze sacs de courrier et Lola Montez, la courtisane la plus célèbre d'Europe; Tao Chi'en et Eliza n'en avaient jamais entendu parler. Ils se trouvaient sur le quai par hasard, pour réceptionner une boîte de potions chinoises apportée par un marin de Shanghai. Ils pensaient que la cause de ce tumulte de carnaval se devait au courrier, car jamais on n'avait reçu un chargement aussi imposant, mais les pétards de la fête les tirèrent de leur erreur. Dans cette ville, habituée à toutes sortes de prodiges, s'était rassemblée une foule d'hommes curieux de voir l'incomparable Lola Montez qui avait fait le voyage par l'isthme de Panama, précédée par les roulements de tambour de sa renommée. Elle descendit du bateau portée par deux marins chanceux qui la déposèrent sur la terre ferme avec des révérences dignes d'une reine. Telle était exactement l'attitude de cette célèbre amazone alors qu'elle recevait les vivats de ses admirateurs. Le brouhaha surprit Eliza et Tao Chi'en qui n'avaient aucune idée du renom entourant la belle, mais très vite les spectateurs les mirent au courant. Il s'agissait d'une Irlandaise, roturière et bâtarde qui se faisait passer pour une actrice et pour une noble danseuse espagnole. Elle dansait comme une oie, et de l'actrice elle n'avait que l'orgueil immodéré, cependant son nom évoquait des images licencieuses de grande séductrice, de Dalila à Cléopâtre, et c'est pourquoi des foules délirantes venaient l'applaudir. On ne venait pas pour son talent, mais pour vérifier de près sa malignité troublante, sa légendaire beauté et son tempérament fier. Sans autre talent que son sans-gêne et son audace, elle remplissait les théâtres, dépensait autant qu'une armée, collectionnait les bijoux et les amants, piquait des colères homériques, avait déclaré la guerre aux jésuites et avait été expulsée de plusieurs villes, et sa plus grande prouesse avait été d'avoir brisé le cœur d'un roi. Ludwig Ier de Bavière fut un homme bon, avare et prudent pendant les soixante premières années de sa vie, jusqu'à ce que Lola croise son chemin, le retournant comme une crêpe et le transformant en pantin. Le monarque perdit l'esprit, la santé et son honneur tandis qu'elle puisait dans les coffres royaux de son petit royaume. L'amoureux Ludwig lui offrit tout ce qu'elle réclama, même le titre de comtesse, mais il ne put la faire accepter par ses sujets. Ses mauvaises manières et les caprices extravagants de cette femme provoquèrent la haine des citoyens de Munich, qui finirent par descendre dans la rue pour exiger l'expulsion de la chérie du roi. Au lieu de disparaître silencieusement, Lola affronta la foule, armée d'un fouet pour chevaux, et ils en auraient fait de la charpie si ses fidèles serviteurs ne l'avaient mise de force dans une voiture qui gagna la frontière. Désespéré, Ludwig Ier abdiqua et voulut la suivre dans son exil ; mais sans couronne, sans pouvoir et sans compte en banque, le beau monsieur ne lui servait plus à grand-chose et la beauté le planta là, tout simplement.

— En fait, elle n'a d'autre mérite que celui de la mauvaise réputation, dit Tao Chi'en.

Quelques Irlandais détachèrent les chevaux de la voiture de Lola, prirent leur place et la traînèrent jusqu'à son hôtel par des rues tapissées de pétales de fleurs. Eliza et Tao Chi'en la virent passer en une glorieuse procession.

— Il ne manquait plus que ça dans ce pays de fous, soupira le Chinois sans un second regard pour la belle.

Eliza suivit le carnaval sur quelques rues, mi-amusée, mi-admirative, tandis qu'autour d'elle éclataient pétards et coups de feu tirés en l'air. Lola Montez avait les cheveux noirs partagés par le milieu avec des boucles sur les oreilles et des yeux fous couleur bleu nuit. Elle tenait son chapeau à la main, portait une jupe en velours cramoisi, une blouse ornée de dentelles au col et aux poignets, et une petite veste de torero sertie de verroteries. Elle affichait une attitude moqueuse et pleine de défi, tout à fait consciente d'incarner les désirs et les secrets les plus primitifs de l'homme, et symbolisait à elle seule ce que craignaient le plus les défenseurs de la morale. C'était une idole perverse et le rôle l'enchantait. Dans l'enthousiasme du moment, quelqu'un lui lança une poignée de poudre d'or, qui resta fixée à ses cheveux et ses vêtements comme une pluie d'étoiles dorées. La vision de cette jeune femme, l'air triomphant et ne connaissant pas la peur, secoua Eliza. La jeune fille pensa à Miss Rose, comme elle le faisait de plus en plus souvent, et sentit pour cette dernière une vague de compassion et de tendresse. Elle la revoyait comprimée dans son corset, le dos rigide, la taille étranglée, transpirant sous ses cinq jupons, « assieds-toi les jambes serrées, marche droit, ne te presse pas, parle à voix basse, souris, ne fais pas de grimace, sinon tu auras des rides, tais-toi et feins l'intérêt, les hommes aiment que les femmes les écoutent ». Miss Rose avec son odeur de vanille, toujours complaisante... Mais elle se la rappela aussi dans la baignoire, à peine couverte d'une chemise mouillée, les yeux rieurs, les cheveux en bataille, les joues rouges, libre et contente, chuchotant avec elle, « une femme peut faire ce qu'elle veut, Eliza, à condition que ce soit avec discrétion ». Lola Montez, elle, agissait sans la moindre prudence. Ayant vécu plus de vies que l'aventurier le plus brave, elle agissait avec l'arrogance d'une femme sûre d'elle. Ce soir-là, Eliza entra dans sa chambre, l'air pensif, et ouvrit discrètement la valise contenant ses vêtements, comme qui commet une faute. Elle l'avait laissée à Sacramento lorsqu'elle s'était lancée à la poursuite de son amant la première fois, Tao Chi'en l'avait gardée avec l'idée qu'un jour le contenu pourrait lui servir. En l'ouvrant, quelque chose tomba par terre et, à sa grande surprise, elle vit le collier de perles, prix qu'elle avait payé à Tao Chi'en pour la faire pénétrer dans le bateau. Elle resta un long moment avec les perles à la main, émue. Elle secoua ses vêtements et les posa sur son lit; ils étaient froissés et sentaient le renfermé. Le lendemain, elle les porta dans la meilleure blanchisserie de Chinatown.

— Je vais écrire une lettre à Miss Rose, Tao, annonça-t-elle.

— Pourquoi ?

— Elle est comme ma mère. Si moi je l'aime tant, c'est sûr

qu'elle m'aime aussi beaucoup. Ce sont quatre années sans nouvelles, elle doit croire que je suis morte.

— Tu aimerais la revoir ?

— Bien sûr, mais c'est impossible. Je vais écrire seulement pour la tranquilliser, mais il serait bon qu'elle puisse me répondre, ça ne te fait rien que je lui donne cette adresse ?

— Tu veux que ta famille te retrouve... dit-il, et sa voix se brisa.

Le regardant à cet instant, Eliza comprit qu'elle n'avait jamais été aussi proche de quelqu'un, dans ce monde, qu'en ce moment de Tao Chi'en. Elle sentit cet homme dans sa propre chair, avec une certitude si ancienne et si féroce qu'elle s'émerveilla de tout le temps passé à son côté. Elle le regrettait, même si elle le voyait tous les jours. Elle regrettait l'époque sans préoccupations où ils étaient bons amis, alors tout semblait facile, mais elle ne voulait pas non plus revenir en arrière. Maintenant il y avait quelque chose entre eux, une chose beaucoup plus complexe et fascinante que leur ancienne amitié.

Ses robes et ses jupons étaient revenus de la blanchisserie et se trouvaient sur son lit, enveloppés dans du papier. Elle ouvrit sa valise et en tira ses bas blancs et ses bottines, mais laissa le corset. Elle sourit à l'idée qu'elle ne s'était jamais habillée seule, puis elle passa ses jupons et essaya une à une les robes afin de choisir la plus appropriée pour l'occasion. Elle se sentait étrangère dans ces vêtements, elle s'emmêla dans les rubans, les dentelles et les boutons. Il lui fallut plusieurs minutes pour nouer ses bottines et trouver l'équilibre sous tant de jupons, mais à chaque vêtement enfilé, ses doutes s'éloignaient et son désir de redevenir une femme s'affirmait. Mama Fresia l'avait prévenue contre le calembour de la féminité, « ton corps changera, tes idées se troubleront et n'importe quel homme fera de toi ce qu'il voudra », disait-elle, mais de tels risques ne l'effrayaient plus.

Tao Chi'en avait fini de s'occuper du dernier malade de la journée. Il était en bras de chemise et avait retiré sa cravate, qu'il mettait toujours par respect pour ses patients, suivant en cela les conseils de son maître d'acupuncture. Il transpirait parce que le soleil n'était pas encore couché, ç'avait été une des rares journées chaudes du mois de juillet. Il pensait ne jamais pouvoir s'habituer aux caprices climatiques de San Francisco, où l'été conservait quelque chose de l'hiver. Un soleil radieux apparaissait à l'aube et, quelques heures plus tard, le Golden Gate était recouvert d'un épais brouillard, ou balayé par un vent marin. Il était en train de plonger les aiguilles dans l'alcool et de ranger ses flacons quand Eliza fit son entrée. L'assistant était parti et ils n'avaient aucune *sing song girl* à charge ; ils étaient seuls dans la maison.

— J'ai quelque chose pour toi, Tao, fit-elle.

Alors il leva les yeux et, de surprise, laissa tomber le flacon qu'il tenait à la main. Eliza portait une élégante robe sombre avec des dentelles autour du cou. Il l'avait vue seulement deux fois habillée en femme, quand il avait fait sa connaissance à Valparaiso, mais il n'avait pas oublié son allure.

— Ça te plaît ?

— Tu me plais toujours, dit-il en souriant, enlevant ses lunettes pour l'admirer de loin.

— C'est ma robe du dimanche. Je l'ai mise parce que je veux me faire faire un portrait. Tiens, c'est pour toi, ajouta-t-elle en lui tendant une bourse. Ce sont mes économies... pour que tu achètes une autre fille, Tao. Je pensais aller chercher Joaquín cet été, mais je n'irai pas. Je sais maintenant que je ne le retrouverai pas.

— Il semble que nous soyons tous venus chercher une chose, et que nous en ayons trouvé une autre.

— Qu'est-ce que tu cherchais, toi ?

— Des connaissances, du savoir, que sais-je ? En revanche, j'ai trouvé les *sing song girls,* et regarde dans quel pétrin je me suis mis.

— Que tu es peu romantique, mon Dieu ! Par galanterie tu pourrais dire que tu m'as trouvée, moi aussi.

— Je t'aurais trouvée de toute façon, c'était écrit.

— Ne recommence pas avec tes histoires de réincarnation...

— Exact. Dans chaque réincarnation nous nous retrouverons jusqu'à résoudre notre karma.

— C'est épouvantable. De toute façon, je ne retournerai pas au Chili, mais je ne me cacherai pas non plus, Tao. Je veux être moi-même.

— Tu as toujours été toi.

— Ma vie est ici. Bon, si tu veux que je t'aide...

— Et Joaquín Andieta ?

— Peut-être que l'étoile sur le front signifie qu'il est mort. Imagine ! J'ai fait ce terrible voyage en vain.

— Rien ne se fait en vain. Dans la vie on n'arrive nulle part, Eliza, on marche, c'est tout.

— Le chemin que nous avons suivi ensemble est conséquent. Accompagne-moi, je vais me faire faire un portrait pour l'envoyer à Miss Rose.

— Tu peux en faire un autre pour moi ?

Ils s'en furent à pied, la main dans la main, jusqu'à la place de l'Union, où s'étaient installés plusieurs photographes, et ils choisirent la boutique la plus en vue. On pouvait voir une collection d'images des aventuriers de 49 exposées dans la vitrine : un jeune homme à la barbe blonde et à l'expression décidée, le pic et la pelle dans les bras ; un groupe de mineurs en bras de chemise, le regard fixé sur la caméra, très sérieux ; des Chinois sur les berges d'une rivière ; des Indiens lavant de l'or avec des paniers de fin tissu ; des familles de pionniers près de leurs wagons. Les daguerréotypes étaient à la mode, ils étaient le lien avec les êtres lointains, la preuve qu'ils avaient bien vécu l'aventure de l'or. On disait que, dans les villes de l'Est, des hommes qui n'avaient jamais mis les pieds en Californie se faisaient photographier avec des outils de mineur. Eliza était convaincue que l'extraordinaire invention de la photographie avait détrôné définitivement les peintres, lesquels ne parvenaient jamais à la ressemblance.

— Miss Rose possède un portrait d'elle avec trois mains, Tao. Il a été exécuté par un peintre célèbre, dont je ne me souviens plus le nom.

— Avec trois mains ?

— C'est-à-dire que le peintre lui en a mis deux, mais elle en a ajouté une troisième. Son frère Jeremy a failli tomber à la renverse en le voyant.

Elle voulait mettre son daguerréotype dans un cadre fin en métal doré, sur un fond de velours rouge, pour le bureau de Miss Rose. Elle apportait les lettres de Joaquín Andieta pour les faire vivre à travers la photographie avant de les détruire. A l'intérieur, la boutique ressemblait aux décors d'un petit théâtre, il y avait des rideaux figurant des tonnelles fleuries et quelques cygnes sur un lac, des colonnes grecques en carton, des guirlandes de roses et même un ours naturalisé. Le photographe était un petit homme pressé qui parlait par à-coups et marchait à petits pas de crapaud pour éviter les nombreux objets encombrant son studio. Une fois les détails précisés, il installa Eliza devant une table avec ses lettres d'amour à la main et lui plaça une barre métallique dans le dos avec un support pour le cou, assez semblable à celle que lui mettait Miss Rose pour ses leçons de piano.

— C'est pour que vous ne bougiez pas. Regardez la boîte et ne respirez plus.

Le petit homme disparut derrière un tissu noir. Peu après une fumée blanche l'aveugla et une odeur de brûlé la fit éternuer. Pour le second portrait, elle mit les lettres de côté et demanda à Tao Chi'en de l'aider à passer son collier de perles.

Le lendemain, Tao Chi'en sortit très tôt pour acheter le journal, comme il le faisait toujours avant d'ouvrir le cabinet, et vit les titres sur six colonnes : Joaquín Murieta avait été tué.

Il regagna la maison, le journal serré contre la poitrine, pensant à la façon dont il allait annoncer la nouvelle à Eliza, et se demandant comment elle l'accueillerait.

A l'aube du 24 juillet, après avoir passé trois mois à chevaucher dans toute la Californie, donnant des coups dans le vide, le capitaine Harry Love et ses vingt mercenaires atteignirent la vallée de Tulare. Ils en avaient plus qu'assez de poursuivre des fantômes et de courir vers de fausses pistes. La chaleur et les moustiques les mettaient de très mauvaise humeur et ils commençaient à se haïr les uns les autres. Trois mois d'été à chevaucher à la dérive dans ces collines, sous un soleil de plomb, était un grand sacrifice pour un si maigre salaire. Dans les villages ils avaient vu les avis portant l'offre de mille dollars de récompense pour la capture du bandit. Plusieurs d'entre eux portaient, gribouillée, cette phrase : « Moi je paie cinq mille dollars », signée Joaquín Murieta. Ils se rendaient ridicules et il ne restait que trois jours avant l'expiration du délai ; s'ils revenaient les mains vides, ils ne verraient pas un centime des mille dollars du gouverneur. Mais ce devait être leur jour de chance car, au moment où ils avaient perdu tout espoir, ils étaient tombés sur un groupe de sept Mexicains qui campaient tranquillement sous les arbres.

Plus tard, le capitaine dirait qu'ils portaient des habits et des montures de grand luxe et avaient des coursiers très fins, ce qui avait éveillé leur curiosité, raison pour laquelle il s'était approché pour les prier de se présenter. Au lieu d'obtempérer, les suspects avaient couru à toutes jambes vers leurs chevaux, mais avant d'avoir pu les enfourcher, ils avaient été encerclés par les gardes de Love. Le seul à ignorer de façon olympienne les attaquants et à avancer vers son cheval, comme s'il n'avait pas entendu l'avertissement, était vraisemblablement le chef. Il ne portait qu'un couteau de montagne à la ceinture. Ses armes étaient accrochées à sa monture, mais il ne put les atteindre car le capitaine lui avait posé son pistolet sur la tempe. A quelques pas de là, les autres Mexicains observaient, attentifs, prêts à voler au secours de leur chef à la première inattention des gardes, dirait Love dans sa déposition. Ils avaient effectué une tentative de fuite désespérée, peut-être avec l'intention de distraire les gardes, tandis que leur chef enfourchait un superbe alezan d'un formidable saut et prenait la fuite. Il n'était pas allé bien loin, un coup de feu avait blessé l'animal qui avait roulé à terre en vomissant son sang. Alors le cavalier, qui n'était autre que le célèbre Joaquín Murieta, soutint le capitaine Love, s'était mis à courir comme un lapin et il avait dû vider son chargeur dans la poitrine du bandit.

— Ne tirez plus, vous avez fait votre travail, dit-il avant de s'effondrer lentement, rendant son dernier souffle.

C'était la version dramatisée de la presse et il n'était resté aucun Mexicain vivant pour raconter sa propre version des faits. Le vaillant capitaine Harry Love fit couper d'un coup de sabre la tête du supposé Murieta. Un garde remarqua qu'une des victimes avait une main déformée et ils décidèrent sur-le-champ qu'il s'agissait de Jack Trois-Doigts, de sorte qu'ils le décapitèrent aussi et, en passant, lui coupèrent la main mutilée. Les vingt gardes partirent au galop jusqu'au premier village, qui se trouvait à plusieurs milles de distance, mais il faisait une chaleur infernale et la tête de Jack Trois-Doigts était tellement criblée de balles qu'elle commençait à se décomposer, et ils durent la jeter en chemin. Poursuivis par les mouches et les mauvaises odeurs, le capitaine Harry Love se dit qu'il devait préserver les dépouilles, sinon, une fois à San Francisco, il ne pourrait pas toucher sa récompense bien méritée. Il les mit donc dans deux flacons de genièvre. Le capitaine fut accueilli comme un héros : il avait libéré la Californie du pire bandit de toute son histoire. Mais l'affaire n'était pas claire, signala Jacob Freemont dans son reportage, l'histoire sentait la supercherie. Pour commencer, nul ne pouvait prouver que les faits s'étaient déroulés comme le disaient Harry Love et ses hommes, et il était plus que suspect qu'après trois mois de recherche infructueuse, sept Mexicains tombent au moment où le capitaine en avait justement besoin. Ensuite, personne n'était en mesure d'identifier Joaquín Murieta. Jacob Todd se présenta pour voir la tête et il ne put affirmer que c'était celle du bandit qu'il avait connu, même s'il existait une certaine ressemblance.

Pendant des semaines, furent exposées, à San Francisco, les dépouilles du présumé Joaquín Murieta, ainsi que la main de son abominable acolyte Jack Trois-Doigts, avant qu'elles ne fassent en triomphe le tour de la Californie. Les files de curieux se déployaient tout autour du pâté de maisons, tout le monde voulait voir de près ces sinistres trophées. Eliza fut une des premières à se présenter et Tao Chi'en l'accompagna, parce qu'il ne voulait la laisser traverser seule cette terrible épreuve, même si elle avait accueilli la nouvelle avec un grand calme. Après une attente interminable sous le soleil, vint leur tour d'entrer dans le bâtiment. Eliza serra la main de Tao Chi'en et avança d'un pas décidé, indifférente aux flots de transpiration qui trempaient sa robe et aux frissons qui l'agitaient de la tête aux pieds. Ils se retrouvèrent dans une salle sombre, mal éclairée par des cierges jaunes qui diffusaient un halo sépulcral. Des tissus noirs couvraient les murs et, dans un coin, un pianiste plaquait des accords funèbres avec davantage de résignation que de vrai sentiment. Sur une table, également couverte de linges noirs, on avait installé les deux bocaux en verre. Eliza ferma les yeux et se laissa conduire par Tao Chi'en, persuadée que les coups de tambour de son cœur couvraient les accords du piano. Ils s'immobilisèrent. Elle sentit la pression de la main de son ami dans la sienne, aspira une bouffée d'air et ouvrit les yeux. Elle regarda la tête l'espace de quelques secondes et se laissa aussitôt entraîner à l'extérieur.

— C'était lui ? demanda Tao Chi'en.

— Je suis enfin libre... répliqua-t-elle sans lâcher sa main.

TABLE

PREMIÈRE PARTIE
1843-1848

DEUXIÈME PARTIE
1848-1849

TROISIÈME PARTIE
1850-1853

Achevé d'imprimer en juillet 2000
sur presse Cameron
*par **Bussière Camedan Imprimeries***
à Saint-Amand-Montrond (Cher)
pour le compte des éditions Grasset
61, rue des Saints-Pères, 75006 Paris

N° d'Édition : 11627. N° d'Impression : 003398/4.
Première édition : dépôt légal : avril 2000.
Nouveau tirage : dépôt légal : juillet 2000.

Imprimé en France

ISBN 2-246-58861-8